D0295415

Op de vijfde dag

A.J. Hartley

Op de vijfde dag

Karakter Uitgevers B.V.

Oorspronkelijke titel: On the fifth day

Vertaling: Jan Smit

Zetwerk: ZetSpiegel, Best
Omslag: Björn Goud

ISBN 978 90 6112 307 1
NUR 332

Voor Finie,
altijd gracieus en onverzettelijk

Tweede druk, mei 2008

Proloog: De gramschap Gods

Hij moest nu snel naar het dorp terug. Hij had al bijna een uur gezwommen, en hoewel het nauwelijks meer was dan ontspannen drijven, begon hij toch vermoeid te raken. De maan was opgekomen en hij was inmiddels gewend aan de duisternis van de hemel en de zee, maar ondanks het warme, stroperige water liep er soms een huivering over zijn rug. De zee was buitengewoon kalm en de golven kabbelden zo rustig naar de kust dat hij ze nauwelijks boven het geluid van zijn eigen ademhaling en zijn trage, vloeiende borstslag uit hoorde. Hij moest terug naar het dorp, en morgen zou hij naar huis vertrekken. Wat hij had gezocht op deze tropische eilanden had hij niet gevonden.

Nee, ook dat was niet helemaal waar. Hij had niet gevonden wat hij zocht, maar misschien wel iets anders, de afgelopen drie nachten, hier in de stilte en rust van de zee. Hij zou zijn zoektocht – zijn missie, zoals hij het zelf noemde, met gemengde gevoelens – moeten opgeven, maar zijn verblijf op het eiland zou dat eenvoudiger maken en de eeuwige drang om hier terug te keren wat beteugelen of hem mogelijk in een andere richting sturen.

Maar waar kon hij verder nog heen? Als het hier niet te vinden was, dan wellicht nergens.

Die gedachte had hij zichzelf nooit eerder toegestaan, en hij glimlachte even toen hij zich op zijn rug draaide en naar de sterren keek, gegroepeerd in hun miljoenen, op een wijze zoals hij ze nog nooit in Amerika had gezien. Met genoeg tijd, dacht hij, zou hij ze waarschijnlijk kunnen tellen...

Hij liet zich op de stroming drijven en voelde het water kouder worden toen hij verder van het strand raakte en de zee snel dieper werd. Op het laatste moment trappelde hij met zijn benen en zwom naar de smalle uitloper van de rots die zich als de staart van een reusachtige, vulkanische hagedis in zee uitstrekte. Hij herinnerde zich de hoop – nee, de zekerheid – waarmee hij voor het eerst naar die grote, grillige steenklomp had gestaard, ervan overtuigd dat het hier te vinden moest zijn.

Maar hij had het niet kunnen ontdekken en zijn magere middelen waren allang uitgeput.

Normaal werd de baai verlicht door de lantaarns van de eenvoudige vissersboten, maar vanavond was hij helemaal alleen, net als de voorafgaande twee nachten, tot koning van de zee verheven door een combinatie van gezond verstand en enig bijgeloof bij de plaatselijke bevolking. Hij zou nog een week kunnen doorzwemmen om de horizon voor zich alleen te houden. Maar wat had het voor zin...?

Een zesde zintuig waarschuwde hem voor de beweging in het water onder hem. Heel even dacht hij dat iets hem had geraakt, maar hij vergiste zich. Er was iets langs hem heen gegleden, iets groots.

Zijn vage angst voor het donker en de beschrijvingen van haaien en nog vreemdere wezens uit de halfvertaalde verhalen van de dorpelingen kwamen weer bij hem boven. Hij richtte zich op, begon krachtig te watertrappelen en keek om zich heen waar hij het snelst aan land zou kunnen komen. Snel zwom hij in de richting van de rotsen.

Hij had maar een paar meter gezwommen toen zijn paniek alweer wegebde. Er was niets te zien in het water om hem heen, geen enkele beweging, geen suggestie dat er iets of iemand in zijn buurt was. Hij haalde diep adem, deed het wat rustiger aan en lachte in het donker. Zijn verbeelding – veel te levendig, zoals zijn superieuren altijd zeiden – speelde hem parten. Hij draaide zich om en deed weer twee rustige slagen naar het strand toe, terwijl hij zich vaag afvroeg hoe diep het water hier was. Hij strekte zijn tenen, hield zijn adem in, sloot zijn ogen en liet zich zo ver mogelijk zakken, met zijn armen boven zijn hoofd.

Ruim een halve meter beneden hem raakte hij iets met zijn voeten, maar het was geen steen of zand. Het veranderde wat van plaats toen hij contact maakte. Het leek groot en hard, en het zweefde bijna bewegingloos onder hem in het diepe, zwarte water.

Een haai?

Nee. Haaien zwommen, waren altijd in beweging. Dat moesten ze wel, anders verdronken ze. Dit... wat het ook was... hing gewoon in het water, alsof het aan de bodem was vastgeketend.

Toen de paniek hem weer bij de keel greep, schoot hij omhoog naar de oppervlakte, happend naar lucht alsof hij minuten onder water was geweest. Zodra hij bovenkwam begon hij te zwemmen, sneller dan ooit, op weg naar het strand en het dorp erachter.

Hij maakte zo lang mogelijke slagen, duwde het water met zijn handen terug en trok zich met zo veel kracht naar voren dat hij bij elke slag met hoofd en schouders boven de oppervlakte uit kwam.

Misschien had hij beter naar de rotsen kunnen zwemmen. Het strand

was verder weg, en hij kon zich daar niet snel op het droge hijsen. Nu zou hij het hele eind moeten zwemmen, om dan nog tientallen meters traag en log door het heuphoge water te waden...
Maar hij zwom verder, in het besef dat hij al door zijn reserves heen begon te raken en deze sprint onmogelijk zou kunnen volhouden tot aan de kust. Als er iets met hem meezwom, zou dat veel sneller zijn dan hij. Maar toen de seconden verstreken zonder dat hij van onderaf werd aangevallen, durfde hij wat vrijer adem te halen en verder te zwemmen.
De maan wierp een zacht, blauwwit schijnsel over het strand, zo ver weg en onwerkelijk dat deze idyllische omgeving plotseling in een vreemde nachtmerrie veranderd leek. De afstand scheen onoverbrugbaar, maar het ding dat hij had aangeraakt besprong hem niet en leek hem niet te achtervolgen. Toch zwom hij verder, met woeste, blinde slagen. Van zijn soepele zwemstijl was weinig meer over. Zijn zelfbeheersing was achtergebleven op open zee; hij werd nog slechts voortgedreven door paniek en de wanhopige wil om te overleven...
Het leken minuten, maar het konden hooguit seconden zijn geweest voordat zijn voeten de zanderige bodem raakten. Hij kwam overeind en probeerde te rennen, maar het water reikte tot aan zijn borst en wanhopig begon hij weer te zwemmen, bijna huilend van frustratie. Toen raakte zijn knie de bodem en richtte hij zich op. Met grote, onhandige sprongen rende hij naar de kust, nog steeds bang dat er elk moment iets naar zijn enkels zou kunnen happen. Ten slotte bereikte hij het zand en voelde de nachtbries op zijn lichaam toen hij dronken over het bleke strand wankelde, lachend om zijn ontsnapping. Eindelijk durfde hij toe te geven dat er helemaal niets onder de golven loerde, dat hij het zich allemaal had ingebeeld. De mogelijkheden waren immers eindeloos: een omgevallen palmboom, de gezonken romp van een kleine boot, een verdwenen markeringsboei...
Toen pas draaide hij zich om. Hij wist niet precies waarom, maar opeens was hij bang voor de zee in zijn rug.
En hij begreep al snel waarom.
Eén seconde kon hij niets anders doen dan staren, omdat hij niet geloofde wat hij zag. Het volgende moment, met een mengeling van doffe angst en vreemde opwinding, begon hij te rennen, naar de rieten daken van de hutjes in de verte.
Hij had dus gelijk gehad. Al die tijd. Hij had gelijk.
Hij schreeuwde nu, angstig maar ook uitgelaten, toen hij van het strand naar de kleine lichtpuntjes van het dorp vluchtte.

Nu kon hij het hun vertellen. Iedereen. Nu konden ze het zelf zien en zou de hele wereld anders worden.
Die gedachte ging nog door zijn hoofd toen hij, in een sprint van angst en vervoering, de eerste bamboehut bereikte. Heel even zag hij het nog als een hut, voordat het huisje en alle andere hutten van het dorp omhoog werden gezogen in een oogverblindende witte flits die hemzelf en de slapende dorpelingen hoog de lucht in smeten en met onvoorstelbaar geweld weer tegen de grond wierpen. Het geluid kwam pas een halve seconde later, als het gebulder van een reusachtig kanon, dat de atmosfeer deed trillen en overging in een diepe, onheilspellende grondtoon.
Toen het geweld eindelijk was bedaard en de golven weer rustig naar de kust kabbelden in plaats van te sissen en te kolken, toen de stilte neerdaalde over het zwartgeblakerde strand en het ooit zo vruchtbare land erachter, was er van het dorp en zijn inwoners niets meer over.

Deel I

Mijn broeders hoeder

'Uit de diepten roep ik tot u: O Here.
Here, hoor naar mijn stem.
Laat uw oren gevoelig zijn voor mijn smeekbeden.
Als gij, o Heer, onze schuld ons aanrekent,
wie zou dan overleven...?
Want bij de Here is genade en volledige verlossing.'

– Psalm 130:1-4
The Liturgy of the Hours, Psalter (Grail)
version (Londen, Collins, 1963)

1

Thomas Knight had in vijf minuten zijn bureau uitgeruimd. Hij had er nooit veel persoonlijke spullen bewaard. Hij pakte zijn eigen boeken – een complete Shakespeare, een heel selectieve keus uit de Romantici, wat titels van Austen, Dickens en de Stephen King en J.K. Rowling waarmee hij de kinderen tot lezen zette – en gooide ze in een doorzakkende kartonnen doos die niet dicht wilde.
In elk geval was er niemand aan wie hij het slechte nieuws hoefde te melden, dacht hij. Niet meer.
Om dezelfde reden waarom hij nu geen werk meer had?
Niet helemaal, antwoordde hij zichzelf. Dat was weer een heel andere stommiteit geweest.
Thomas grinnikte somber, sloeg zijn armen onder de doos en liep de eindeloze gang uit, langs de gymzaal en de lerarenkamer, op weg naar het parkeerterrein en de werkloosheid. Hij nam afscheid van Frank Samuels, de onwaarschijnlijk bejaarde conciërge, die bij de vuilniscontainer een sigaretje rookte. Breed lachend schudde hij Samuels de hand, iets te nadrukkelijk, voor het geval er iemand keek. Toen liep hij door de sneeuw naar zijn auto, terwijl hij een toonloos wijsje neuriede, alsof het een gewone dag was en hij zich nergens zorgen over maakte – wat allebei klopte, dacht hij, al schoot hij daar weinig mee op. In elk geval waren de media verdwenen.
Op weg naar huis kocht hij een liter goedkope whisky in een plastic fles bij Toni's aan Old Orchard en wenste de verkoper een prettige avond.
'U ook, meneer Knight,' zei de verkoper, die het spelletje meespeelde, alsof hij hem al weken niet had gezien en hem pas over veel langere tijd terugverwachtte.
Thomas haalde een pizza bij Carmen's en reed naar huis in de vallende avondschemer van de door bomen omzoomde straten van Evanstown, terwijl zijn woede steeds verder verwaterde tot het bekende gevoel dat hij door stommiteit zijn eigen glazen had ingegooid. Thuisgekomen ging hij maar een eind joggen om alles uit zijn hoofd te zetten.
Hij liep niet erg goed, zelfs niet als hij voor zijn doen in topconditie was, en hij had er een bloedhekel aan. Sloom slofte hij over de verra-

derlijke stoepen als een luiaard op schaatsen. Hij had joggen altijd stomvervelend gevonden, hoewel het hem meestal een soort voldoening gaf, alsof hij iets nuttigs had gedaan. Maar deze keer kon hij de dag niet van zich afschudden. De herinneringen achtervolgden hem als een verdwaalde wolfshond.

Zijn ontslag had al tijden in de lucht gehangen. Peter, de directeur van de school (om de een of andere reden zag Thomas hem altijd als een stripfiguur van een ijverige eekhoorn), had hem kansen genoeg gegeven, maar hij had ze allemaal verprutst, als een man die met dynamiet zorgvuldig alle bruggen achter zich opblies. Misschien was Peter niet de enige stripfiguur in dit scenario.

Hijgend liep hij terug naar huis, waar hij een douche nam en zijn pizza at, verreweg het prettigste moment van de afgelopen twaalf uur. Daarna begon hij aan de whisky. Tegen acht uur had hij al bijna de halve fles leeg, een gevaarlijke hoeveelheid. Hij dronk uit een mooi kristallen glas, twee ijsblokjes per keer, en hij sloeg de drank niet achterover. Maar hij dronk wel stevig door, met nauwelijks een pauze tussen de slokken – of tussen de glazen. Het glas was nog deel geweest van een huwelijkscadeau, dacht hij, terwijl hij ernaar keek als een expert bij *Antiques Roadshow*, die vaag verwees naar een ver verleden.

Om tien uur stommelde hij de badkamer binnen, verzamelde alle pillen die hij kon vinden en gooide ze in een ander whiskyglas, dat hij op het bijzettafeltje naast zijn leren fauteuil zette. Alledaagse tinten – wit en bruin, rood en geel – vervloeiden met de exotische, doorschijnende, iriserende kleuren van de neonblauwe en groene capsules. Het was voornamelijk ibuprofen en aspirine, maar er waren ook pillen bij waarvan hij de werking allang vergeten was. Antigrieptabletten? Laxeermiddelen?

'O, dit gaat leuk worden,' zei hij hardop.

Een paar minuten bleef hij peinzend zitten, starend naar het glas: geen worsteling met eeuwige waarheden, geen wanhoop, geen benauwende gedachten aan wat nog had kunnen zijn. Het besluit moest in een impuls worden genomen, vond hij, zoals de keuze welke jas hij zou aantrekken bij een bewolkte hemel.

Daar schiet je toch niets mee op? En bovendien zal het een reactie lijken op je ontslag. Erger nog, het zal worden opgevat als een 'gebaar'.

'God,' zei hij. 'Dat niet. Alles liever dan dat.'

Hij pakte het glas met de pillen op, rammelde ermee en zette het weer neer, langzaam maar vastberaden. Geen goedkoop melodrama, niet

vanavond in elk geval, ook al had hij geen enkele goede reden om morgen nog uit zijn bed te komen.
Daar moest hij zachtjes om lachen. Toen klemde hij zijn kaken op elkaar, plensde water over zijn gezicht bij de gootsteen en gooide de pillen in de afvalmolen. Pas toen het oorverdovende geknars van het apparaat was overgegaan in het bekende gejank dat hem vertelde dat de inhoud was verpulverd en doorgespoeld, bedacht hij dat hij de volgende morgen wel een paar van die aspirientjes had kunnen gebruiken.

De hele volgende dag bleef hij thuis en las afwezig in *Paradise Lost*, omdat het metrum van de regels hem vertrouwd was en zelfs enige troost bood. Hij had tegenwoordig weinig geloof meer in Miltons God, of wiens God dan ook, maar door het gedicht te herlezen was hij weer even terug op school, ver voor de latere mislukkingen in zijn leven. De dag erna keek hij naar een paar slechte films op televisie en at een steak in een restaurantje. Drinken deed hij thuis, omdat het goedkoper en minder vernederend was dan in zijn eentje in een kroeg te zitten. En natuurlijk ging hij weer joggen om zijn lichaam te straffen voor zijn gebrek aan 'karakter', zoals de directeur van zijn school, Peter het Hoofd, het had genoemd.
Hij was zevenendertig, hoewel hij zich ouder voelde: een grote, slungelige man met stakerige armen en benen en een logge manier van bewegen. Zijn ex-vrouw had hem alle dierennamen toegevoegd die ze kon bedenken, soms liefkozend, vooral van die onhandige, weinig spectaculaire beesten – olifanten, kamelen, waterbuffels, neushoorns – die iedereen in de dierentuin voorbijliep, op weg naar de grote katten. O, en muilezels, dacht hij. Vergeet de muilezels niet.
Want het sloeg niet alleen op zijn lichaam en hoe hij dat gebruikte. Het ging ook om zijn houding. Niet dat hij dom was. Kumi zei vaak genoeg dat hij veel te slim was voor zijn eigen bestwil. Maar hij had een koppig trekje, een soort eigenzinnigheid die een strijdlustig kantje kon krijgen als hij voldoende werd geprovoceerd. En als hij eerlijk was, moest hij toegeven dat hij een koppige ongevoeligheid bezat voor de prioriteiten van andere mensen.
Geen wonder, misschien, dat hij al zes jaar in zijn eentje woonde, lang genoeg om er bijna aan gewend te zijn. In die zes jaar was hij elke ochtend alleen wakker geworden, zodat hij het nu normaal vond, en niet eens omdat hij nooit de kans had gekregen iemand mee naar bed te nemen. Los van alle dronken melodrama, besefte hij, voelde hij zich wel prettig alleen.

En dat komt goed uit, want niemand houdt het lang met je vol...
Nog zo'n somber, cynisch lachje om zichzelf, dat zo'n beetje zijn handelsmerk was geworden.
Het huis was donker en koud. Hij zou moeten bezuinigen op de stookkosten, dus legde hij wat blokken in de haard en schonk zich nog een Cluny in, die hij in zijn handen warmde tot de dampen zijn neusvleugels deden tintelen. In gedachten ging hij weer terug naar het gesprek dat een einde had gemaakt aan zijn baan.
'Toen je hier pas kwam,' had de directeur gezegd, 'dachten we dat we een geweldige slag hadden geslagen. De kinderen waren dol op je, en hun ouders ook. Het schoolbestuur en zelfs de media hadden je hoog zitten. Je klassen haalden hoge cijfers, kregen beurzen en begonnen hun eigen lees- en schrijfclubjes. *Hun eigen clubjes!* Niet te geloven. Je was wel eigenwijs, maar ook principieel en ijverig. Eerlijk gezegd de beste leraar die ik ooit was tegengekomen.'
Thomas knikte, glimlachte even en herinnerde het zich alsof het iemand anders was overkomen. Maar zo was het gesprek natuurlijk niet geëindigd.
'Vijf jaar geleden,' had Peter vervolgd, 'ging het opeens mis. Helemaal mis. En nu... ik weet het niet. Het ligt niet eens aan al je vooroordelen of je grote bek, Thomas. Je kankert maar steeds over al die... al die *kwesties*, maar ik vraag me af of het je diep in je hart eigenlijk wel interesseert.'
Thomas hing in zijn stoel, zoals hij ook tegenover zijn directeur had gezeten, nog steeds geen stap dichter bij een antwoord. Uiteindelijk had hij gezegd: 'Ik weet niet wat ik eraan kan doen. Zo zit ik nu eenmaal in elkaar. Dat is wat ik doe.'
Waarop Peter had geantwoord, op een besliste toon die de enige echte verrassing van die dag was: 'Maar niet hier, Thomas. Niet meer hier.'
En zo was het geëindigd.
Toen de telefoon ging, drong het nauwelijks tot Thomas door. Hij had geen zin om op te nemen.
Het zou Peter wel zijn, die belde om uit te leggen dat hij onder grote druk stond en dat Thomas het hem maar niet kwalijk moest nemen.
Peter het Hoofd was per slot van rekening geen onredelijke vent.
Nee, meneer. Peter is een steunpilaar van de maatschappij, een voorbeeld voor iedereen.
Langzaam liep hij naar de telefoon en keek er even naar, zonder aan iets te denken. Hij voelde niets anders dan een leegte, een doffe vermoeidheid. Hij nam alleen maar op om een eind te maken aan het ge-

rinkel, en misschien om een streep te kunnen zetten onder de hele zaak. Als hij wachtte op het antwoordapparaat zou hij Peters welgemeende excuses hier in het donker moeten aanhoren en daarna nog eens, als Peter opnieuw belde en Thomas wel moest opnemen.
'Ja?' zei hij.
'Zou ik Thomas Knight kunnen spreken, alstublieft?'
Het was een man, maar niet Peter, en zijn stem klonk merkwaardig formeel.
De pers?
'Dat zou kunnen,' zei hij, 'maar hij is op dit moment in gesprek met een fles whisky. Het verbaast me dat hij nog altijd nieuws is. Ik bedoel, het is zeker al tien minuten geleden dat hij is ontslagen.' Een Shakespeariaanse overdrijving, dacht hij, om deze flauwe humor nog wat cachet te geven. 'Of gaat het nu om de "menselijke kant"?'
Een korte aarzeling. De stem klonk behoedzaam, zelfs ernstig.
'Pardon? Ik ben op zoek naar Thomas Knight, de broer van pater Edward Knight.'
Opeens begon de kamer langzaam om hem heen te draaien, omdat de naam van zijn oudere broer hem zo weinig vertrouwd meer in de oren klonk.
'Daar spreekt u mee,' zei hij. 'Met de broer van Ed Knight,' voegde hij er overbodig aan toe.
'Mijn naam is pater Frank Harmon, en ik ben de regionale overste van de Societas Jesu hier in Chicago.'
Thomas knikte en dwong zichzelf om te reageren: 'Ja?' Hij zei het met een ondertoon van sarcasme, een oude bitterheid die hij nooit helemaal kon onderdrukken tegenover functionarissen van de Katholieke Kerk, een bitterheid die zich zelfs nu nog opdrong, ondanks de angst die hij als een mist voelde neerdalen.
'Ik ben bang dat ik slecht nieuws voor u heb,' zei de stem.

2

De banken van de taxi waren hard en koud, maar zijn oude Volvo had twee dagen werkeloos in de sneeuw gestaan en geen tekenen van leven meer vertoond. Vanaf de achterbank zag hij de rechte straten van Oak Park voorbijglijden terwijl de chauffeur achter zijn perspexruit in het

Hindi in zijn radio zat te praten. Het gaf Thomas bijna het gevoel dat hij was gearresteerd. Er lag nog steeds een paar centimeter sneeuw, maar de slecht geplaveide straten en de opritten waren vrijgemaakt, zodat het geheel de indruk wekte van een halfafgemaakt karwei. De eengezinshuizen strekten zich eindeloos uit, met kleine verschillen die juist hun eenvormigheid benadrukten. De pastorie, als dat het juiste woord was, had wel een iets andere vorm, maar hoorde duidelijk bij de rest.
Ze was tegen een vervallen stenen kerk aan gebouwd, kleiner dan Thomas zich herinnerde en met achterstallig onderhoud. Het dak was opgelapt, de muren waren vuil en brokkelig, en de blauwe verf bladderde van de rottende kozijnen. PAROCHIEKERK VAN ST. ANTHONY, stond er met gebarsten vergulde letters op het bordje. Thomas durfde er iets onder te verwedden dat de kerk op zondag maar voor een kwart gevuld was en de rest van de week nog minder. Het was net zo'n kerk als uit zijn jeugd, een gebouw dat op een of andere manier leek te vervagen, als deel van een verloren wereld. Niet oud genoeg om pittoresk te zijn, niet groots genoeg om ontzag te wekken, een steenklomp gefundeerd op een verwachting van overvloed, maar inmiddels vergaan, steeds minder relevant met het verstrijken van de tijd...
Hou toch op.
Thomas schudde de stemming van zich af, zette de lege koffer neer die hij had meegebracht om Eds spullen op te halen en drukte op de bel. Hij hoorde een ijl, toonloos gerinkel in de verte. Toen niets meer, behalve de koude wind. Somber trok Thomas zijn jasje wat strakker om zich heen. Hij keek eens naar de verkleurde witte Honda op de oprit, een oud model met van die rechte hoeken. De carrosserie was half weggevreten door de kou van Chicago en – waarschijnlijk erger nog – door de pekel van de strooiwagens.
De deur ging open en er verscheen een kauwende man met een halfopgegeten boterham in zijn hand. Hij was een jaar of vijftig, mager en kalend. Hij maakte een gebaar met de boterham en deed een stap opzij om Thomas binnen te laten. Toen de deur met een klap achter hen dichtviel, waren ze beschut tegen de snerpende wind, maar het was niet veel warmer in de donkere, vochtige gang, die naar schimmel rook.
'Wil je thee?' vroeg de man vanachter zijn boterham, terwijl hij snel de gang door liep.
'Eh... graag,' zei Thomas. Hij volgde haastig in het kielzog van zijn gastheer en kreeg de vettige lucht van pindakaas in zijn neus.
'Koud vandaag, hè?' zei de man toen ze in de kale, kleurloze keuken stonden.

'Het moet eerst slechter worden voordat het beter gaat,' zei Thomas.
'Ik zal je nu iets te eten geven en zien of ik een opvangplek kan vinden,' zei de man, rommelend in een wanordelijke stapel papier. De kamer scheen als keuken en kantoor dienst te doen en schoot in beide opzichten tekort. 'Maar er zijn niet veel bedden beschikbaar in deze tijd van het jaar,' vervolgde hij zonder op te kijken.
'Sorry,' zei Thomas, 'maar mijn naam is Thomas Knight.'
'Jim,' zei de man. Hij keek op en knikte even. Hij klonk Iers of mogelijk Schots. Nog steeds bladerde hij in de stapel, gooide alles opzij wat hem niet van pas kwam, turend naar wat hij zocht.
'Ed Knight was mijn broer,' zei Thomas.
Het duurde misschien een halve seconde voordat de man die Jim heette opeens verstijfde, langzaam zijn rug rechtte en een lange, veelzeggende zucht slaakte: half begrijpend, half verontschuldigend.
'Juist,' zei hij. 'Neem me niet kwalijk. Ik dacht...'
'Je dacht dat ik een zwerver was,' zei Jim, en hij glimlachte, tot zijn eigen verbazing.
'Het komt door die koffer,' zei Jim, met een knikje naar Thomas' aftandse bagage. 'En de macht der gewoonte, natuurlijk.'
'Geen punt,' zei Thomas, die bedacht dat hij in andere omstandigheden Jim ook voor dakloos kon hebben aangezien. 'Er zijn slechtere manieren om het ijs te breken. En jij bent...?'
'Jim,' zei Jim. 'O, had ik dat niet gezegd?'
'Jawel,' zei Thomas. 'Ik bedoel, pas je op het huis, ben je de tuinman, of...'
'Heb je die tuin *gezien*? Er is hier echt geen tuinman, geloof me. Nee, ik ben de pastoor hier. Pater Jim Gornall. Aangenaam. Je broer was door de J's hiernaartoe gestuurd om te helpen. Hij was een goede kerel.'
Een goede kerel. Hij legde geen nadruk op het woord 'goed' als oordeel over Eds vroomheid of morele opvattingen, maar zei het zoals een soldaat over een gesneuvelde kameraad zou praten.
Thomas aarzelde een fractie te lang bij de gedachte dat deze verlopen, wat stuntelige Ier een priester was, maar Jim haalde laconiek zijn schouders op. Hij zat er niet mee. Thomas had meteen sympathie voor hem.
'Wil je die thee nog?' vroeg Jim.
'Ja, lekker.'
'Opnieuw de macht der gewoonte,' zei de Ier. 'Als iemand warmte, een welkom of troost nodig heeft, is thee meestal de aangewezen weg.'

'Tenzij de whisky onder handbereik staat.'
'Precies,' zei de priester met een onverwachte grijns, die zijn hele gezicht deed oplichten. 'De onvermijdelijke katholieke zonde. Wil je soms een glaasje?'
'Nog wat te vroeg voor mij,' zei Thomas. Een leugen, natuurlijk, dus voegde hij er bijna verontschuldigend aan toe: 'Vandaag maar niet.'
'Goed,' zei de priester. 'Dan houden we het bij thee.'
Ze dronken uit zware mokken – met scherfjes eruit, maar wel schoon – aan weerskanten van een ontoereikend kacheltje dat op de laagste stand stond.
'Je hebt niks aan dat ding,' zei de priester. 'Maar als ik het hoger zet, gaat al het licht hier uit.'
Thomas grinnikte. 'Wat doet een echte Ierse priester in Chicago?'
'Een tekort aan pastoors,' zei de priester. 'Ik wilde graag naar Amerika, dus heb ik aan een seminarium hier gestudeerd, in plaats van thuis. Dat is al lang geleden. Ik zie mezelf als een soort missionaris,' zei hij, weer met een grijns.
'Vind je niet dat Amerika al gelovig genoeg is?' vroeg Thomas, en hij keek de man strak aan.
'Daarom hebben ze juist een missionaris nodig,' antwoordde Jim.
'Dat kan ik niet volgen,' zei Thomas.
'Laat maar,' zei de man, en hij haalde zijn schouders op. 'Een privégrapje. Je komt me bekend voor. Hebben we elkaar al eens ontmoet?'
'Dat denk ik niet. Maar ik schijn op Ed te lijken.'
'Misschien is dat het. Wanneer wil je zijn spullen uitzoeken?' vroeg de priester. 'Veel tijd zal het niet kosten. Hij had niet veel.'
'En... waar is hij eigenlijk gestorven?' vroeg Thomas. 'Dat hebben ze me niet verteld. In het buitenland, hoorde ik, maar ik weet niet waar.' Hij zweeg, en de stilte leek lang en onheilspellend. 'Ik had het moeten vragen,' voegde hij er lamlendig aan toe.
De priester maakte een grimas.
'Daar zal hij ook niet veel spullen hebben gehad,' zei hij. 'Een paar koffers, hooguit. Zijn wereldse bezittingen, als je daarvan kunt spreken, liggen hier. Alles wat jij niet meeneemt gaat naar de orde.'
'Wat deed hij voor werk?' vroeg Thomas. 'Hij was toch geen missionaris?'
'Nee,' zei Jim. 'Anders dan ik. Hij zat hier al een paar maanden. Ik ben een parochiepriester, hij was een jezuïet, lid van de Societas Jesu. Hij was een tijdje uitgeleend, om bij te springen. Toen het hier wat rustiger werd, ging hij in retraite. Ik had verwacht dat hij nog wel terug zou komen, maar tegen het einde van het jaar zou hij waarschijnlijk weer

zijn overgeplaatst. Er werd gezegd dat hij ging lesgeven aan Loyola.'
Thomas knikte, maar het leek alsof de priester iets achterhield. Ondanks zijn luchtige toon kwam hij zelfs ontwijkend over. De man was slim genoeg, en als zijn warrige, slordige verschijning geen bewuste rol was, werkte het in elk geval misleidend.
'Eds spullen,' ging Thomas verder. 'Ik kan dus meenemen wat ik wil, en de rest weggooien?' Dat leek verkeerd, respectloos.
'Je bent niet zozeer de erfgenaam als wel de executeur, heb ik begrepen,' zei de priester. 'De J's leggen een gelofte van armoede af, dus had Ed eigenlijk geen bezittingen zoals jij en ik. Ze zullen nog een advocaat sturen om alles te bespreken. Officieel behoort alles aan de orde toe, maar ik neem aan dat je persoonlijke zaken die jij wilt hebben gewoon mee mag nemen.'
'Die zullen er nauwelijks zijn,' zei Thomas, op bruuskere toon dan hij had bedoeld. De priester knikte en Thomas sloeg zijn ogen neer. Hij wilde geen gesprek over de reden waarom hij alle contact met zijn enige broer had verloren.
'Dan wordt het een kort bezoekje,' zei de priester, en hij nam een slok thee, terwijl hij Thomas over de rand van zijn mok opnam. 'Maar je kunt hier wel slapen, als je wilt.'
'Dat is niet nodig,' zei Thomas. 'Ik woon hier in de buurt.'
'Wie heeft het over "nodig"?' Jim haalde zijn schouders op. 'Ik zou het gezelschap wel op prijs stellen.'
Thomas dacht snel na. Thuis was er niets wat op hem wachtte, en hoe vreemd het ook leek, opeens vond hij het wel prettig om de plaats van zijn broer in te nemen, heel even in zijn leven te stappen, hoe kortstondig ook.
'Oké,' zei hij. 'Bedankt.'
'Neem Eds kamer maar,' zei de priester. 'Boven aan de trap links. Illinois speelt vanavond. Hou je van basketbal?'
'Niet echt.'
'Mooi zo,' zei Jim. 'Ik ook niet. Dan kunnen we pizza's bestellen, een paar biertjes opentrekken en kijken hoe idioot lange mensen heen en weer rennen als kippen zonder kop.'
Thomas was zo overdonderd door de ongecompliceerde hartelijkheid van de priester dat het even duurde voordat hij blij en dankbaar reageerde.
'Dat lijkt me heel gezellig,' zei hij. 'Kan ik nu naar boven?'
'Natuurlijk. Ik laat je even aan je lot over,' zei Jim, 'want ik heb een gespreksgroep over spirituele zingeving.'

Thomas lachte. 'Dat zou voor mij ook wel goed zijn,' zei hij toen hij naar de trap liep. Hij ontweek de blik van de priester.

3

Eds kamer was klein en somber. De schaarse meubels, oud en goedkoop, vertoonden sporen van jarenlang gebruik. Afgezien van wat kleren was er niets anders te vinden dan boeken, papieren, een dikke bruine map met elastiekjes erom, een oude transistorradio en een paar schoenendozen met rommel, slordig opgestapeld in een kast van planken en bakstenen. Het leek meer op een haastig verlaten studentenflat dan op de kamer van een priester. Aan de muur hing een crucifix, maar dat was alles, behalve een kalender van Amnesty International. Hier was niets te halen, zoals Jim al had gezegd; zeker niets van waarde. Als hij niet voor een pizza en basketbal was uitgenodigd zou Thomas binnen een uur weer buiten kunnen staan. Als hij dat had geweten, was hij niet gekomen. Nu moest hij nog wat tijd zoetbrengen voordat de advocaat met de papieren kwam.
Hij ging op het bed zitten. De matras was dun en bobbelig. De veren staken erdoorheen.
God, wat een ellende.
Het voelde leeg en verdrietig, net als zijn eigen huis, dacht Thomas bitter. Hier had Ed voor gekozen, hier had hij zijn leven aan gewijd, hier had hij god mocht weten wat voor opgeofferd, voor deze kleine, kale cel met enkel een goedkoop crucifix als gezelschap. Thomas had zich altijd getroost met de gedachte dat Eds leven een vlucht was geweest, een manier om te ontkomen aan de harde werkelijkheid van het gewone leven, maar nu hij hier zat moest hij toegeven dat zijn broer zich ernstig had vergist als dat zijn bedoeling was geweest. Maar Thomas vermoedde dat Ed precies had geweten wat hem te wachten stond, en – misschien nog belangrijker – wat niet.
Thomas pakte een van de dozen en leegde hem voorzichtig op het bed. Het meeste leek gewone rommel (een afgescheurd kaartje van een Cubs-wedstrijd, een paar verbleekte, oningelijste foto's, een stoffig cassettebandje, een vreemd zilveren dingetje in de vorm van een vis, en een potloodstompje), maar toch had Ed het allemaal bewaard, alsof het ooit bijzonder was geweest en betekenis had gehad. Die gedachte deprimeerde hem.

Hij draaide een van de foto's om en zijn adem stokte. Zijn eigen gezicht keek hem aan vanaf het papier, dat lachende, zelfverzekerde gezicht waar Thomas al zes jaar tevergeefs naar zocht in de spiegel. Naast hem stond Ed, in beroepskleding – soutane, priesterboordje, noem maar op – maar toch nog altijd zijn broer, die hem had leren honkballen en hem op de beste strips had gewezen. En naast Ed stond Kumi, met haar lange, donkere haar opgestoken en gevlochten tot een Japans kapsel, in een bruidsjurk die bijna te wit was voor de camera. Ze straalden allemaal van blijdschap, in die overwoekerde tuin op enkele meters van de plek waar hij nu zat. Thomas sloot zijn ogen en stond zich toe aan haar te denken, zoals hij maar zelden deed. En meteen voelde hij haar verlies weer net zo hevig als toen ze was weggegaan.
De foto was bijna tien jaar oud, maar hij was haar al meer dan vijf jaar kwijt. Thomas besefte dat zijn trouwdag het begin van het einde van zijn relatie met zijn broer had betekend. Ze hadden altijd van elkaar verschild, maar die dag, die prachtige dag – ondanks alles wat later volgde – was hun laatste harmonieuze moment geweest. De volgende keer dat hij Ed zag, dreigde het al mis te gaan. Nooit meer zouden ze met hun drieën kunnen lachen als op die foto.
Toen er de eerste keer werd gebeld, lette hij er niet op, maar bij de tweede keer drong het tot hem door dat hij misschien de enige was in het gebouw. Hij herinnerde zich de advocaat die zou komen voor overleg over de 'nalatenschap' van zijn broer, hoe belachelijk dat ook klonk. Snel liep hij de smalle gang door en de gammele trap af. Heel even ging de vraag door zijn hoofd wat hij moest doen als het een dakloze was, zoals Jim ook had gedacht toen hij zelf aanbelde, of iemand in grote geestelijke nood. Hij opende de deur en hapte naar adem toen de ijzige wind hem vol in het gezicht sloeg.
De man op de stoep had een paar stappen naar achteren gedaan, alsof hij naar de ramen wilde kijken of er iemand thuis was. Nu staarde hij Thomas even aan, zonder zich te verroeren. Hij had een zwart koffertje bij zich; zijn andere hand stak diep in zijn zak.
'Bent u Knight?' vroeg hij.
'Ja,' zei Thomas, een beetje geschrokken van de bruuske toon van de man. 'Komt u binnen.'
'Parks,' zei hij.
'Pardon?'
'Parks,' herhaalde hij. 'Ben Parks.'
De man stapte langs Thomas heen zonder zijn hand uit te steken. Hij was een jaar of dertig, met een mager gezicht, krullend haar, een sikje

en harde ogen die Thomas niet recht aankeken als hij sprak. De jas die hij droeg leek oud en twee maten te groot. Niet wat je van een advocaat zou verwachten.
Thomas nam hem mee naar de spartaanse keuken. 'Wilt u meteen naar zijn kamer, of...?'
De uitdrukking op het gezicht van de advocaat deed hem denken aan de blik van Jim toen hij besefte dat Thomas niet om onderdak kwam vragen.
'Zijn kamer?'
'Neem me niet kwalijk,' zei Thomas, 'maar u bent toch de advocaat die voor Eds spullen komt?'
'Ed?'
'Ed Knight, mijn broer. De omgekomen priester.'
Weer een korte aarzeling. De man kneep zijn ogen halfdicht, zweeg een moment, en opeens veranderde zijn houding. Zijn gezicht lichtte op en hij leek een heel ander mens.
'O, u bent zijn *broer*. Het spijt me. Ik heb pater Knight nog nooit ontmoet en ik kende zijn voornaam niet. Ik dacht dat u een priester was.'
Thomas schoot in de lach.
'Nee,' zei hij, 'mijn broer heeft het religieuze gen geërfd. Of het katholieke, wat dan ook. Mij heeft het overgeslagen. Dus...' zei hij haastig, voor het geval die bekentenis de advocaat in verlegenheid bracht en omdat het eigenlijk maar bravoure was en niet de waarheid, '... u wilde zijn kamer zien?'
'Ja,' zei de advocaat. 'Heel graag.'
Thomas ging hem voor.
'Bent u al lang in de stad?' vroeg Parks.
'Ik woon hier. Nou ja, in Evanston,' voegde hij er zonder noodzaak aan toe. 'Het goedkope gedeelte. Ik ben hier meteen naartoe gekomen zodra ik het hoorde. Ik dacht dat ik er wel een paar dagen mee bezig zou zijn, maar Ed schijnt zo weinig bezittingen te hebben gehad – tenzij u meer weet dan ik – dat ik er zo mee klaar was. En ongetwijfeld zal de Kerk wel voor de andere dingen zorgen.'
'Juist,' zei de advocaat.
Thomas opende de deur van de trieste kleine slaapkamer.
'Château Knight,' zei hij.
De advocaat bleef in de deuropening staan en keek aandachtig om zich heen zonder zich te bewegen, alsof hij bang was een plaats delict te verstoren.
'Ik geloof niet dat er veel bij is wat ik wil hebben,' zei Thomas. 'Tenzij

hij nog een paar miljoen op een buitenlandse bankrekening had, draag ik alles maar aan de orde over.'
'Weet u veel over het leven van uw broer, over bezittingen die we niet onmiddellijk zullen ontdekken?'
'Die auto buiten is van hem, geloof ik,' zei Thomas, 'maar die zal hooguit een paar honderd dollar waard zijn. Misschien is hij ook wel van de parochie of van de jezuïeten. En waarschijnlijk had hij een paar koffers bij zich, dat weet ik niet.'
'Verder nog iets?'
'Hoor eens,' zei Thomas, 'we hadden niet zo veel contact. We waren het over een heleboel dingen oneens.'
'O. Dat spijt me.'
'Ik vraag u niet om begrip, ik zeg alleen dat u meer over hem te weten kunt komen door met de mensen hier te praten, de mensen met wie hij werkte. Ik weet niet zo veel over hem.'
Hij was boos en schaamde zich om het te moeten zeggen, maar zo lag het. Dat was de waarheid.
'Waar is hij overleden?'
'Wat?' zei Thomas.
'U zei dat hij een paar koffers bij zich had. Was hij met vakantie?'
'Zoiets,' zei Thomas, met een blik uit het raam. 'Ik weet het niet precies.'
'En u weet ook niet waar?' Parks klonk een beetje ongelovig, zelfs geïrriteerd.
'Nee,' zei Thomas vermoeid en met een toenemend gevoel van onvermogen en vernedering. 'Ergens in het buitenland. Het spijt me. Maakt het uit?'
De advocaat aarzelde een seconde en keek een beetje onzeker, maar toen gleed er weer een geruststellende, laconieke glimlach over zijn gezicht. 'Ik denk het niet,' zei hij.
'Vindt u het goed als ik het verder aan u overlaat?' zei Thomas. 'Ik loop alleen maar in de weg.'
'Natuurlijk,' zei de advocaat. 'Ik roep wel als ik u nodig heb.'
Dankbaar liep Thomas de trap weer af.

Hij zat twintig minuten aan de keukentafel, starend naar de mok met de scherfjes eraf. Was er maar iets om de stilte te vullen. Kon hij maar naar huis. Uiteindelijk had hij hier niets te zoeken. Het was zoals hij had verwacht. Als dit de manier moest zijn om het af te sluiten was dat erg vaag en onbevredigend, maar wat had hij dán gehoopt? Abrupt

stond hij op, haalde een pen uit zijn jasje en zocht in zijn zakken naar iets om op te schrijven. Ten slotte streek hij een verfrommeld servetje op de keukentafel glad en schreef haastig:
Jim. Ben toch naar huis. Als er niets bijzonders bij is, stuur Eds bezittingen dan naar de mensen en zaken die hem na aan het hart lagen. Daar hoor ik niet bij. Jij kunt beter beoordelen wat hij zou hebben gewild. Sorry van de wedstrijd. Bedankt, TK.
Hij las het nog eens over. Zo moest het maar. Het voelde een beetje goedkoop, een beetje gemakkelijk, maar dit was niet het moment om zijn broeders hoeder te spelen. Dat was hij al zes jaar niet meer, dus waarom zou hij de schijn nu ophouden?
Hij was al op weg naar de voordeur toen hij die hoorde opengaan. Mannenstemmen zweefden naar binnen vanaf de winderige straat: Jim en nog iemand. Thomas pakte het briefje en stak het haastig in zijn zak toen de priester de keuken binnenkwam.
'Alles oké, Thomas?' zei Jim. 'Dit is pater Bill Moretti. We kwamen elkaar buiten tegen.'
De andere man was een zestiger en liep krom, maar zijn ogen waren helder en slim.
'Mijn deelneming met uw verlies,' zei hij, terwijl hij een hand uitstak.
'Dank u,' zei Thomas.
'Wilt u meteen beginnen?' vroeg Jim, met een vragende blik van Thomas naar de andere man, die zijn zware, ouderwetse overjas uittrok.
'Beginnen? Waarmee?' vroeg Thomas.
'O, neem me niet kwalijk,' zei Jim, grijnzend om zijn eigen verstrooidheid. 'Dit is de advocaat die samen met jou de bezittingen van je broer wil doornemen.'
Heel even stond Thomas sprakeloos.
'Als u de advocaat bent,' zei hij ten slotte, 'wie is die man boven dan?'

4

Thomas was de eerste die in beweging kwam, maar toch was hij al halverwege de trap voordat hij echt haast maakte, opgejaagd door een vage woede die hij niet kon verklaren. Jim volgde, terwijl de advocaat een heel eind achteraan hobbelde. Bij de kamer van zijn broer gekomen greep Thomas de deurkruk en ramde zijn schouder tegen de deur, maar die gaf niet mee. Heel even meende hij een beweging aan de andere kant te horen, voordat hij zijn hele gewicht tegen het hout gooide, opeens blind van woede.

'Thomas, wacht!' zei Jim, en hij greep zijn arm. 'Misschien is hij gewapend. Hij kan wel...'

Maar Thomas luisterde niet. Knarsetandend wierp hij zich weer tegen de deur. Boven de herrie uit hoorde hij vaag dat Jim naar de advocaat riep om de politie te bellen. Toen versplinterde de deurpost en vloog de deur trillend open.

De kamer was verlaten en het raam stond open. Hij rende naar binnen, met Jim op zijn hielen, greep het raamkozijn en keek naar buiten, maar hij kon nergens voetstappen ontdekken in de sneeuw.

Het gebeurde allemaal in een fractie van een seconde: een beweging achter hem, een gedempte klap en een onderdrukte kreet toen Jim in elkaar zakte. Parks – als hij echt zo heette – had hen achter de deur opgewacht. Nadat hij Jim had neergeslagen kwam hij dreigend op Thomas af.

'Wacht!' Thomas hief afwerend een hand op. 'Wat wil je?'

Maar Parks zei niets. Hij bracht zijn rechterarm omhoog en Thomas zag een grote vuist, als een knuppel, alsof de man een absurd grote handschoen droeg of iets zwaars om zijn hand gewikkeld had.

Thomas deinsde terug naar het raam en voelde de vensterbank tegen de achterkant van zijn dijen. Hij hief zijn vuisten, spreidde zijn voeten en wachtte op de aanval. Jim lag nog steeds roerloos op de vloer.

Parks liet nu zijn andere hand zien, en Thomas' hart sloeg over van schrik, maar ook van verbazing om het vreemde ding dat hij daar zag. De man had iets in zijn hand wat alleen maar kon worden omschreven als een zwaard: vrij kort, hooguit dertig centimeter, met een bladvormig lemmet dat uitliep in een lange, vlijmscherpe punt. Het wapen van een psychopaat of een sektelid. Thomas aarzelde wat hij moest doen.

'Dit is toch niet nodig,' zei hij met onvaste stem.

'*Au contraire*,' zei de ander met een grimmig lachje. Hij deed nog een stap naar voren en zwaaide het wapen met een wijde boog naar Thomas' gezicht.

Thomas dook instinctief weg, sloeg met zijn linkerhand naar het zwaard en probeerde zijn aanvaller met zijn rechtervuist te raken. Hij voelde de pijnlijke klap van het kille staal tegen zijn gespreide hand, met zo'n heftige pijn dat hij zich afvroeg of hij de snede van het zwaard had geraakt in plaats van de platte kant. Parks draaide zijn schouder naar Thomas toe, ontweek de vuistslag en raakte met zijn rechterhand

de zijkant van Thomas' hoofd. Het was geen handschoen, geen stof die hij om zijn vuist gewikkeld had. Het was hard als ijzer, en Thomas ging tegen de grond alsof zijn benen onder hem vandaan waren geschopt. Heel even werd alles zwart, en hoewel hij wist dat hij viel, kon hij er niets tegen doen.
Hij maakte nauwelijks een geluid toen hij ineenzakte op het kleed. Echt bewusteloos was hij niet, maar wel een paar seconden zo gedesoriënteerd dat hij zich niet kon bewegen. Hij was zich er vaag van bewust dat Parks over hem heen stapte, naar het raam, en wist dat de man allang verdwenen zou zijn voordat hij iets zou kunnen ondernemen.
Ook toen hij weer bij zijn positieven kwam, bleef Thomas nog even liggen en voelde behoedzaam naar zijn achterhoofd, waar hij was geraakt. Toen pas hees hij zich voorzichtig op zijn hurken. Hij hoorde Jim kreunen, een meter bij hem vandaan.
'Nou, dat ging geweldig,' zei Thomas.
'Wat wás dat voor een ding, in vredesnaam?'
'Dat zwaard?'
'Zwaard? Welk zwaard?' vroeg Jim. 'Ik heb helemaal geen zwaard gezien.'
'Toen was jij al uitgeteld, denk ik,' zei Thomas, die rechtop ging zitten, leunend tegen de muur.
'Zelf was je ook niet zo geweldig, Rocky,' zei Jim. 'Allemachtig, waar heeft hij me mee geraakt?'
'Hetzelfde waarmee hij mij een knal voor mijn kop heeft verkocht,' zei Thomas. 'Het leek wel van metaal. Een kruising tussen een gepantserde handschoen en de grootste boksbeugel ter wereld. Gaat het een beetje?'
'Ik geloof het wel. En met jou?'
Thomas stond langzaam op en knikte pas toen hij rechtop kon staan zonder dat hij de vloer zag golven.
'Dat ding had mijn schedel kunnen breken,' zei hij. 'Ik denk er maar liever niet aan wat hij met dat zwaard had kunnen uitrichten.'
Jim streek met zijn vingers over zijn linkerslaap. Een dun straaltje bloed droop uit een snee, maar dat was nog niets vergeleken bij de buil die begon te zwellen.
'"Wacht!" zei ik nog,' declameerde hij. '"Misschien is hij gewapend," zei ik. Maar nee. In de hoek van de ring zien we Thomas Knight, helemaal uit *Idiot's Landing*.'
'Ja, dank je,' zei Thomas. 'Sorry.'
Hij draaide zich om en keek uit het raam naar de voetstappen in de sneeuw op het dak van de veranda, die eindigden in een veeg bij de

rand. Hij boog zich naar de straat, maar de indringer was nergens meer te zien. Ook het voetspoor was niet duidelijk te volgen.
Verdomme.
Hij wist niet goed waarom hij zo kwaad was, en toen hij naar buiten leunde in de kou leek zijn woede ook snel verdampt, zodat hij zich alleen nog onnozel, machteloos en verongelijkt voelde. Hij vloekte zacht en draaide zich om naar Jim, die voorzichtig op de rand van het bed zat, nog steeds met zijn hand tegen zijn slaap gedrukt. De advocaat verscheen in de deuropening.
'Alles oké?' vroeg hij.
Thomas keek hem nijdig aan.
'Ja hoor, geweldig,' zei Jim, sarcastisch opgewekt.
'Hij was naar iets op zoek,' zei Thomas, terwijl hij naast Jim op het bed ging zitten en zijn blik over de ravage liet glijden: verspreide papieren en boeken, de schamele restanten van het leven van zijn broer, alle kanten op gesmeten zonder enige consideratie of respect...
'Hij vroeg me of ik "Knight" was,' dacht hij hardop, terwijl hij zich het gesprek probeerde te herinneren. 'Ik dacht dat hij mij bedoelde, maar waarschijnlijk hield hij me voor mijn broer. Hij zei dat hij Parks heette en ik nam aan dat hij de advocaat was, maar ik denk... Ik weet het niet. Hij kende Ed niet persoonlijk, maar hij kwam wel voor hem. Ik heb de indruk,' ging hij verder, een beetje verbaasd en bezorgd, 'dat hij niet wist dat mijn broer dood was.'
Jim fronste. 'Ik weet niet wat ik daarvan moet denken,' zei hij, terwijl hij zijn hoofd masseerde.
'Ik ook niet,' zei Thomas.
'Is er iets weg?' vroeg Jim. Hij raapte een van de boeken op en bekeek het.
'Geen idee,' zei Thomas. 'Er was niet veel te stelen, behalve papieren. Als daar een deel van verdwenen is, kom ik daar toch niet achter.'
Hij bukte zich, zette een omgegooide doos overeind en zag de trouwfoto weer liggen, nu met een vouw erin.
'Wacht,' zei hij. 'Ja, er is iets weg. Een klein zilveren visje. Weet je wat ik bedoel?'
Jim schudde zijn hoofd.
'De politie zou iemand sturen,' zei de advocaat. 'We mochten niets aanraken, zeiden ze.'
'Hij vroeg me waar Ed gestorven was,' zei Thomas, half bij zichzelf. 'Ik zei hem dat ik het niet wist. Dat vond ik wel erg... dat ik dat niet wist, bedoel ik. Ik geloof dat hij het echt wilde weten. Geen idee waarom, maar...'

'Ik weet ook niet waar hij was,' zei Jim. 'Ergens in het Verre Oosten. Hij was eerst naar Italië gegaan, toen naar Japan, maar volgens mij is hij daar niet overleden.'
'Japan?' herhaalde Thomas. Al die oude, tegenstrijdige gevoelens overspoelden hem weer, zoals altijd als iemand het over Japan had. Het was alsof hij opnieuw een klap kreeg, hoewel daar nu een koude sensatie bij kwam, met een angstig voorgevoel. Alsof hij wakker werd en wist dat er de vorige dag iets verschrikkelijks was gebeurd, zonder zich te herinneren wat. 'Wat deed hij in Japan?' vroeg hij.
'Ik zou het niet weten,' zei Jim. 'We kunnen de orde bellen. De jezuïeten, bedoel ik.'
Thomas keek hem nog eens aan en knikte, wat hem een scheut van pijn door zijn hele hoofd bezorgde.

5

'Hij zei dat hij Parks heette,' zei Thomas voor de tweede keer in evenzoveel minuten.
'En die zilveren vis is alles waarvan u zeker weet dat het wordt vermist?'
De politieman, die zichzelf had voorgesteld als agent Campbell, keek verveeld, alsof deze missie zonde van zijn tijd was. Nu zijn eerste woede was gezakt, kon Thomas het hem niet kwalijk nemen.
'Ja,' zei hij. 'Ik heb eigenlijk niet de kans gekregen om de papieren te bekijken voordat hij arriveerde...'
'Denkt u dat het visje kostbaar was?'
'Waarschijnlijk niet. Het hangt ervan af waarvan het is gemaakt. Als het echt zilver is, zou het een paar honderd dollar waard kunnen zijn.'
'Kunt u die vis beschrijven, meneer?' vroeg de agent zuchtend, terwijl hij met een zwarte pen iets in een aantekenboekje noteerde.
'Acht of tien centimeter lang, met een rare vorm en duidelijke schubben... Verder weet ik het niet.'
'Een rare vorm?' herhaalde Campbell.
'Een beetje primitief, denk ik. Een dikke staart en grote, onhandige vinnen.'
'En het was alleen een modelvisje? Geen doosje of zoiets? Het kon niet open?'

'Dat weet ik niet.'
'Denkt u dat het symbolisch was, of zo? Omdat hij een priester was?'
'Symbolisch?' zei Thomas. 'Hoe bedoelt u?'
'Zoals die metalen visjes die mensen wel op hun auto hebben, van die Jezusvisjes.'
De politieman schetste de omtrekken op zijn blocnote, één enkele lijn die een bladvormig lichaam maakte, met een open staart. Thomas keek ernaar; het deed hem denken aan een Möbius-strip of een deel van een dubbele helix.
'Geen idee,' antwoordde hij naar waarheid. 'Zo had ik het nog niet bekeken. Maar dit zag er toch anders uit. Realistischer.'
'We zullen de plaatselijke pandjeshuizen in de gaten houden,' zei de agent. 'En die man had een zwaard? Zoals Robin Hood, òf een van die figuren uit *Lord of the Rings*? Een écht zwaard?'
'Een kort zwaard, ja,' zei Thomas. 'Als van een Romeinse legioensoldaat, als u dat iets zegt.'
'Nee,' zei Campbell. 'En daarmee heeft hij u geslagen?'
'Nee, hij sloeg ons met een soort versterkte handschoen, van metaal. Een loodzwaar ding.'
'Vreemd hoor,' zei de agent.
'Dat vond ik ook,' zei Thomas, die wel wat meer reactie had verwacht.
'Verder nog iets?' vroeg Campbell. 'Had hij geen paard of zo?'
'Nee,' zei Thomas, die onwillekeurig grijnsde.
'Weet u het zeker?'
'Dat zou me wel opgevallen zijn, omdat het boven was en zo.'
'Maar toch,' zei de agent. 'Bekijk het van de vrolijke kant. Als hij serieuze bedoelingen had gehad, als hij een zware crimineel was geweest, zou hij u hebben neergeschoten. Nu hebt u alleen een klap met een handschoen gekregen. Begrijpt u? U moet het positief zien.'
'Ik kan mijn lol niet op,' zei Thomas.
'Oké,' zei de agent grinnikend, en hij stak zijn aantekenboekje weg. 'Als u hem nog eens ziet, bel ons dan. En verder zal ik navraag doen, maar...'
Hij haalde zijn schouders op.
'Ik moet er niet te veel van verwachten,' vulde Thomas aan.
'Niet echt, nee.'
'Bedankt,' zei Thomas lachend. 'U hebt me geweldig geholpen.'
'Het is mijn werk, meneer.'
Op weg naar buiten liepen ze Jim tegen het lijf, die binnenkwam met een doos dossiers. Thomas stelde de politieman voor.

'Jim, dit is agent Campbell,' zei hij.
Jim knikte vluchtig en sloeg zijn ogen neer, maar de politieman keek hem strak aan. De grijns op zijn gezicht was opeens verdwenen. 'Hoe gaat het, meneer pastoor?'
'Jullie kennen elkaar?' vroeg Thomas. Jim ontweek nog steeds de blik van de agent.
'O ja, al heel lang,' zei Campbell. 'Nietwaar, meneer pastoor?'
Jim gaf geen antwoord en de politieman vertrok zonder nog een woord te zeggen.

6

De man die ze de Zegelbreker noemden hing op en staarde nog een paar seconden naar de telefoon.
Het had allang voorbij moeten zijn. Het had moeten eindigen met de dood van de priester, maar hoewel de Oorlog een nonchalante toon had aangeslagen toen hij rapport uitbracht, alsof het een formaliteit was, had hij zijn ongerustheid niet helemaal kunnen verbergen.
De priester had een broer.
Dat wisten ze al. Natuurlijk. Maar het had nooit belangrijk geleken, tot dit moment.
En misschien deed het er ook niet toe, dacht hij. Als het toch een probleem werd en de broer van die onfortuinlijke priester een gevaar ging vormen, zou de Zegelbreker toeslaan, en snel.
Met de priester had hij nog een tijdje gewacht, in de veronderstelling dat de zaak zich vanzelf zou oplossen, maar de man had koppig volgehouden. Zo ver zou de Zegelbreker het niet laten komen met de broer. Voordat de man last of ergernis kon veroorzaken zou de Zegelbreker hem verpletteren als de mug die hij was.
En het ontbrak hem niet aan middelen, dacht hij met een voorzichtig lachje. Hij had het bereik, het geld en de macht om alles voor elkaar te krijgen. Maar vooral zijn wilskracht zou zijn vijanden de stuipen op het lijf jagen – als ze hadden geweten wie hij was. De Zegelbreker zelf bleef onzichtbaar. Hij kon zijn meest verachte vijand de hand schudden zonder te worden herkend. En de Zegelbreker was een heel continent verder als zijn agenten toesloegen.
Zijn ruiters, noemde hij hen, zijn ruiters van de Apocalyps, die alle vier

klaarstonden om zijn orders uit te voeren als de Zegelbreker het tijd vond om dood en verderf te zaaien. Hij had hen zorgvuldig gekozen op grond van hun bijzondere talenten.
'De Oorlog', zijn generaal, was een ervaren militair die zijn troepen kon aanvoeren op elk terrein.
'De Pest', zijn spion, verspreidde ziekten, door middel van leugens en bedrog.
'De Honger', gruwelijk en nietsontziend, zaaide angst waar hij maar kwam.
'De Dood', zijn troefkaart, symboliseerde de bijna onbeperkte macht die hij bezat.
Niets was onmogelijk met zo'n cavalerie onder zijn bevel.
Het zou niet nodig zijn, dacht hij. Maar als het toch zover kwam, zou hij niet aarzelen, deze keer. Voorlopig zou hij zijn ruiters paraat houden, om hen desnoods alle vier in de strijd te werpen.
De Zegelbreker keek nog eens naar de twee losse woorden die hij had opgeschreven tijdens zijn gesprek met de Oorlog:
Thomas Knight
De naam van de man die nu doelloos door de restanten van het leven van zijn broer dwaalde. De Zegelbreker kreeg bijna medelijden met hem toen hij de eerste van zijn ruiters belde.

7

Thomas zat bij de kleine haard in de huiskamer en luisterde naar de zalvende secretaris van de jezuïeten, die zijn geduld zwaar op de proef stelde.
'We willen onze innige deelneming betuigen met uw verlies. Pater Knight was een gewaardeerde en alom gerespecteerde...'
'Wat is er met hem gebeurd?' vroeg Thomas. Hij had nu geen behoefte aan verhalen over het leven van zijn broer. Dat zou zijn toch al complexe gevoelens nog veel ingewikkelder maken.
'Nou, dat weten we eigenlijk niet.' De man koos zorgvuldig zijn woorden.
'Wat betekent dát nou weer, verdomme?' vroeg Thomas. Hij zei het zachtjes, maar de priester aan de andere kant van de lijn hoorde het toch en nam er aanstoot aan.

'Precies wat ik zeg,' zei de secretaris. 'De Amerikaanse ambassade in Manilla heeft ons op de hoogte gebracht van de dood van uw broer, maar we weten niet waarom hij daar was of wat hij daar deed.'
'Manilla?' herhaalde Thomas. Jim draaide zich om en keek hem vragend aan. 'Op de Filipijnen?'
'Juist.'
'Ik dacht dat hij in Japan zat,' zei Thomas. De bekende weerzin om dat woord zelfs maar uit te spreken was als maagzuur in zijn strot.
'Dat dachten wij ook,' zei de secretaris, en Thomas meende een bepaalde ondertoon te bespeuren. Ongemak? Verlegenheid? 'En daar is hij ook enige tijd geweest. Maar blijkbaar is hij naar de Filipijnen vertrokken, waar hij is omgekomen.'
'Hoe is hij gestorven?'
'Een verkeersongeluk, naar het schijnt,' zei de priester.
'Naar het schijnt?'
'Ik herhaal,' zei de priester met geduldige beheersing, 'dat ik niet alle bijzonderheden ken. Daarvoor zou u zich tot Buitenlandse Zaken moeten wenden, of rechtstreeks tot de ambassade op de Filipijnen.'
'Juist,' zei Thomas. 'Dank u.'
Hij hing op voordat de priester weer een postume lofzang kon beginnen op Eds vroomheid en onwrikbare geloof.
'Waarom heb ik het gevoel dat ik niet de hele waarheid te horen krijg?' Hij zei het nog tegen de telefoon, maar zodra hij uitgesproken was keek hij naar Jim. De pastoor sloeg zijn ogen neer. 'Hoe kende jij die politieman?'
Jim wuifde de vraag weg. 'Ach, je weet wel. Het is een kleine gemeenschap. En we doen hetzelfde werk, min of meer.'
'Hij scheen je niet erg te mogen.'
'De mensen die zij willen opsluiten zijn dikwijls de mensen die Ed en ik juist willen... hoe zeg je dat?'
'Redden?'
'Beschermen. Ondersteunen,' zei Jim. 'Zo moet je het zien. Het gaat vaak nog om kinderen.'
Thomas knikte, maar het was geen bevredigend antwoord. 'Je zei dat hij in Italië was voordat hij naar Japan ging?'
'Een retraitehuis in Napels,' zei Jim. 'Hij is nog een paar dagen terug geweest voordat hij naar Japan vertrok. Kijk maar.'
Hij pakte een ansichtkaart die op de schoorsteenmantel stond en blies het stof eraf. Het was een collage van beelden en mozaïeken uit de oudheid, over een foto van een kegelvormige berg en een diepblauwe

hemel geprojecteerd: Pompeii, volgens het bijschrift. Op de achterkant stonden Eds hanenpoten, in blauwe inkt: De Profundis! *Proost, Ed!*
'*De Profundis*?' zei Thomas, terwijl hij het mozaïek bestudeerde, dat een heel beeld schiep uit zinloze fragmenten.
'Psalm 130 en een oud katholiek gebed,' zei Jim. '*Uit de diepten*. Het is een geloofsverklaring in tijden van wanhoop. "Uit de diepten roep ik tot u: O Here. Here, hoor naar mijn stem. Laat uw oren gevoelig zijn voor mijn smeekbeden. Als gij, o Heer, onze schuld ons aanrekent, wie zou dan overleven...? Want bij de Here is genade en volledige verlossing."'
'Vreemd om dat op een ansichtkaart te schrijven,' vond Thomas.
'Ik las het als een grapje,' zei Jim. 'De stem van de wanhoop, vanaf zo'n prachtige, fascinerende plek.'
'Ja, vergeleken bij hier,' zei Thomas.
'Hij was in zijn element,' beaamde Jim grijnzend.
Er werd gebeld.
Terwijl de priester opstond en naar de gang verdween stak Thomas zijn hand in zijn zak en vond het briefje dat hij eerder had geschreven. Hij las het nog een keer, verfrommelde het tot een prop en gooide die in de prullenbak bij de deur. Voorlopig ging hij nog niet weg.
Hij stond er nog toen Jim terugkwam, met een geschrokken, bezorgde uitdrukking op zijn gezicht die Thomas nog niet van hem had gezien.
'Wat is er?' vroeg Thomas. 'Wie is het?'
'Het is voor jou,' zei Jim, onnatuurlijk zacht, bijna fluisterend.
'Voor mij? Wie dan?' vroeg Thomas weer.
Hij kreeg antwoord op zijn vraag toen er twee mannen in donkere pakken achter Jim aan de kamer binnenkwamen. Een van hen liet een legitimatie in een hoesje zien.
'Meneer Thomas Knight?' zei hij.
Thomas knikte, zich bewust van de paniek bij Jim.
'Wij zijn van de Algemene Inlichtingen- en Veiligheidsdienst. We zouden u graag een paar vragen stellen over uw broer.'

8

Het was een heel vreemde dag geworden. Emotioneel had Thomas alle schakeringen doorlopen, van de doffe pijn bij het nieuws over de dood van zijn broer, via de onwezenlijke confrontatie met de restanten van

Eds leven, tot aan de woede en vernedering van het gevecht met de man die zich Parks noemde. En nu voelde hij zich nog meer verward, defensief en kwaad – maar ook bang.
'Terrorisme is geen spelletje,' zei Jim toen de mannen waren vertrokken. 'Allang niet meer.'
Hij had gelijk. In het nog niet zo verre verleden had deze avond onderwerp kunnen zijn van een hele rij sarcastische grappen over de absurde vragen die deze mannen hem hadden gesteld, maar dat lag wel anders nu het hele land al de adem inhield als iemand ergens een tas onbeheerd liet staan. Thomas mompelde wat geïrriteerd dat het allemaal krankzinnig was, maar vanbinnen was hij flink geschrokken.
De bezoekers waren allebei in de vijftig, zakelijk gekleed, en heel behoedzaam. Een van de twee, een man met kleine oogjes die zich voorstelde als Kaplan, leek gespannen en keek voortdurend rond, alsof hij fysiek en mentaal elk moment zou kunnen exploderen. De ander voerde voornamelijk het woord. Hij heette Matthew Palfrey en hij glimlachte constant, alsof hij Thomas wilde geruststellen, terwijl hij daarmee juist het tegendeel bereikte. Misschien was dat wel de bedoeling.
Ze vroegen hem naar de 'sympathieën' van zijn broer en of zijn religieuze ideeën hem ooit in contact hadden gebracht met godsdienstige leiders buiten het katholicisme. Ze wilden weten of Ed vrienden of bekenden had van Arabische afkomst en of er een exemplaar van de koran in zijn slaapkamer lag. Ze vroegen of hij toegang had tot grote geldbedragen en of hij ooit een wapentraining had gevolgd – zo'n belachelijke suggestie dat Thomas in andere omstandigheden in lachen zou zijn uitgebarsten. Ze informeerden wat Thomas precies wist over Eds bewegingen in de afgelopen zes maanden, of hij brieven of e-mails van hem had gekregen en of Ed misschien had geworsteld met een 'geloofscrisis', zoals zij het noemden. Thomas dacht aan de woorden 'De Profundis' op de ansichtkaart, met die wanhopige bijbetekenis, maar hij schudde zijn hoofd.
Daarna, heel beleefd en hem voortdurend aansprekend met 'meneer', zoals ambtenaren soms doen om subtiel duidelijk te maken dat ze de macht hebben, begonnen ze op hém in te hakken. Hij had een historie van 'dissidente opvattingen' en 'tegendraadse ideeën', merkten ze op. Was hij ooit benaderd door mensen die gewelddadige oplossingen voorstonden van belangrijke problemen? Was hij ooit in het Midden-Oosten geweest? Had hij contacten met mensen die daar regelmatig kwamen?
Het hele gesprek had een surrealistische indruk gemaakt. Een paar keer had Thomas opnieuw de neiging gevoeld om hartelijk te lachen,

maar in zijn hart wilde hij het liefst wegkruipen tot de mannen vertrokken waren – uit angst om zichzelf, of om de zaken waar zijn broer misschien bij betrokken was geweest.
Maar natuurlijk was het uitgesloten dat Ed iets met terroristen te maken had gehad. Onmogelijk.
Wist hij dat wel zeker? Wist hij eigenlijk wel íéts over het leven van zijn broer in de afgelopen zes jaar?
Het enige moment waarop hij werkelijk begon te lachen was toen ze opstonden en hij, met een uitdagende houding die maar bluf was, vroeg waar al die absurde vragen op sloegen.
'Het spijt me, meneer,' zei Kaplan, 'maar dat is vertrouwelijke informatie.'
En zelfs toen klonk Thomas' lach niet helemaal oprecht, want als de wereld werkelijk in dit soort tv-clichés terecht was gekomen had hij pas echt reden om bang te zijn.
'Hoe is mijn broer gestorven?' vroeg hij.
'Dat wordt nog onderzocht.'
'Dus u vertelt me niets?' zei hij.
'We kunnen op dit moment niet op de details ingaan,' zei Palfrey, de man met het open, lachende gezicht.
'Zou ik meer te weten komen als ik op het vliegtuig naar Manilla stapte?'
Het was zomaar een opmerking, om hun grenzen te testen, maar hij wist ook dat hij geen baan had, zodat een reis naar de Filipijnen wel heel onwaarschijnlijk – zo niet onmogelijk – was. Toch meende hij een korte aarzeling te bespeuren voordat de man antwoordde.
'Ze zouden u het land niet binnenlaten,' zei Palfrey.
Thomas staarde hem aan.
'En zelfs áls ze dat deden,' ging zijn collega verder, zonder een spoor van emotie, 'zouden wij u oppakken zodra u terugkwam.'
'En, meneer,' zei Palfrey, 'ik raad u aan hier met niemand over te spreken. Het onderzoek loopt nog.'
Wat of wie er precies werd onderzocht zei hij er niet bij.

9

Thomas zat een halfuur aan de telefoon met Buitenlandse Zaken en probeerde toen nog tien minuten zonder succes de Amerikaanse am-

bassadeur in Manilla te bereiken. Geen van beide telefoontjes maakte hem iets wijzer. Zijn broer was omgekomen op de Filipijnen, maar hoe hij was gestorven of wat hij daar had gedaan kon niemand hem vertellen. Of ze het echt niet wisten bleef onduidelijk, en hij vond de reacties verdacht behoedzaam, hoewel ze zich misschien altijd zo gedroegen tegenover bedroefde nabestaanden. Hij voelde zijn ergernis toenemen toen hij van de ene zwijgzame receptioniste naar de andere werd doorgeschakeld, maar hij wist ook intuïtief dat zijn gebruikelijke bluf hem niet zou helpen. Hij stuitte op een muur van onwil – mensen die zich niet lieten intimideren, wat hij ook zou zeggen. Ten slotte bedankte hij hen vermoeid en legde de hoorn weer neer.
'Niets?' vroeg Jim.
Thomas schudde zijn hoofd. 'Ik begrijp er niets van,' zei hij. 'Ze ontwijken al mijn vragen.'
'Je kent zeker geen invloedrijke politici, ambassadeurs of hoge ambtenaren bij Buitenlandse Zaken?'
Thomas draaide zich zo snel om, en met zo'n vernietigende blik, dat Jim hem geschrokken aankeek.
'Wat is er?' zei de priester. 'Ik bedoelde alleen...'
'Ik weet het,' zei Thomas, die zich snel herstelde. 'Doet er niet toe. Ik dacht dat je...'
Hij haalde zijn schouders op, zag het angstige en verbaasde gezicht van de priester en lachte.
'Mijn vrouw – mijn ex-vrouw, moet ik zeggen – werkt voor Buitenlandse Zaken,' zei hij, een beetje opgelaten. 'Ze is niet erg hoog of zo, en we spreken elkaar niet meer, dus...'
Jim haalde verlicht adem. 'Wil je haar niet bellen hierover?'
'Nee,' zei Thomas. Hij lachte niet meer, en Jim was zo verstandig er niet op door te gaan.
'Wat dacht je van Devlin?' opperde Jim.
'Wie?'
'Devlin,' herhaalde Jim, alsof dat toch duidelijk moest zijn. 'Senator Zacharias Devlin. Je broer kende hem.'
'Senator Devlin?' zei Thomas ongelovig. 'De verstokte Republikein, de man van de familiewaarden en het schoolgebed? Kende Ed hem?'
'Hij heeft hem een paar keer ontmoet.'
'Je lijkt niet onder de indruk,' vond Thomas.
'Moet dat dan?'
'Je bent priester,' zei Thomas, en hij lachte weer.
'En?'

'Niets,' zei hij. 'Ik dacht alleen dat gelovige mensen meer gemeen zouden hebben met een figuur als Devlin.'
Jim keek hem strak aan. 'Je verwart me met Pat Robertson,' zei hij.
'Neem me niet kwalijk.' Thomas haalde zijn schouders op.
'Je hebt niet veel op met priesters, is het wel?' zei Jim.
'In het algemeen niet,' reageerde Thomas stekelig.
'Maar ik ben de uitzondering, natuurlijk,' zei Jim.
'Uiteraard.'
De twee mannen wisselden een scherpe blik, en heel even dreigde de sfeer onaangenaam te worden.
'Het is een zware dag geweest,' zei Jim. 'Voor ons allebei.'
Hij had het niet zozeer over de nasleep van Eds dood alswel over het feit zelf, en Thomas – die vond dat hij daar begrip voor moest hebben – knikte en zuchtte eens. Waarom kon hij zelf niet om de dood van zijn broer rouwen zoals een normaal mens zou doen?
'Ik ben nu wel aan een borrel toe,' zei Jim. 'Jij?'
'Ach ja, waarom niet?' zei Thomas.
De priester haalde een fles Bushmills uit een keukenkastje en schonk een flinke maat in twee mokken waar scherfjes uit misten.
'De glazen zijn op,' zei hij, terwijl hij Thomas een van de bekers toestak. 'Ik zou me graag willen verschuilen achter mijn gelofte van armoede, zoals de jezuïeten, maar als gewone pastoors nemen wij alles aan wat we kunnen krijgen. Helaas krijgen we tegenwoordig niet meer zo veel.'
'Ach, de goeie ouwe tijd van het Heilige Roomse Rijk,' zei Thomas, 'toen liefdadigheid nog betekende...'
'... geef je geld maar hier,' maakte Jim zijn zin af. Hij grinnikte. 'Moet je ons nou zien. Ik heb karmelieten gekend met mooiere spullen.'
Thomas lachte smalend en nam een slok van de Ierse whisky: warm en rokerig, zo vertrouwd als zijn jeugd, en met dezelfde conflicten.
'Lekker,' zei hij, alsof hij het nooit eerder had gedronken.
'Laten we eens kijken hoe beroerd de Illini het doen,' zei Jim, en hij pakte de afstandsbediening van de vierkante tv.
'Maar hoe kende hij Devlin dan?' vroeg Thomas, om ergens anders aan te denken.
'Dat weet ik niet,' zei Jim, die fronsend naar de wedstrijd staarde. 'Hij heeft hem gesproken toen hij uit Italië terugkwam, maar dat was niet de eerste keer.'
'Wanneer kwam hij terug?'
'Twee maanden geleden, of zo. De J's hebben een retraitehuis in Na-

pels en daar logeerde hij een paar weken nadat hij hier geholpen had. Hij werkte aan een boek over vroegchristelijke symboliek. Geen idee waarom Devlin in hem geïnteresseerd was.'
'Kende je Ed al voordat hij hier kwam?'
'Niet goed. We hadden elkaar een paar keer gezien op conferenties en bijeenkomsten van het bisdom, maar het is wonderlijk hoe priesters langs elkaar heen kunnen leven, zeker als een van hen een doodgewone pastoor is, zoals ondergetekende, en de ander tot de elite van de pauselijke stormtroepen behoort.'
Pauselijke stormtroepen. Het was een oude grap die Thomas zich herinnerde uit de tijd dat Ed en hij nog met elkaar praatten. Echt grappig was het niet, en het klopte al heel lang niet meer. De jezuïeten legden niet alleen een gelofte van armoede af, maar zwoeren ook gehoorzaamheid aan de paus. Dat zou ooit wel iets hebben betekend, dacht Thomas, maar de tijden veranderden. Met hun bekende linkse, intellectuele ideeën en sociaal activisme wekten de jezuïeten nu voornamelijk irritatie in het Vaticaan.
'Weet je zeker dat wij elkaar nooit hebben ontmoet?' zei Jim. 'Iets in je gezicht...'
'Ik geloof het niet,' zei Thomas.
'Ben je soms op tv geweest?' vroeg Jim grijnzend.
Thomas wachtte tot het doordrong, zag het besef op het gezicht van de priester en besloot hem voor te zijn.
'Ja,' zei hij. 'Ik ben leraar aan een middelbare school. Of beter gezegd, dat wás ik. Ik heb de ernstige fout gemaakt om een vader te zeggen wat ik vond van de manier waarop hij zijn leugenachtige, achterbakse, frauderende, pesterige rotzak van een zoon opvoedde. Daar was het schoolbestuur niet blij mee, vooral niet omdat die vader bij de plaatselijke Fox-zender werkte. Niet mijn meest glorieuze moment.'
Jim glimlachte, haalde zijn schouders op en hief zijn glas.
'Op een stijlvolle afgang,' zei hij. Thomas dronk.
Het derde kwart was voorbij, en de reclame begon toen de in fel oranje gestoken Illinois-spelers verslagen van het veld waren gesjokt.
'Dus zo breng jij je tijd door,' zei Thomas.
Hij had het niet zo scherp bedoeld. De laatste tijd deed hij dat wel vaker, en hij hoorde het meestal pas als het te laat was om het terug te nemen. Jim trok alleen zijn wenkbrauwen op.
'Ja. Als ik niet de mis opdraag,' zei hij, 'of op ziekenbezoek ga, met de gelovigen praat, of een discussieavond heb voor jongvolwassenen. Als ik niet de patiënten in het ziekenhuis bezoek, de zoveelste kerkenraad

heb of activiteiten moet coördineren...' Hij telde het af op zijn vingers. 'En dan heb ik het niet over de begeleiding van drugs- en drankverslaafden, de voedselbank, de catechisatie, het eten voor alleenstaande moeders, tientallen verschillende werkgroepen, bijscholing, begrafenissen of maatschappelijk werk. Nog afgezien van de werkelijke problemen, zoals mensen die hun huur niet kunnen betalen en in de winter van Chicago gewoon op straat worden gezet...' besloot hij, met toenemende woede, hoewel Thomas voelde dat die niet tegen hem gericht was. 'Ik doe nog wel wat anders dan de rozenkrans bidden.'
'Of naar basketbal kijken,' zei Thomas verontschuldigend.
'Een saaie en onbegrijpelijke sport,' zei Jim. 'Het is een soort boetedoening om ernaar te kijken.'
'Maar ook goed bedoeld,' zei Thomas, en hij hief zijn glas. 'Dank je wel.'
Jim haalde zijn schouders op om te laten zien dat hij niet beledigd was.
'Je mocht Ed wel,' zei Thomas.
'Een verwante geest,' zei Jim. 'En niet alleen omdat hij priester was. Hij las meer dan ik, maar hij vond het ook niet erg om de hele middag af te wassen in de gaarkeuken. Het is altijd prettig een priester te ontmoeten die zijn progressieve ideeën ook in praktijk brengt.'
Thomas glimlachte en knikte.
'Vind je dat ik met die senator moet gaan praten?' vroeg hij.
'Het kan geen kwaad, lijkt me,' zei Jim.
Weer een stilte.
'Maar,' zei Jim, met zijn ogen op de tv gericht, 'wat is er eigenlijk voorgevallen? Tussen jou en Ed, bedoel ik. Jullie zijn niet langzaam uit elkaar gedreven. Op die trouwfoto's leken jullie nog heel dik met elkaar.'
Daarop waren zo veel antwoorden mogelijk, al die dingen die hij al eens tegen anderen had gezegd, meestal om ervanaf te zijn. Maar Thomas was moe en waarschijnlijk zou hij deze eenzame priester na vandaag nooit meer zien.
'Hij heeft mijn huwelijk naar de knoppen geholpen,' zei hij.

10

Thomas zat in de wachtkamer van senator Zach Devlin op zijn kantoor in South Dearborn Street en staarde naar zijn handen. Hij voelde

zich geïmponeerd door de omgeving, met de smetteloze tapijten, de mooie meubels en de ingelijste, officiële foto's van Devlin, die heel ontspannen en gezaghebbend overkwam. Ooit zou hij het leuk hebben gevonden om een afspraak te hebben met een medewerker van een Republikeinse senator, blij met de kans om zijn sarcasme te botvieren en met zijn stokpaardjes toe te slaan als een peloton parachutisten.
Ik vraag me af, senator, hoe u een politiek – en ik gebruik dat woord in heel ruime zin – kunt verdedigen die zo aantoonbaar volslagen belachelijk is...
Maar de laatste tijd niet meer, en zeker niet vandaag. Vandaag was hij prikkelbaar en nerveus, en de afgelopen tien minuten had hij al eens overwogen om weer de lift naar beneden te nemen vanaf deze verheven achtendertigste verdieping, terug naar de koude, winderige straten van Chicago.
Toen hij het plaatselijke kantoor van de senator belde had hij een afwijzing of een ontwijkend antwoord verwacht, net als in Manilla, of hooguit een adres waarnaar hij kon schrijven of het telefoonnummer van een of andere onderknuppel in Washington. Eerst was hem gevraagd om even te wachten, waarna hij zijn verhaal kon doen aan een secretaresse, waarop hij nog langer in de wacht werd gezet. Maar net toen hij de hele onderneming wilde afblazen en ging ophangen, meldde de secretaresse zich weer en vroeg hem om nog diezelfde middag naar de stad te komen. Ze klonk een beetje verbaasd, zelfs met enig ontzag in haar stem. Thomas had opgehangen in een soort juichstemming, maar die was in de loop van de uren weer verdampt, en nu hij hier eindelijk zat, was hij half in paniek.
De receptioniste, een jong blond meisje met een vrolijke, positieve lach, nam de telefoon op, zei twee keer 'Ja' en één keer 'Natuurlijk', hing toen op en keek Thomas aan.
'Meneer Hayes is nu beschikbaar,' zei ze.
'Meneer Hayes?' vroeg Thomas, terwijl hij langzaam opstond. Het was eigenlijk geen vraag, maar meer iets om zich aan vast te klampen.
'De privésecretaris en stafchef van de senator,' zei ze, en ze wees hem een houten deur met panelen.
'Oké,' mompelde Thomas, een beetje uit het veld geslagen. 'Bedankt.'
Rod Hayes was van Thomas' leeftijd, hoewel zijn kortgeknipte haar al wat zilvergrijs vertoonde aan de slapen. Hij droeg een bril met een hoornen montuur die hem een academische uitstraling had kunnen geven, maar meer de indruk wekte dat iemand hem het ding had uitgeleend als compensatie voor zijn opvallend atletische postuur. Hij

had een brede borst en schouders, en zijn scherp gesneden donkere pak kon zijn fitte, gespierde lichaam niet verbergen. De ogen die hij op Thomas richtte waren grijs, intelligent en enigszins behoedzaam, maar dat viel te begrijpen. Als het ministerie van Binnenlandse Veiligheid Thomas als een dissident beschouwde, hoe onbelangrijk ook, wist Hayes misschien dat hij in het gezelschap van een politieke vijand was.

Zijn glimlach leek wat geforceerd, passend bij de situatie.

'Meneer Knight,' zei hij, terwijl hij van het raam naar Thomas toe kwam en een sterke, gebruinde hand uitstak. 'Blij dat u kon komen. Gaat u zitten.'

Thomas schuifelde naar de aangeboden stoel en ging voorzichtig zitten.

'Wij waren heel verdrietig om het bericht over uw verlies,' zei hij. 'Pater Knight was een goede vriend van de senator en een belangrijke bondgenoot.'

'O ja?' zei Thomas.

'Zeker,' zei Hayes, die besloot de vraag serieus op te vatten en niet als ironisch. En deze keer bedoelde Thomas het ook oprecht. Hij wist helemaal niets van de recente bezigheden van zijn broer, en hoewel de Ed die hij kende eerder Democraat was geweest, was die Ed al lang voor zijn dood van Thomas' radar verdwenen.

'We hadden niet zo veel contact,' zei Thomas, om dat meteen duidelijk te maken, 'maar ik weet dat hij een man van principes was.'

'Absoluut.'

'Daarom wilde ik u eigenlijk spreken,' vervolgde Thomas. Het kantoor met zijn strakke lijnen en glinsterende ramen, deze atletische, geslaagde jonge conservatief en het onderwerp van hun gesprek gaven hem een onbehaaglijk gevoel. Hij wilde dit zo snel mogelijk achter de rug hebben.

'Ik kom er maar niet achter waar mijn broer mee bezig was toen hij overleed. Het lijkt wel of ik op een soort nationaal veiligheidsonderzoek ben gestuit. Ik vroeg me af of u of de senator me wat meer kan vertellen of... die mensen kan terugroepen, of zo... omdat de senator hem kende...'

Hij gaf het maar op. Hij had dit van tevoren moeten repeteren. *Die mensen terugroepen*? Het klonk alsof hij om een gunst vroeg. Erger nog, het klonk schuldbewust.

'Nationaal veiligheidsonderzoek?' herhaalde Hayes, en hij keek hem scherp aan.

Thomas zakte nog verder in elkaar. Hij had gehoopt hier iemand te treffen die hem onmiddellijk iets kon vertellen. Maar blijkbaar wisten ze niet meer dan hij.
Hij vertelde Hayes over zijn gesprek met Binnenlandse Veiligheid en de moeite die het hem had gekost om informatie te vinden over de dood van zijn broer. Hayes' verbazing leek toe te nemen, maar hij zei niets en liet Thomas aarzelend zijn verhaal doen. Toen hij bij de indringer met het zwaard was aangekomen, schoof Hayes op zijn stoel heen en weer en kneep zijn ogen tot spleetjes. Zodra Thomas was uitgesproken, knikte hij langzaam, haalde een pen uit de zak van zijn jasje en begon op een vloeiblad te schrijven, terwijl hij zo nu en dan een vraag mompelde, zonder op te kijken.
'Wanneer kwamen ze?'
'Weet u met wie u gesproken hebt in Manilla?'
'Een verkeersongeluk?'
Elke keer dat Thomas knikte en antwoord gaf, voelde hij zich als een kind achter het gordijntje van de biechtstoel.
'Oké,' zei Hayes na een korte stilte, waarin hij tot de slotsom leek te komen dat hij het onderwerp voldoende had uitgeput. 'Als u uw adres en telefoonnummer bij de secretaresse achterlaat, zullen we zien wat we kunnen ontdekken. Als het een kwestie van nationale veiligheid is, kunnen we natuurlijk niet veel doen, maar...'
Hij zweeg en keek over Thomas' schouder naar de deur.
'Dat is het niet,' zei een mannenstem achter hem. Thomas draaide zich om en zag senator Devlin zelf in de deuropening staan. Hij was een grote man, nog altijd krachtig van postuur, hoewel hij al boven de zestig moest zijn. Hij had dik, wit haar, borstelige wenkbrauwen, en blauwe, enigszins brutale ogen.
Hayes sprong overeind, zichtbaar verrast.
'Senator,' zei hij. 'Dit is...'
'... Thomas Knight,' zei de senator. 'Ja, ik weet het. Het meisje van de receptie kan ook praten.'
Hij kwam binnen met een lange, soepele tred, alsof hij net van een paard was gestapt, en bewoog zich door de kamer alsof hij door heuphoog kreupelhout moest waden: een man die gewend was de kortste route te volgen naar zijn doel.
'Ed Knight was geen terrorist,' snoof hij over zijn schouder toen hij zijn koffertje met een klap op Hayes' bureau legde. 'Iemand heeft een grote fout gemaakt.'
'Vindt u niet dat we dit moeten overdragen aan Binnenlandse Veilig-

heid of de CIA...?' begon Hayes, die opeens een beetje zeurderig klonk, overdonderd door de onverwachte verschijning van zijn baas.
'Nee, om de verdommenis niet,' zei de senator, met een scherpe blik naar zijn stafchef. 'Ik heb Ed Knight gekend, en zijn dood is een groot verlies voor deze gemeenschap. Dat die sukkels uit Washington zijn nagedachtenis willen bezoedelen door hem tot een soort linkse paramilitair te verklaren omdat hij toevallig op de verkeerde plek is omgekomen is een schandelijke belediging. Incompetent, stompzinnig en...' hij zocht naar een geschikt woord, '... godslasterlijk.'
Hayes opende zijn mond om iets te zeggen, maar zweeg. Zijn blik ging haastig naar Thomas, die langzaam overeind kwam, met het gevoel alsof hij in een familieruzie terecht was gekomen.
'Niet tegenspreken, Hayes,' zei Devlin, terwijl hij met absoluut gezag zijn hand ophief. Hij vulde de hele kamer, als een generaal die wijdbeens op de geschutskoepel van zijn tank zat.
'Meneer Knight,' vervolgde hij, en hij richtte zijn heldere, doordringende ogen weer op Thomas, 'u hebt mijn woord als Amerikaan dat we de reputatie van uw broer zullen zuiveren en die idioten terug in hun hok zullen jagen, met een waarschuwing om hun werk naar behoren te doen.'
Thomas merkte dat hij glimlachte – waarom wist hij niet – en zelfs een beetje zwol van trots, hoe absurd en verraderlijk dat gevoel ook was. Maar toch bedankte hij de senator en vond hij het een voorrecht in het gezelschap van de man te mogen zijn, geïmponeerd door zijn statuur, ook al waren ze het bijna nergens over eens.
'Ga zitten,' zei Devlin. 'Dan drinken we wat. De senaat is niet in zitting, toch? Ik neem aan van niet, anders was ik wel in Washington en moest ik me beheersen om mijn geachte collega uit Massachusetts niet een flinke dreun te verkopen.'
Hij grijnsde als een wolf. 'Dan kunt u me nog wat meer vertellen over deze zaak.'
Thomas gehoorzaamde. De twee anderen zwegen en keken hem scherp aan toen hij nog eens zijn relaas deed. De senator snoof en fronste op de juiste momenten en knikte naar zijn adjudant toen Thomas bijna uitgesproken was.
Hayes verdween de kamer uit.
'Prima kerel,' zei hij met een knikje naar Hayes' rug toen de deur achter hem dichtviel. 'Conservatief met een kleine c, misschien – een Republikein met een trust fund, nog roomser dan de paus – maar ik maak nog wel een kerel van hem.'

'Terwijl u een conservatief bent met een hoofdletter C?' waagde Thomas, met iets meer van zijn vertrouwde cynisme.
'Er is geen letter groot genoeg,' zei de senator. Zijn grijns werd nog breder en spleet zijn grote gezicht doormidden met een rij regelmatige, stralende tanden. 'U niet, begrijp ik?'
'Nee,' zei Thomas.
'Heel jammer. Maar ik respecteer uw recht om al die progressieve onzin te geloven. Verdomme, ik zou me doodvechten tegen iedereen die iets anders beweert. Maar u komt wel met een vreemd verhaal, meneer Knight. Die vent die u overviel, was hij ergens naar op zoek, denkt u?'
'Ja,' zei Thomas, 'maar ik zou niet weten wat.'
De senator fronste zo diep dat zijn voorhoofd opeens vijf centimeter lager leek, en knikte.
'Hayes! *Hayes!*' brulde hij opeens. 'Waar ben je naartoe? Kentucky?'
Hayes verscheen weer in de deuropening met een blad met drie glazen van Waterford-kristal, elk gevuld met twee klontjes ijs en twee vingers Maker's Mark.
'Is bourbon oké?' vroeg de senator, terwijl hij Thomas een glas in zijn hand drukte.
'Natuurlijk,' zei Thomas, die zich afvroeg wat de senator zou zeggen als hij geweigerd had.
'Op uw broer,' zei Devlin, en hij hief zijn glas een eindje. 'Een goed mens en een goede priester. En dat zeg ik als overtuigde baptist uit het zuiden.'
Hij gooide de whisky in één keer achterover en zette het glas met een klap op het glanzend gepoetste mahoniehouten bureau. Hayes hief ook zijn glas voor de toost, maar hij dronk niet.
'Had Rod hier nog iets nuttigs te vertellen of heeft hij u het bos in gestuurd met een heleboel bureaucratisch gewauwel?'
Thomas glimlachte even en zijn blik kruiste die van Hayes, die grijnsde met geoefend geduld.
'O, hij was heel behulpzaam, dank u,' zei Thomas. 'Ik moest mijn adres en telefoonnummer achterlaten voor het geval...'
'Bureaucratisch gewauwel,' snauwde Devlin, en hij keek nijdig naar zijn stafchef, die zijn onaangeroerde borrel nog steeds in zijn hand hield en met zijn voeten tegen elkaar stond te wachten als een kelner die hun lege soepkommen wilde afruimen. 'Ik heb geen idee wat zich daar afspeelt – in Manilla, bedoel ik, maar waarschijnlijk ook in Washington – maar ik ga erachteraan en u hoort nog van mij. Ondertussen

raad ik u aan niets te doen wat achterdocht kan wekken. Laat het speurwerk maar aan de instanties over. En aan mij.'
'Dank u, senator,' zei Thomas, en hij nam nog een slok. 'Mag ik vragen hoe u elkaar eigenlijk hebt ontmoet, mijn broer en u?'
Devlin scheen een moment te aarzelen, alsof hij probeerde het zich te herinneren, maar Thomas meende dat Hayes hem een snelle blik toewierp en vroeg zich af wat er gaande was tussen hen. Een waarschuwing? Een vermaning om voorzichtig te zijn? Iets. In elk geval moest hij niet vergeten dat de senator, ondanks al zijn jovialiteit en mooie woorden, een beroepspoliticus was. Zulke mannen hadden hun positie niet bereikt door altijd het achterste van hun tong te laten zien, ook al wist Devlin heel bekwaam die indruk te wekken.
'Hij kwam ongeveer een jaar geleden naar me toe,' zei de senator, met zijn hoofd peinzend opzij. 'Hij had een idee voor een oecumenische organisatie, gebaseerd op het geloof: leidende figuren uit de plaatselijke gemeenschap die gezamenlijk de oorzaken van sociale problemen in de binnenstad moesten aanpakken, op wijkniveau. Het beviel me wel. Ik had meteen sympathie voor hem en zijn manier van denken. Slim, maar niet té slim; heel concreet. Ik heb niets aan theorieën en verheven onzin waar je geen brood voor koopt...'
'Zo is het. Laten ze maar werken voor hun brood,' zei Thomas, weer enigszins cynisch.
Devlin knikte nadrukkelijk en negeerde de ironie. 'God helpt hen die zichzelf helpen,' zei hij.
'En u hebt contact gehouden?' vroeg Thomas, die geen zin had in een discussie. 'Hij heeft u nog eens gesproken toen hij terugkwam uit Italië.'
Weer zag hij het: die korte aarzeling bij Devlin en de oplettende spanning bij Hayes.
'Ja,' zei de senator toen. 'Ik wilde hem voordragen voor een plaatselijke onderwijscommissie. Hij had de ervaring en hij was er heel geschikt voor. Maar hij gaf voorrang aan zijn parochiewerk en het boek waaraan hij werkte, dus bleef er niet genoeg tijd over. Jammer, natuurlijk, maar ik had begrip voor zijn houding.'
'En daarna? Hebt u hem nog gesproken voordat hij naar de Filipijnen ging?'
'Waar wilt u heen, meneer Knight?' vroeg de senator met diezelfde wolfachtige grijns. 'Het lijkt wel een kruisverhoor.'
'Ik ben alleen maar nieuwsgierig,' zei Thomas, die terugkrabbelde. 'Ik probeer de lege plekken in te vullen. We hadden niet veel contact, zoals

ik al zei, en... nou, in de eerste plaats wil ik gewoon weten wat hij daar deed.'
De senator ging op de rand van het bureau zitten en boog zich naar voren, zodat hij boven Thomas uittorende. Hij keek hem koel en onderzoekend aan.
'U bent bang dat er toch iets waar is van dat terroristenverhaal,' zei hij.
'U voelt zich schuldig omdat u het contact met uw broer hebt verloren en nu denkt u dat hij misschien van het rechte pad is afgedwaald en een landverrader is geworden.'
Thomas zei niets. Hij wist zelf niet wat hij daarvan vond, maar hij kromp enigszins ineen onder de scherpe blik van de senator.
De volgende woorden sprak Devlin langzaam en met nadruk uit: 'Zet. Het. Uit. Uw. Hoofd.'
Thomas knikte.
'Uw broer was geen terrorist. Het waait wel weer over. Denk aan Ed zoals hij werkelijk was, niet zoals hij nu wordt afgeschilderd door een paar bureaucraten die de weg kwijt zijn. Iedereen is bang tegenwoordig, bang voor zijn eigen schaduw. Ze zien overal terroristen en hun sympathisanten. Daar hoorde Ed niet bij, dat weet u ook wel.'
Thomas knikte, maar hij vroeg zich af of hij het vertrouwen van de senator deelde. Verder deelden ze niet veel.

11

Thomas miste de stad. In zijn jeugd had hij hier heel wat tijd doorgebracht, maar zijn werk en een ander huis hadden hem naar de rustige omgeving van Evanston verbannen, en hij kwam nog maar zelden in de binnenstad. Hij hield van de grauwe, grillige uitgestrektheid van Chicago, de kale bomen en de wind die het water van het meer deed rimpelen. Dus slenterde hij naar de oever, denkend aan Ed, terwijl hij zich afvroeg wat hij met zijn leven moest doen als dit alles achter de rug was. Voordat hij het wist stond hij voor de Lincoln Park Zoo, en omdat de dierentuin een stille indruk maakte en nog altijd – verbazingwekkend genoeg – gratis was, liep hij naar binnen, zoals hij zo vaak met Ed had gedaan toen ze nog jongens waren.
Het was er niet alleen stil; het leek verlaten. Het liep tegen het einde van de middag en het was snijdend koud, maar hij vond het merkwaar-

dig geruststellend om hier in zijn eentje rond te dwalen. De dieren trotseerden immers ook de kou. Hij had tegenstrijdige gevoelens over dierentuinen. Aan de ene kant werd hij aangetrokken door de indrukwekkende schoonheid van de dieren, aan de andere kant had hij medelijden met ze, ook al wist hij dat dierentuinen allerlei positieve functies hadden. Vandaag was hij zich alleen bewust van een soort vrede en de vluchtige schimmen van het verleden.

Hij zag maar één gezin, een man met een mager gezicht en zijn vrouw die op het glas van het gorillahuis trommelde, tot groot plezier van hun krijsende kinderen. Thomas stond op het punt er iets van te zeggen, maar hij had de energie niet, en de gorilla's staarden onbewogen voor zich uit, wachtend tot de mensen weer waren vertrokken.

Hij slenterde door de Kovler-kooi van grote katten, met de sneeuwluipaarden die liepen te ijsberen, en stapte toen de kou weer in, waar de leeuwen op de besneeuwde rotsen lagen, slechts van hem gescheiden door een laag hekje en een steile, lege gracht. In hun jeugd waren ze hier altijd geëindigd, hij en Ed. Dan liepen ze van kooi naar kooi, vrolijk discussiërend welk dier cooler was, de lynx of de serval, zoals ze ook over sporthelden praatten. De leeuwen keken zoals leeuwen altijd schijnen te kijken, hooghartig en onverschillig. Loom tolereerden ze bezoekers zoals hij, die ze kwamen aangapen, in het zekere besef dat ze heer en meester waren over hun eigen gebied, hoe beperkt het ook mocht zijn. Zelfs in gevangenschap, zelfs in de winter van Chicago, met de grijze torenflats van de stad aan de ene kant en het nog grijzere water van Lake Michigan aan de andere, brachten ze een klein stukje savanne met zich mee en heersten daarover.

Daar moet je respect voor hebben, dacht Thomas, die voor het eerst die dag heel scherp het verlies van zijn broer voelde.

Hij keek naar een van de leeuwinnen, die lag te snurken en zich afwezig krabde, en merkte de nabijheid van de man pas op toen hij vlak naast hem stond. Hij droeg een dik, warm jack, handschoenen en een gebreide muts die het grootste deel van zijn gezicht bedekte.

Thomas wilde instinctief een stap opzij doen. De man stond te dichtbij en was te dik tegen de kou gekleed. Opeens legde hij een arm tegen Thomas' rug en drukte hem tegen het hek.

Thomas probeerde zich te bevrijden, maar de man – van wie Thomas alleen kon zien dat hij blank was, verder niets – greep zijn linkerpols en draaide die met één enkele snelle beweging hoog tegen zijn rug. Thomas dacht dat het om zijn geld ging. Na wat er de afgelopen dagen was gebeurd, kon hem dat weinig schelen. Maar de man had blijkbaar

andere bedoelingen. Hij ramde zijn knie in Thomas' kruis, waardoor Thomas dubbelklapte.
'Bemoei je er niet mee,' beet zijn aanvaller hem toe, met zijn mond bij Thomas' oor.
De woorden drongen niet onmiddellijk tot Thomas door en met al zijn opgekropte woede kwam hij omhoog uit zijn ineengedoken houding en haalde uit met zijn rechtervuist.
Hij raakte de man vol tegen de zijkant van zijn hoofd. Eén moment dacht hij dat zijn aanvaller ervandoor zou gaan, maar de klap maakte hem nog kwader. Grommend draaide hij zijn hoofd naar Thomas toe, met een blik in de ijzige blauwe ogen onder de wollen muts die Thomas deed terugdeinzen en zijn woede abrupt deed omslaan in paniek. Hij hief zijn vuisten op om zijn gezicht te beschermen tegen wat er komen ging, en die fout werd bijna zijn dood.
Er volgde geen regen van vuistslagen. In plaats daarvan deed de man een stap naar hem toe en greep Thomas onder zijn armen in een onverwachte, stevige omhelzing. Thomas voelde hoe hij met zijn hele gewicht werd opgetild tegen de spijlen van het hek. Heel even zag hij de razernij in die ogen, met de verlaten dierentuin op de achtergrond. Thomas begon te schoppen. Een uitdrukking van pijn gleed over het gezicht van zijn aanvaller, meteen gevolgd door een ijzeren vastberadenheid.
Thomas voelde dat hij naar achteren dreigde te vallen, over de bovenkant van het ijzeren hek. Zijn hoofd en zijn bovenlichaam balanceerden in het niets, en het volgende moment stortte hij ruggelings omlaag. In zijn val klauwde hij naar het hek, maar zijn vingers vonden geen houvast. Hij draaide om zijn as, landde op de betonnen rand achter het hek en rolde zes meter omlaag, de droge gracht in. Zijn gedachten gingen twee keer zo snel als zijn handen, zodat hij ze in slow motion zag bewegen, machteloos graaiend door de lucht. Angstig en woedend vreesde hij de klap die onvermijdelijk ging komen. De hemel verdween uit het zicht, en hij viel als een baksteen.

12

Hij kwam neer op de bevroren, harde bodem van de gracht, tussen een afgebroken tak en wat schraal struikgewas. Zijn linkerbeen ving de

zwaarste schok op, bijna zijn hele gewicht, waardoor het in een onnatuurlijke hoek onder hem wegklapte. Hij hapte naar lucht. Op het moment dat hij op zijn rug rolde sloeg de pijn als een hete flits door hem heen en zag hij een verblindend wit licht. Daarna niets meer.
Toen hij zijn ogen opende, duurde het even voordat hij zich herinnerde waar hij was. Hij wist niet hoelang hij daar al gelegen had. Het laagje sneeuw was niet dik genoeg geweest om zijn val te breken of te dempen. Hij had een branderig gevoel in zijn ribben aan de rechterkant van zijn rug en onder aan zijn ruggengraat, en toen hij probeerde zich te bewegen was de pijn in zijn linkerbeen, vanaf de knie omlaag, zo hevig dat hij bijna opnieuw het bewustzijn verloor.
Stil blijven liggen. Afwachten.
Hij opende zijn ogen weer. Niemand te bekennen. Geen spoor van zijn aanvaller of andere bezoekers die misschien zijn val hadden gezien. Hij zag niets anders dan de hemel, de steile stenen wanden van de gracht en de dode, knoestige tak die maanden geleden in de gracht was gewaaid en daar was blijven liggen totdat hij erbovenop was gevallen.
'Help!' riep hij met moeite. Het was een gesmoorde kreet, die hem meteen een hoestbui bezorgde. Kreunend sloot hij zijn ogen weer, en hij deed ze pas opgelucht open toen hij enig geluid boven zich hoorde. Iemand heeft me zien vallen, dacht hij. Goddank.
Maar hij zag niemand bij het hek. Toen gleed er een steentje langs de wand van de gracht, maar aan de andere kant. Langzaam ging zijn blik omhoog. De grote, geelbruine kop van de leeuwin keek op hem neer.
O, god.
Het dier boog zich naar voren, zette haar zware poot op de rand om de stevigheid te testen en strekte toen haar kop om hem beter te kunnen zien. Ze stond ongeveer vier meter hoger, bijna recht boven zijn hoofd. Hij zag haar gespreide poten en de kussentjes van haar tenen.
Als ze zich op je stort...
Ze had amberkleurige ogen en een grote, bleke snuit. Haar bek ging open, half een oefening, half een geeuw, en Thomas constateerde dat ze waarschijnlijk haar hele kaak om zijn hoofd zou kunnen sluiten. Haar tanden waren als grote, gele beitels. Een van haar oren bewoog en ze boog haar kop, starend met haar heldere ogen.
Niet bewegen.
Heel even herinnerde Thomas zich de cocktail van pillen die hij een paar dagen geleden had willen slikken, en hoe rustig hij had besloten dat toch maar niet te doen. Nu lag hij hier, in elk geval met zware kneuzingen en misschien wel breuken, terwijl er een kat van bijna

tweehonderd kilo op hem neer staarde, en moest hij bijna lachen bij het ironische besef hoe sterk hij aan het leven hechtte.
De leeuwin zette haar oren overeind en bewoog haar nek en schouders. Thomas onderdrukte zijn lach en hield zich stil. Het duurde even voordat hij begreep dat het zware gesnor dat hij hoorde, als van een grote motor in de verte, uit de keel van de leeuwin moest komen. Hij probeerde de pijn te negeren, roerloos te blijven liggen en weer de neiging te onderdrukken om te lachen.
Opgevreten worden door een leeuw is misschien wel absurd, dacht hij, maar niet echt grappig.
Niet als je zelf het slachtoffer bent.
Nou ja, in elk geval kom je weer in het nieuws.
Nee, daar doe ik het niet voor. Ik moet hier weg.
Langzaam, tergend langzaam, en met pijn in zijn hele lichaam, probeerde hij in hurkzit overeind te komen. Daardoor moest hij heel even zijn blik van de leeuwin losmaken. Angstig spitste hij zijn oren of het dier niet naar beneden kwam. Met twee sprongen kon ze bij hem zijn, vermoedde hij. De sprong zou haar waarschijnlijk niet deren, zeker niet als ze op iets zachts landde.
Zoals jij, bedoel je.
O, dat is handig, reageerde hij op zijn innerlijke stem. Maak jezelf doodsbang.
Misschien zou ze niet meer zonder hulp omhoog kunnen komen, maar hij betwijfelde of een leeuw daar rekening mee hield, dus moest hij maar hopen dat het dier zich niet door hem bedreigd voelde en geen honger had. Krimpend van pijn draaide hij zich naar de andere kant van de gracht en inspecteerde de stenen wand.
Hij moest wel omhoog kunnen klimmen, maar de vraag was of hij de kracht bezat. Als hij langer dan een seconde zijn gewicht op zijn linkerbeen liet rusten was de pijn niet meer te harden. Hij keek nog eens naar de leeuwin. Ze hield hem in de gaten vanaf de rand, terwijl ze langzaam haar kop heen en weer bewoog, zonder hem uit het oog te verliezen. De realiteit van de situatie drong tot hem door met de helderheid van een bliksemflits. De leeuwin schatte de afstand van de sprong.
Waar hij nu lag, vormde hij een machteloze prooi. Ze gromde en sloeg met haar staart, zodat hij wist dat ze eraan kwam, nog voordat ze de pezen van haar voorpoten strekte.
Thomas had er geen moment aan getwijfeld dat ze de sprong kon maken, maar het gemak waarmee verbijsterde hem toch. Met één soepele,

bijna lome beweging kwam ze neer. Haar zware poten absorbeerden de schok zo eenvoudig dat ze nauwelijks een spoor trokken in de dunne laag sneeuw die aan het waterige zonnetje was ontsnapt. Drie meter bij hem vandaan landde ze in de gracht en bleef stil staan, met haar gele ogen op hem gericht en haar bek halfopen.
Hierbeneden leek ze groter dan ooit. Voorzichtig, om haar niet uit het oog te verliezen, tastte Thomas achter zich naar de gebroken tak waarop hij geland was. Met gespreide vingers zocht hij koortsachtig de ijzige grond af, tot hij de tak gevonden had. Toen kwam hij snel en pijnlijk overeind, deed twee stappen terug en trok onmiddellijk zijn jas uit.
De leeuwin leek naar voren te leunen, als iemand in een afremmende bus die zich tegen de wetten van de traagheid verzet. Als de bus stopte, zou hij naar voren vallen. Bij de leeuwin bestond die traagheid slechts in haar kop, wist Thomas. Op het juiste moment zou ze de sprong nemen.
En als ze dat doet, ben ik er geweest. Zo simpel ligt het.
Heel even overwoog hij met de tak te zwaaien, bij wijze van wapen, maar dat had geen enkele zin. Als de leeuwin nu in de aanval ging, zou hij zich onmogelijk meer kunnen verdedigen, zelfs niet met een raketwerper. Alles hing af van de beslissing van het dier.
Ze staarde hem aan zonder met haar ogen te knipperen en Thomas keek terug, terwijl hij de tak en zijn zware jas gereedmaakte. Toen hij klaar was, haalde hij moeizaam adem, richtte zich zo ver mogelijk op en begon te brullen, zo hard als hij kon. Tegelijk zwaaide hij zijn jas aan de tak boven zijn hoofd, als een oorlogsvlag.
Het was een wanhopig, absurd gekrijs, een uitzinnige strijdkreet als van een beschilderde krijger die zich tegen de schilden van een linie Romeinse legioensoldaten wierp. Zodra hij geen lucht meer had, haalde hij diep adem en schreeuwde opnieuw. Dat herhaalde hij, zo hard en zo lang als hij kon.
De grote kat aarzelde, en haar ogen gingen naar de punt van zijn belachelijke kromme stok, met de wapperende jas. Binnen een paar seconden had Thomas zich twee keer zo lang gemaakt en de leeuwin was misschien niet bang, maar wel verbaasd of zelfs onzeker. Deze prooi was groter en in elk geval luidruchtiger dan ze had verwacht. Thomas negeerde de felle pijn in zijn been, zwaaide met zijn armen en liet nog één keer zijn barbaarse strijdkreet horen.
Hij zag dat de leeuwin ineenkromp, haar kop een eindje terugtrok en snel om zich heen keek, alsof ze haar mogelijkheden overwoog. De kleine kans dat hij toch aan de kaken des doods zou ontsnappen – en

nooit was die beeldspraak zo zuiver geweest – gaf hem de kracht om nog extra hard te schreeuwen. Binnen twee seconden had de leeuwin een stap achteruit gedaan.
Op hetzelfde moment draaide Thomas haar zijn rug toe, stak zijn handen zo ver mogelijk langs de glooiende betonwand omhoog en hees zich naar boven, klauwend naar spleten in de steen. Het cement was rossig van kleur en gemodelleerd als geërodeerde rots. Het bood net voldoende houvast voor hem en net niet genoeg voor de grote kat. Hij klom nog een eind omhoog, waarbij hij zijn linkerbeen zo veel mogelijk ontzag, totdat hij het hek had bereikt.
Hij wist dat hij de leeuwin niet uit het oog had moeten verliezen, maar zijn gevoel van triomf was te groot. Toen hij omlaagkeek, zag hij nog net dat ze van gedachten was veranderd. Ze bestormde de wand van de gracht en gooide zich omhoog, grauwend en meppend met een van haar reusachtige klauwen. Thomas trok zijn been weg, klampte zich wanhopig vast en greep een spijl van het hek toen de leeuwin weer terugviel. Voordat ze nog een sprong kon nemen klauterde hij al over het hek, grinnikend bij zichzelf met een opluchting die grensde aan hysterie.
Nauwelijks was hij uit de leeuwenkuil ontsnapt of hij zag een grote zwarte vrouw in uniform zijn kant op rennen vanaf de draaimolen.
'Ben je gek geworden?' schreeuwde ze hem toe.
Ze stormde op hem af, met woedende, wijd opengesperde ogen, bijna net zo dreigend als de leeuwin.
Thomas dacht snel na, stak verontschuldigend zijn hand op en hinkte zo snel mogelijk weg langs de zeehondenvijver naar de uitgang. Nog één keer keek hij om naar de gracht, waar de leeuwin hem hooghartig nastaarde toen hij verdween en op Stockton Drive een taxi zocht.

'Dood?' vroeg de Zegelbreker.
'Nee,' zei de stem over de telefoon. De stem van de Oorlog. 'Behoorlijk geschrokken en toegetakeld. Misschien moet hij langs de dokter, maar hij overleeft het wel.'
'Dat lijkt me het beste,' zei de Zegelbreker. 'Geschrokken, zei je?'
'Reken maar.'
'Afdoende?'
De Oorlog aarzelde, en de Zegelbreker reageerde meteen. 'Dat dacht ik al.'
'Hij geeft het wel op,' zei de Oorlog. 'De man is een *gewone leraar*. En hij mocht zijn broer niet eens. Hij stopt er wel mee.'

'Misschien,' zei de Zegelbreker. 'Maar zo niet, blijf dan in de buurt, vooral als hij verder snuffelt.'
'Hier is niets meer te vinden.'
'Ik bedoel niet hier,' zei de Zegelbreker. Zijn irritatie vlamde plotseling op en doofde weer als koudvuur. 'Ik zal de Pest naar Napels terugsturen. Voor alle zekerheid.'
'Knight gaat heus niet naar Italië,' zei de Oorlog. 'Waarom zou hij?'
'Voor alle zekerheid, zei ik,' herhaalde de Zegelbreker nadrukkelijk. 'Voorlopig kijken we toe en wachten we af. Het kan lastig zijn om hier met hem af te rekenen, als het zover zou komen. Wie weet,' zei hij, met een lachje dat even kortstondig was als zijn woede, 'misschien is een reisje naar Europa precies wat meneer Knight nodig heeft. De wereld kan immers heel gevaarlijk zijn.'

13

Het was bijna donker tegen de tijd dat Thomas bij de pastorie terugkwam. De regen was overgegaan in natte sneeuw. Hij trof niemand thuis en het huis was donker, dus zocht hij voorzichtig zijn weg over de trap naar Eds kamer en ging daar op het bed zitten. Hij wist bijna zeker dat hij zowel zijn knie als zijn enkel had verdraaid bij zijn val, maar vermoedelijk was er niets gebroken. De volgende morgen zou hij bont en blauw zijn, maar hij mocht nog van geluk spreken.
Dat kwam niet vaak voor, dat je aan het eind van een dag blij was dat je niet was opgevreten.
Hij grijnsde bij zichzelf.
'*Bemoei je er niet mee,*' had zijn aanvaller gezegd.
Zijn grijns verdween. Het was geen beroving geweest en hij had de man ook niet gemeen horen lachen, zoals iemand die genoot van een dodelijke practical joke. Iemand had hem doelbewust gewaarschuwd om zijn neus niet in Eds zaken te steken.
Nou, ze hadden hem de stuipen op het lijf gejaagd. Maar niet voldoende om hem af te schrikken.
'*Koppig als een muilezel,*' hoorde hij Kumi's stem in zijn hoofd. Of als een os.
De kamer was nog in wanorde, na het incident met Parks, de dief die het 'Jezusvisje' had meegenomen, zoals die agent het had genoemd.

Zou dezelfde man hem vervolgens voor de leeuwen hebben geworpen? Hij wist het niet zeker, maar het leek hem niet. De dief had een impulsieve, zelfs roekeloze indruk gemaakt, zoals ook bleek uit de vreemde keuze van zijn wapens. De man in de dierentuin was een professional geweest, een sterke vent die zich heel effectief bewoog. Hij had Thomas opgetild alsof hij een kind was. Zulke mannen droegen een automatisch pistool, geen zwaard.

'Devlin?' peinsde hij hardop.

Rusteloos kwam hij overeind. Opeens wilde hij hier weg, uit deze kamer met zijn drukkende stilte. Hij moest Jim vinden om hem te vertellen over zijn gesprek met de senator, de confrontatie met de leeuwin en de man die hem in de kooi gesmeten had. Maar toen hij de trap af liep was Jim nog steeds niet thuis. De rest van het huis was donker, dus slenterde hij naar het gedeelte dat hij nog niet had gezien, weg van de voordeur en de keuken, langs groezelige houten kasten door een muf ruikende gang met maar één zwakke, kale gloeilamp. Links was een deur die op slot zat, en aan het eind van de gang nog een deur. Hij duwde hem open en stapte zijn verleden binnen.

Het was een sacristie, waar priesters zich kleedden voor de mis, waar ze hun misgewaden en de voorwerpen voor de liturgie bewaarden. Het rook er naar wierook en kaarsvet, er lag een houten vloer en het was er net zo schemerig als in de sacristie waar hij ooit koorknaap was geweest, dertig jaar geleden. Als regel hield Thomas niet van donkere, besloten ruimtes, maar dit was anders, vertrouwd. Aan het einde was de dubbele deur naar de kerk, en daarachter hoorde hij een vaag gemompel: Jim die de mis opdroeg, ongetwijfeld voor een handvol eenzame bejaarden die niets beters te doen hadden op een koude avond in maart.

Voor het eerst kon Thomas de dood van zijn broer verwerken zonder enige rancune. Dit had de plek kunnen zijn waar ze in hun koorhemden rondrenden voor de mis, spelend met de kaarsen, ruziënd wie het kruis mocht dragen en wie er acoliet mocht zijn. Ed kreeg altijd het kruis. Hij was twee jaar ouder dan Thomas, en ook langer, zodat Thomas altijd aan een van de kleinere jongens werd gekoppeld om de zware koperen kandelaars te dragen, aan weerskanten van Ed, die een eindje voor de processie uit liep. De geuren brachten de herinnering weer bij hem boven alsof het gisteren was: afgestreken lucifers en de exotische lucht van wierook, zo ver van hun arbeidersmilieu. Het leek of hij zich maar hoefde om te draaien om zijn broer weer te zien, als jochie van tien of twaalf, als hij het witte koorhemd over zijn hoofd

trok en de nasale toon van pastoor Wells imiteerde: '*In de naam van de Vader, de Zoon...*'
Tranen sprongen in zijn ogen, niet om de dood van zijn broer, maar omdat Ed en deze plek zo duidelijk aantoonden hoeveel hij was verloren sinds die tijd, hoeveel van het leven hem door de vingers was geglipt, zonder dat hij er veel voor had teruggekregen. Hij miste niet alleen Ed, maar ook zijn ouders, enkele vrienden en natuurlijk zijn ex-vrouw. Hoewel zij nog springlevend was, leek haar afwezigheid uit zijn leven zijn eenzaamheid en mislukkingen nog het meest te onderstrepen. Thomas bleef roerloos in het halfdonker staan en dacht er pas aan de tranen uit zijn ogen te vegen toen hij uit zijn herinneringen werd gewekt door het ooit zo vertrouwde gemompel van de gelovigen, die – allemaal uit de maat – de gebeden zeiden: 'Wij geloven in één God, de Almachtige Vader, Schepper van hemel en aarde, van alles wat zichtbaar en onzichtbaar is...'

De mis waarnaar hij door de gesloten deuren had geluisterd was al twee uur voorbij. Aan de keukentafel, samen met Jim, had hij zich door een maaltijd van diepvrieskip met ovenfrietjes en witte bonen heen gewerkt. Nu keek hij naar het plaatselijke nieuws, terwijl Jim nog een paar telefoontjes afwerkte en e-mails verstuurde op een luid zoemende, vergeelde pc. 'Administratie van de parochie,' had Jim gezegd. Met afgrijzen had hij naar Thomas' verhaal over het incident in de dierentuin geluisterd. Hij vermoedde dat Devlin erachter zat.
'Misschien,' zei Thomas, blij met het wantrouwen van de priester tegenover de senator en de manier waarop hij Thomas' kant leek te kiezen. 'Maar Devlin heeft niet geprobeerd mij te waarschuwen.'
'Dat was ook niet nodig! Hij had al een gorilla klaarstaan om je het zwijgen op te leggen.'
'Niet echt,' moest Thomas toegeven, terwijl hij een slok van zijn Bushmills nam. 'Ik denk dat hij me alleen maar moest afschrikken. Maar ik verzette me, en toen verloor hij zijn zelfbeheersing. Het had mijn dood kunnen worden, maar ik geloof niet dat hij me wilde vermoorden...'
'Dat is de domste redenering die ik ooit heb gehoord,' zei Jim.
'Dus jij vindt dat ik naar de politie moet gaan?'
Jim aarzelde. 'Nou,' zei hij, 'dat weet ik niet. *De politie...*'
'Vertrouw je ze niet?'
'Ze houden zich te veel aan de regeltjes,' zei de pastoor.
'Net als de Bijbel, misschien...?'
'Welnee,' zei Jim kortaf.

'Hoe dan ook,' besloot Thomas, 'ik kan niet met dit verhaal aankomen, want dan verklaren ze me voor gek.'
'Dus daar ben je bang voor?' zei Jim, die zijn ergernis alweer vergeten was. 'Dat je voor gek zult staan?'
'Nou,' zei Thomas, 'het is wel pijnlijk om te moeten vertellen hoe je...'
'Ja, hoor,' zei Jim droog. 'Dat begrijp ik. Als ik in een kooi was gegooid om door leeuwen te worden verslonden zou ik het ook heel *pijnlijk* vinden. Ik bedoel, wat dráág je bij dat soort gelegenheden...?'
'Ik meen het serieus, Jim,' zei Thomas. 'Die vent zei dat ik me nergens mee moest bemoeien. Als ik meer wil weten over Eds dood, moet ik dus heel voorzichtig te werk gaan. In een politiewagen stappen bij een goedbedoelende agent die me toch niet kan helpen is niet de juiste manier. Als ze dat zien, hebben die lui – wie ze ook mogen zijn – helemaal een reden om me voorgoed uit de weg te ruimen. Dat risico neem ik niet.'
'En ik dacht dat ík paranoïde was,' zei Jim.
'Als iemand je als smakelijk hapje aan de leeuwen aanbiedt omdat er toevallig geen zebra op het menu staat, mag je best een beetje paranoïde zijn.'
'Je hebt gelijk, Daniël,' zei Jim met een lachje.
In de leeuwenkuil.
'Heel geestig.'
'Dat vond ik ook.'
'Ik vraag me steeds weer af wat Ed in Italië deed,' zei Thomas.
'Onderzoek en een beetje vakantie,' zei Jim. 'Maar ik kreeg de indruk dat hij niet vaak in het retraitehuis was. Ze hebben mij een keer gebeld om te vragen of hij misschien eerder naar huis was vertrokken.'
De telefoon ging in de keuken. Thomas keek op zijn horloge en trok zijn wenkbrauwen op. Het was al na tienen. Jim, die eraan gewend was om op alle uren van de dag te worden gebeld en opgeroepen, zuchtte eens en sjokte de kamer uit. Thomas sloot zijn ogen en zakte onderuit. Hij wilde naar bed. Het was een lange, vreemde dag geweest, net als gisteren, en hij wist niet hoe het nu verder moest. Wat deed hij eigenlijk nog in de pastorie? Wilde hij niet terug naar zijn lege huis?
Wen er maar aan. Je zult er de komende maanden nog heel wat tijd doorbrengen.
Het vooruitzicht van geen baan, geen inkomen en geen zinvolle dagbesteding deprimeerde hem nog meer. Hij draaide zich om en zag dat Jims computer nog aanstond, met de website van de parochie. Een van de thumbnails op het scherm was een foto van Thomas' bruiloft die nu

op de vloer van Eds kamer lag. Dat Ed die foto had gebruikt, vooral nadat ze het contact hadden verloren, verbaasde hem. Hij keek ernaar en vroeg zich af wat er in het leven van zijn broer was gebeurd, vlak voor zijn dood.
'Het is voor jou.'
Jim stond in de deuropening met de snoerloze telefoon.
'Hier,' zei Jim. 'Ik zal eens kijken of ik het contactadres in Italië nog kan vinden.'
Thomas nam fronsend de telefoon van hem over. 'Met Thomas Knight,' zei hij.
'Hallo, Tom.'
Waarschijnlijk was het maar twee seconden, maar hij had het gevoel dat hij minstens een minuut met stomheid was geslagen.
'Tom, ben je daar nog?'
Niemand anders had hem ooit zo genoemd. Helemaal niemand.
'Kumi?'
Hij hoefde het niet te vragen en dat wilde hij ook niet. Hij hoorde het zichzelf zeggen, hees en van een afstand, net als de echo's van het verleden die hij in die sacristie had gehoord. Hij kreeg kippenvel op zijn armen en zijn hart bonsde in zijn keel.
'Hallo, Tom.'
'Hallo. Dat is lang geleden.'
'Ja, vijf jaar.'
Ze zei het zonder verwijt, misschien een beetje droevig. Hij was het immers geweest die niet meer met haar wilde praten.
'Ik had je thuis gebeld, maar je luistert je voicemail nog steeds niet af, denk ik. Daarom heb ik het hier maar geprobeerd.'
'Goed,' zei hij, zoekend naar woorden. Jim kwam weer binnen, wapperend met een papiertje, maar zijn lach verdween toen hij Thomas' gezicht zag, alsof hij bang was dat hij een beroerte zou krijgen. Misschien was dat wel zo.
'Hoor eens, ik wilde je zeggen hoe erg ik het vind, van Ed,' zei ze.
'Oké,' zei hij. 'Dank je wel.'
'Ik weet wel dat het de laatste tijd niet zo goed ging tussen jullie, maar... nou ja, het is verschrikkelijk. Ik wou dat ik iets kon doen.'
'Bedankt. Ik weet het. Het gaat wel.' Er kwam een vraag bij hem op. 'Wacht. Hoe wist je het eigenlijk?'
Ze scheen te aarzelen. 'Ik heb bezoek gehad van het ministerie van Binnenlandse Veiligheid,' zei ze.
'O.' Thomas wist niet goed wat hij daarmee aan moest.

'Nou,' ging ze verder. 'Hoe gaat het met jou?'
'O, redelijk.'
'Op je werk ook?'
'Ja, hoor,' loog hij. 'Zoals altijd.'
'Mooi.'
'En jij? Je werk, bedoel ik?'
'O ja. Druk. Nergens tijd voor. Ik zat nog pas op kantoor aan je te denken,' zei ze. Haar toon was luchtig, bijna vrolijk, maar het klonk geforceerd, alsof ze het gerepeteerd had.
'Ja?' vroeg hij met moeite.
'Ik dacht aan die keer dat we naar Arizona waren met Ed, toen we die wandeling maakten. Dat was leuk, vond je niet? Daar denk ik nog dikwijls aan. Weet je nog dat we door die droge bedding kwamen? Ed was er ook, en we moesten zo lachen...'
'Kumi,' zei hij, 'gaat het wel goed met je?'
Daar reageerde ze niet op. Haar stem klonk een beetje schril, hoog en snel, alsof ze auditie deed voor een sitcom.
'We logeerden met z'n drieën in dat kleine hotel, en dat was eigenlijk de leukste tijd die ik... En Ed had het er steeds over dat hij naar Italië was geweest? Herinner je je dat nog? De wandeling door die droge bedding, daar denk ik nog vaak aan. Weet je nog? Terug naar de bron van de rivier. Ed zei dat het leek op die plek waar hij was geweest, en... Nou ja. Hé, het spijt me, ik draaf door. Maar ik bel vanaf mijn werk, dus ik kan het niet te lang maken. Ik wilde je alleen het beste wensen en zeggen hoe erg ik het vind. Oké?'
'Kumi,' herhaalde hij, ernstiger nu, en met meer nadruk, 'gaat alles goed met je?'
'Ja, hoor. Echt. Ik maak me alleen zorgen om jou, Tom.'
'Wacht,' zei hij.
'Het spijt me, Tom, ik moet nu ophangen. We praten nog wel, oké? Tot ziens.'
'Kumi...'
'Dag, Tom.'
En ze had opgehangen.
Thomas bleef in de schemerige kamer staan, starend naar de telefoon.
'Gaat het, Thomas?' vroeg Jim.
'Nee, niet echt,' zei Thomas. Hij had nog steeds kippenvel op zijn armen, en opeens kreeg hij het koud. 'Ik geloof dat het allemaal nog ernstiger is dan ik dacht. Veel ernstiger.'

14

'Dat was je vrouw,' vatte Jim samen, als verduidelijking.
'Ex-vrouw,' zei Thomas, terwijl hij om zich heen keek. Misschien moest hij de papieren van zijn broer meenemen.
'Je ex-vrouw,' zei Jim, 'die je sinds de scheiding niet meer gesproken hebt.'
'We zijn niet gescheiden,' zei Thomas. 'Dat wilde ze niet. Ze is katholiek, weet je,' voegde hij er bitter aan toe. 'Ze wilde niet door de Kerk worden verstoten, maar ze wilde ook niet in hetzelfde werelddeel meer leven als ik. Dus op advies van mijn broer is ze teruggegaan naar waar we elkaar hadden ontmoet en daar gebleven.'
'Waar jullie elkaar hadden ontmoet?'
'Japan.' Enkel het woord al deed hem pijn.
'Maar ze is niet Japans?'
'Geboren in Boston,' zei Thomas. 'Tweede generatie.'
'En ze belde nu om haar medeleven te betuigen...'
'Daarom belde ze niet,' zei Thomas. 'Niet echt. Ze belde om me te waarschuwen.'
'Met een verhaal over een uitstapje naar Arizona met jou en je broer? Ik begrijp het niet.'
'We hebben helemaal niet gelachen in Arizona,' zei Thomas duister. 'En we zijn nooit gaan wandelen. We hebben op een hotelkamer gezeten en vijf dagen lang tegen elkaar geschreeuwd. Daarna zijn we naar huis gegaan en heeft Kumi haar koffers gepakt en de benen genomen. Het was bedoeld om ons dichter bij elkaar te brengen, maar het maakte de kloof juist groter.'
'En jullie hebben geen wandeling gemaakt door een droge bedding?'
'Ik wel,' zei Thomas, 'maar zij niet. Ik ben naar buiten gestormd en heb een of andere berg beklommen. Nou ja, in mijn woede lette ik niet op en struikelde over een steen, waardoor ik viel en mijn enkel brak. Het heeft me de hele nacht gekost om terug te komen naar de auto. Tegen die tijd was ik halfdood van uitputting en hitte. Kumi dacht dat ik ervandoor was gegaan en had al een taxi naar het vliegveld genomen. Pas een week later hoorde ze wat er werkelijk was gebeurd, maar toen waren we al te kwaad op elkaar. Een perfect einde van een vakantie in de hel.'

'En Ed? Kon hij niet helpen?'
'Misschien,' zei Thomas, terwijl hij de koffer sloot en zich omdraaide naar Jim. 'Maar hij was er niet bij.'
Jim staarde hem aan. 'Wát?'
'We waren misschien niet het ideale echtpaar,' zei Thomas, 'maar toen we een weekje weggingen om te proberen ons huwelijk te redden, hebben we in elk geval niet mijn broer meegenomen. Zeker niet omdat hij een deel van het probleem was.'
'Als je vrouw je wilde waarschuwen, waarom heeft ze het dan niet rechtuit gezegd?' vroeg Jim.
'Omdat ze bang is.'
'Waarvoor?'
'Geen idee, maar het gaat niet om haarzelf. Ze is bang om mij. Dat heb ik haar gevraagd, en dat zei ze ook. "Ik maak me alleen zorgen om jou." Dat was de enige opmerking die echt als Kumi klonk. O, en dat verhaal over teruggaan naar de bron.'
'Wat bedoelde ze daarmee?'
'Waar het allemaal is begonnen, denk ik,' zei Thomas.
'En waar is dat?'
'"Ed zei dat het leek op die plek waar hij was geweest,"' herhaalde Thomas, en hij keek Jim vragend aan.
Heel even leek de priester in gepeins verzonken, toen pakte Thomas zijn rechterhand en vouwde die open. Het papiertje met het adres lag nog in Jims handpalm.
'Thomas,' zei hij. 'Dat is krankzinnig.'
'Ik zou niet weten wat ik anders moest doen,' zei Thomas. 'Ik heb geen idee wat hierachter zit. Mijn ex denkt dat ik in gevaar verkeer en na die toestand in de dierentuin ben ik dat wel met haar eens. Mijn broer is dood, en niemand wil me vertellen hoe of waarom hij is omgekomen. De hele situatie is krankzinnig, maar het enige wat ik weet is dat het hier is begonnen, in Italië. Dat probeerde ze me te vertellen. Begin in Italië.'
Hij hield het adres omhoog dat zijn overleden broer twee maanden geleden via een slechte telefoonlijn aan deze priester tegenover hem had gedicteerd.
'Ik had niet veel gemeen met mijn broer,' zei hij, 'en zijn geloof interesseert me niet, maar ik wil wel weten wat er met hem is gebeurd. Dat ben ik hem verschuldigd. Ik ga naar Napels.'

Deel II

De Vier Ruiters

En ik zag, toen het Lam een van de zeven zegels brak, en ik hoorde een van de vier dieren zeggen met een stem als van een donderslag: Kom en zie!
En ik zag, en zie, een wit paard, en de berijder had een boog en hem werd een kroon gegeven, en hij reed erop uit, zegevierend en om te overwinnen.
En toen hij het tweede zegel brak, hoorde ik het tweede dier zeggen: Kom en zie!
En een tweede, een rossig paard, verscheen. En de berijder werd de macht gegeven de vrede van de aarde weg te nemen en elkander af te slachten; en hij ontving een groot zwaard.
En toen hij het derde zegel brak, hoorde ik het derde dier zeggen: Kom en zie! En ik zag, en zie, een zwart paard, en de berijder had een weegschaal in zijn hand.
En ik hoorde een stem te midden van de vier dieren zeggen: Een maat tarwe voor een schelling en drie maten gerst voor een schelling; en breng geen schade toe aan de olie en de wijn.
En toen hij het vierde zegel brak, hoorde ik de stem van het vierde dier zeggen: Kom en zie!
En ik zag, en zie, een vaal paard, en de berijder, zijn naam was de Dood, en het dodenrijk volgde achter hem. En hun werd de macht gegeven over het vierde deel van de aarde, om te doden met het zwaard, met de honger, met de zwarte dood en door de wilde dieren der aarde.

– Openbaring, 6:1-8

15

De Pest zat alleen en onopgemerkt op een smeedijzeren stoel en dronk een espresso terwijl een handvol haveloze jochies achter een voetbal aan rende door een met waslijnen vol gehangen steegje aan de overkant van de piazza. Er waren geen andere klanten in het kleine Napolitaanse café. Daar was trouwens ook geen ruimte voor. Zo nu en dan kwam er iemand binnen voor een praatje met de eigenaar achter de hoge bar, maar blijkbaar waren dat sociale bezoekjes, want er ging geen geld over de tapkast. Iemand scheurde voorbij op een scooter en de Pest zag de zon ondergaan achter de ooit zo luxueuze appartementen met hun achttiende-eeuwse gevels. Ze waren nu vuil en verwaarloosd, de benedenverdiepingen beplakt met verkiezingsaffiches en beklad met de graffiti waarvan de stad vergeven was. Midden op het plein wrong het verkeer zich toeterend rond een vergeten ruiterstandbeeld, zodat niemand die er niet speciaal op lette het geluid van het mobieltje hoorde toen het ging.

De Pest hoorde het wel en hoefde niet te kijken wie het was. Alleen de Zegelbreker had dit nummer.

'Ja?'

'Je kunt het doelwit binnen een uur verwachten,' zei de Zegelbreker zonder plichtplegingen. 'Hij is op weg naar de Santa Maria delle Grazie. Daar tref je hem.'

'Ik ben al op mijn post,' zei de Pest met een glimlach.

De berijder van het witte paard, de eerste van de Vier Ruiters van de Apocalyps die door de Zegelbreker in het boek Openbaring worden opgeroepen, was in de loop der jaren op talloze manieren geïnterpreteerd, hoewel de figuur vermoedelijk was gebaseerd op de Parthen, die met hun boogschutters te paard Rome hadden geterroriseerd in de eerste eeuw na Christus. Een van hun geliefde tactieken was weg te galopperen in een ogenschijnlijke aftocht, om zich dan in hun zadels om te draaien en de achtervolgers met een regen van pijlen te verrassen: een Parthenschot of *parting shot*, zoals het in het Engels was verbasterd. Die dodelijke truc appelleerde aan Bijbellezers die een voorkeur hadden voor een minder historische, meer allegorische uitleg van de merkwaardige symboliek van het boek. In de combinatie van het witte paard en het verraderlijke gebruik van de boog zagen ze het symbool van een bijzonder verderfelijk bedrog. De Pest – die in moderne gedaante nu een kopje koffie dronk – kon dat wel waarderen. Wat had dodelijke kwaadaardigheid voor zin als je het al op kilometers afstand zag aankomen?

Die laatste gedachte riep een minder wenselijke suggestie op.

'Zijn de anderen hier ook?' vroeg de Pest.

'Dat hoef je niet te weten.'

'Straks lopen we elkaar nog in de weg,' zei de Pest, enigszins geïrriteerd.

Het bleef even stil aan de andere kant, en de Pest zweeg.

Dat had ik niet moeten vragen. Hij weet wat je werkelijk bedoelt.

'Er zijn nog andere agenten in het veld,' zei de Zegelbreker.

De Pest haalde diep adem. Een taxi claxonneerde, veel te dichtbij.

'De Honger?'

'In positie,' zei de Zegelbreker.

De Pest sloot een moment de ogen en balde een vuist. Het had geen zin om erop door te gaan. Wat viel er te zeggen? Hoe kon iemand die sluipende angst voor een ander menselijk wezen onder woorden brengen zonder zwak of irrationeel te lijken?

'Oké,' zei de Pest. 'Als je hem maar uit mijn buurt houdt.'

De verbinding werd verbroken en de Pest nam een laatste slok koffie met een gebaar dat vastberaden leek, ook al rinkelde het kopje tegen het schoteltje.

Op bijna hetzelfde moment kwam Thomas Knight het plein op. Hij tuurde tegen de zon in, zeulend met zijn tas, met die mengeling van verbazing en nervositeit die karakteristiek is voor alle toeristen, waar ook ter wereld. Aan zijn kleren was hij herkenbaar als een buitenlander, een Amerikaan, zodat hij al opviel lang voordat hij bleef staan om de plattegrond in zijn gidsje te bestuderen. Hij leek enigszins te hinken.

De Pest glimlachte, wendde zich af en zette het espressokopje neer met een hand die niet meer beefde.

16

Thomas was geradbraakt en een beetje misselijk uit de taxi gekomen. Het verkeer was genadeloos en leek zich volstrekt willekeurig en op topsnelheid door de oude klinkerstraatjes te storten. Twee keer dacht hij dat ze voetgangers zouden torpederen die vlak voor hen overstaken, en ze raakten daadwerkelijk het spiegeltje van een passerend busje, waarvan de chauffeur woedend toeterde maar niet afremde. Omdat hij niets begreep van het Italiaans van de chauffeur had hij hem maar een vuist vol bankbiljetten voorgehouden, waaruit de man zonder commentaar tien euro had gepakt voordat hij de gebutste turkooiskleurige Fiat weer bij de stoep vandaan draaide.

Thomas sleepte zijn bagage achter zich aan en tuurde naar de namen van de straten die in de gevels van de hoekhuizen waren gegraveerd. Hij sloeg een paar hoeken om tot hij eindelijk de juiste zijstraat had gevonden. Daar, waar de zon minder fel scheen en het verkeerslawaai enigszins werd gedempt, zag hij een grote boogdeur, ingeklemd tussen een bakkerij en een café of bar. De deur was zeker zes meter hoog, groen van kleur, bezet met klinknagels en zwart uitgeslagen van ouderdom. Hij probeerde de bel, weggewerkt in de bek van een bronzen leeuwenkop, en wachtte.

Dit was de kerk van Santa Maria delle Grazie, maar vooral ook het retraitehuis waar zijn broer Ed een deel van de laatste weken van zijn leven had doorgebracht. Thomas, die niet meer Italiaans sprak dan wat hij in het vliegtuig uit zijn gidsje had geleerd, schuifelde nerveus met zijn voeten. De komende minuten – aangenomen dat er iemand opendeed – zouden niet gemakkelijk worden.

Een kleine deur in de grotere ging knarsend open, als een poortje in een droom, en een jongeman stapte naar voren. Hij droeg een zwarte soutane, zijn haar was keurig geknipt en hij keek Thomas even aan door een paar ovale brillenglazen zonder rand. Thomas wilde een verontschuldiging in het Engels mompelen, maar voordat hij iets had kunnen zeggen kwam er een merkwaardige verandering over de jongeman. Hij sperde zijn ogen wijd open en deed een halve stap terug, happend naar lucht en zoekend naar woorden. Hij leek stomverbaasd, misschien zelfs angstig.

Thomas struikelde bijna over zijn excuses. 'Het spijt me dat ik zomaar op de stoep sta,' zei hij. 'Ik spreek geen Italiaans en ik hoop dat ik niet ongelegen kom. Ik ben Thomas Knight. Mijn broer Ed heeft hier vorig jaar gelogeerd. Een priester uit Amerika.'

'U bent zijn broer,' zei de priester. Zijn consternatie verdween als sneeuw voor de zon. 'Natuurlijk, nu zie ik het. Komt u binnen.'

Thomas volgde hem door een donkere, gewelfde hal, waar het enkele graden koeler was dan op straat. Erachter lag een zonverlichte binnen-

plaats, overschaduwd door sinaasappelbomen waaraan wat onwaarschijnlijke, bleke vruchtjes hingen. Toen de deur achter hem dichtviel vervaagden de geluiden van de straat en hadden ze ook in een villa buiten de stad kunnen zijn.
'Ik ben Padre Giovanni,' zei de jongeman. Hij stak een krachtige, olijfkleurige hand uit. Thomas glimlachte en drukte hem kort de hand.
'Ik had u wel willen waarschuwen dat ik kwam,' begon Thomas weer, 'maar het was een soort opwelling.'
De Italiaan keek aarzelend, alsof hij het niet goed verstond, maar Thomas wuifde het weg als onbelangrijk.
'Zoekt u een plek voor de nacht?' vroeg de priester. 'Ik geloof dat we nog een kamer vrij hebben voor een dag of twee. Daarna zitten we helemaal vol met *Franciscana*, nonnen uit Assisi.'
'Een dag of twee is prima,' zei Thomas, blij dat hij zich niet meer in het verkeer hoefde te wagen om een kamer te zoeken. Hij was doodmoe en zijn been deed nog pijn van de val in de dierentuin. Misschien kon hij een paar uur slapen voordat hij ergens ging eten. Daarna zou hij wel bedenken wat hij precies wilde bereiken met deze reis, behalve dat hij om gezondheidsredenen liever niet in Chicago bleef.
'Ik geloof dat uw broer ook een paar dozen heeft achtergelaten,' zei de priester, terwijl hij de binnenplaats overstak naar een stenen trap.
Thomas was opeens doodstil.
'Misschien wilt u ze zien?' vroeg de priester.
Het was als een frisse regenbui, die al zijn vermoeidheid wegspoelde.
'Ja,' zei Thomas. 'Nu meteen, als u het goedvindt.'

De kamer die hij kreeg bevatte een ledikant, een oude ladekast, een bureau met een stoel en een eenvoudig houten crucifix aan de witgepleisterde muur. Op blote voeten liep hij over de heerlijk koele terracottategels; toen trok hij een paar sandalen aan en liep terug naar beneden. Pater Giovanni stond onder aan de trap op hem te wachten met een zware ijzeren sleutel in zijn hand.
'Deze kant op,' zei hij.
Ze liepen langs een grote gemeenschappelijke eetzaal en de open deur van een keuken waaruit de geur van versgebakken brood en rozemarijn naar buiten dreef. Onderweg praatten ze over de temperatuur in Chicago en de tijden van de maaltijden. Over geld werd niets gezegd. Aan de voet van een volgende trap groette de priester een passerende non in een bruin habijt, en toen bracht hij hem naar een voorraadkamer, vol kisten en dozen.

'Deze twee waren van Eduardo,' zei hij. 'Ik kende hem niet zo goed, maar ik vond hem wel...' hij zocht naar het juiste woord, '... interessant.' Hij glimlachte bij de herinnering, vertrok uit de voorraadruimte en deed de deur achter zich dicht.
Thomas bleef even staan, trok een van de dozen naar zich toe en opende de kartonnen flappen. Hij zag stapels boeken, in verschillende talen: Engels, Italiaans, Frans, Latijn en nog andere. De meeste die hij kon lezen gingen over theologie, bijbelexegese, kerkgeschiedenis en archeologie. Sommige hadden een meer natuurwetenschappelijke strekking, en dan waren er nog boeken over of door een zekere Teilhard de Chardin. Maar het waren vooral de papieren en dagboeken die Thomas' aandacht trokken. Hij haalde een dun notitieboekje tevoorschijn en sloeg het open. Allemaal lijstjes en haastige aantekeningen in de bekende hanenpoten van zijn broer. Boven aan de eerste bladzij stond *Pompeii.*
Thomas glimlachte afwezig om de ijver van zijn broer en keek op toen hij stemmen op de gang hoorde. Het klonk als twee mannen, van wie er een nogal luid tekeerging. Ze kwamen zijn kant op.
Zonder zich te bedenken stak Thomas het dagboekje in de binnenzak van zijn jasje, net toen de deur openging en er een man tierend binnenkwam. Rood van woede staarde hij Thomas aan. Achter hem, aarzelend en geschrokken, rende pater Giovanni.
De andere man – ook een priester, aan zijn kleding te oordelen – was een jaar of zestig, groot en breedgeschouderd, met een zware, luide stem. Hij priemde met een wijsvinger tegen Thomas' borst en liet een stroom van Italiaanse verwijten op hem los. Thomas hief zijn handen, met zijn vingers gespreid.
'Hij zegt dat u hier weg moet,' vertaalde de jonge priester. 'Dit is alleen een huis voor gelovigen. U kunt hier niet blijven.'
'Waarom niet?' zei Thomas. 'Wat heb ik misdaan?'
Weer een snelle woordenwisseling in het Italiaans. De bloeddruk van de oude priester leek met de seconde te stijgen.
Thomas liet zijn handen zakken en keek tersluiks naar pater Giovanni, die ontdaan zijn schouders ophaalde.
'Ik heb hem verteld wie u bent,' zei hij, 'maar hij vindt dat dit aan de Kerk toebehoort totdat de orde anders beslist.'
'Pater Eduardo was mijn broer...' begon Thomas op een verzoenlijker toon.
'U weg hier!' bulderde de man opeens. 'Nu!'
Opeens was het stil, afgezien van de zware ademhaling van de woe-

dende priester. Hij keek Thomas nog steeds strak aan, met gespreide neusvleugels, als een stier die elk moment kon aanvallen.
'Dit zijn spullen van mijn broer,' zei Thomas met een zelfbeheersing die hij niet voelde. 'Ik heb het recht ernaar te kijken.'
De oude priester snauwde uit zijn mondhoek een paar woorden in het Italiaans, en pater Giovanni begon steeds ongemakkelijker te kijken. Thomas ving het woord '*polizia*' op.
'Hij zegt dat ik de politie moet bellen,' zei de jonge priester.
'Ja, dat begreep ik.'
'Het spijt me.'
'Dus ik kan hier vannacht niet blijven?'
'Er is een hotel om de hoek,' zei de jongeman, die er duidelijk mee in zijn maag zat. 'Het Executive. Het spijt me.'
Thomas keek nog eens naar de andere priester, maar de blinde woede van de man was nog geen fractie gezakt.

17

Het Executive lag op een steenworp afstand van het retraitehuis, op de hoek van de Via del Cerriglio en Sanfelice, in het hart van de oude stad, hooguit anderhalve kilometer van het kasteel en de haven. Als het verder lopen was geweest had Thomas, afgeleid door zijn pijnlijke knie en zijn toenemende verontwaardiging over de manier waarop hij zojuist was behandeld, het niet eens kunnen vinden. Maar zonder probleem kreeg hij een kamer in het gerenoveerde kloostergebouw, en niet veel later stond hij op een balkon van de tweede verdieping met uitzicht op het krankzinnige verkeer beneden en vroeg hij zich af hoe hij ooit zou kunnen slapen met die herrie.
Hij gooide zijn gekreukte jasje op het bed en haalde het notitieboekje uit de binnenzak.
Helaas was het nogal dun, en de tweede helft was niet eens beschreven. De aantekeningen waren gerangschikt naar locatie: Pompeii, Herculaneum, Castellammare di Stabia, Paestum en Velia. De enige naam die Thomas iets zei – en dan nog niet veel – was Pompeii, de oude Romeinse stad die in het jaar 79 door een uitbarsting van de Vesuvius was verwoest.
Elk onderdeel leek een lijstje van locaties. Pompeii was het langst, met

vijftien dichtbeschreven pagina's, gevolgd door Herculaneum. De lijstjes schenen punten in de plaatsen zelf te zijn. Een groot aantal klonk als particuliere woningen ('het Huis van het Dansende Reekalf', 'het Huis van de Vettii', 'het Huis van de Houten Wand'), maar er waren ook tempels en openbare gebouwen bij. Paestum had maar één enkele, uitvoerige notitie, voorzien van opmerkingen in potlood en verschillende soorten inkt. De andere twee hadden dezelfde aantekening: *Geen zichtbare bewijzen.*
Bewijzen waarvan?
Zijn eerste reactie was een zekere anticlimax. Ed had misschien oude Romeinse plaatsen bezocht voor zijn boek over vroegchristelijke symbolen, maar dat leek geen veelbelovende connectie met terrorisme, het Verre Oosten of andere redenen waarom hij kon zijn vermoord.
Thomas keek de straat door, waar een jonge Aziaat voorzichtig zijn weg zocht door de dichte stroom kleine autootjes en scooters, en voelde zich opeens te moe om nog langer na te denken. Hij deed de glazen balkondeur dicht, liet de elektrische zonwering zakken, waardoor het lawaai aanzienlijk werd gedempt, kleedde zich uit en liet zich op het bed vallen. Binnen een paar seconden was hij in slaap.
Een uurtje later werd hij wakker, nog altijd moe, maar met de zekerheid dat hij de slaap niet meer zou vatten. Hij nam een douche, trok shorts en een T-shirt aan en daalde af naar de kleine lobby, waar de receptionist zijn sleutel aanpakte.
'Hoe lang is het naar Pompeii?' vroeg hij.
'Een halfuurtje. Met de trein, ja?'
'Ik denk het. Kan ik een taxi krijgen naar het station?'
De receptionist pakte de telefoon en blafte een instructie in het Italiaans.
'Vijf minuten,' zei hij, met een sceptische blik op Thomas' shorts. 'Op het station neemt u de Circumvesuviana-lijn. En pas goed op uw portemonnee.'

Het station was vuil, chaotisch en druk. Er liepen ook groepjes agenten in uniform, met honden, maar niemand lette erop, dus het zou wel normaal zijn, veronderstelde Thomas. Het was niet eenvoudig om een kaartje te kopen. Hij moest eerst naar een ander deel van het gebouw, waar een groezelige tunnel naar de sporen leidde. Hij had alleen een kleine digitale camera bij zich die hij in Chicago van Jim had geleend en die hij bestudeerde toen de trein het station uit reed, de zon in.
Bij de tweede halte stapte een groepje muzikanten in, die uitbarstten in

liederen, begeleid door accordeon, tamboerijn en – onwaarschijnlijk genoeg – een contrabas. De meeste passagiers negeerden hen, maar Thomas gooide een paar euro's in hun hoed toen ze doorliepen naar de volgende coupé. Daarna vroeg hij zich af of hij zijn geld wel zo lichtzinnig moest uitgeven. Hij had immers geen inkomen meer.
De passagiers bestonden voor een kwart uit toeristen, onder wie ook Amerikanen. Dicht bij hem zat een groepje dikke, bleke mensen, vreemd uitgedost in hun pastelkleuren en baseballcaps. Ze zaten luid te praten, hielden hun camera's tegen zich aan geklemd en bogen zich over de aanduidingen op het Europese geld alsof het Sanskriet was. Het leek wel of ze toeristen speelden in een film.
Maar misschien waren er nog wel meer aan boord, die zo goed in de achtergrond opgingen dat je hen nauwelijks opmerkte.
Thomas bestudeerde de mensen om hem heen, maar ontdekte niets vreemds, hoewel hij niet precies wist waaraan je de Italianen zo duidelijk als Italiaans herkende. Een donkere huid, donkere ogen en zwart golvend haar waren in de meerderheid, maar er waren ook anderen. Het was de manier van kleden en de houding wat hen zo anders maakte: een elegante nonchalance die zelfs de doodgewoonste gezichten nog iets interessants gaf. De enige die Amerikaans zou kunnen zijn was een vrouw in hetzelfde bruine habijt als de non die hij in het retraitehuis had gezien.
De spoorlijn volgde de kust en Thomas keek uit over de Tyrrheense Zee, rechts van hem, met vissersboten en zwarte lavastranden. Er waren twee haltes met de naam Ercolano, waar hij vermoedelijk moest uitstappen voor de oude stad Herculaneum, als deze spokenjacht hem nog verder voerde. Die kans leek niet groot. Thomas had geen idee waar hij naar zocht en betwijfelde ernstig of er wel iets belangrijks te vinden was. Nog steeds werd hij gedreven door een vage missie, die hem nerveus en onzeker maakte, maar in de praktijk verschilde hij nauwelijks van de toeristen om hem heen. Dat idee was een beetje deprimerend.
Pas toen hij op het station van Pompeii was uitgestapt en hij zijn eerste glimp van het terrein opving, drong de omvang van zijn probleem echt tot hem door. Dit was niet zomaar een verzameling stenen restanten, met hier en daar een standbeeld, geen veld met zuilen op een halve of hele hectare van verbrokkelde mozaïekvloeren – nee, dit was gigantisch. Het was daadwerkelijk een stad, uitgestrekt en adembenemend, met straten die zich kilometers ver naar alle windstreken leken uit te strekken.

Wat moet ik nu, verdomme?
Hij begon met een glimmend gidsje te kopen en zich tien minuten in de schaduw van een palmboom terug te trekken om de plattegrond van de ruïnes te bestuderen en alle plekken aan te geven die hij in het lijstje in Eds notitieboek kon vinden.
'Indrukwekkend, is het niet?' zei een stem.
Thomas keek op en beschutte zijn ogen tegen de zon. Het was de non uit de trein.
'Dat is het zeker,' zei hij, terwijl hij overeind kwam. 'We zijn nu toch hier?' En hij tikte met zijn vinger op de plattegrond.
'Nee,' zei de non. 'We zijn hier, bij de Havenpoort.'
'Jezus,' mompelde Thomas, en hij excuseerde zich meteen. 'Neem me niet kwalijk.'
'Geeft niet. Ik weet dat de meeste mensen die zulke woorden gebruiken dat niet zo kwaad bedoelen.'
'Nee,' zei Thomas, en hij haalde verlicht adem. 'Daar hebt u gelijk in.'
Ze glimlachte terug. Ze was misschien dertig, of iets ouder, hoewel dat moeilijk te zien was met het habijt en de kap, die alleen haar gezicht en handen vrijlieten. Ze droeg een zilveren crucifix om haar hals, een wit touw om haar middel en zware sandalen met gespen aan haar voeten. Als ze Italiaans was, sprak ze vloeiend Engels.
'Ik wilde u niet storen,' zei ze, weer met een glimlach, terwijl ze een stap terug deed alsof ze wilde doorlopen. 'Maar u zag er zo verloren uit. En u komt me vaag bekend voor, maar waarschijnlijk verwissel ik u met iemand anders.'
'Dat zal wel,' zei Thomas. 'Ik ben net uit Amerika aangekomen. Uit Chicago.'
De non fronste en schudde haar hoofd.
'Ik kom uit Wisconsin,' zei ze. 'Ik ben hier voor een retraite.'
Nu ze het zei, hoorde hij het ook een beetje, die enigszins noordelijke tongval en de vlakke, open klinkers van het Midden-Westen.
'Wacht eens,' zei Thomas, die nu een licht opging, 'bent u een franciscanes?'
'Hoe komt u daar zo op?' zei de non, met een komische blik naar haar lange habijt.
'En u logeert in het retraitehuis in Napels? Santa Maria... nog iets.'
'Delle Grazie!' vulde de non aan. Haar lach werd breder. 'Ja, precies. Dus daar heb ik u gezien.'
'In het voorbijgaan,' zei Thomas.

'Bent u priester?'
'God, nee,' zei Thomas. 'O, nogmaals sorry. Ik ben... op bezoek. Ik logeer in het hotel om de hoek.'
'Wat toevallig, zou ik zeggen, maar dat is het natuurlijk niet. Dit is de belangrijkste toeristische trekpleister van de hele omgeving,' zei de non. 'Ik ben hier al sinds woensdag, maar ik had zo'n last van de jetlag dat ik nog niet veel had gezien. Mijn retraite begint pas over een paar dagen, dus wilde ik eerst nog wat bekijken. Gisteren ben ik hier al een paar uur geweest, maar het is te veel om in één keer te verwerken. Daar heb je echt een week voor nodig.'
'Een week?' herhaalde Thomas onthutst. 'Ik had gerekend op één dag.'
'Nou, vandaag hebt u nog maar twee uur over,' zei de non. 'Om zes uur gaat het hek dicht. Was er iets speciaals dat u vanmiddag nog wilde zien?'
'Niet echt,' zei Thomas. 'Ik had niet verwacht dat het zo... uitgebreid zou zijn.'
'Je kunt het beter opdelen,' zei ze. 'Ik wilde vandaag de theaters gaan bekijken. Als u wilt, kunt u me gezelschap houden.'
Thomas wierp een blik op de plattegrond en koos willekeurig een van de plekken die hij had omcirkeld, blij dat hij Eds notitieboekje niet tevoorschijn hoefde te halen.
'Ik wilde eigenlijk naar de tempel van Isis,' zei hij.
'Geweldig,' zei ze. 'Die ligt er vlak naast. Zullen we dan maar?'
'O, ik ben Thomas,' zei hij toen hij haar volgde door een met plavuizen betegelde tunnel die omhoogliep naar de oude stad.
'Zuster Roberta,' zei de non. 'Ik ben blij dat ik weer met iemand kan praten. Mijn Italiaans is nogal gebrekkig, dus is het de afgelopen dagen een beetje stil geweest.'
'Ik dacht dat jullie wel gewend waren aan stilte,' zei Thomas grinnikend.
'We zijn geen trappisten!' lachte de non.
Ze beklommen de Via della Marina naar het Romeinse forum, langs de tempel van Apollo, links van hen. Thomas stond versteld. Weinig bouwwerken hadden nog een dak, maar Thomas had vroeg-twintigste-eeuwse gebouwen gezien die ernstiger in verval waren geraakt dan deze tweeduizend jaar oude restanten. Het wemelde van de toeristen, de meesten in grote groepen met een gids, en hij vroeg zich af hoe anders de stad er moest hebben uitgezien in het jaar dat de berg – die zich dreigend in de verte verhief, boven de gemetselde zuilen van de tempel van Jupiter – zijn beboste top had weggeblazen en de hele omgeving

met een dodelijke regen van lava, stenen en verstikkende as had bedekt.
'Ze wisten niet dat het een vulkaan was,' hoorde hij zuster Roberta van ver weg zeggen. Ze volgde zijn blik naar de gebroken top van de Vesuvius. 'Een paar wetenschappelijk aangelegde figuren hadden wel een verband gelegd met andere bekende vulkanen, zoals de Etna, en er was bezorgdheid na de aardbevingen in het jaar 62, maar de gewone mensen hadden geen idee. De ene dag leidden ze nog gewoon hun leven in een vrij onopvallende Romeinse stad, de volgende dag was alles weg en iedereen dood.'
Thomas knikte en dacht aan Ed.
'Raar, eigenlijk,' ging ze verder. 'Het zou triest moeten zijn. Je zou hier gedachten moeten krijgen over sterfelijkheid en zo, maar het is zo indrukwekkend dat je daar niet aan toekomt. Het is net een verlaten filmset in de woestijn, maar dit is écht: een museum waarin mensen hebben gewoond!'
Ze keek peinzend, maar toen klaarde haar gezicht weer op.
'Ik zal je iets laten zien,' zei ze, opeens met meisjesachtig enthousiasme. 'Het is een beetje uit de route, aan het andere eind van het forum, maar je moet het echt zien om te begrijpen wat ik bedoel.'
Snel nam ze hem mee over de grote vlakte van de voormalige markt, het grote plein van de stad, omzoomd door witte zuilen, en liep langs de tempel van Jupiter, terwijl ze hem van alles aanwees. Thomas glimlachte om het contrast tussen haar strenge gewaad en haar geestdriftige gebabbel.
'Dat was de tempel van Vespasianus,' zei ze. 'En dat daar was het openbare Lararium, een soort heiligdom voor huisgoden, geloof ik. Ergens is een marmeren reliëf waarop je kunt zien hoe de burgers offers brengen aan de goden na de aardbeving hier. Het Macellum was de eigenlijke levensmiddelenmarkt. Je kunt je heel goed voorstellen dat de mensen hier brood en vis kwamen kopen...'
Ze was net zo goed als een gids.
Via een gemetselde boog kwamen ze op de Via di Mercurio, waar karrenwielen groeven hadden uitgesleten in de grote plavuizen, voor de vulkaanuitbarsting. Trots wees de non naar de ingang van een gebouw dat algemeen bekendstond als het Huis van de Tragische Dichter.
'Daar,' zei ze. 'Zie je? Het waren heel gewone mensen. Het lijkt net of ze elk moment weer kunnen terugkomen, terwijl ze in werkelijkheid al tweeduizend jaar dood zijn.'
Waar ze naar wees was een groot mozaïek in de vloer van de hal van het huis, voornamelijk samengesteld uit kleine zwarte en witte blokjes

van elk ruim een centimeter doorsnee. Het was een afbeelding van een grote kettinghond met een rode halsband en ontblote tanden. In het mozaïek, onder het dier, stond: CAVE CANEM.
'Wat betekent dat?' vroeg Thomas.
'"Wacht u voor de hond",' zei ze. 'Begrijp je?'
En hij begreep het.

18

Ze slenterden door de straatjes met hun stenen treden en touwlussen voor de dieren. Ze keken naar binnen bij de ooit zo indrukwekkende villa's met hun rechthoekige baden voor de opvang van regenwater in door zuilen omzoomde atriums. Sommige gestucte muren droegen nog sporen van de oorspronkelijke dieprode verf en ornamenten van cupido's, ranken en gestileerde dierfiguren. Ze liepen door koele badhuizen met hun hete en koude baden en kleedkamers; ze zagen hagedissen door de *thermopolia* schieten, waar de oude Pompeianen hun wijn kochten uit grote stenen amforen die in stenen balies langs de straat waren geïnstalleerd; ze verwonderden zich over de fragmenten van de politieke graffiti die op de muren was geklad.
En ze praatten. De non bleek verrassend goed gezelschap en Thomas voelde zich op zijn gemak bij haar, misschien vanwege de vreemde omgeving, de afstand tot thuis en de omstandigheden die hem hier hadden gebracht. Hij vertelde haar dat zijn broer priester was geweest en kortgeleden was omgekomen, hoewel hij er niet geheimzinnig over deed en de indruk wekte dat zijn reis naar Italië meer een bedevaart dan een zoektocht was – niet eens zo ver bezijden de waarheid. Hij wist niet wat hij hier dacht te vinden, hoewel het een prettig idee was om de voetstappen van zijn broer te volgen. Misschien was dat gevoel het enige wat hij aan deze reis zou overhouden.
'En hij was geïnteresseerd in archeologie?' vroeg Roberta.
'Ik geloof het wel,' zei Thomas. 'Hij schreef een boek over vroegchristelijke symbolen, maar ik weet niet wat hij hier deed.'
'O, maar er zijn hier heel interessante bewijzen van een christelijke nederzetting,' zei de non, en haar gezicht straalde weer. 'Niet te geloven! Nog geen vijftig jaar na de dood van Onze Heer kwamen hier al mensen bijeen om Hem te eren.'

Het was nooit bij Thomas opgekomen dat er hier in het jaar 79 al een christelijke gemeenschap was geweest en dat zei hij ook.
'Er is een huis,' antwoordde ze, 'hoewel het niet is opengesteld voor het publiek. Op een van de muren is een inscriptie aangebracht van een magisch vierkant, zoals dat heet: vijf Latijnse woorden, in rijen gerangschikt boven elkaar, zodanig dat er zowel horizontaal als verticaal hetzelfde staat.'
'En wat staat er dan?'
'Het gaat niet om de betekenis van de woorden zelf,' zei ze. 'Het is een soort anagram. Je moet de letters opnieuw rangschikken. Kijk, zo.'
Ze hurkte op de stoffige grond van het driehoekige forum, in de schaduw van de bomen, pakte een stok en kraste iets in het zand:

P
A
A T O
E
R
P A T E R N O S T E R
O
S
O T A
E
R

Thomas bekeek het resultaat. Hij kende genoeg Kerklatijn om de twee belangrijkste woorden in het kruis te herkennen: *Pater Noster*, 'Onze Vader'.
'Het zijn de eerste woorden van het Onzevader,' zei de non, terwijl ze een paar O's en A's verving door de Griekse alpha en omega, het Begin en het Einde, verwijzend naar Jezus. 'Zo maakten de eerste christenen zich heimelijk aan elkaar bekend.'
Thomas was niet overtuigd. Hij geloofde niet erg in literaire codes die een ingewikkelde, dubbele betekenis moesten terugbrengen tot een simpele, geheime boodschap. Sommigen van zijn leerlingen sprak dat wel aan, maar hij was er altijd tegenin gegaan. 'Literatuur is complex en heeft een heleboel lagen,' was zijn bezwaar. Maar het viel niet te ontkennen dat religies, vooral als ze werden vervolgd, zich bedienden van geheime symbolen waarbij een 'correcte' uitleg hoorde. Misschien

had dát zijn broer juist geïnteresseerd. Ondanks Roberta's enthousiasme vond hij het hele idee een beetje teleurstellend.

Ze liepen naar de theaters. Thomas had iets verwacht als het Colosseum, maar de eenvoudige Pompeiaanse versie lag nog net binnen de stadsmuren, in de uiterste noordwesthoek. Daar konden ze niet meer komen voordat het complex die dag ging sluiten. De twee theaters die ze nog wel konden bezichtigen waren opmerkelijk genoeg nog altijd bruikbaar. Het ene was vrij groot en bood plaats aan misschien wel vijfduizend toeschouwers; het andere besloeg nog geen kwart daarvan. Thomas klom over de stenen bankjes omhoog en bleef daar vijf lange minuten zitten, met uitzicht op het met marmer belegde podium en de stad erachter. Hij genoot van de beslotenheid en het feit dat de meeste toeristengroepen hier niet kwamen, zeker niet tegen het einde van de dag. Maar hoe langer hij er zat, des te meer hij besefte dat hij geen idee had van waar hij naar zocht en dat hij deze reis misschien beter zou kunnen beschouwen als een afscheid aan zijn broer.
Toen hij weer naast zuster Roberta stond was het tijd om te vertrekken.
'Je moet maar een andere keer terugkomen voor de tempel van Isis,' zei ze toen ze hem meenam over het driehoekige forum. 'Sorry.'
'Dat geeft niet,' zei hij. 'Eigenlijk had ik nog geen plannen voor de komende dagen. Ik kom wel terug.'
Maar in zijn hart twijfelde hij daaraan, en in haar ogen zag hij dat ze zoiets vermoedde.

De winkeltjes bij de uitgang verkochten de gebruikelijke snuisterijen: ansichtkaarten, gipsen replica's van de beelden, Priapus-flessenopeners, gidsjes en plaatselijk handwerk. Eén shop onderscheidde zich van de andere door een verzameling nagemaakte wapens uit het oude Rome, waaronder ook uitrustingsstukken van de gladiatoren. Een ereplaats in die collectie was ingeruimd voor de bekende *gladius*, het korte zwaard, en de maliënhandschoen, die *cestus* werd genoemd.
Dus Parks was hier geweest, dacht hij, en had een paar souvenirs gekocht om Chicago mee te terroriseren...

Roberta moest terug naar haar retraitehuis en Thomas wandelde in zijn eentje naar een klein restaurant op een steenworp afstand van de haven. Hij bestelde mosselen, linguine met ansjovispesto en een karaf lichte, fruitige rode wijn. Halverwege de wijn overwoog hij om nog te gaan joggen, maar zijn been deed weer pijn na al het geslenter door

Pompeii. Daarom zette hij het idee uit zijn hoofd en voelde zich meteen een heel stuk beter. Om het te vieren nam hij een toetje met ijs, *tartuffo*, en hij besloot de avond met een glas grappa.
Terug in het Executive was hij al een paar minuten in zijn kamer toen het hem opviel dat niet alles was zoals hij het had achtergelaten. Een zijvak van zijn tas dat hij had opengelaten was nu met zorg dichtgeritst. Zijn tickets, bagagelabels en zijn afgescheurde instapkaart – dingen waar hij neurotisch zorgvuldig mee was – lagen in een andere volgorde. Het kon natuurlijk het kamermeisje zijn geweest, maar hij wist ook wel dat de kamer niet zou worden schoongemaakt voordat hij er een nacht geslapen had. Iemand had uitvoerig zijn spullen doorzocht en dat kon maar één ding betekenen: wat voor problemen hij zich ook in Chicago op de hals had gehaald, ze waren hem over de Atlantische Oceaan achternagereisd.

19

Thomas werd wakker met nieuwe energie, deels gevoed door woede. Hij hield er niet van om bespioneerd en geduwd te worden, hij vond het schandalig zoals hij door de oude priester uit het retraitehuis was weggestuurd en hij wilde nu eindelijk wel eens weten wat hierachter zat.
Daarom meldde hij de receptionist – een man van middelbare leeftijd met een permanent verveelde en enigszins ongeduldige uitdrukking op zijn gezicht – dat er iemand in zijn kamer was geweest.
'Dat is niet mogelijk, meneer,' zei de Italiaan, en hij schudde beslist zijn hoofd. 'Alle sleutels worden hier bewaard.'
De grote, metalen sleutels waren voorzien van een zware koperen knol met een rood koord. Ze hingen aan een bord met houten vakjes achter de balie van de receptionist.
'Maar als u even weg moet, kan iedereen die binnenkomt een sleutel meenemen.'
'Dan worden ze door de beveiligingscamera gefilmd,' zei de man, alsof de zaak daarmee was afgedaan.
'Kan ik die beelden dan bekijken?'
'Is er iets uit uw kamer gestolen, meneer?'
'Nee, maar daar gaat het niet om.'

‘Met alle respect, meneer,’ zei de receptionist, ‘maar daar gaat het juist wél om.’
‘Kan ik de bedrijfsleider spreken?’
De receptionist zuchtte zacht en vermoeid. ‘Ik zal de band vanmiddag bekijken,’ zei hij. ‘Als iemand uw sleutel heeft meegenomen, hoort u het meteen.’
Thomas knikte en zei: ‘Wilt u het nummer voor me bellen van zuster Roberta, in de Santa Maria delle Grazie, alstublieft?’
‘Hier om de hoek?’
‘Ja.’
Weer een zucht en een wat ongelovige blik door de glazen deuren naar de straat, alsof hij een reden zocht waarom deze lastige Amerikaan niet vijftig meter kon lopen in plaats van hem te laten opbellen.

Zuster Roberta leek verbaasd zijn stem te horen.
‘Hoor eens,’ zei Thomas, ‘ik wil de spullen van mijn broer uitzoeken, maar ik heb geen zin om weer de deur uit te worden gezet.’
Haastig legde hij uit wat er de vorige keer was gebeurd. De receptionist luisterde brutaal mee, met opgetrokken wenkbrauwen om de situaties waarin zijn gasten terechtkwamen.
‘Als pater Giovanni je binnenlaat, lijkt het me geen probleem,’ zei de non, een beetje weifelend. ‘Monsignor Pietro is vertrokken om de mis op te dragen in zijn parochiekerk, dus ik denk dat de kust veilig is.’
Thomas bedankte haar, met enig schuldgevoel omdat hij het geweten op de proef stelde van iemand die hij nog maar zo kort kende, ook al vond hij dat hij in zijn recht stond.
Ze ving hem op bij de voordeur, samen met pater Giovanni. De jonge priester leek niet verbaasd of geschrokken door Thomas’ terugkeer. Met een kort knikje nam hij hem mee naar de opslagruimte.
‘Padre Pietro is onnodig streng,’ zei hij schouderophalend. ‘En oud. Oude mensen zijn soms… hoe zeg je dat in het Engels?’
‘Lastig?’ opperde Roberta.
‘Koppig?’ vroeg Thomas.
‘Ja, koppig,’ beaamde de priester. ‘Als een ezel.’
Hij draaide aan de smeedijzeren kruk van de deur en liet hen binnen.
Thomas zag onmiddellijk dat iemand aan de dozen had gezeten. Alle boeken waren er nog, maar de geschreven papieren en dagboekjes waren verdwenen.
‘Er is wat weg,’ zei hij.
‘Misschien om het veilig op te bergen?’ opperde zuster Roberta tegen

Giovanni. Optimistisch en vooral naïef, dacht Thomas, een beetje geergerd.
'Waar kan pater Pietro dat hebben opgeborgen?' vroeg hij scherp.
'Hoor eens, Thomas,' waarschuwde Roberta, 'we weten niet of...'
'Pater?' viel Thomas haar in de rede.
'Misschien op zijn kamer, maar daar kan ik niet gaan zoeken.'
'Zal ik het dan maar doen?' zei Thomas met een grijns.
'Dat kan ik niet goedvinden, helaas,' zei de priester.
'Waar is zijn kamer?' vroeg Thomas. 'Boven, neem ik aan?'
'Alstublieft, meneer...' zei de priester. 'Thomas. Ik heb geprobeerd te helpen, maar dit gaat echt te ver.'
Thomas liep langs hem heen. Boven gekomen oriënteerde hij zich en beklom toen nog een trap naar de tweede verdieping, die uitkeek over de binnenplaats. De deuren hier waren genummerd: gastenkamers. Hij liep erlangs, terwijl Giovanni en Roberta achter hem aan renden en hem probeerden tegen te houden. Maar Thomas was niet in de stemming. Aan het eind vond hij twee deuren met priesternamen. Toen hij zijn hand op de deurkruk legde leek pater Giovanni heel even fysiek geweld te overwegen. De blikken van de twee mannen kruisten elkaar, maar de spanning werd gebroken door de klik van het slot.
'De deur is open,' zei Thomas.
'Padre Pietro heeft niets te verbergen, dat weet ik zeker.'
'We zullen zien.'
Zuster Roberta keek bedenkelijk.
'Ik neem heus niets mee wat niet van mijn familie is,' zei Thomas, en hij opende de deur.
Het was een kleine kamer, verrassend kaal, zelfs voor een priester. Thomas zag een bed, een bureau, een ladekast en een kruis aan de muur. Er leek geen verschil met de gastenkamers.
'Is dit het?' vroeg Thomas, die al wist dat hier niets te vinden was. 'Is dit alles wat hij heeft?'
'Hij slaapt hier niet altijd,' zei Giovanni. 'Hij heeft ook de zorg voor een kleine parochie in een ander deel van de stad. Soms brengt hij daar de nacht door.'
Thomas keek onder het bed en opende een la met hemden. Niets. Toen zag hij de haard.
Het was een kleine haard, waarschijnlijk bedoeld voor steenkool, maar op het rooster lag een hoop zwartgeblakerd papier.
'Beetje warm om de kachel aan te doen,' zei Thomas. 'Vindt u ook niet?'

Maar hij voelde geen triomf, alleen een hol gevoel van verslagenheid.
'Wanneer komt pater Pietro terug?' vroeg Thomas.
'Dat weet ik niet,' zei de priester.
'Kunt u me zeggen waar hij is?'
'Hij zou naar de kerk gaan en... nog ergens anders heen.'
Thomas zag de aarzeling bij de priester en een schichtige blik in zijn ogen.
'Waarheen dan?'
'Het heet de Fontanelle,' antwoordde Giovanni.
Weer viel het Thomas op: die ongemakkelijke toon, alsof het woord hem tegenstond.
'Kan ik hem daar vinden?'
De priester lachte – een kort, geforceerd lachje. 'Nee, u komt er niet in.'
'Waarom niet?'
'Het is niet open voor publiek. Gelukkig.'
'Gelukkig?'
'Pater Pietro komt vanmiddag wel weer,' zei de priester, met een lichte blos op zijn bleke wangen. 'Als u hem wilt spreken stel ik voor dat u dan terugkomt. Ik weet niet wat u denkt dat hij zal zeggen, maar... goed.'

'Wat is de Fontanelle?' vroeg Thomas. 'Ik heb een gids met bijna honderd bladzijden over Napels, maar het staat er niet in.'
Hij zat in een kleine pizzeria, een paar straten van het drukke, onrustige station, samen met zuster Roberta. Voor hem lag een pizza *quattro formaggio* zoals hij nog nooit gegeten had: rijk van smaak, met room en een scherpe, zilte blauwkaas. Hij spoelde hem weg met een anonieme rode wijn uit een glazen kan.
'Ik heb er nog nooit van gehoord,' zei ze. 'Waarom wil je dat weten?'
'Pater Giovanni leek me niet erg op zijn gemak toen hij het zei.' Thomas haalde zijn schouders op. 'Dat intrigeerde me. En alles rond pater Pietro lijkt me een nader onderzoek waard.'
Ze fronste, duidelijk ongelukkig met zijn oordeel over de oude priester.
'Je weet helemaal niet zeker dat die as in de haard van de papieren van je broer was,' zei ze, terwijl ze een slok van haar mineraalwater nam.
'Dat is waar,' zei Thomas, 'maar zelfs als hij ze niet heeft verbrand wil ik toch weten waarom ik ze niet mocht zien van hem.'
'Priesters nemen elkaar soms in bescherming,' zei ze. 'De monsignor is

een diep spiritueel man. Kort nadat ik daar aankwam hield hij een preek over de Onbevlekte Ontvangenis. Het meeste begreep ik niet eens – zo goed is mijn Italiaans niet – maar het was heel mooi, erg vroom en toegewijd. Aan het eind was hij bijna in tranen bij de gedachte dat Onze Heer zonder zonde was ontvangen en toen deze verschrikkelijke wereld moest betreden...'

Thomas schudde geërgerd zijn hoofd.

'Wat is er?' vroeg Roberta.

'Ik begrijp er allemaal niets van.'

'Dat met die dagboekjes, of...?'

'Nee. Priesters, nonnen, godsdienst.' Thomas kon zijn ongeduld niet langer verbergen. 'Kom. Straks missen we onze trein nog.'

20

Pater Pietro knielde op de voorste bank van de kapel terwijl hij voor zichzelf het Angelus bad. Zijn lippen fluisterden de vertrouwde woorden en hij probeerde zich op de inhoud te concentreren, maar zonder succes. Zodra hij klaar was, ging hij weer zitten.

'*Perdonami, o' Signore.*' Vergeef me, Heer. Ik was afgeleid. Opnieuw. Zo ging het al een tijdje, en hij was niet de enige die het voelde. Ook Giovanni had afstand van hem genomen, terwijl hij zo'n goed contact met hem had gehad toen de jonge priester pas was aangekomen. Pietro kon het hem niet kwalijk nemen. Hij wist dat ze hem allemaal een vreemde man vonden: achterbaks, paranoïde, onderhevig aan stemmingen. En dat was allemaal nog erger geworden sinds Eduardo's vertrek. Het bericht over de dood van de Amerikaanse priester had hem zwaar geraakt, bijna verlamd. Het had hem in een diepe depressie gestort, die dagen had geduurd en waarvan hij nog altijd niet genezen was.

En dan waren er de geruchten, op de een of andere manier verbonden met de Fontanelle. Natuurlijk geloofde Pietro er niet in. Die verhalen over een vreemde nachtelijke insluiper moesten het product zijn van zijn eigen antisociale gedrag en de overactieve verbeelding van novicen die een retraite verwarden met een zomerkamp. Maar die geruchten waren begonnen na de komst van Eduardo uit Amerika en weer opgehouden na zijn vertrek. Nu snuffelde Eduardo's broer hier rond en begonnen de verhalen opnieuw.

Pietro had niets gezegd, tegen niemand, maar gisteren nog had een jonge benedictijnse monnik uit Rome verteld dat hij 's nachts wakker was geworden met de zekerheid dat er iemand – of iets – in zijn kamer was. Pietro zou er waarschijnlijk geen aandacht aan hebben besteed als de monnik geen beschrijving had gegeven van hetzelfde geluid dat een jonge dominicaan ook had gemeld tijdens de laatste dagen van Eduardo's verblijf: een lange, rochelende ademtocht, die eindigde in een scherp gegrom, als het grauwen van een grote kat.
Maar het was geen kat geweest. Want tenzij de monnik zich alles had ingebeeld, had zich in zijn kamer iets bevonden wat niemand ooit bij daglicht in het retraitehuis had waargenomen; iets wat de benedictijn en dominicaan nooit in hun leven hadden gezien. Iets wat zo angstwekkend was dat het iedere beschrijving tartte...
Vergeet het toch. Het zijn gewoon de nachtelijke angsten van mensen die wat aandacht willen. En God weet dat die ruim zijn vertegenwoordigd in de religieuze ordes.
Maar vanochtend, kort na zonsopgang, had hij de kapel geopend voor de metten en... Ja, wat had hij daar gevonden? Eerst dacht hij dat het een hond was, een van de dieren die hij wel eens op straat zag zwerven, hoewel het moeilijk te bepalen was in de staat waarin het beest verkeerde. Het had hem een uur gekost om alles op te ruimen en schoon te maken, en zelfs toen was de zoete, ranzige geur van bloed nog niet verdwenen. De dader – aangenomen dat het een man was – moest bijna net zo lang bezig zijn geweest om zijn gruweldaad op het dier uit te voeren. Pietro hoopte bij God dat het beest al dood was geweest voordat het ergste zich had voltrokken.
Hij moest er met Giovanni over praten, veronderstelde hij. Ooit.
En hoeveel wil je hem dan vertellen?
Pietro wist dat Giovanni – een evenwichtige, serieuze jongeman – niet veel ophad met de Fontanelle. Het hing altijd tussen hen in, als een ziekte die te pijnlijk was om over te praten, zodat de jonge priester er alleen van wist uit de duistere, gefluisterde gesprekken van mensen die er zelf nooit waren geweest. Nu de Kerk de Fontanelle aan de stad had overgedaan en de stad van plan was de plek ooit weer voor het publiek open te stellen, hoopte Giovanni waarschijnlijk dat Pietro er niet meer zou komen. Het tegendeel was waar. Hij kon er niets aan doen. Hij kwam er nu vaker dan ooit. Op de vreemdste tijden sloop hij er weer heen, schichtig en defensief.
En zondig.
Katholieken voelden zich altijd zondig. Dat hoorde bij het geloof.

Maar er zijn mensen die zich alleen maar zondig vóélen, en er zijn mensen die er reden voor hebben. Nietwaar, monsignor?
O, lieve Jezus, dacht hij. Het zou toch niet zíjn schuld zijn? Hij zou toch niet degene zijn die...
... het had gewekt?
Nee, God. Dat niet!
Ja, monsignor, bid maar. Maar niet voor wat je misschien al hebt gedaan. Niet voor het verleden. Bid voor wat er nog zou kunnen gebeuren. Voor wat al is begonnen.

21

Steve Devon keek op van zijn laptopscherm, waarop een schokkerige, onscherpe homevideo werd afgespeeld in een klein venster. Hij gooide zijn hoofd in zijn nek en lachte blij.
'Ja!' zei hij in zijn mobieltje. 'Ik zit er nu naar te kijken. Man, wat een klap!'
'Ik zág hem gewoon, weet je?' zei zijn zoon. 'Zoals de profs zeggen als ze beschrijven hoe ze de bal zien aankomen. Ik zag hem helemaal vanaf de heuvel tot aan de plaat. Zodra hij uit zijn hand kwam kon ik hem volgen. Dat is toch krankzinnig?'
'Soms gebeuren die dingen,' zei Steve, nog altijd stralend, terwijl hij de opname weer afspeelde met de RealPlayer. 'Ik ben echt trots op je, Mark. Een maand geleden zou je die bal nooit hebben geraakt. En moet je nou zien! Je staat precies goed, en je bent scherp. Alles klopt. *Pow!* Kijk die bal eens. Die werper staat erbij alsof hij net heeft gehoord dat Kerstmis niet doorgaat.'
'Ik vond het wel zielig voor hem,' zei Mark.
'Ach, hij krijgt wel een nieuwe kans,' zei Steve. 'Dit was jouw grote moment. Goed gedaan, jongen.'
'Dank je, pap.'
'En mag ik nou je moeder even?'
'Natuurlijk. Ik hou van je, pap.'
'En ik van jou, jongen. O, Mark?'
'Ja?'
'Geniet ervan. Je hebt het verdiend.'
'Bedankt, pap.'

Een klik en wat geroezemoes op de achtergrond voordat een vrouwenstem zich meldde. 'Hoe vond je dat? Nou?'
'Geweldig,' zei Steve. 'Fijn dat je het hebt gestuurd.'
'Jammer dat je er niet bij kon zijn. Natuurlijk was dat net de wedstrijd die je moest missen.'
'Hij slaat er nog wel een paar.'
'We missen je,' zei ze blij en teder.
'Ik jullie ook,' antwoordde hij. 'Hé, ik dacht er net over om een weekje te boeken in het huisje. Alleen wij drieën?'
'Goed idee. Wanneer ben je klaar, denk je?'
'Ik hoop binnen een week wel thuis te zijn. Uiterlijk eind van de maand...'
De telefoon in zijn andere zak zoemde zacht.
'Wacht even,' zei hij. 'Dat is de zaak. Ik bel je zo terug.'
'Oké,' zei ze. 'Ik hou van je.'
Hij hing op, haalde de andere telefoon uit zijn zak en drukte op de toets.
'Oorlog,' zei hij.
'Ik heb je wapencontact geregeld,' zei de Zegelbreker. 'Wat heb je nodig?'
'Een Heckler & Koch Mark 23 Special Operations Pistol. En een vijfschots Taurus 415-revolver met een enkelholster.'
'Is dat alles? Geen team?'
De ruiter van het rode paard grinnikte.
'Als ik dit niet in mijn eentje af kan, kun je me beter vervangen.'
Zodra de Zegelbreker had opgehangen, nam Oorlog zijn andere telefoon weer op.
'Hallo, schat, daar ben ik weer. Over dat weekje aan het strand...'

22

Herculaneum was anders dan Pompeii. Om te beginnen was het veel kleiner en bestond het grotendeels uit woningen, zonder de grote tempels en officiële gebouwen van de beroemdere tweelingstad uit de ramp. De omvang had minder te maken met de afmetingen van de oorspronkelijke stad dan met de ligging van de huidige. Het archeologische terrein sloot onmiddellijk aan op de moderne stad. Zonder

grote aantallen mensen te laten verhuizen konden de opgravingen niet verdergaan.
Herculaneum was getroffen door dezelfde uitbarsting als Pompeii, maar niet begraven onder as en vallende stenen maar door een rivier van vulkanische modder, die een heel ander effect had gehad wat betreft de conservering en zelfs de carbonisatie van houten meubels.
De stad was min of meer willekeurig opgegraven nadat een plaatselijke cavalerieofficier die een put sloeg in 1709 bij toeval op een deel van het theater was gestuit. Onder Karel III werden de ongeorganiseerde opgravingen hervat. Teams groeven tunnels en haalden tevoorschijn wat ze voor hun privécollecties konden gebruiken. Ze schonken voorwerpen aan plaatselijke musea of namen ze mee. Gebouwen werden blootgelegd, maar meer dan twee eeuwen lang werd er nauwelijks wetenschappelijk of systematisch gewerkt.
De restanten lagen een heel eind – in sommige gevallen bijna veertig meter – onder het niveau van de moderne stad die eroverheen was gebouwd, en wie de plek wilde bezoeken moest in een schacht afdalen. Thomas zag meteen dat de straten smaller waren dan in Pompeii, en de huizen completer, een groot aantal zelfs met een intacte eerste verdieping. Hij herinnerde zich de regels uit Keats' *Ode on a Grecian Urn*, over de verlaten stad:

En, kleine stad, uw straten zullen voor eeuwig
zwijgen; geen enkele ziel zal ooit terugkeren
om te verhalen waarom gij zo verlaten bent.

Zo was het.
Met zuster Roberta had hij afgesproken dat hij haar over twee uur weer bij de ingang zou treffen. Sinds zijn cynische commentaar dat hij niets van nonnen en godsdienst begreep had ze nauwelijks nog een woord tegen hem gezegd, dus was het een opluchting toen ze besloten om de ruïnes afzonderlijk van elkaar te gaan bekijken. Hij wist niet of ze zich gekwetst voelde of gewoon twijfelde aan wat hij van haar dacht, maar om het uit te leggen zou hij eerst zijn excuses moeten maken en veel dieper in zijn eigen achtergrond moeten teruggaan dan hij wilde. Hij slaakte een zucht bij dat vooruitzicht en vroeg zich af waarom het hem iets kon schelen. Hij kende de vrouw immers nauwelijks.
Maar ondanks zijn afstandelijke houding was het prettig om met iemand te kunnen praten, iemand die hem niet veroordeelde – of in elk geval niet hardop.

In de trein was er een vreemde gedachte bij hem opgekomen. Misschien vond Pietro hem zijn broer onwaardig en had hij daarom Eds papieren verbrand. Die mogelijkheid maakte hem kwaad, hoewel het misschien niet eens onterecht zou zijn. Het stond wel vast dat Eds relaties met Jim, Giovanni en Pietro meer voor hem hadden betekend dan het schaarse contact dat hij de afgelopen jaren met Thomas had gehad. Was hij daarom aan deze blinde zoektocht begonnen? Om te bewijzen dat hij net zo veel van zijn broer hield als zijn medepriesters?
Hij knipperde met zijn ogen, staarde naar de plattegrond en probeerde zich te oriënteren. Ed had een paar locaties genoteerd en enkele onderstreept. Een daarvan, het Huis van het Bicentenarium, was speciaal benadrukt in een eigen vakje van rode inkt, voorzien van een vraagteken. Het leek een goede plaats om te beginnen.
Het lag ongeveer zo ver van de ingang vandaan als hij kon komen, in de schaduw van de huidige stad, maar Thomas liep snel door en keek alleen op de kaart en naar wat hij onderweg kon zien: geplaveide straten met verhoogde stoepen, huizen met versierde portieken en balkons op de eerste verdieping, en de inmiddels bekende thermopolia met hun kruiken in balies verwerkt.
Het Huis van het Bicentenarium was een van de beter bewaarde gebouwen van twee etages. Hij vond het zonder moeite, maar het was hermetisch afgesloten: metalen roosters voor alle deuren en ramen, met hangsloten vergrendeld.
Thomas tuurde naar binnen. Hij zag schilderingen op de muren, een diep, van boven verlicht atrium achter in het huis en een verraderlijk ogende trap. Overal stonden steigers, maar het was binnen te donker om veel bijzonders te kunnen zien.
Op de hoek van de straat hield hij een gids aan, een kleine, gewichtig uitziende vrouw met een grote zonnebril waardoor ze op een bidsprinkhaan leek.
'Neem me niet kwalijk,' zei hij. 'Mag ik een vraag stellen?'
Ze nam hem even op en constateerde dat hij niet bij haar groep hoorde. 'Eentje dan,' zei ze.
'Het Huis van het Bicentenarium...?'
'Die kant op,' zei ze, wijzend.
'Dat weet ik,' zei hij. 'Ik heb het gezien, maar...'
'Het is gesloten.'
'Waarom?'
'Eén vraag, had ik gezegd,' antwoordde ze, en ze draaide zich om. 'Er wordt aan gewerkt.'

'Opgravingen?'
'Nee,' zei ze, terwijl ze zich weer naar hem toe draaide en hem streng aankeek door die enorme zonnebril. Maar ze was een gids en praatte nu weer voornamelijk tegen haar groep: 'Als u om zich heen kijkt, zult u zien dat er overal wordt gewerkt om de bestaande restanten te conserveren, inzakkende muren te verstevigen en bogen en lateien die dreigen in te storten te ondersteunen. Behoud van de bestáánde restanten,' herhaalde ze nadrukkelijk, alsof ze het tegen een achterlijk kind had, 'dus géén opgravingen. Deze plek in stand houden is een kostbare en tijdrovende aangelegenheid. Gelukkig worden we gesteund door een donatie van de Packard Foundation. En nu, als u het goedvindt...' Ze draaide zich weer om.
'Dank u,' zei hij.
Ze wuifde met een hand achter zich en negeerde hem verder.
Thomas bleef staan en luisterde naar het geluid van machines in het zuiden. Hij liep door de Decumanus Maximus naar de Cardo v, nog zo'n straat met verbazend goed geconserveerde gevels. Binnen een afgezette sector van instortend metselwerk en steigers was een groepje mannen bezig cement te mengen en maten te noteren. Tussen hen en Thomas in stond een tafel met klemborden, mappen en gereedschap. De arbeiders hadden hem nog niet gezien.
Thomas stapte de straat in. Een paar meter verderop stond een groot bord met de mededeling dat hier werk werd verricht door de Packard Foundation. Thomas borg zijn camera en plattegrond op en liep terug naar de werkplek met de houding van iemand die wist wat hij deed. Toen hij het terrein op liep pakte hij een klembord en een gele helm.
'Hallo?' zei hij boven het gedreun van de cementmolen uit. De arbeiders keken hem aan en wisselden een blik. Het waren allemaal Italianen. Een van hen, een zongebruinde jongeman met een ontbloot bovenlijf en een werkbroek, stond op. Zijn gezicht stond neutraal.
'Spreek je Engels?'
De man knikte.
'Ik moet in het Huis van het Bicentenarium zijn,' zei Thomas, alsof dat de normaalste zaak van de wereld was.
De Italiaan schudde zijn hoofd. 'Dat is niet veilig.'
'Ik moet alleen iets controleren,' zei Thomas. Het was een vage aanduiding waar hij meteen spijt van had, maar de jongeman – waarschijnlijk een student – zat er blijkbaar niet mee. 'Twee minuten, dan ben ik klaar.'
'Werkt u hier?' vroeg de jongen.

'Ik kom van de stichting. Hebben ze dat niet gezegd?'
De Italiaan schudde zijn hoofd en kneep zijn ogen halfdicht. 'Bent u een graver... een archeoloog?' vroeg hij.
'Nee,' zei Thomas met een lachje. 'Ik zit bij de administratie...' De rest van de zin wuifde hij weg, alsof dat allemaal gewichtige onzin was. 'Ik ben van het geld,' besloot hij half spottend, half verontschuldigend. Hij haalde zijn schouders op.
De jonge archeoloog glimlachte. 'Wacht even,' zei hij, 'ik zal kijken of ik u kan binnenlaten.'
De jongen liep een eindje voor hem uit, heel ontspannen, met een bos oude sleutels die hij ergens vandaan had gehaald rinkelend aan zijn linkerhand. Zijn lange, bruine, gespierde armen zwaaiden onder het lopen. Thomas staarde recht voor zich uit en zei niets. Hij verwachtte niet dat hij een grote ontdekking zou doen, maar toch vond hij zijn kleine bedrog wel spannend.
Bij het huis gekomen opende de archeoloog een trillend hek en liet hem binnen. Meteen deed hij het hangslot weer dicht.
'Ik loop met u mee,' zei hij. 'Kom nergens aan en kijk goed waar u loopt.'
Thomas knikte en volgde hem het schemerige huis in.
'Dit is het Toscaanse atrium,' zei hij, wijzend naar een grote ruimte met een lage zoldering.
Hij zweeg, alsof hij wachtte tot zijn gast de leiding zou nemen, dus stapte Thomas vastberaden een andere kamer binnen en keek zakelijk op zijn klembord. De vloer hier was van een andere kleur marmer en op de wanden waren bijzonder gedetailleerde schilderingen aangebracht. Hij bekeek een subtiel roodbruin en zeegroen fresco van cupido's die een soort grote lier bespeelden, en maakte voor de vorm wat willekeurige aantekeningen op zijn klembord voordat hij haastig de volgende kamers door liep.
Er was een tuin met een zuilengang en een grote hal, bewijzen van de rijkdom van het huis, dat een indrukwekkende archeologische vondst moest zijn geweest. Maar waarom zijn broer het zo had benadrukt wist Thomas nog altijd niet.
'Kunnen we naar boven?' zei hij, meer als instructie dan als vraag.
'Er staan ladders, maar de vloeren zijn nog niet veilig om op te lopen.' Hij wees naar een van de wankele houten ladders en Thomas klom naar boven. De bovenverdieping was in tweeën verdeeld. Thomas bleef staan, tuurde door het donker en zag meteen wat de interesse van zijn broer moest hebben gewekt.

Tegen een van de muren stond een zwartgeblakerde houten kast met open deuren. Daarboven, in een vierkant van opvallend bleek pleisterwerk, was een donkere schaduw te zien, een omtrek, alsof er iets aan de muur had gehangen wat kostbaar genoeg was geweest voor de eigenaar om mee te nemen toen de stroom van vulkanische modder de stad bedreigde. De vorm deed onmiskenbaar denken aan een kruis.
Het moest een groot kruis zijn geweest, met een korte, hooggeplaatste horizontale balk. Het zou op zijn plaats zijn geweest in alle katholieke kerken die Thomas ooit had gezien – alleen was dit kruis niet later dan vijfenveertig jaar na Christus' dood hier opgehangen.

23

In gedachten verzonken slenterde Thomas over de Cardo IV naar de uitgang toe. Als zijn broer onderzoek had gedaan naar vroegchristelijke invloeden in Pompeii en Herculaneum, wat kon hij dan hebben gedaan of ontdekt dat hem in gevaar had gebracht? Het kruis in die bovenkamer leek heel orthodox, net als de inscriptie van het Onzevader – als het dat was – in het 'magische vierkant' in Pompeii. Heel interessant misschien voor kerkhistorici en zulk soort mensen, maar groot nieuws kon het toch ook niet zijn. Een beetje doelloos wandelde hij van huis naar huis, door thermopolia en badhuizen met mozaïeken van zeegoden en vreemdgevormde vissen.
Buiten bleef hij een moment staan om te zien of hij zuster Roberta ergens kon ontdekken. Na zijn ervaringen in het Huis van het Bicentenarium had hij behoefte aan gezelschap. Roberta's bruine habijt moest voldoende opvallen in die menigte van toeristen en busladingen schoolkinderen. Hij tuurde nog steeds de straat door toen er een man uit een gebouw kwam, een paar meter voor hem uit. Hij bestudeerde een boek en hield zijn ogen neergeslagen, maar iets in het krullende haar en dat sikje...
Parks!
De man die Eds kamer in Chicago had doorzocht, de man die aan Thomas en Jim was ontsnapt door met een zwaard om zich heen te slaan...
Haastig trok Thomas zich in de dichtstbijzijnde portiek terug.
Hij had half de neiging de man te confronteren, hem te achtervolgen in

deze drukke mensenmassa, waar hij weinig anders kon doen dan praten. Maar zodra het idee bij hem opkwam, wist hij dat het niets zou opleveren en hem het enige voordeel zou ontnemen dat hij nog had. Hij waagde weer een blik. Parks stond er nog, verdiept in zijn boek, met een langwerpige nylontas over zijn schouder geslingerd, een tas die groot genoeg was om een wapen in te verbergen.

Nog een reden om uit de buurt te blijven.

Thomas dook het huis weer in en verdween voor alle zekerheid naar de volgende kamer, met tegen de muur een oogverblindend, bijna sacraal mozaïek van Neptunus en Aphrodite in stralend blauw en groen. Toen hij weer de straat in tuurde, zag hij Parks vastbesloten de andere kant op lopen. Thomas sloop naar buiten en volgde hem, zo dicht mogelijk langs de portieken, klaar om elk moment weg te duiken in de schaarse schaduwen die de hoge zon nog toestond.

Dit kon geen toeval zijn. Parks zat achter hem aan. Of hij volgde Eds spoor, net als Thomas zelf.

Bij de Decumanus Inferior, die het opgegraven deel van de stad doorsneed, sloeg Ben Parks – of hoe hij ook mocht heten – links af. Thomas, ruim dertig meter achter hem, versnelde zijn pas. De andere man bleef midden op straat staan en draaide het boek in zijn handen. Hij volgde een plattegrond.

Dus hij kent hier niet beter de weg dan ik.

Parks liep weer door. Ze naderden de zuidoostelijke rand van de opgravingen. Boven zijn hoofd zag Thomas de schacht waardoor hij was binnengekomen. Parks liep langs een paar uitgestrekte, ingestorte ruïnes met steigers eromheen en kwam zo bij de uiterste grens van het terrein. Thomas wierp een haastige blik op zijn eigen plattegrond.

Waar ging hij naartoe?

Toen hij weer opkeek, was Parks verdwenen.

Snel liep Thomas naar de plek waar hij hem het laatst had gezien. Links was wat op de plattegrond de '*Palaestra*' werd genoemd, een grote open ruimte met een zuilengang langs de noordwestkant en een ceremoniële plek met een marmeren tafel die misschien een altaar was geweest. Recht vooruit zag hij de rotswand van de opgravingen zelf, met hoog daarboven de huizen van de huidige stad. Achter hem lag een scherp afdalende chaos van opgravingen. Parks was nergens te bekennen.

Thomas vloekte en liep wat verder, terwijl hij koortsachtig om zich heen keek. Volgens de plattegrond stond hij links van iets wat – nu hij het eens goed bekeek – een groot kruis vormde op het terrein, in dui-

delijke maar onderbroken lijnen. Thomas keek nog eens, in de veronderstelling dat hij een groot bouwwerk over het hoofd had gezien, maar hij zag niets anders dan de stenen rots die omhoogliep naar de ingang. Weer raadpleegde hij de kaart. Volgens de schaalverdeling zou het kruisvormige gebouw vrij groot moeten zijn: vijftig of zestig meter lang.
Waar was het dan?
Hij liep nog wat verder en vroeg zich af waarom het kruis in stippellijnen was aangegeven. Zou dat betekenen dat het maar een fundering was en dat het misschien bij een eerdere nederzetting hoorde? Dat was mogelijk, maar het vertelde hem niet waar Parks gebleven was.
En toen zag hij het. Voor hem uit, aan de rechterkant, zat een donkere, rechthoekige ingang in de rotswand, aan weerskanten ondersteund door betonbalken.
Voorzichtig liep hij erheen. Er waren nauwelijks toeristen in dit deel van het complex en er heerste een vreemde stilte. Geen wonder dat hij zich opeens zo kwetsbaar voelde. Hij zou ook terug kunnen gaan naar een drukker gedeelte om te wachten tot Parks daar weer opdook.
Eerlijk gezegd was Thomas nooit erg dol geweest op donkere, afgesloten plaatsen waar je niet kon zien wie zich in duistere hoeken verborgen hield. Na een tijdje kreeg hij het altijd benauwd...
Nee.
Ed had deze plek in zijn aantekeningen gemarkeerd en Parks sloop er nu ook rond. Dus moest hij weten wat er binnen te zien was.

Maar ook binnen kon hij Parks nergens ontdekken.
Het was ruimer dan hij had gevreesd, koel en donker – eigenlijk een soort grot, hoewel Thomas betwijfelde of het altijd zo was geweest. De rots boven zijn hoofd bestond uit het gevlekte grijze tufsteen dat de afgekoelde lavamodder had achtergelaten. In het jaar 79 was dit een open plek geweest, net als de straten buiten. Maar anders dan de straten en huizen kon dit gedeelte niet worden uitgegraven, vanwege de stad erboven. Dus hadden archeologen tunnels gegraven op het niveau van het oude Herculaneum, waardoor een spelonk was ontstaan waar vroeger een zonnige vlakte moest hebben gelegen.
Maar wat voor vlakte?
Moeilijk te zeggen. Er was geen kunstlicht. De tunnel liep verder en de rotsachtige zoldering verhief zich tot een grillige koepel, met in het midden een met touwen afgezet vierkant, een zwart-wit mozaïek van een paar meter doorsnee. Thomas zag een vreemde bronzen sculptuur,

misschien een fontein, groen uitgeslagen en lastig te onderscheiden in het vage licht, hoewel het deed denken aan een veelkoppige slang. Het mozaïek was grijs van het stof, maar toch herkende Thomas een groot anker, een man die een duik leek te nemen in het water, en een vreemde vis met veel te grote borstvinnen.
Hij tuurde weer naar de kruisvorm op de plattegrond. Kon het een zwembad zijn geweest?
Op dat moment hoorde hij voetstappen op de aarde en de kiezels achter zich. Er kwam iemand de tunnel door.
Snel draaide hij zich om.
Het was Parks.
Thomas verdween nog dieper de grot in, hoewel hij besefte dat er maar één uitgang was. Hij zat gevangen in het donker.

24

Parks bleef in de grot staan en liet de langwerpige nylontas van zijn schouder glijden. Hij zei geen woord en liet niet blijken dat hij wist dat hij niet alleen was.
Thomas zag weinig meer dan zijn silhouet. Het enige licht kwam uit de tunnelingang achter de man. Maar zodra Parks' ogen aan het donker gewend zouden zijn, had Thomas geen kans meer om onopgemerkt te blijven. Zo groot was de ruimte niet. Hij kon proberen langs Parks heen te rennen, met het voordeel van de verrassing, maar ongezien zou dat zeker niet gaan en met zijn verdraaide knie was hij niet echt snel. Misschien kon hij het op een confrontatie laten aankomen...
Voor actieheld spelen? Je bent leraar Engels, man. Nou ja, dat was je...
Hij moest hier weg.
Hij probeerde zich alles te herinneren wat hij over de stad, de vulkaanuitbarsting en de opgravingen had gehoord, alles wat misschien een andere mogelijkheid opende dan hier in het donker af te wachten totdat Parks hem zou zien. Als de andere man niet zo veel aandacht had voor wat hij uit die tas haalde, zou hij Thomas al hebben ontdekt.
Thomas kwam in beweging. Voorzichtig schoof hij naar rechts, plat tegen de rotswand aan. De opgravingen uit de tijd van de Bourbons waren volstrekt willekeurig geweest. In het wilde weg hadden ze tun-

nels en schachten door de oude stad gegraven, op zoek naar beelden en andere voorwerpen voor hun collecties. Misschien bestond er toch meer dan één uitweg uit de grot die ze hadden uitgehakt na de vondst van het grote kruisvormige patroon in de bodem. Hij deed nog een voorzichtige, geruisloze stap en zocht met zijn vingertoppen langs de gladde rots naar een nis of andere holte waarin hij zich kon verbergen. Toen hoorde hij een schuivend, metaalachtig geluid. Parks was bezig een instrument te installeren.

Een statief?

Het volgende moment klonk het zachte gejank van een flitsapparaat dat zich oplaadde. Paniek greep Thomas bij de keel. Hij had nog maar een paar seconden voordat hij in het felle licht zou staan.

Met roekeloze haast bewoog hij zich langs de wand van de grot, nog steeds met zijn rug tegen de rots. Zweet parelde op zijn voorhoofd, ondanks de kilte van de spelonk. En toen, vlak voordat de flitslamp werd ingeschakeld, voelde hij een lege ruimte achter zich.

Thomas dook weg toen de grot opeens in het blauwwitte licht van de camera baadde, dat de grillige schaduwen verjoeg. Was hij ontdekt? Hij wachtte een angstige seconde, luisterend naar de klik van de sluiter en het zoemen van de motordrive toen Parks nog een foto nam. Voorzichtig deed hij een stap naar achteren in de donkere nis.

Maar het was geen nis, zoals bleek toen hij zich omdraaide en nog meer ruimte voelde. Het was een tunnel, niet meer dan heuphoog, tweehonderdvijftig jaar geleden uitgegraven. Hij zou moeten kruipen, en geruisloos, omdat elk geluid door de grot zou galmen, maar misschien was dit een manier om weg te komen – als er maar genoeg lucht was en de wanden van de tunnel niet op hem af zouden komen totdat hij ging gillen van angst.

Maar als Parks hem hoorde, zat Thomas als een rat in de val...

Hij begon te kruipen, zo langzaam en voorzichtig mogelijk.

Weer zag hij de flits van de camera, en hoewel hij wist dat hij vanaf het statief niet zichtbaar was, scheen het licht onrustbarend diep de tunnel in. Als Parks zijn standpunt maar een meter veranderde, zou hij Thomas zien zodra hij de volgende foto maakte.

Het steen voelde koud en hard aan zijn knieën, maar was gladder dan hij had gevreesd. Drie meter verderop maakte de tunnel een flauwe bocht en werd het wat minder donker. Als hij zijn hoofd nog even koel hield en een beetje geluk had, zou hij straks misschien het daglicht zien en kunnen ontsnappen.

Vlak voor de bocht werd de zoldering opeens hoger en kon hij even

rechtop gaan zitten om zijn knieën te ontlasten. Maar op hetzelfde moment voelde hij iets langs zijn achterhoofd strijken. Iets zachts. Instinctief bracht hij zijn hand omhoog en voelde wat in zijn haar, dat zich bewoog toen hij het probeerde te verjagen. Zijn vingers gleden over een vachtje en een koele, veerkrachtige huid, eindigend in een kleine, scherpe klauw.
Een vleermuis.
Instinctief dook hij ineen en probeerde het dier van zich af te schudden, waardoor hij zijn hoofd tegen de rotswand stootte. Hij slaakte een onderdrukte kreet van pijn en afschuw, klemde meteen zijn kaken weer op elkaar, maar het was al te laat. Hij hoorde snelle bewegingen in de grot achter zich. Parks kwam poolshoogte nemen.
Thomas liet alle voorzichtigheid varen, kroop weer verder, zo snel als hij kon, en stootte zijn voorhoofd tegen de zoldering, die weer lager werd. Maar even later was er licht, zo fel dat het pijn deed aan zijn ogen. Met twee sprongen, die hem een bloedende rechterknie bezorgden, was hij de tunnel uit en rende hij strompelend terug naar de oude stad, alsof hem iets veel ergers op de hielen zat dan een paar vleermuizen.

'Wat is er met jou gebeurd?' vroeg zuster Roberta, met een blik op zijn gehavende, stoffige verschijning. Haar verbazing en bezorgdheid namen alle kilte weg die ze misschien had gevoeld toen hun wegen zich scheidden.
'Kunnen we hier weg?' zei Thomas, bezweet, rood aangelopen en behoorlijk van streek.
'Ik had geen idee dat je archeologische opgravingen zo spannend vond,' mompelde ze toen ze samen de straten beklommen naar het station.
'Wat krijgen we nou – nonnenhumor?' zei Thomas.
Ze grinnikte en zei: 'Je kunt me er alles over vertellen in de trein.'
Dat deed hij natuurlijk niet. Hij speldde haar een verhaal op de mouw dat hij van de verhoogde stoepen op de keitjes was gevallen, en zuster Roberta leefde met hem mee. Maar in gedachten ging hij terug naar de beelden die hij had gezien: de omtrekken van het crucifix, het ondergrondse zwembad, Parks zelf... Het leken wel steentjes van een mozaïek, klein en hard in zijn handen, wachtend tot hij ze aan elkaar zou passen tot een begrijpelijk geheel. Maar voorlopig zag hij enkel chaos en willekeur.

25

Die avond op zijn hotelkamer trok Thomas een biertje open en belde de pastorie van St. Anthony's in Chicago. Jim klonk oprecht blij zijn stem te horen, maar al snel werd hij ernstig.

'Ze zijn naar je op zoek,' zei hij.

'Wie?'

'Dat weet ik niet precies. Binnenlandse Veiligheid, in elk geval,' zei Jim, 'maar ik kreeg ook een telefoontje van het kantoor van senator Devlin. Ze vroegen allebei of je terug wilde bellen.'

'Ze zijn zeker bang dat ik te veel zon krijg,' zei Thomas. Grappig dat hij meteen zo'n vertrouwde toon aansloeg tegen deze priester die hij nauwelijks kende. Net zoals hij vroeger met Ed had gesproken, voordat alles verkeerd ging tussen hen.

'Het klonk nogal dringend,' zei Jim. 'Alsof er iets gebeurd was. Die man van het ministerie van Binnenlandse Zaken was een van de lui die hier toen waren, Kaplan. Je moest hem meteen bellen, zei hij.'

'Maar ze hebben me nergens van beschuldigd, neem ik aan?' zei Thomas. 'En het is nog steeds een vrij land.'

Dat moest Jim beamen, met enige tegenzin, en Thomas vroeg zich af of hij de priester nu met zijn problemen opzadelde.

'Gaat het goed met je?' vroeg Thomas.

'Ja hoor. Ik ben eraan gewend om dingen in mijn eentje op te lossen.'

'Ik moet zeggen,' zei Thomas joviaal, om de sfeer wat op te klaren, 'dat ik echt niet weet hoe jij dat doet. Priester zijn, bedoel ik. Het lijkt me heel eenzaam.'

'Ach, het wisselt nogal,' zei Jim. 'Je hebt goede dagen, als je overal bij betrokken bent en je nuttig voelt, een deel van de maatschappij, begrijp je? Maar op andere momenten... dan hoor ik alleen dat nummer van Paul McCartney over Father McKenzie, die de tekst schrijft van een preek die toch niemand hoort. Dat ken je toch? "*Darning his socks in the night when there's nobody there.*" Zo is het leven nu eenmaal. Het is alleen echt eenzaam als het zinloos lijkt.'

Thomas zei niets, een beetje uit het veld geslagen door die openbaring van de priester. Zo veel had hij er nooit over gezegd toen ze daar samen waren. Waarom nu dan wel? Kwam het door de telefoon, die sommige

dingen makkelijker maakte, of omdat hij Eds lege plaats had ingenomen, of... nog iets anders?'
'Nou,' zei Thomas, 'in elk geval heb jij je geloof nog.'
Dat kon hij onmogelijk zeggen zonder neerbuigend te klinken, en hij wilde het al terugnemen toen Jim zei: 'Meestal wel, ja.'
Thomas wist niet wat hij moest zeggen. 'Gaat het goed?' vroeg hij nog eens.
'Er is een baptistenkerk aan de andere kant van de stad,' zei Jim. 'Buiten hangt zo'n bordje met verwisselbare letters, zodat je elke week andere berichten kunt plaatsen. Een paar maanden geleden stond er: "Twijfel is het tegenovergestelde van geloof."' Hij zei het langzaam, zodat de woorden van het citaat klonken als afzonderlijke klokken.
'En?'
'Daar ben ik het dus helemaal niet mee eens,' zei Jim. 'Het één zonder het ander heeft geen enkele betekenis.'
'Dat maakt het leven er niet makkelijker op,' zei Thomas.
'Soms niet,' zei Jim. 'Maar het is beter dan de alternatieven.'
'Het komt wel goed, Jim,' zei Thomas, en hij bracht het gesprek terug op het eerste punt. 'Een vergissing van de bureaucratie. Het waait wel weer over.'
'Misschien,' zei Jim. 'O, en er was nog een telefoontje voor je.'
'O ja?'
'Je vrouw.'
'Mijn ex.'
'Precies.'
'Wat zei ze?'
'Niets,' zei Jim. 'Ze vroeg alleen of je er was, en daarna of je nog naar Japan ging.'
'Waarom zou ik naar Japan gaan?'
'Geen idee. Maar ze klonk opgelucht toen ik nee zei.'
'Dat zal wel,' zei Thomas.

Thomas masseerde zijn knie, die minder pijn deed dan toen hij uit Chicago was vertrokken. En zijn inspanningen in Herculaneum hadden blijkbaar geen kwalijke gevolgen gehad. Een rustige training zou goed voor hem zijn, zolang hij maar niet op figuren stuitte die hem naar het leven stonden.
Vreemd, dacht hij, hoe zijn bijna suïcidale apathie volledig had plaatsgemaakt voor zijn missie om uit te zoeken wat er met Ed was gebeurd. Het had hem nieuwe energie gegeven, een nieuwe motivatie, hoewel

het onderzoek zelf nogal traag en omslachtig leek te verlopen, alsof hij over landweggetjes zwierf die niet op de kaart stonden, op zoek naar de hoofdweg. Ging het echt om Ed, of wilde hij gewoon de waarheid weten? Allebei, waarschijnlijk. Het werkte als een rode lap op een stier. Jarenlang had hij een rood waas voor zijn ogen gehad, maar eindelijk had hij een doel om zijn agressie op bot te vieren. Dat moest het zijn. Vijf jaar lang had hij onrustig door de wei gebanjerd om iets of iemand op de horens te nemen, maar had hij alleen zichzelf verwond.

Nu was het anders. Wat er met Ed was gebeurd kon hij zelf onderzoeken. Hij zou de waarheid aan het licht kunnen brengen. Wat die waarheid uiteindelijk voor hem zou betekenen wist hij nu nog niet en daar dacht hij liever niet over na. Hij besloot om te gaan joggen, tegen alle doktersadviezen in, omdat de pijn in zijn knie al zijn andere zorgen naar de achtergrond zou verjagen.

'Meneer Knight,' zei de receptionist.

Thomas, halverwege de lift en nog hijgend van het lopen, draaide zich om.

'Ik wil u iets laten zien,' zei de man achter de balie. Hij wenkte Thomas met een kromme vinger en bood hem zijn stoel aan. 'Kijkt u maar. Wilt u wat drinken? Bier? Wijn?'

'Een biertje graag,' zei Thomas. Zijn knie deed pijn, maar niet zo erg als hij had gevreesd, en het leek alsof hij minder stijf was na het joggen door de drukke, hete, stoffige straten van Napels. Hij moest nog afwachten hoe het morgen zou voelen, maar voorlopig had hij trek in een groot, koel glas.

Hij ging achter de balie zitten en keek naar de six-inch monitor onder het bovenblad. Een scène van dertig seconden werd steeds herhaald. Het beeld was wazig, schokkerig en zwart-wit, maar daarom niet minder duidelijk. Een man met een donkere bril en een tas in zijn hand haalde een sleutel van het bord achter de balie, keek even over zijn schouder en liep toen naar de lift. Even later kwam dezelfde man terug, hing de sleutel weer op en verdween naar buiten toen er een andere gast binnenkwam. Het had zich midden op de dag afgespeeld en de tijd tussen zijn aankomst en vertrek bedroeg twintig minuten.

Aanvankelijk zag Thomas niets anders dan het bewijs dat er inderdaad iemand op zijn kamer was geweest, maar toen hij voor de vierde keer naar het bandje keek, kreeg hij een vermoeden.

De man was Japans.

Hij keek nog eens en vroeg zich af waarom hij dat dacht. Het gezicht van de indringer was onduidelijk en de zonnebril verborg een hoop, maar het was niet onmogelijk dat het om een Aziaat ging.
Hij keek opnieuw, en twee dingen vielen hem op. Om te beginnen de manier van lopen van de man. Je zag niet veel zolang hij dicht bij de balie was, maar toen hij naar de lift liep had hij een merkwaardige, slepende tred.
Op de school in Japan waar Thomas had lesgegeven trok iedereen altijd zijn schoenen uit als hij het gebouw binnenkwam, en verruilde die voor plastic slippers uit een grote ton bij de deur. Die slippers dwongen je bijna met je voeten te slepen, omdat je ze anders kwijtraakte. Hij herinnerde zich dat zijn leerlingen de achterkant van hun schoenen plattrapten, ook buiten, wat een slepende tred vereiste die de hippe kids wel cool schenen te vinden.
Zijn blik ging weer naar de monitor. Er was even een pauze toen de andere gast binnenkwam. Thomas keek scherp toe en herkende het beleefde knikje – onvrijwillig, daar twijfelde hij niet aan.
De reflex van een rudimentaire buiging. Hij zou het overal herkennen. Ja, de man was een Japanner.
Thomas voelde een mengeling van twijfel en die oude angst. Hij wist niet waarom een mogelijke connectie met Japan de inbraak in zijn kamer erger maakte, maar toch was het zo.
'Uw bier,' zei de receptionist, en hij gaf Thomas een flesje gekoelde Peroni, met het Italiaanse WK-elftal van 2006. 'Zal ik de polizia bellen?'
Thomas schudde zijn hoofd. Er was niets gestolen, dus de politie zou niets doen.
'Hou je ogen maar open, voor het geval die vent terugkomt,' zei hij. 'En bedankt.'
Hij draaide zich om naar de liften, met het biertje in zijn hand, en bleef toen staan.
'Nog één ding,' zei hij.
De receptionist keek op uit zijn exemplaar van *Il Mattino*.
'Wat is de Fontanelle?'
De receptionist – anders toch zo nuchter, op het onverschillige af – leek nu te aarzelen.
'Het is gesloten,' zei hij ten slotte zacht, met een strakke, behoedzame blik. 'Daar kun je niet heen.'
'Maar wat is het?' vroeg Thomas, met een mengeling van nieuwsgierigheid en onverklaarbare angst.

'Het deugt daar niet. Vergeet het maar.'
'En niemand kan er komen?' vroeg Thomas.
'Alleen de doden.'

26

Thomas ontbeet op het dakterras van het Executive. Het was al negen uur en er zat maar één andere gast, een atletisch ogende Amerikaan in een pak, die in onbezorgd Engels met een ober in een hawaïhemd praatte. De ober knikte en glimlachte, maar scheen er niet veel van te verstaan.
Thomas keurde de keuze aan voorverpakt brood, crackers en beleg – voornamelijk jam, Nutella en puntjes kaas – op het buffet.
'Als je iets lekkers wilt, moet je eerder komen,' zei de Amerikaan. 'Maar dan nog krijg je geen eieren met spek. De koffie is wel goed, trouwens.'
Als op een teken verscheen de ober. '*Cappuccino, espresso?*' vroeg hij.
'Cappuccino,' zei Thomas. '*Grazie*.'
'*Prego*,' zei de ober, en hij verdween naar zijn keukentje in de krul van de wenteltrap naar de kamers.
'Italianen begrijpen niets van ontbijt,' zei de Amerikaan ongevraagd. 'Raar hoor. De rest van hun eten is prima. Maar het ontbijt is net een verjaarsfeestje van een meisje van acht. Kun je nagaan.'
Thomas glimlachte en nam een glas sap met een in plastic verpakt stuk pruimencake.
'Voor zaken hier?' vroeg de Amerikaan.
'Vakantie,' zei Thomas.
'Bofkont,' zei de man. 'Brad Iverson,' stelde hij zich voor, terwijl hij een krachtige hand uitstak. 'Computers. Maar geen verkoop, dus wees maar niet bang.'
'Thomas Knight,' zei Thomas vriendelijk, hoewel hij helemaal geen zin had in geleuter. 'Leraar Engels.'
'Zo!' zei Brad. 'Dan mag ik wel op mijn woorden letten.'
'Maak je geen zorgen,' zei Thomas.
'Je komt me bekend voor. Al eerder hier geweest?'
Thomas schudde zijn hoofd.
'Mijn derde keer in zes maanden,' zei Brad. 'Maar ik heb in Napels nog

steeds niets gezien waarvoor ik hier met vakantie zou willen komen. Jij zult je redenen wel hebben.'
'Och, ja,' zei Thomas.
'Ik hou niet zo van cultuur, geschiedenis, dat soort dingen. Veel te saai. Was je hier echt niet in januari?'
'Nee,' zei Thomas geduldig. 'Dit is mijn eerste keer.'
'Hm,' zei Brad. 'Toch doe je me aan iemand denken... O ja! Een man die ik een paar keer heb gezien in een klein restaurantje bij de haven, de Trattoria Medina. Een priester. Had je broer kunnen zijn.'
Hij zei het luchtig, bij wijze van spreken, maar Thomas voelde zijn hart overslaan.
'Dat kan zeker,' zei hij, 'want mijn broer was toen hier.'
'Dat meen je niet.'
'Jawel,' zei Thomas. 'En waar hadden jullie het over?'
'O, van alles en nog wat,' zei Iverson. 'Je weet wel.'
'Ja,' zei Thomas teleurgesteld, hoewel hij niet goed wist waarop hij had gehoopt.
'Op een keer had hij een Japanner bij zich,' ging Iverson verder.
Thomas ging rechtop zitten. 'Een Japanner?' vroeg hij. 'Weet je het zeker?'
'Ja, hoezo?'
'Ik heb nog in Japan gewoond,' zei Thomas, alsof dat zuiver toeval was.
'Hé,' zei Iverson met een blik op zijn horloge. 'Ik moet weg. Ik ben hier nog wel een paar dagen. Misschien kunnen we samen een biertje pakken. Amerikanen in het buitenland, ja toch?'
'Oké,' zei Thomas weer, toen de andere man hem op zijn schouder sloeg en vertrok.
Zou hij nog iets nuttigs te weten kunnen komen van Brad? Die kans leek niet groot, maar hij had maar zo weinig aanknopingspunten dat alles meegenomen was. Het feit dat Ed misschien contacten had gehad met iemand in Japan was het waard om te onderzoeken. Ondertussen wilde hij een andere afspraak regelen. Maar daarvoor moest hij eerst zijn informant zien over te halen, en dat zou hem niet lukken door zich koppig op te stellen en al zijn sceptische ideeën en ergernissen te ventileren. Hij zou subtiel moeten zijn.
Over een afstand van vele jaren en kilometers meende hij zijn ex te horen lachen.

27

'Weet u waar Ed over schreef?' vroeg Thomas.
Pater Giovanni haalde zijn schouders op en nam een klein slokje espresso. Hij had met tegenzin in deze ontmoeting toegestemd, in de hoop dat Thomas de monsignor dan verder met rust zou laten. Die kans leek Thomas zelf niet groot, maar als de priester dat wilde geloven voordat hij bereid was met hem te praten, liet hij het maar zo.
'Vroegchristelijke symbolen.'
'Zoals?'
'Het kruis.'
'Is daar veel over te zeggen?'
'Dat vroeg ik hem ook,' zei Giovanni met een grijns.
'En wat zei hij daarop?'
'Hij zei: "Vind je het niet vreemd dat het universele symbool van het christendom juist het falen ervan benadrukt – de vernedering en executie van de leider?"'
Thomas zei niets. Giovanni citeerde het letterlijk, alsof hij de woorden van zijn broer al duizend keer in zijn hoofd had herhaald.
'Ik bedoel,' zei de priester weer met zijn eigen stem, 'als iemand nu een godsdienst begon en werd terechtgesteld, zou je je dan kunnen voorstellen dat zijn volgelingen symbolen gingen dragen van een elektrische stoel of een strop?'
'Ik denk het niet,' gaf Thomas aarzelend toe.
'Maar,' zei Giovanni, terwijl hij glimlachend een vinger opstak, 'het kruis is een symbool omdat het leven van Christus uiteindelijk om zijn dood draait, waarmee hij de zonden van de wereld op zich heeft genomen om anderen te redden.'
'Dus eigenlijk heeft Jezus zelfmoord gepleegd,' zei Thomas.
Meteen had hij spijt. Hij dacht aan pillen in een whiskyglas en had het al gezegd voordat hij er erg in had.
Giovanni keek verbaasd, maar hij antwoordde rustig: 'Bij zelfmoord stel je jezelf centraal. Zelfopoffering is precies het tegenovergestelde.'
'Oké,' zei Thomas, 'maar waarom was Ed daarin geïnteresseerd? Voor zover ik weet stond hij met beide benen in het heden. Sociale rechtvaardigheid, de bevrijdingstheologie, dat waren de dingen waar hij voor

leefde. Wat hebben die te maken met de theologie van de kruisiging?'
'Alles,' zei Giovanni. '"Geen grotere liefde kent de mens dan zijn leven te geven voor zijn vrienden." Dat is waar het kruis voor staat, de kern van de bevrijdingstheologie: alles offeren wat je bezit, om degenen die niets hebben wat meer te geven. Het persoonlijke, spirituele element wordt vertaald naar de maatschappij en de politiek. Dat is de boodschap van het evangelie.'
'En hier eindigt de preek,' zei Thomas. Toch weer een smalende opmerking, voordat hij zich kon inhouden.
'Vertel me eens,' zei de priester, 'bent u atheïst uit overtuiging of principe?'
'Is er verschil dan?'
'Natuurlijk,' zei Giovanni. 'De één gelooft gewoon niet in God, de ander weigert dat te doen.'
'Uit principe?'
'Vanwege alles wat hij met godsdienst associeert, ja.'
'Dan ben ik atheïst uit overtuiging,' zei Thomas. 'Ik heb namelijk geen enkele reden om in God te geloven. Dat alles wat er uit naam van het geloof gebeurt meestal zo dom, vooringenomen en destructief is sterkt me nog in mijn overtuiging.'
Giovanni keek hem strak aan, maar zei niets. Thomas sloeg zijn ogen neer en nam een slok koffie. De andere man geloofde hem niet.
En misschien wel terecht.
'Ik ben niet mijn broer,' zei hij eenvoudig. Dat klopte, in elk geval.
'Nee,' zei Giovanni.
'Wat bedoelt u daarmee?'
'Niets,' zei Giovanni, met zijn ogen nog steeds op Thomas gericht.
'Beschouwde u zichzelf als een vriend van Ed?'
'Ja,' zei de priester. 'We hebben geen contact meer gehad toen hij uit Italië vertrok, maar we waren wel vrienden. Ik dacht dat ik hem dit jaar wel weer zou zien. Hij wilde terugkomen. Het was een schok toen ik hoorde dat hij dood was.'
'Hebben ze u ook verteld hoe of waar hij is gestorven?'
'Nee,' zei Giovanni, en opeens betrok zijn gezicht. 'Is er iets...? Ik weet het Engelse woord niet. Iets verkeerds?'
'Of er een luchtje zit aan de omstandigheden van zijn dood? Dat weet ik niet. Misschien wel.'
'Dat is nieuw voor me.'
'Kunt u iets bedenken wat Ed hier deed of waar hij over schreef dat hem in gevaar had kunnen brengen?'

'Gevaar? Van wie?'
'Geen idee. Wie dan ook.'
'Ik heb hem op de dag van zijn vertrek niet meer gezien,' zei Giovanni. 'Ik lag in het ziekenhuis toen hij op het vliegtuig stapte. Ik wist niet eens waar hij naartoe was. Hij liet een kaartje voor me achter.'
'Hebt u dat nog?'
De priester glimlachte en zocht in zijn jaszak. 'Ik dacht al dat u het zou willen zien,' zei hij.
Het was een ansichtkaart met foto's van Herculaneum. De tekst was in het Engels: *Pater G.*, stond er, *als u dit krijgt ben ik helaas al vertrokken. ☧ – symbolisch gesproken heb ik misschien de hoofdprijs gewonnen (de verborgen schat gevonden), maar niet hier in Italië, dus volg ik het spoor. Later schrijf ik meer. Beterschap! E.*
'Dat symbool,' zei Thomas, met een blik op de ☧. 'Het komt me bekend voor, maar...'
'Het staat voor christelijk,' zei de priester. 'Hij gebruikt de Griekse letters *chi* en *ro*, waarmee de eerste christenen Christus aanduidden.'
'Wat bedoelt hij met "de verborgen schat, symbolisch gesproken"?'
'Geen idee,' zei Giovanni. 'Ik dacht dat het iets met het kruis te maken zou hebben, als belangrijkste christelijke symbool. Maar ik zou het werkelijk niet weten.'
'En hij kwam net uit Herculaneum?'
'Hij bezocht al die oude plaatsen,' zei Giovanni. 'Herculaneum, Pompeii, Paestum, het archeologisch museum hier in Napels. Elke dag was hij wel ergens, en 's avonds laat kwam hij pas thuis, vaak enthousiast en doodmoe. Maar hij zei er nooit veel over. Niet tegen mij, tenminste,' besloot hij.
'Wel tegen iemand anders?'
Giovanni haalde zijn schouders op en zei niets. Thomas keek hem doordringend aan.
'Praatte hij met pater Pietro?' vroeg hij.
'Soms,' gaf de priester onwillig toe. 'Hij sprak wel met de monsignor, maar ik weet niet waar dat over ging.'
'Werkten ze samen?'
Er gleed een lachje over Giovanni's gezicht dat niet tot zijn ogen reikte. 'O nee. Ik geloof niet dat ze goed met elkaar konden opschieten. Niet wat Eduardo's werk betreft, tenminste.'
'Maakten ze ruzie?'
'Ja. Behoorlijk heftig, soms. Maar ik weet niet waarom.'
'Dus Pietro was blij dat hij vertrok?'

Daar scheen Giovanni lang over na te denken, en zijn antwoord klonk aarzelend, met een bijna droevige ondertoon.
'Ik geloof dat hij opgelucht was,' zei hij, 'maar hij schrok vreselijk van het bericht over de dood van uw broer. En sindsdien lijkt hij... *anders.*'
'Anders? In welk opzicht?' drong Thomas aan.
'Dat weet ik niet. Boos. Verdrietig. Bezorgd? Ja, dat laatste.'
'Maar u hebt geen idee wat Ed kan hebben gedaan of gezegd om hem zo van zijn stuk te brengen?'
'Padre Pietro is al oud,' zei Giovanni, zoekend naar woorden. 'In zijn opvattingen, bedoel ik.'
'Een katholiek van vóór het Tweede Vaticaanse Concilie.' Thomas knikte.
'Niet alleen dat,' zei Giovanni. 'Sommige van zijn ideeën zijn niet alleen ouderwets, maar zelfs niet orthodox katholiek. Ze zijn nooit een deel van... hoe zeg je dat?... het algemeen gedachtegoed geweest. Hij praat niet met mij over zijn opvattingen omdat we van mening verschillen. Sommige van zijn denkbeelden kan ik echt niet begrijpen.'
Thomas' interesse was nu toch gewekt, niet alleen door wat hij hier hoorde, maar ook door de steeds grotere aarzeling en onrust bij de jonge priester.
'Geef eens een voorbeeld,' zei hij. 'Waar gelooft Pietro in en u niet?'
'Hij gelooft heel sterk in de... *bemiddeling* van de doden. Welke doden dan ook.'
'Hun tussenkomst?'
'Ja. In de oude Kerk baden de gelovigen via de heiligen, weet u? Ze dachten in rangen en standen...'
'Een hiërarchie?' opperde Thomas.
'Ja. Ze spraken niet rechtstreeks tot God, maar ze baden via de heilige Paulus, de Maagd Maria of andere, latere heiligen: mensen die waren gestorven en voor hen konden bemiddelen bij de Heer. Zo hadden ze een persoonlijke schakel met God, een gezicht dat ze kenden. Dat gebeurt natuurlijk nog steeds, maar het is niet meer zo'n centraal thema binnen de Kerk. Sommige mensen vinden – net als Luther – dat de heiligen niet langer...'
'... niet langer een middel waren, maar een doel?'
'Precies. Gelovigen gingen *tot* de heiligen bidden en niet meer *via* hen.'
'En Pietro houdt vast aan die oude gebruiken?'
'Hij is de enige niet. Maar ongeveer een eeuw geleden is er in Napels een bijzondere vorm van *tussenkomst* ontstaan, op een bepaalde plaats.'

'De Fontanelle?' zei Thomas, en onwillekeurig liep er een koude rilling over zijn rug, als een stroompje ijswater.
'Ja, de Fontanelle,' zei Giovanni met een zucht. 'Pietro heeft me ooit meegenomen, zes of zeven jaar geleden, maar ik ben nooit teruggegaan. Daar heb ik geen enkele behoefte aan.'
'Wat is het dan?'
'Oorspronkelijk was het een... hoe heet zoiets waar je stenen hakt?'
'Een groeve?'
'Ja,' zei de priester met een glimlach. 'Een groeve. Bij de bouw van de stad zijn talloze grotten en ondergrondse gangen ontstaan om steen te winnen. Napels is al heel oud, maar beperkt in omvang. Hier,' zei hij, en hij legde een hand op de tafel, 'ligt de stad, met aan de ene kant de bergen en aan de andere kant de zee. In de loop van de tijd – en de stad is al duizenden jaren oud – verrees er een nieuwe stad boven op de oude. Grond werd hergebruikt. Het is niet als Rome, dat zich kon uitbreiden, zodat alle oude monumenten van het centrum intact bleven. Napels vernieuwt zich voortdurend, waardoor alle oude plekken onder de grond verdwijnen. Omdat grond hier zo kostbaar is, werden ook de begraafplaatsen na een tijdje opnieuw gebruikt. Lang geleden woedden er verwoestende epidemieën in Italië, waaraan bijna de hele bevolking bezweek.'
'De builenpest,' zei Thomas. 'De Zwarte Dood.'
'Precies. Er waren te veel doden om te begraven, en te weinig plaats. De meeste slachtoffers waren arm en hadden geen geld om de stad te ontvluchten. Als ze stierven, werden hun lichamen anoniem bijeengegooid – honderdduizenden doden. Ten slotte werden ze allemaal naar de Fontanelle gebracht.'
'Maar hoe konden ze worden begraven als de Fontanelle een steengroeve was?'
Giovanni lachte somber, alsof Thomas de spijker op de kop had geslagen.
'Dat gebeurde ook niet. Ze werden gewoon bij elkaar gesmeten, duizenden botten, enorme stapels.'
Thomas slikte even en probeerde zich te beheersen, maar het beeld van die duistere gangen vol met lijken was ongeveer zijn ergste nachtmerrie.
'Na een tijdje begonnen mensen die botten als heilig te beschouwen,' vervolgde Giovanni. 'Ze maakten ze schoon en poetsten ze totdat ze glommen. Ze brachten er bloemen en kaarsen heen. Ze adopteerden ze. En ze baden tot de beenderen.'

Giovanni haalde zijn schouders op omdat het zo simpel klonk, maar hij had er duidelijk moeite mee.
'Die plek trekt vreemde figuren aan. Er wordt wel beweerd dat de maffia daar vergadert. En er zijn nog andere legenden.'
'Zoals?'
'Volksverhalen,' zei Giovanni. 'Zoals het verhaal over de Kapitein, maar ik ken het niet zo goed.'
Thomas knikte aanmoedigend.
'Allemaal onzin, natuurlijk,' zei Giovanni.
'Laat horen,' zei Thomas met een glimlach.
De priester leunde naar achteren, sloeg een moment zijn ogen neer, nam een slok koffie en zei: 'Goed. Er was een jonge vrouw die wilde trouwen. Ze probeerde een man te vinden, op de normale manier, maar dat lukte niet. Toen ging ze naar de Fontanelle en koos een hoofd.'
'Een schedel?'
'Ja, een *doodskop*. Ze maakte hem schoon, wreef hem zo glad en glanzend dat er geen stof of vuil meer aan hechtte en vroeg de schedel haar te helpen. Een week later ontmoette ze een man en binnen een paar maanden waren ze getrouwd. Op de bruiloft was er één gast die ze niet herkende: een lange, knappe man in het uniform van een legerkapitein. Hij begon tegen haar te fluisteren. Haar bruidegom, die het zag, werd jaloers en sloeg de onbekende in zijn gezicht. Op hetzelfde moment loste de knappe kapitein in het niets op. De bruidegom stierf van schrik. Toen de jonge vrouw naar de Fontanelle terugkeerde zag ze dat haar glimmend gepoetste doodskop een blauw oog had!'
Thomas glimlachte.
'Er zijn meer van dat soort verhalen,' zei Giovanni met een wegwerpgebaar. 'Grappig of griezelig. Soms gaan ze over bepaalde beenderen, zoals het verhaal dat ik net vertelde. Er was ook een skelet van een baby dat sommige mensen erg aansprak. Toen er plannen waren om de Fontanelle te renoveren, dreigden ze de arbeiders aan te vallen als ze dat skelet niet meer terugvonden.'
'En vonden ze het?'
'Ze zeiden van wel.' Giovanni haalde zijn schouders op. 'Maar begrijpt u wat ik bedoel? Het is een plek die *bijgelovigen* aantrekt, een plek van duistere verhalen en vreemde emoties. Het had beter nooit kunnen bestaan.'
'En Pietro?'
'De Fontanelle was verbonden aan een bepaalde kerk. Toen Pietro tot priester was gewijd werd hij pastoor van die kerk. Maar zo'n dertig

jaar geleden verklaarden de bisschoppen dat dit zo niet kon doorgaan, omdat het bijgeloof was. Ze sloten de Fontanelle en maakten de kerk ervan los. Niemand kan er nu nog komen.'
'Niemand?'
Giovanni haalde ongemakkelijk zijn schouders op en glimlachte weer. Het was duidelijk wat hij bedoelde. Pietro ging er nog steeds naartoe, om wat voor reden dan ook.

28

Terug in het Executive zag hij het lampje van zijn telefoon knipperen. Jim had gebeld vanuit Chicago. Thomas keek hoe laat het was, trok er zeven uur van af en belde terug.
'Jim,' zei hij. 'Met Thomas.'
'Ik had gelijk,' viel Jim met de deur in huis. 'Dat die man van het ministerie van Binnenlandse Veiligheid zich gedroeg alsof er iets gebeurd was. Dat is ook zo. Ik zag het vanavond op het nieuws.'
'Wat dan?'
'Vanochtend in alle vroegte hebben agenten van het ministerie van Binnenlandse Veiligheid, samen met antiterreureenheden van de CIA en de FBI, een voorraad wapens ontdekt in de kelder van een eengezinswoning in Chicago,' zei Jim, alsof hij een stukje uit de krant voorlas. 'Het ging om AK-47 geweren, zakken kunstmest en andere ingrediënten waarmee je een bom kunt maken.'
'En?' vroeg Thomas. 'Wat heeft dat met Ed te maken?'
'Het gaat niet om Ed,' zei Jim, 'maar om jou.'
'Hoezo?' zei Thomas.
'Die inval vond plaats op Sycamore 1247 in Evanston,' zei Jim. 'Thomas, het was jóúw huis.'

'Ze proberen me erin te luizen,' zei Thomas in de telefoon. 'Ik had net pater Jim Gornall van St. Anthony's aan de lijn, en hij vertelde me over de inval in mijn huis.'
Het had hem tien minuten gekost om tot het kantoor van senator Devlin door te dringen. Hij sprak nu met Rod Hayes, de stafchef van de senator, en vertelde hem wat hij had gehoord en wat hij in Italië deed. De jongeman luisterde zonder hem in de rede te vallen en zei

toen: 'Ik zal het bespreken met de senator. Zelf heb ik niet het gezag om een onderzoek in te stellen.'
'Bedankt,' zei Thomas.
'Hij is nu in vergadering,' zei Hayes, 'maar ik zal vragen of hij u terug wil bellen over... drie uur.'
'Oké,' zei Thomas, die zat te zweten en zich heel onbehaaglijk voelde. 'Dank u.'
'En, meneer Knight?' zei Hayes.
'Ja?'
'Maakt u zich geen zorgen. De senator is een machtig man.'
'Ja, dat weet ik.'
'Hoe gaat het met pater Jim?'
Die verandering van onderwerp overviel Thomas een beetje.
'Goed, geloof ik,' zei hij. 'Hoezo?'
'Niets,' zei Hayes. 'Maar hij heeft een zwaardere baan dan de meeste mensen. En het afgelopen halfjaar was niet makkelijk, met die uitzettingszaak en zo.'
'Uitzettingszaak?'
'O, wist u dat niet?' zei Hayes, die opeens minder zelfverzekerd klonk. 'Sorry, mijn fout. Hij wil er niet over praten, denk ik. Vergeet maar dat ik het heb gezegd.'

Om zijn gedachten wat te verzetten ging Thomas naar het Nationaal Archeologisch Museum – lopend, om zijn stijve benen te oefenen. Toen hij de ochtend na het joggen wakker was geworden, wist hij zeker dat hij meer aan zijn conditie moest doen. Dus liep hij nu door de drukke straten van Napels, over een plein waar een politieke bijeenkomst aan de gang was, en langs een rij kartonnen dozen waar daklozen sliepen.
Het museum was te groot om in één oogopslag te overzien, en zelfs zijn belangstelling voor de collecties uit Pompeii en Herculaneum beperkte het niet echt. Hij bekeek de geschilderde panelen uit de tempel van Isis met hun Egyptische motieven en vreemde zeedieren, die van voren op paarden of krokodillen leken, maar eindigden in een vissenstaart. Hij slenterde langs de levendige, bijzondere mozaïeken uit verschillende Pompeiaanse huizen en een overweldigende collectie beelden, maar gaf daarna de moed maar op. Hij dronk koffie in de overdekte tuin van het museum en liep weer terug naar zijn hotel, terwijl hij voortdurend op de tijd lette om het telefoontje van de senator niet mis te lopen. Nadat hij zich in al die overblijfselen van een

oude cultuur had verdiept, hoopte hij dat de senator wat concretere informatie voor hem zou hebben.

29

Zuster Agnes van het clarissenklooster in Woodchester in Engeland was nu bijna zesendertig uur onderweg en begon al te denken dat ze nooit bij het retraitehuis in Napels zouden aankomen. Toen ze eindelijk arriveerden waren ze twee uur te laat en was er alleen nog tijd voor een lichte avondmaaltijd, die in stilte werd genoten, terwijl moeder abdis een fragment uit Augustinus las, voordat ze hun schaarse bagage konden uitpakken. Ze kwamen van verschillende kloosters in Europa en enkele in Amerika, hoewel de meesten rechtstreeks afkomstig waren uit Assisi. De rustperiode tussen het eten en de bel voor het avondgebed om kwart over zeven ging grotendeels heen met drukke gesprekken om kennis te maken met de andere zusters.

Ze waren al voorgesteld aan de priesters van het retraitehuis: monsignor Pietro, die een beetje vreemde, strenge indruk maakte, en een aardige kapelaan met een zachte stem, pater Giovanni, die zich algauw excuseerde omdat hij nog aan zijn preek voor de volgende morgen wilde werken. Na het avondgebed volgde het Grote Zwijgen vanaf halfacht, en tegen halftien waren de taken van die dag volbracht. Over een uurtje zouden ze allemaal in bed liggen, met de lichten uit, om tegen halfzes weer uit de veren te zijn voor het ochtendgebed.

Het was geen gemakkelijk leven, zeker niet in deze tijd, dacht zuster Agnes, met de voortdurende druk van het materialisme en de scepsis uit de buitenwereld. Maar het had een ritmische eenvoud en zuiverheid die goed bij haar karakter pasten. Ze had besloten de laatste momenten van de dag in de stille kapel door te brengen voordat ze naar haar kamer terugging, omdat ze niet zo goed Italiaans sprak en de anderen die wel Engels spraken allemaal Amerikaans waren en daarom in taal en cultuur bijna net zo ver van haar af stonden als de Italiaansen. Tenminste, daar was ze bang voor. Agnes wist dat ze een verlegen meisje was, altijd geweest, met een afkeer van nieuwe, onbekende dingen, wat soms een belemmering vormde voor de eenvoudige christelijke naastenliefde die ze elke dag bedreef. Deze hele reis was een idee geweest

van moeder abdis, eigenlijk bedoeld als een vakantie om haar te bevrijden van haar angsten en eenzelvigheid.
Ironisch, dacht ze, dat een non te eenzelvig zou kunnen zijn. Maar ze wist ook dat er moeilijk met haar samen te werken was. En hoewel de clarissen veel tijd besteedden aan persoonlijke devotie, moesten ze ook samen dingen doen. Morgen zou ze zich wel voorstellen aan de Amerikaanse nonnen. Ze moesten voldoende met elkaar gemeen hebben om zich vertrouwd te kunnen voelen met elkaar.
De kapel was heerlijk koel na de hitte van de stad. Ze miste het milde klimaat van Engeland en was blij dat ze met Pasen weer zou teruggaan. Maar dit was een deel van haar vastenoffer voor Christus' wonden. Ze voelde zich zoals altijd in een kerk: klein en onbeduidend, maar op een vreemde manier ook getroost. Ze liet de kralen van de rozenkrans door haar vingers glijden om nog één decade te zeggen voordat ze naar bed ging. De aangrijpende mysteriën vulden haar gedachten, zoals altijd.
In eerste instantie negeerde ze het geritsel achter zich, in de veronderstelling dat een andere zuster de kapel was binnengekomen. Maar toen ze het nog eens hoorde, vergezeld van een sissend geluid dat ze voor een onderdrukt geprevel hield, draaide ze zich om, verontwaardigd dat het Zwijgen zo werd verstoord. Maar er was niemand in de kapel, en opeens voelde ze zich onrustig en zelfs angstig op deze onbekende plek – wat haar nog nooit was overkomen in het huis van de Heer.
Ze voltooide de decade van haar rozenkrans, zich ervan bewust dat ze het laatste gebed had afgeraffeld, met een stille belofte om de volgende dag twee decades te bidden voor het slapengaan. Met trillende handen stapte ze de kerkbank uit en maakte een knieval voor het crucifix. Ze wierp nog één blik op het lichtje van de tabernakel en putte daar kracht uit, als een herinnering aan de aanwezigheid van de Heer. De klap van de dichtvallende deur galmde nog een tijdje na toen ze de kapel verliet.
De kapel kwam uit in een gang met een gewelfd plafond, afbladderende muren en geen lampen. Toen de kerkdeur dichtviel, kwam er alleen nog wat licht van de binnenplaats voor haar uit. Haastig liep ze die kant op, met haar oren nog steeds gespitst.
Haar verbeelding speelde haar parten, dacht ze. Ze was moe, en van streek door deze vreemde omgeving; dat was alles.
Maar toen hoorde ze het weer, dat half sissende, half grommende geluid. Ze sperde haar ogen wijd open, kreeg kippenvel op haar armen en was opeens de richting kwijt. Doodstil bleef ze staan.
'Wie is daar?' vroeg ze in de donkere stenen gang. Er kwam geen ant-

woord, totdat ze weer een stap deed. Op dat moment hoorde ze iets schrapen, als een groot insect over een hard oppervlak, of lange nagels over steen...
Abrupt draaide ze zich om naar de deur van de kapel. Het was aardedonker, maar toch zag ze een bleek silhouet, ineengedoken op de vloer, roerloos en onbehaard. Het leek een stenen waterspuwer, die iemand achter de deur had neergezet, afgezien van de ogen, die schitterden als glas.
Zuster Agnes stond als aan de grond genageld. Tranen prikten in haar ogen, maar ze was niet in staat haar blik af te wenden.
Toen bewoog de gestalte zich en sloeg Agnes gillend op de vlucht, alsof een leger uit de hel haar op de hielen zat.

30

'Ik geloof er niets van,' zei Devlin over de telefoon.
'Dank u, senator,' zei Thomas.
'Het is niet alleen een kwestie van geloof, Thomas,' zei Devlin. 'Je broer was een goede vent, maar ik zou voor jou niet kunnen instaan zonder andere bewijzen.'
'Waarom gelooft u me dan?'
'Omdat het te onnozel is. Geen enkele terrorist bij zijn volle verstand zou al die spullen in de kelder laten liggen terwijl hij met vakantie was. Dat slaat nergens op.'
'Maar toch is dat geen hard bewijs, meneer,' zei Thomas.
'Hebben ze je ook verteld dat ze exemplaren van de koran en gedownloade fundamentalistische teksten hebben gevonden?'
'Nee.'
'Lees je Arabisch, Thomas?'
'Nee.'
'Dat dacht ik al.'
'Maar ook dat is nog steeds geen hard bewijs...'
'Ik ben niet de enige,' zei Devlin. 'Zelfs het ministerie van Binnenlandse Veiligheid is sceptisch. Een deel ervan, tenminste: de mensen die niet zo zenuwachtig zijn dat ze op alles schieten wat beweegt. Ze hebben alleen Arabische boeken, pamfletten en prints gevonden – drukwerk, dat overal vandaan kan komen. Maar niet één papiertje met Ara-

bisch *handschrift* erop. De boeken zijn allemaal nieuw, de wapens nauwelijks aangeraakt, en voor een bom ontbreken de karakteristieke elementen die terroristen uit het Midden-Oosten altijd gebruiken. Er zit dus een behoorlijk luchtje aan.'

'Maar wat doe ik nu?'

'Niets,' zei Devlin. 'Blijf waar je bent. Als je denkt dat je meer over Ed aan de weet kunt komen, probeer dat dan. Laten ze de spullen die ze hebben gevonden maar onderzoeken, om te zien of het meer oplevert dan indirect bewijs.'

'Goed,' zei Thomas. 'Dank u, senator.'

'Ik wil wel dat je één ding goed begrijpt, Thomas. Als ze jouw vingerafdrukken op die wapens vinden, trek ik mijn handen van je af en mogen ze je aan de hoogste boom opknopen. Duidelijk?'

'Ja, meneer,' zei Thomas. 'Maar dat zal niet gebeuren.'

Hij hing op, in de vurige hoop dat hij gelijk had.

31

De volgende dag verdiepte Thomas zich de hele ochtend in de reisgidsen die hij had gekocht. Daarna ging hij online in een internetcafeetje op een paar straten van het hotel, waar hij tachtig cent betaalde voor een halfuur op het web. Hij ontdekte een heleboel, maar het belangrijkste was toch het bekende feit dat er al christenen waren geweest in de steden die door de uitbarsting van de Vesuvius waren verwoest. Ook het *Pater-Noster*-acrostichon en het schaduwcrucifix in het Huis van het Bicentenarium waren gedocumenteerd. De meeste commentaren die hij op internet vond hadden een christelijke inslag, soms met een schril triomfantelijke toon, omdat dit toch wel aantoonde dat de Bijbel een juiste beschrijving gaf van de geschiedenis van de vroege Kerk. Een site die veel aandacht besteedde aan het kruis in Herculaneum viel vooral de Jehova's getuigen aan, die beweerden dat Jezus niet aan een kruis maar aan een soort paal was terechtgesteld. Andere waren minder specifiek, maar ademden wel een ijver en een defensieve houding die Thomas voorzichtig maakte.

Hij belde zuster Roberta.

'Ik wil naar Paestum,' zei hij. 'Zin om mee te gaan?'

'Ik zit vandaag hier vast,' zei ze, duidelijk ongelukkig. 'Een soort inge-

laste bezinning. Een van de Engelse nonnen had vannacht een spookachtige ervaring.'
'Een spookachtige ervaring?' zei Thomas. 'Wat dan?'
'Het zal wel niets geweest zijn. Een schaduw of zo. Haar levendige fantasie. Een van haar zusters opperde dat ze een excuus zocht om naar huis te gaan.'
'Gaat het weer goed met haar?'
'Natuurlijk,' zei zuster Roberta een beetje ongeduldig. 'Ze mankeert niets.'
'Je weet zeker dat je niet meegaat naar Paestum?'
'Het is een heel eind,' zei ze. 'Je moet met de trein naar Salerno, en daar heb ik vandaag geen tijd voor. Ik wilde vanmiddag een wandeling maken over de Vesuvius. Daar schijn je een prachtig uitzicht te hebben. Het zou leuk zijn om naar de krater te klimmen en de grote boosdoener achter al die opgravingen eens in het echt van dichtbij te zien.'
'Een andere keer misschien,' zei Thomas. De Vesuvius leek hem iets om te bezoeken als hij klaar was met deze zaak. Of als deze zaak klaar was met hem.

Thomas ging in zijn eentje naar Paestum, in de verwachting dat het weer zo'n goed geconserveerde Romeinse stad zou zijn, een volgend slachtoffer van de uitbarsting. Maar zijn reisgids schetste een heel ander beeld. Het was een Griekse nederzetting die ongeveer zeshonderd jaar voor Christus was gesticht, maar later – net als Napels – door de Samnieten en Romeinen was bezet. Paestum lag een heel eind ten zuiden van Pompeii en Herculaneum, aan de baai van Salerno, buiten het bereik van de destructieve kracht van de Vesuvius. De stad was zelfs permanent bewoond geweest tot in de middeleeuwen, hoewel ze langzaam in verval raakte. Op een gegeven moment in de achtste of negende eeuw was de bevolking – gedecimeerd door malaria en aanvallen van de Saracenen – gewoon vertrokken en had de oude stad aan het moeras en het onkruid overgelaten.
Dat klonk niet veelbelovend, dus stond Thomas na een wandeling over het laantje vanaf het station, tussen hoge heggen door, versteld toen hij drie grote Dorische tempels zag verrijzen op de vlakte van de oude stad. In ontwerp, conservering en eenvoud overtroffen ze alles wat hij in Italië of waar dan ook had gezien. Monumentale friezen rustten op zware zuilen van goudgele steen. Het enige wat ontbrak waren de daken en het gekleurde pleisterwerk dat ooit de rotsen had bedekt.
Heel even bleef Thomas staan, overweldigd door die aanblik. Alleen al

de schaal van de tempels, gecombineerd met de verweerde, antieke sfeer die totaal ontbrak bij de pas opgegraven restanten die hij elders had gezien, maakte een grootse, bijna mythische indruk. In Herculaneum was hem de alledaagsheid opgevallen, het idee dat die stad ooit was bevolkt door mensen zoals hijzelf, een plek waaraan geen levende herinneringen meer bestonden, alleen wat aanwijzingen die in grote letters op de muren waren geschreven. Maar dit was totaal anders. Dit was geschiedenis op een epische schaal, vol kracht en waardigheid, een historie die naar legende neigde.

Het zou wel een projectie van hemzelf zijn, dacht hij, iets wat door iedere serieuze historicus of archeoloog als romantische onzin zou worden afgedaan, maar toch voelde hij het zo toen hij om zich heen keek, nederig en vol verwondering dat hij nooit eerder van deze plek had gehoord. Waar moest hij zoeken naar de overblijfselen die zijn omgekomen broer zo hadden geïntrigeerd? En hoe kon hij dit fragment van het mozaïek in het grote geheel inpassen?

De andere oude steden hadden een unieke, gemakkelijk te duiden plek in de geschiedenis. Ze gaven een beeld van één enkel jaar, toen as en vuur uit de hemel waren neergeregend. Maar deze plaats had zich in de loop van vele eeuwen ontwikkeld, totdat de menselijke structuur die de stad bijeenhield geleidelijk was weggevallen. Hoewel hij niets wist van Romeinse kunst, kon hij er zeker van zijn dat alles wat hij in Pompeii had gezien afkomstig was uit het jaar 79 na Christus, of in elk geval toen nog werd gebruikt. Hier was dat veel moeilijker te raden. Elk willekeurig stenen fragment kon deel uitmaken van een ononderbroken ontwikkeling van wel duizend jaar in deze ene stad. Zelfs als hij dingen vond die Eds belangstelling hadden getrokken zou hij niet weten hoe hij ze historisch moest plaatsen.

En hij was de enige niet. Toen hij er wat meer over las, ontdekte hij dat archeologen al tweehonderdvijftig jaar discussieerden over de betekenis van de verschillende bouwwerken – aan welke Griekse goden de tempels waren gewijd, en in één geval zelfs óf het wel een tempel was geweest. Het betreffende gebouw stond bekend als de tempel van Hera, de koningin van de Olympische goden (bij de Romeinen Juno genoemd), maar in andere gidsen kwam hij het nog tegen als 'de Basiliek'. Thomas verdiepte zich zuchtend in de aantekeningen van zijn broer en probeerde zich te oriënteren. Hij stond dicht bij de noordkant van de stad, naast de tempel van Ceres (bij de Romeinen Demeter), die misschien ook aan Athene was gewijd. Naar het zuiden, aan de overkant van het forum, lagen de tempels van Poseidon (Neptunus) of Apollo,

en van Hera (Juno), zo'n zeven kilometer bij hem vandaan. Heel verwarrend allemaal. Eds notities spraken over 'de tombes van de duikers', hoewel die nergens op zijn plattegrond te vinden waren. Fronsend beklom hij drie zware, verweerde treden naar een soort tafel of podium en tuurde over de reusachtige vlakte van de oude stad.
Ergens halverwege daalde een hop in het gras neer en streek zijn zwartwitte pluim. Even later vloog hij weer weg als een roze schim, met soepele golfbewegingen van zijn staart en vleugels tegen het violet van de bergen op de achtergrond. De vogel landde dicht bij het half uitgegraven amfitheater waar hij op de heenweg voorbij was gekomen. Er stond een man die een verrekijker op hem gericht hield. Zodra hij Thomas zag kijken, liet hij de verrekijker zakken en draaide zich om, maar niet voordat Thomas een glimp van zijn gezicht had opgevangen achter de grote zonnebril. De Japanner schuifelde haastig weg, maar Thomas was ervan overtuigd dat hij hem al eerder had gezien, toen hij de straat voor het Executive overstak en later, op de video van de beveiligingscamera...
Zijn eerste reactie was woede, net als de vorige keer. Hij was uit Chicago gevlucht, de deur uit gezet door monsignor Pietro, en opgejaagd als een dier door Parks in Herculaneum. Nu had hij er genoeg van. Hier, op deze open, zonnige vlakte, waar de toeristen in grote groepen rondslenterden als grazend vee, zou hij zich niet laten verjagen. In elk geval, dacht hij toen hij van het stenen platform klom en met ferme tred op weg ging naar het amfitheater, had hij het voordeel van de verrassing.
Thomas begon te rennen als een manke buffel. Zodra hij van het platform stapte was hij de Japanner met de verrekijker uit het oog verloren. Het enige wat hij kon doen was zo snel mogelijk naar de plek zien te komen waar hij hem het laatst had gezien. Hij boog zijn hoofd als een agressieve stier, hijgend en puffend in de hitte. Het deed hem verlangen naar het frisse voorjaar van Chicago.
Honderd meter links van hem kochten toeristen hun ansichtkaarten bij de winkeltjes en eettentjes langs de toegangsweg aan de andere kant van een hoog, omheind talud. Rechts lagen de lage, uitgestrekte restanten van oude muren, met hier en daar een zuil of een eenzame pijnboom. Het was hier niet zo druk als in Pompeii, en ondanks de ruimte en de zon kon je hier toch makkelijk alleen zijn. Een onheilspellend voorgevoel ging door hem heen als een soort kramp, maar hij negeerde het en liep nog harder.
De ingang van het amfitheater was een brede stenen boog, bijna een tunnel, in een muur van ongeveer vijf meter hoog. Thomas sprintte

erdoorheen, voornamelijk om zo snel mogelijk weer uit die duisternis vandaan te zijn. Het amfitheater lag voor hem: een ondiepe halve cirkel van gras en zanderige grond, ingesloten door oplopende stenen tribunes, die werden afgeknot door het talud met de weg erboven. Er was niemand te bekennen.
Langzaam draaide Thomas zich om naar de ingangsboog. Ernaast was een hoge nis. De man die zich daar verborgen had gehouden dook als een jachtluipaard op hem af.

32

Thomas kreeg het volle gewicht van de man op zijn nek en viel op zijn knieën in het zand van de arena. Heel even leek hij niet in staat om na te denken of zich te verzetten, maar toen kreeg zijn woede weer de overhand en gebruikte hij zijn vuisten en knieën om zijn aanvaller partij te geven.
Sinds zijn schooltijd had Thomas niet meer gevochten – tot een week geleden. Nu kwam het allemaal weer terug: de adrenaline, de paniek, het rode waas voor zijn ogen, alleen erger nog, omdat hij nu volwassen was en met instinctieve zekerheid wist dat zijn overvaller hem zou kunnen doden...
De Japanner was klein, maar ook pezig en sterk. En snel. Zijn vuisten flitsten door de lucht. Thomas voelde twee zware klappen tegen zijn luchtpijp en kreeg geen adem meer. Bang dat hij moest braken liet hij zich op zijn knieën zakken, terwijl zijn aanvaller ervandoor ging. Maar dat kon Thomas niet laten gebeuren.
Met een luid gebrul verzamelde hij zijn krachten, dook achter de man aan en greep hem bij zijn enkel. Hij draaide de voet van de Japanner om, waardoor de man met een klap tegen de grond sloeg. Thomas klom boven op hem. Zijn tegenstander klauwde naar zijn gezicht, zoekend naar zijn ogen. Thomas wrong zijn hoofd zo ver mogelijk naar achteren, legde zijn hand om de adamsappel van zijn aanvaller en zette kracht. De vingers van de man boorden zich in zijn wangen en hij voelde bloed. Met zijn vrije arm greep hij een handvol zand en smeet dat in de geopende mond van de ander. De man probeerde het uit te spuwen, maar Thomas klemde zijn hand over de lippen van de Japanner en liet niet los.

De kleinere man begon te spartelen als een vis. Misschien tien seconden sloeg hij woedend met zijn armen en benen, totdat zijn woordenloze gekreun een smekende klank kreeg en zijn lichaam verslapte.
Thomas trok zijn hand terug en leunde naar achteren, terwijl de Japanner zijn hoofd omdraaide en het zand uitbraakte. Hij hees zich op handen en voeten, kokhalzend boven de grond.
Thomas was enkel buiten adem en mankeerde niets, op wat schrammen na.
'Waarom achtervolg je me?' vroeg hij, terwijl hij opstond.
De man rochelde en sputterde wat in het Japans.
'Wat?'
'*Eigo ga hanashimassen,*' zei hij.
'Natuurlijk spreek je wel Engels!' zei Thomas, met toenemende woede. Hij deed een stap naar de man toe, die in elkaar dook, nog steeds niet in staat om op te staan.
Hij spuwde nog eens en leek wat te kalmeren.
'Ik heb uw broer gekend,' zei hij in vloeiend Engels, met nauwelijks een accent. 'Mijn naam is Satoh.'
'Ga door.'
'We hadden een afspraak, maar die is hij niet nagekomen.'
'Wat voor afspraak?'
'Hij heeft iets voor me gevonden, maar hij wilde het me niet geven.'
Thomas keek de man achterdochtig aan. De Japanner draaide zich om en ging met een klap in het zand zitten.
'Wat heeft hij gevonden?' vroeg Thomas.
'Informatie.'
'Waarover? Ik zou maar wat sneller antwoord geven, anders verlies ik mijn geduld.'
Satoh grijnsde moeizaam. Zijn onderlip bloedde flink.
'Hebt u ooit gehoord van het kruis van Herculaneum, meneer Knight?' vroeg hij.
'Ja. Ik heb het gezien.'
De andere man grijnsde nog breder en hij schudde zijn hoofd.
'Nee,' zei hij, 'u hebt de omtrekken gezien tegen de muur van een huis waar het kruis ooit heeft gehangen. Ik bedoel het kruis zelf.'
'Er is geen kruis,' zei Thomas.
'Nee. Tot drie maanden geleden niet,' zei Satoh. Hij ademde nu wat rustiger. Sterker nog, hij leek er wel plezier in te krijgen. 'Een advocaat in Ercolano, die op nog geen kilometer van de opgravingen woonde, wilde een zwembad aanleggen in zijn tuin. Bij het graven ontdekte hij

een Romeinse weg en een deel van een menselijk skelet. Zonder iemand te waarschuwen groef hij het hele lichaam op. Tegen de ribbenkast lag een zilveren crucifix, dat precies paste binnen de omtrek op de muur in het Huis van het Bicentenarium.'

Thomas staarde hem aan.

'Onzin,' zei hij. 'Dan zou het nu in een museum hangen. De foto zou in elke reisgids staan, op elke website...'

'Niet als de man die het had gevonden was gestorven kort nadat hij het had verteld aan een jonge Amerikaanse priester die onderzoek deed naar voorbeelden van vroegchristelijke symbolen.'

Thomas zei niets en keek de man doordringend aan. De lach op het gezicht van de Aziaat werd steeds breder, maar met een zweem van bitterheid.

'Zo is het, Thomas,' zei Satoh. 'Je broer heeft het meegenomen, "voor onderzoek". Hij wilde het documenteren, bestuderen en een verhandeling schrijven over het kleine visje in het midden van het kruis. Maar toen hij het een paar dagen in zijn bezit had kreeg hij een beter idee.'

'Verkopen?' zei Thomas. Hij probeerde een sarcastische toon aan te slaan, maar de woorden klonken hol, bijna wanhopig.

'Heb je enig idee wat het waard zou zijn?' vroeg Satoh. 'Het oudst bekende crucifix ter wereld? Denk eens na. Hoeveel zouden verzamelaars al niet betalen om het alleen maar te mogen zien? Laat staan om het in bezit te krijgen. Hij kon zelf zijn prijs bepalen. Tientallen miljoenen? Meer nog? Iemand zou het wel betalen. En ik moest zorgen dat het allemaal volgens plan verliep.'

'Ik geloof er geen woord van,' zei Thomas.

'Je klinkt niet overtuigd.'

'Zoiets zou mijn broer nooit hebben gedaan,' zei Thomas uitdagend, maar meer omdat hij zich aan een beeld van het verleden vastklampte dan omdat hij er werkelijk in geloofde.

'Wat weet jij daar nou van?' antwoordde de Japanner scherp. 'Je kende hem nauwelijks. Ik kende hem zeker zo goed als jij. Beter nog.'

Later zou Thomas nog wel eens terugdenken aan dit gesprek en beseffen dat hij in het aas had gehapt. Maar op het moment zelf balde hij zijn vuist, in woede en verwarring. Met twee stappen had hij de plek bereikt waar de kleine man zat.

Satoh had op het juiste moment gewacht. Hij wierp zich naar links, steunend op zijn hand, en sprong overeind terwijl hij om zijn as draaide. Aan het einde van die draai had hij zijn rechtervoet hoog genoeg geheven om Thomas tegen zijn kaak te schoppen.

Thomas dacht dat hij tegen een muur op liep. Zijn hoofd klapte met zo veel kracht naar achteren dat hij bang was dat zijn nek zou breken. Hij was al bewusteloos voordat hij de grond raakte.

33

Thomas kwam bij met de hete zon in zijn gezicht. Zijn kaak voelde aan als na een wortelkanaalbehandeling, en een groepje toeristen stond naar hem te staren alsof hij de laatste gladiator van het amfitheater in Paestum was. Satoh was nergens meer te bekennen.

Hij sloeg de hulp van de omstanders af en vertrok naar de uitgang, vernederd en verward. Al met al begreep hij nu nog minder van de activiteiten van zijn broer dan een halfuur geleden.

Hij geloofde er niets van. Natuurlijk niet. Satoh was een leugenaar die hem had bespioneerd, in zijn kamer had ingebroken en – toen hij werd betrapt – zomaar een verklaring had verzonnen. Zelfs een eerlijke knokpartij was er niet bij. De man had zijn toevlucht genomen tot een of andere vuile truc uit het kickboksen. Thomas masseerde zijn kaak. Nee, hij wilde dit niet geloven. Het klopte gewoon niet.

Maar hij wist dat sommige dingen geen verzinsels konden zijn. Dat verhaal over het kruis uit Herculaneum had de Japanner niet ter plekke bedacht. Daarvoor klonk het te overtuigend en paste het te goed bij de feiten. Wat Thomas vooral dwarszat was de manier waarop hij de man tot praten had gedwongen. De afloop van de vechtpartij toonde wel aan dat Satoh in vechtsporten was getraind. Waarom had hij zich dan door Thomas in een houdgreep laten nemen en hem 'onder dwang' antwoord gegeven op zijn vragen? Nee, dat was verdacht.

Zou dat hele verhaal over Herculaneum misschien een dwaalspoor zijn, een lastercampagne, net als die toespeling op terroristische activiteiten, alleen bedoeld om hem de mond te snoeren? Dat maakte Thomas juist extra fanatiek. Niet uit loyaliteit, niet uit liefde voor zijn broer, maar gewoon omdat hij een koppig karakter had en de waarheid wilde weten – een lastig trekje, dat zich op talloze ongelukkige momenten in zijn leven had gemanifesteerd, vooral als hij dacht dat hij belazerd werd.

Zijn toegangskaartje was ook geldig voor het bijbehorende museum, dus slenterde hij naar binnen, niet alleen om de expositie te bekijken, maar ook om het bloed en het vuil van zich af te spoelen. Hij vond de

toiletten, waar hij zich uitvoerig waste. In de spiegel bekeek hij fronsend zijn gescheurde wang en de snee boven zijn oog. Hij zag er niet echt uit als een gewone toerist. Voorzichtig betastte hij de wond en kromp ineen. Haastig herstelde hij zich toen er twee mannen binnenkwamen, die zo te horen Nederlands spraken en hem met onverholen bezorgdheid aankeken. Haastig vertrok hij weer.
De collectie en de presentatie ervan maakten onverwacht veel indruk. Het museum had airco en het was er koel. De archeologische vondsten stonden ruim opgesteld in vitrines van lichtgekleurd hout of hingen in mooie lijsten aan de muur: stenen metopereliëfs van Hercules, een bronzen kop van Zeus, gevonden in een plaatselijke rivier, oude potten, terracottabeelden en een paar heel bijzondere bronzen vazen uit het vreemde, driehoekige *heroön* dat hij buiten had gezien. Het heiligdom dateerde blijkbaar uit de zesde eeuw voor Christus en archeologen hadden een deel van het dichte dak moeten weghakken om binnen te komen. Daar hadden ze zes bronzen kruiken met honing gevonden, die volgens sommigen nog eetbaar was.
Hoe indrukwekkend de collectie ook was, in een zaaltje achterin besefte hij weer het doel van zijn bezoek. Daar stonden vijf stenen platen, beschilderd met taferelen van jongemannen die op banken lagen, blaasinstrumenten bespeelden en een of ander spel deden dat iets te maken had met drinken en het gooien van bekers wijn. De mannen droegen gevlochten bladerkransen om hun hoofd maar waren verder naakt, althans boven de gordel. Om hun middel droegen ze lakens of kleden. De jongemannen waren verdeeld in paren en één stel raakte elkaar aan op een manier die op Thomas duidelijk liefdevol of sensueel overkwam. Maar de oude Grieken hadden nooit zo veel moeite met dat soort dingen gehad als de christenen.
De panelen vormden de vier zijden van een langwerpige stenen kist: een graftombe, die aan de binnenkant was beschilderd. Op het deksel van de sarcofaag was een naakte man afgebeeld – waarschijnlijk de overledene – die door de lucht in het blauwe water dook, overschaduwd door gestileerde bomen.
De tombe van de duikers.
Thomas staarde ernaar en bladerde haastig zijn gidsje door. De tombe dateerde uit de vijfde eeuw voor Christus en was uniek. Het beeld van de duiker, verklaarde het gidsje, was een metafoor voor de reis van de ziel vanuit het leven naar de dood en het hiernamaals.
Thomas keek er nog eens naar, gefascineerd door de energie en de vloeiende lijnen van de afbeelding.

Zou Ed zijn laatste seconde ook zo hebben ondergaan – als een bevrijdende duik in een nieuw, levenbrengend element dat alle stof van het leven wegwaste?
Hij zou het graag geloven, maar de dood scheen hem een leegte, een muur; geen overgang, maar een einde. Ed had geen duik genomen in koel water. Hij was niet aangespoeld op de kust van de Elyseese velden of toegetreden tot een hemels koor. Hij was gewoon verdwenen, en Thomas – die weer zo'n lange, vreemde dag tussen de ruïnes van de dodensteden had gedwaald – was nog geen stap dichter bij het antwoord op de vraag waarom.
Hij bekeek Eds aantekeningen nog eens.
'Waar is de andere?' vroeg hij aan een bejaarde suppoost, die iemand berispte omdat hij een flitsfoto maakte.
'De andere?' herhaalde de man, en hij keek onderzoekend naar Thomas' gezicht. De snee boven zijn oog was weer opengegaan.
'De tombes van de duikers,' las Thomas hardop voor uit Eds aantekenboekje. 'Meer dan één dus. Waar zijn de andere?'
'Er zijn geen andere,' zei de man, een beetje beledigd. 'Alleen deze. De enige op de hele wereld.'
Thomas bladerde naar de plattegrond in zijn gidsje.
'Waar is die tombe gevonden? Dat kon ik nergens ontdekken.'
'Niet in de stad,' antwoordde de suppoost, alsof hij het tegen een achterlijk kind had. 'In de necropolis.' Hij priemde met een vinger naar de rand van de plattegrond, voorbij de muren. Toen keek hij op en wees naar het noorden. Thomas wachtte zijn commentaar niet af.
Toen hij over de weg langs het terrein liep, op zoek naar de Porta Aurea – de gouden poort in de oude stadswallen – deden de gevolgen van zijn vechtpartij met Satoh zich gelden. Afgezien van de verwondingen kreeg hij nu ook last van zijn rechterheup, waarop hij was gevallen, terwijl de linkerkant van zijn borst pijn deed als hij diep ademhaalde. Gekneusde ribben?
Dat leidt tenminste de aandacht af van je verdraaide knie.
Hij moest nu in de richting van de moderne stad lopen, maar dit was geen stedelijk terrein, zoals Pompeii en Herculaneum. Voorbij de muren lagen alleen vervallen schuren en velden met reusachtige distels, zo hoog als wild gras. Hij liep door, ondanks de pijn in zijn ribben en het zweet in zijn nek toen hij in de felle zon over de verlaten weg ploeterde, met groeiende twijfel aan het nut van de hele onderneming. De hitte lag in een dicht waas over het levendige groen en geel van de velden. Zelfs de vogels waren verdwenen, en het enige teken van leven

was het droge geritsel van de stengels als de overal aanwezige hagedissen dekking zochten bij zijn nadering.
Nog voordat hij de stenen resten in het hoge gras ontdekte, zag hij in de verte een schuurtje, de glinstering van metaal en een oranje lint: deel van een opgraving. Hij verliet de weg en liep recht door het struikgewas. Even later zag hij een lange, hoekige man in een korte broek en een hoed met een brede rand, die gebukt iets op de grond bekeek.
De man stond met zijn rug naar Thomas toe, zodat hij ongezien dichterbij kon komen en een paar seconden had om over zijn openingszin na te denken. Hij stapte over het oranje lint op een aangeveegde rechthoek van stoffige grond, met een rij stenen als de fundering van een muur.
'Neem me niet kwalijk,' zei hij, 'maar spreekt u Engels?'
De man sprong op, draaide zich om en nam in één vloeiende beweging zijn hoed van zijn hoofd. Het bleek geen man te zijn, maar een vrouw, opvallend lang en breedgeschouderd, maar pezig en slank, met donker haar dat slordig over haar schouders golfde. Haar groene ogen fonkelden van woede.
'Wat stelt dat voor? Maak dat u wegkomt hier!'
'Sorry,' zei Thomas, van zijn stuk gebracht. Hij staarde onnozel naar zijn voeten. 'O,' zei hij toen, en hij wilde een stap naar voren doen. Ze is Amerikaans.
'Niet die kant op, idioot,' bulderde ze. 'Terug waar je vandaan kwam.' Toen keek ze hem doordringend aan en kneep haar ogen halfdicht tegen de zon, alsof ze hem niet goed kon zien of hem voor iemand anders aanzag.
'Ik dacht...' zei Thomas, een beetje verontwaardigd. 'Sorry, maar wie bent ú?'
'Wie ík ben?' snauwde ze, terwijl ze haar ogen opensperde bij zo veel brutaliteit. 'Ik ben Deborah Miller, ik heb de leiding van deze opgravingen en ik wil dat u onmiddellijk verdwijnt.'

34

'Ja, ik kende uw broer,' zei ze. 'Niet erg goed, maar het spijt me te horen dat hij dood is.'

Haar woede was net zo snel weer gezakt toen Thomas haar verteld had wie hij was.
'Ongeveer een week na de vondst kwam hij naar de opgravingen,' zei ze. 'In het begin stond hij echt perplex.'
'Welke vondst?' vroeg Thomas.
'De tweede tombe van de duikers,' zei ze. 'Ik dacht dat u dat wist.'
Thomas glimlachte een beetje zuur en schudde zijn hoofd. Dus Ed had toch gelijk gehad toen hij over 'graftombes' in het meervoud sprak. Dat had hij al vermoed. Zijn broer maakte dat soort foutjes niet.
'Een week lang kwam hij hier elke dag,' vervolgde ze. 'Hij zei niet veel; waar ik blij om was, eerlijk gezegd, vooral omdat hij priester was en zo. Ik heb niet veel ervaring met priesters. Maar goed, de laatste keer dat ik hem zag was hij geweldig enthousiast en maakte hij steeds aantekeningen in een boekje. Hij straalde als een kind van acht dat net een jaar gratis ijsjes heeft gewonnen. Daarna verdween hij.'
Haar ogen stonden droevig – niet vol tranen, niet melodramatisch, maar echt bedroefd – en Thomas besloot haar te vertrouwen.
'Er is dus een tweede tombe van de duikers,' merkte hij op, half bij zichzelf. 'Vreemd dat dat niet algemeen bekend is, in elk geval hier, met al die aandacht voor de oorspronkelijke tombe.'
'Ja, "oorspronkelijk" is het goede woord,' zei ze. 'Dit exemplaar zal minder tot de verbeelding spreken omdat het uit een veel latere tijd dateert. Gelukkig maar.'
'Hoezo?'
'Anders zou het hier wemelen van archeologen. Dan zou een plaatselijke universiteit het toezicht op de opgravingen krijgen, of de hele zaak zou gewoon door de Italiaanse regering worden overgenomen. De oorspronkelijke tombe dateert uit ongeveer 500 voor Christus. Deze stamt uit de vroege middeleeuwen, meer dan duizend jaar later. Kom, ik zal hem u laten zien.'
Ze stond op, en weer viel het Thomas op hoe lang en slungelig ze was. Maar niet zonder charme – integendeel. Ze bewoog zich verrassend efficiënt, bijna elegant. Als een giraffe, dacht hij, hoewel hij wist dat hij die gedachte voor zich moest houden om niet in ernstige moeilijkheden te komen. Dit was een vrouw die weinig pikte, van wie dan ook.
'Als ik vragen mag,' zei hij, 'waarom bent u de baas hier? U komt uit...?'
'Atlanta,' zei ze. 'Op dit moment.' Ze had geen spoor van een zuidelijk accent.
'Ik ben hier omdat ik de Griekse regering heb overgehaald een kleine

expeditie te financieren naar wat ooit een Grieks centrum was. De Italianen vinden het best, zolang alles maar in het land blijft en ik geen dingen beschadig. Elke week sturen ze een inspecteur om te zien of ik de vuurtoren van Alexandrië al gevonden heb. Verder laten ze me met rust.'

'De vuurtoren van... wat?'

'Sorry,' zei ze, en haar gebruikelijke korzeligheid maakte even plaats voor een glimlach. 'Archeologenhumor. De vuurtoren van Pharos was een van de zeven wereldwonderen uit de oudheid. Maar hij staat heel ergens anders.'

'Aha.' Thomas nam haar geïnteresseerd op. Ze was halverwege de dertig, schatte hij. Peter het Hoofd zou haar een 'vreemde vogel' hebben genoemd. Thomas constateerde dat hij haar wel mocht.

'Ik ben curator bij een museum,' legde ze uit. 'Dat klinkt belangrijker dan het is. Hoe dan ook, ik wilde er even uit, wat veldwerk doen. En ik had de Griekse regering ooit een dienst bewezen, dus hielpen ze me hiermee. Indrukwekkend, vind je niet?' zei ze droog, met een blik over het verlaten veld van onkruid en ondiepe greppels. 'Zo nu en dan krijg ik wat hulp van plaatselijke studenten, maar meestal werk ik in mijn eentje en dat bevalt me prima.'

Hij geloofde haar.

Een verwante geest, misschien. Is liever alleen.

'Hier is het.'

Ze kwamen bij een bouwvallige constructie van doorschijnende vellen plastic en oude steigerplanken, een soort tent van bijna een meter tachtig hoog en anderhalf keer zo lang. Ze bukte zich en sloeg een flap van de tent terug.

Binnen was het warm en rook het een beetje zoet en vochtig, als pasgemaaid gras. Maar het licht werd gefilterd en Thomas merkte dat hij zich ontspande terwijl hij zijn ogen aan het halfdonker liet wennen. De vondst was duidelijk gebaseerd op het ontwerp van de oudere Griekse tombe: vijf stenen platen, op dit moment allemaal bedekt met doorschijnend plastic. Deborah haalde heel voorzichtig het plastic weg, met de suggestie van een glimlach die haar gezicht nog verder verzachtte.

Thomas hield zijn adem in. In plaats van de drinkende jongemannen op de Griekse tombe waren de twee lange zijpanelen voorzien van kruisen. Op de korte kanten was een gestileerde vis afgebeeld met grote borstvinnen en merkwaardig duidelijke tanden. De vijfde plaat, het deksel, bewees het verband met de oudere tombe. De afbeelding was bijna exact gelijk: een naakte duiker die door de lucht naar het water zweefde. Het enige verschil was dat de motieven van het kruis en de vis hier werden herhaald, in de hoeken, en dat het water onder de figuur van de duiker dieprood was.

35

'Waarom is het water rood?' vroeg hij, turend naar de schildering.
'Dát is de grote vraag,' zei ze. 'Je broer vroeg precies hetzelfde.'
'En?'
'Het is een christelijk graf,' zei ze, terwijl ze de voorstellingen aandachtig en met respect bekeek, alsof ze alles weer voor het eerst zag. 'Ongeveer uit de zevende eeuw van onze jaartelling. De christelijke symbolen van het kruis en de vis zijn in de oudere thema's van de dood verwerkt. Ik ben geen expert in christelijke theologie, maar als het water van de oorspronkelijke duikertombe de overgang naar het dodenrijk symboliseert, dan zien we hier een soort wederopstanding, alsof de duiker – de overledene – zal worden gereinigd...'
'... door het bloed van het Lam,' voltooide Thomas.
'Precies. Het bloed van Christus, dat wordt gevierd tijdens de mis, het bloed dat hij op Golgotha heeft vergoten voor de zondaars. Dat zijn de middelen tot verlossing. Het is een typisch christelijke toepassing van een eeuwenoude iconografie voor eigen doeleinden. Je broer was er heel blij mee.'
'Waarom?'
'Omdat de kloof tussen de oorspronkelijke Griekse tombe en deze meer dan duizend jaar bedroeg. De cultuur en het religieuze klimaat waren ingrijpend veranderd. Maar hoewel de mensen het heidendom de rug hadden toegekeerd, gebruikten ze als christenen nog steeds de beelden uit het volksgeheugen en het verre heidense verleden. Dit was een christelijk graf, maar de religieuze symbolen zijn afkomstig van gelovigen die duizend jaar eerder Apollo en Poseidon aanbaden, mensen die toen een paar honderd meter verderop woonden.'
'Is dat normaal?' vroeg Thomas. In grote lijnen wist hij wel dat het christendom, zoals de meeste succesvolle godsdiensten, dikwijls net zo veel elementen had overgenomen als verworpen, maar zo'n duidelijk voorbeeld als dit was hij nooit eerder tegengekomen.

'Heb je de terracottabeelden van Hera in het archeologisch museum gezien?' vroeg Deborah.
'Ik geloof het wel. Ik heb er niet zo op gelet.'
'Je vindt er tientallen, afkomstig van deze plek en andere hier in de buurt. De plaatselijke versie is de koningin van de goden met een granaatappel, vermoedelijk een vruchtbaarheidssymbool vanwege al die zaadjes.'
'Ja, en?'
'Als je naar Capaccio rijdt en daar de katholieke kerk bekijkt, wat houdt de Maagd Maria daar in haar hand?'
'Een granaatappel?'
'Bingo. De Madonna del Granato van Capaccio. Ik vind het geweldig, maar sommige mensen niet.'
'Waarom niet?'
'De bekende redenen,' zei ze. 'Omdat ze hun eigen godsdienst als uniek willen zien, niet besmet door cultuur, maatschappelijke invloeden en politiek. Zodra ze toegeven dat een deel van die godsdienst gewoon door mensen is gevormd, en door de tijd waarin ze leven, moeten ze accepteren dat niet alles van God komt. En sommige gelovigen hebben daar grote moeite mee.'
'Jij niet?'
'Nee, ik niet.'
'En Ed?'
'Hij ook niet, geloof ik.' Ze scheen er echt over na te denken. 'Daarom mocht hij van mij ook rondneuzen.'
'Niet iedereen krijgt dat voorrecht, begrijp ik.'
Ze fronste. 'Deze plek is bij toeval ontdekt en ik kwam er pas een paar weken later, toen er al officieus was gegraven.'
'Geplunderd?'
'Dat weet ik niet zeker,' zei ze. 'De menselijke resten waren totaal vergaan. Dit is een moerasgebied dat vrij vaak onder water stond, waardoor ook beenderen snel verrotten. Uit bodemmonsters kunnen we afleiden dat hier een lichaam heeft gelegen, maar er is niets van over.'
'Denk je dat er nog andere dingen in de graftombe zijn gelegd?' vroeg hij. 'Dingen die gestolen zijn?'
'Moeilijk te zeggen,' zei ze fronsend. 'Als dat zo is, moet het zijn gebeurd voordat iemand de plek officieel heeft geïnspecteerd. Er lijkt niets verdwenen, maar ik vind het wel vreemd dat de andere middeleeuwse graven in de omgeving altijd grafgeschenken bevatten, zoals een wapenrusting, sieraden, vazen en andere zaken die met de doden

werden begraven, terwijl je die hier niet aantreft. Helemaal... niets.'
'Hebben mensen hier ook rondgesnuffeld sinds jij de leiding hebt overgenomen?'
'Het is maar goed dat je zo op pater Ed lijkt,' zei ze, 'want ik krijg hier schoon genoeg van.'
'Een Japanner, bijvoorbeeld?'
'Ken je hem?' vroeg ze meteen, een beetje achterdochtig.
Thomas wees naar de snee boven zijn oog. 'We hebben elkaar vandaag ontmoet,' zei hij.
'Hij is hier een paar keer geweest, voornamelijk 's avonds, als er verder niemand was. Hij maakte foto's, stelde vragen – heel algemeen – en hij probeerde me te ontwijken. Toen hij de eerste keer opdook, stuurde ik hem weg, waar hij nogal kwaad om werd.' Ze grinnikte bij de herinnering. 'Ik wist niet waarom hij in de tombe geïnteresseerd was. Hij vroeg ook waarom het water een rode kleur had en wat de andere symbolen betekenden.'
'Zei hij iets over een kruis dat in Herculaneum was gevonden?' vroeg Thomas. Hij probeerde voorzichtig te blijven, maar intuïtief vertrouwde hij deze slungelige, korzelige vrouw. En hij wilde haar reactie peilen op wat Satoh hem had verteld.
'Het schaduwkruis in het Huis van het Bicentenarium? Nee. Hoezo?'
'Denk jij dat het kruis dat die omtrek heeft veroorzaakt ooit kan zijn gevonden?'
'Nee,' zei ze, en ze nam een slok uit haar waterfles.
Thomas trok zijn wenkbrauwen op. 'Daar lijk je nogal zeker van,' zei hij.
'Dan ben ik ook,' antwoordde ze. 'Het "crucifix" dat die omtrek heeft nagelaten kan nooit gevonden zijn omdat het geen crucifix was. Heel simpel.'
'Hoe weet je dat zo zeker? Ik heb die omtrek gezien. Het lijkt echt op een kruis.'
'Dat weet ik,' zei ze onverstoorbaar, 'maar een heleboel dingen kunnen een omtrek achterlaten als van een kruis. Misschien was het wel een plankendrager.'
'Toch geloven een heleboel mensen dat het een christelijk kruis moet zijn geweest,' begon Thomas. 'Ik heb er wel vijf of zes verhalen over gelezen...'
'Op internet?'
'Ja,' zei Thomas, en hij kromp ineen onder de geamuseerde blik in haar ogen.

'Als je even niets te doen hebt, typ dan *de maanlanding was nep* in bij een zoekmachine op internet,' zei ze. 'Het zal je verbazen hoeveel sites je vindt. En als je het dan nog niet gelooft, typ dan *de holocaust was nep* in.'
Haar lach was minder breed nu, meer veelzeggend.
'Oké,' zei Thomas, 'er staat een heleboel onzin op het web, voornamelijk gepost door gekken en mensen met duistere bedoelingen...'
'En onnozele zielen die denken dat ze alles weten omdat ze het zo graag willen geloven,' zei ze. 'Maar kijk eens in die respectabele, stoffige, wetenschappelijke boeken van eerbiedwaardige uitgeverijen, dan zul je zien dat er misschien wel christenen in Herculaneum waren, maar dat ze bijna zeker geen crucifixen gebruikten. Dat kwam pas drie eeuwen later in zwang.'
'En het magische vierkant in Pompeii?'
'Nou en? Hetzelfde vierkant zie je overal in het Romeinse Rijk. Het is een woordpuzzel, zonder enige mystieke betekenis, laat staan een christelijke strekking. Goed, je kunt er *Pater Noster* mee spellen als je een paar letters weglaat, maar ook een heleboel andere dingen. Voornamelijk onzin. De indeling van dat vierkant heeft niets met een crucifix te maken. Dat is een veel te grote stap. Mensen zoeken nu eenmaal een helder en onveranderlijk geloof, dus zien ze dat erin. Maar daarom is het nog niet zo.'
Thomas voelde zich verloren, niet alleen omdat hij zo onnozel overkwam, maar ook omdat zijn ideeën over Eds dood – toch al heel verward – niets anders dan drijfzand bleken. Het was alsof ze zijn mozaïek een trap had gegeven, waardoor het vage beeld dat hij had opgebouwd totaal in de war werd geschopt.
'Maar is die discussie over het ontbreken van vroegchristelijke kruisen niet een cirkelredenering?' vroeg hij. 'Ik bedoel, als je elk voorbeeld afwijst omdat het te vroeg is...'
'Zou kunnen,' gaf ze toe. 'Maar het kruis duikt pas overal in het Romeinse Rijk op *nadat* Constantijn het christendom tot "staatsgodsdienst" had verklaard, in de vierde eeuw. Als het kruis al voor die tijd werd gebruikt, is dat een toevalligheid. Het eerste symbool van het christendom was de vis. Het heeft eeuwen geduurd voordat de theologie van de verlossing tot ontwikkeling kwam. Pas nadat het geloof postvatte dat Jezus ter wereld was gekomen om te sterven en ons te verlossen werd het kruis het centrale symbool van het christendom. En in het jaar 79 was daar nog geen sprake van.'

Thomas was zwijgend op een boomstronk boven de opgravingen gaan zitten. Daar had hij uitzicht op de oude stad en de bovenkant van de stenen tempels, die glansden in het eerste avondlicht. Hij wist niet wat hij moest antwoorden.
'Zei die Japanner van jou ook hoe dat crucifix eruit had gezien?' vroeg Deborah.
'Het was zilver,' zei Thomas. 'Met het teken van een vis.'
Ze fronste. 'Helemaal onmogelijk is het niet,' zei ze, 'als je ervan uitgaat dat de christenen in de eerste eeuw al kruisen gebruikten – maar dat geloof ik niet. In Pompeii is mooi zilver gevonden, en die vis is begrijpelijk als deel van het ontwerp.'
'Maar toch geloof je het niet?' zei Thomas.
'Nee. Sorry,' zei ze. 'En volgens mij geloofde Ed er ook niets van, als dat een troost is. Hij wist er veel meer van dan ik.'
Thomas keek somber. 'Ik moet weer terug, als ik de laatste trein nog wil halen,' zei hij, hoewel hij niet precies wist wanneer de laatste trein ging. Maar hij was hier al veel langer gebleven dan zijn bedoeling was en het zou straks donker worden.
'Wacht even,' zei ze, 'dan loop ik met je mee. Ik vind het prettig om op deze tijd over het terrein te wandelen, als de toeristen weg zijn. Niets persoonlijks.'
'Ben ik een toerist? Ik voel me meer een detective.'
In kameraadschappelijk stilzwijgen liepen ze over de schemerige velden, terwijl Thomas bedacht hoe merkwaardig het was dat hij de afgelopen dag zo veel tijd had doorgebracht met vrouwen die hij niet kende. Afgezien van zijn voormalige leerlingen – die hij ondanks de politiek correcte pamfletten van de docent maatschappijleer die hij in zijn postvakje vond – niet als volwassenen beschouwde, had hij de laatste weken waarschijnlijk met geen enkele vrouw zo lang gepraat als met Deborah en zuster Roberta. De laatste weken? Langer nog. Hij vroeg zich af waarom, en ook of hij een van hen aantrekkelijk vond. Dat waren ze wel, allebei op een andere manier, maar die gedachte was nog niet eerder bij hem opgekomen.
Nee, daar denk je nooit meer aan. Niet meer sinds...
Genoeg daarover.
'Hoe lang blijf je nog in Italië?' vroeg hij.
'Een week,' antwoordde ze.
Ze kwamen bij de rand van de oude stad. De restanten, in het laatste licht van hun kleur beroofd, leken vreemd en grillig, behalve de tempels, die als rotsen uit de schaduw opdoemden. Ze stapten het terrein

weer op. Het was al gesloten, maar de poort stond nog open en er was niemand om hen terug te sturen of naar hun kaartje te vragen. Geen mens te bekennen.

'Ik wil wel weer naar huis,' zei ze. 'Het was een geweldige reis en een prachtige ontdekking, maar toch... Ik ben geen veldwerker. Ik hou me liever bezig met catalogi en exposities. Dan heb ik meer controle. Een beetje in het zand graven in de vage hoop dat je misschien...'

Thomas' aandacht werd getrokken door iets in de afgeperkte tempel van Ceres, een vreemde bleke gestalte tegen de donkere achtergrond van een zuil. Hij vertraagde zijn pas en tuurde. Zijn maag kromp samen. Waarom voelde hij opeens zo'n kille angst, de neiging om weg te rennen, te vluchten, nog voordat zijn ogen – of zijn hersens – die gestalte hadden herkend?

'Wat is dat daar?' vroeg hij heel zacht. 'Het lijkt een...'

Hij aarzelde.

'Het lijkt een man,' zei Deborah, die plotseling ook door angst bevangen leek. Het werd nu snel donker om hen heen en nergens was enig geluid te horen tussen de verlaten ruïnes.

'We moeten hier weg,' zei Thomas. Sinds de dood van Ed had hij een paar keer in gevaar verkeerd, maar dit was een heel nieuw gevoel, zo koud, zo wanhopig. De drang om te vluchten was overweldigend. Het leek op de doffe paniek in een droom, als je wist dat er iets verschrikkelijks ging gebeuren maar niet in staat was het verhaal een andere wending te geven of wakker te worden.

Zo meteen zul je het zien, dacht hij. En dan zou je willen dat je nooit gekomen was. Dat je...

'O, mijn god,' fluisterde Deborah. Ze stonden nu bij het touw waarmee de tempel was afgesloten, in de donkere schaduw van het grote gebouw. 'Het ís een man.'

Het volgende moment stortte ze zich naar voren, sprong over het touw en rende de grote stenen trappen op. Thomas volgde, als een magneet door het schouwspel aangetrokken, ook al wilde hij het niet zien. Deborah bleef staan, doodstil, met haar handen over haar mond geslagen om niet te gillen. Thomas staarde naar het bleke vlees en de vage contouren van het met bloed besmeurde lijk dat aan de zuil was opgehangen, zo te zien aan zijn eigen ingewanden.

36

Een paar seconden bleven ze roerloos staan, verlamd van afgrijzen. Toen braakte Thomas in het gras en wankelde van de tempel naar de pilaar waar hij eerder die dag had gestaan toen hij de glinstering van de verrekijker had gezien...

Hij dwong zichzelf zich weer om te draaien naar het lichaam en zelfs een paar stappen terug te doen om zekerheid te hebben.

'Het is Satoh,' fluisterde hij in het donker.

'Ja,' zei Deborah zacht. Ze klonk verontrustend kalm, alsof ze in shock was en niets meer voelde.

'De dader hiervan,' begon Thomas, 'zou nog...'

'... in de buurt kunnen zijn,' voltooide ze met diezelfde toonloze stem.

'Ja.'

'We moeten weg. Hulp halen.'

'Hulp?' zei ze, en ze keek hem aan, oprecht verbaasd.

Die vraag trof Thomas als een klap in zijn gezicht. Er was geen hulp meer mogelijk, niet voor de man die daar was opgeknoopt met een opengesneden buik die nog maar één glibberig, donker gat was onder zijn ribben...

Niet aan denken. Weg hier.

Hij begon te lopen en pakte haar hand. Dat gebaar scheen haar tot zichzelf te brengen. Hij voelde hoe ze verstrakte toen haar hersens begonnen te werken, en opeens had ze zichzelf weer onder controle.

'Ik ken de mensen van het restaurant op de hoek,' zei ze. 'Iedereen die hier werkt woont verder in de stad. We zullen ze vragen de politie te bellen.'

Ze trok hem mee en hij moest rennen om haar bij te houden. Nog steeds hielden ze elkaars hand vast, als schipbreukelingen, bang om elkaar kwijt te raken. Het hek van de uitgang lag in de richting waaruit ze gekomen waren. Deborah liep vastberaden over het hobbelige gras. Het was een opluchting om het lijk achter zich te laten, maar het gaf Thomas ook een onrustig gevoel. Hij waagde nog een blik over zijn schouder in de invallende duisternis van de dode stad en struikelde toen Deborah abrupt bleef staan.

'Wat is er?' vroeg hij.
'Kijk,' zei ze, weer met die stem als van een robot. 'Kijk. De poort.'
Thomas keek. Het hek waardoor ze een paar minuten geleden waren binnengekomen was nu gesloten.
'We kunnen er wel overheen klimmen,' zei Thomas.
'Misschien. Maar wie heeft het dichtgedaan?'
Haar vraag was als de beet van een adder.
'Denk je dat hij hier nog is?'
Hij? Wat voor iemand zou hiertoe in staat zijn?
Deborah haalde voorzichtig haar schouders op. Ze was doodsbleek en ze keek schichtig om zich heen.
'Ik heb vandaag met Satoh gevochten,' zei Thomas, 'en hij kon zich heel goed verdedigen. Ik wil liever niet degene tegenkomen die...' Zonder echt te kijken knikte hij even naar de tempel met het afgeslachte lichaam dat als een trofee aan de pilaar bungelde.
'Denk je dat hij ons staat op te wachten?' fluisterde ze.
'Ik geloof dat hij wilde dat we Satoh zouden zien,' zei Thomas nadenkend. 'Hij wil ons angst aanjagen.'
Deborahs blik was bijna ironisch toen ze hem aankeek. Dan is hij daar aardig in geslaagd. Maar ze zei niets. Thomas tuurde over het grote terrein met de ruïnes. Het was nu donker en de moordenaar kon zich overal verborgen houden, achter een afgebrokkelde muur, een verweerde, gebroken zuil of een overwoekerde hoop stenen. Elke schim kon een schuilplaats zijn, of de man zelf.
Je denkt steeds 'man'. Het zou ook een vrouw kunnen zijn. Of een groepje mensen, dat samenwerkt.
Maar dat geloofde hij niet echt. Hij was ouderwets genoeg om de mogelijkheid uit te sluiten dat een vrouw zoiets zou doen, en hij had nog net voldoende vertrouwen in de mensheid om te betwijfelen dat een paar mensen dit samen zouden uitvoeren, met elkaar overleggen...
Er zijn wel ergere dingen gedaan door groepen, organisaties, hele landen zelfs.
Misschien. Maar dit voelde als het werk van één individu. Hier moest één enkel, ziek brein achter steken, dacht hij. Iemand had hiervan genoten.
'Er zijn twee manieren om naar buiten te komen,' zei Deborah. 'Daarginds, en tussen de tempel van Apollo en het Asklepeion. Wat doen we?'
'Deze kant maar,' zei hij. 'Anders moeten we het hele terrein over-

steken. Er zijn te veel plekken waar hij in hinderlaag kan liggen.'
'Maar het lichaam hangt hier. En dat hek is zopas gesloten,' zei Deborah. 'Hij moet hier nog ergens zijn.'
'Tegen de tijd dat wij aan de overkant zijn, kan hij ons allang hebben ingehaald om ons op te wachten. En de weg ligt hoger dan het complex, dus kan hij ons al die tijd zien.'
Hij zei er niet bij dat hij doodsbang was om in het donker het labyrint van ruïnes te doorkruisen.
Deborah keek hem scherp aan en dacht na.
'Oké,' zei ze, terwijl ze zijn hand losliet, alsof ze nu pas merkte dat hij hem vasthield. 'Wat doe je?'
Thomas had zich naar de grond gebukt. Toen hij zich oprichtte, hield hij een grote steen in zijn hand.
'Voor het geval dat...' begon hij.
Ze knikte haastig, alsof ze liever niet had dat hij zijn zin afmaakte.
Samen liepen ze behoedzaam terug in de richting van het hek. En toen hoorden ze het: een schor en rochelend gesis achter hen, onnatuurlijk luid in de nacht. Het was het geluid dat een grote kat zou kunnen maken die lucht langs zijn ontblote hoektanden zoog.
Thomas draaide zich bliksemsnel om, speurend naar de herkomst van het gesis, met zijn rechterhand om de steen geklemd, die hij ter hoogte van zijn schouder hield.
Daar, onder aan de tempel, een paar meter van Satohs verminkte lichaam, zag hij een bleke gedaante, die als een vleermuis op de treden hurkte. Hij zat doodstil, en van deze afstand kon Thomas weinig meer van hem onderscheiden dan een kale schedel, een wijdopengesperde mond en gespreide armen en benen waarmee hij zich als een duivelse waterspuwer aan de trappen vastklemde. Hij was mager als een skelet, ogenschijnlijk naakt, en staarde hen aan met een brandende kwaadaardigheid die Thomas' bloed deed bevriezen.
Deborah wilde naar het hek lopen, maar Thomas stond nog een moment als aan de grond genageld, verlamd van afschuw, starend naar de gedaante die nu langzaam naar hen toe sloop op zijn dunne, insectachtige poten, sissend toen hij in beweging kwam. Het volgende ogenblik greep Deborah hem bij zijn hand en sleurde hem mee. Half struikelend rende Thomas achter haar aan.

37

'Wat was dat voor een ding?' zei Thomas.

Hij had die vraag nog niet één keer hardop gesteld in de drie uur dat ze met de politie hadden gesproken, maar nu het verhoor achter de rug was bracht hij het eindelijk onder woorden.

'Dat ding?' herhaalde Deborah. 'Thomas, dat was een man.'

'Het leek niet op een man,' zei hij. 'En het bewoog zich ook niet als een man.'

'Een andere mogelijkheid is er niet,' zei ze beslist. 'En het leek wél op een man. Een vreemde man misschien, maar dat konden we verwachten als je zag wat hij had gedaan.'

Hij wist niet of ze er echt zo van overtuigd was als ze klonk, maar natuurlijk had ze gelijk.

Ze waren naar het restaurant op de hoek gerend zonder nog een spoor te zien van de moordenaar, die het blijkbaar voldoende had gevonden om hen af te schrikken. De sceptische weduwe die het restaurant dreef had de politie gebeld. Thomas was dankbaar dat Deborah aanzienlijk beter Italiaans sprak dan hij.

'Maniakale moordenaar' en 'vampier' waren geen gangbare woorden voor een taalgidsje.

Hij wist niet waarom het woord 'vampier' bij hem was opgekomen. Natuurlijk geloofde hij niet in dat soort dingen, en hij ging er geen moment van uit dat Satoh door een vampier was vermoord. Maar de bleke huid van de moordenaar en de schuifelende manier waarop hij zich over de stenen had bewogen, net als Nosferatu...

Tegen de tijd dat ze hun verhaal hadden gedaan had de politie een soort beschermende tent over een deel van de tempel van Ceres opgezet en baadde het terrein in het blauwwitte schijnsel van tien of twaalf halogeenlampen. De hele omgeving leek surrealistisch, een soort droomlandschap. Goddank had de politie hem niet gevraagd om nog eens naar het lichaam te komen kijken of zelfs maar terug te gaan naar het complex.

Ze waren afzonderlijk van elkaar verhoord en na afloop vergeleken ze hun ervaringen. Thomas was opgelucht dat ze geen van beiden iets hadden achtergehouden. Hun verklaringen kwamen dus overeen. Zelfs

op de belangrijkste vraag, 'Kende u het slachtoffer?' – nonchalant gesteld door de kettingrokende tolk in het museum waar de politie zich tijdelijk had gevestigd – hadden ze hetzelfde openhartige antwoord gegeven.
Thomas had meteen beseft dat eventuele verschillen tussen zijn verhaal en dat van Deborah hen in grote moeilijkheden konden brengen. Dus had hij alles verteld: over Satoh die zijn kamer in het Executive had doorzocht; over hun vechtpartij eerder op de dag; en over de vermeende connectie met de dood van Ed, de reden waarom hij naar Italië was gekomen. De tolk had elk punt een paar keer doorgenomen om het helder te krijgen, terwijl hij de snelle vragen van de rechercheur beantwoordde. De drie mannen hielden elkaar scherp in de gaten, alsof ze om elkaar heen cirkelden voor een gevecht.
Camoranesi was een zwaargebouwde man met een dikke zwarte snor en droevige, geloken ogen. Net als de tolk rookte hij de ene sigaret na de andere. Hij sprak met een lage, hese stem, als iemand die zo veel van de duistere kanten van de wereld wist dat hij er immuun door was geraakt, bijna verveeld. De tolk, een jongen die nauwelijks ouder leek dan een student, scheen net zo verbijsterd als Thomas, en hoewel zijn vaalgroene kleur in de loop van het lange gesprek wat bijtrok, bleef hij zichtbaar nerveus.
Ze konden niet veel beginnen met zijn verhaal. Het maakte een ingewikkelde situatie nog lastiger, en dat wist hij. Ze zouden contact moeten opnemen met de Amerikanen, misschien zelfs met Interpol, en als Thomas de politieman goed inschatte vond hij het allemaal niet relevant. Volgens Camoranesi hadden ze met een psychopaat van doen. Thomas' vage, onduidelijke kruistocht had er niets mee te maken.
Thomas kon het hun niet kwalijk nemen. Tegen het einde van het verhoor had hij ook het gevoel dat Satohs dood vermoedelijk toeval was. Misschien had hij Thomas en ook Deborah bespioneerd, maar dat stond los van zijn gewelddadige einde. Hij was gewoon op het verkeerde moment op de verkeerde plaats geweest en een maniak tegengekomen. Dat kon overal gebeuren, bedacht Thomas zorgelijk.
De politie zei dat allemaal niet rechtstreeks. Ze kopieerden zijn paspoort – dat hij steeds bij zich droeg sinds de inbraak in zijn hotel – en vroegen een paar namen en contactnummers in Italië en Amerika. Hij noemde hun de naam van Jim in Chicago en van pater Giovanni in het retraitehuis in Napels. De politieman trok zijn wenkbrauwen op omdat het allebei priesters waren, wat Thomas zelf ook wel vreemd vond.

Hij protesteerde niet toen ze zijn vingerafdrukken namen. Hij had niets te verbergen.
Na afloop kreeg hij niet meer dan tien minuten om met Deborah te spreken. Hij wist eigenlijk niet wat hij moest zeggen. Nadat ze hem had verteld wat ze tegenover de politie had verklaard gaf ze hem een papiertje met haar nummer en hij pakte het aan, hoewel hij betwijfelde of ze elkaar ooit nog zouden spreken. Ze konden moeilijk een gezellig gesprekje over geschiedenis en cultuur beginnen als hun enige band deze gruwelijke herinnering was.
Na een ongemakkelijk afscheid werd hij uitgenodigd in een politiewagen te stappen en naar het plaatselijke bureau gereden. Daar wachtte hij tweeëntwintig minuten in zijn eentje in een somber kamertje, met zo'n hoog raam dat het meer een cel leek, voordat een andere politiewagen hem terugbracht naar het Executive in Napels.
Het was inmiddels twee uur in de nacht. Hij vroeg de receptionist om de bar te openen, zodat hij twee biertjes kon meenemen naar zijn kamer, die hij met grote slokken naar binnen werkte zodra hij de deur achter zich had dichtgetrokken. Haastig kleedde hij zich uit en stapte in bed, met de vergeefse hoop dat hij te moe zou zijn om te dromen.

38

De Zegelbreker keek op de display van zijn mobieltje en nam op toen het voor de derde keer overging.
'Ja?'
'Met de Pest. We hebben een probleem.'
'Ik ken de situatie.'
'Wat had je dán gedacht? Ik had je kunnen voorspellen dat het zo zou gaan.'
De Zegelbreker staarde uit het raam. Die reactie had hij wel verwacht van de Pest. De Oorlog stond altijd aan zijn kant, de Dood deed wat hem gezegd werd en de Honger... nou ja, wie wist wat er in zijn hoofd omging? Maar de Pest was altijd achterdochtig, bemoeiziek, kritisch. Dat zou wel onvermijdelijk zijn met ingehuurde – en kostbare – krachten, maar het bleef vervelend.
'Het project verloopt volgens plan,' zei hij. 'Zo nodig zul je moeten samenwerken met de Oorlog.'

‘En als ik besluit dat ongeleide projectiel voorgoed te elimineren?’
‘Dat is jouw beslissing niet.’
‘Ik vroeg je wat,’ zei de Pest.
‘Je hebt je antwoord al.’
Toen de Pest had opgehangen ging de Zegelbreker zijn mogelijkheden nog eens na. Ze hadden Knight tot nog toe in leven gelaten omdat het nuttiger of minder riskant leek om hem als een kip zonder kop te laten rondrennen. Maar als hij een spoor te pakken kreeg, kon hij snel een probleem gaan vormen. Een pragmaticus als de Zegelbreker wilde niet meer slachtoffers dan strikt noodzakelijk was, maar de dood van Thomas Knight was binnenkort misschien niet meer te vermijden. Alles in dienst van de grote zaak.
Hij had de telefoon nog in zijn hand en toetste een ander nummer in, terwijl hij bedacht wat hij de Oorlog voor instructies moest geven.

39

‘Zware nacht gehad?’ vroeg Brad Iverson vanachter zijn *Wall Street Journal* toen Thomas binnenkwam voor de laatste tien minuten van het ontbijtbuffet.
‘Slecht geslapen,’ zei Thomas.
‘Ik zie het,’ zei Brad, opgewekt als altijd. Veel te joviaal, vond Thomas.
‘Ik hoop dat ze het waard was,’ zei Brad, en hij lachte even, met zijn hoofd in zijn nek.
Thomas grijnsde, maar had geen behoefte het spelletje mee te spelen.
‘En wat staat er vandaag op het programma van Thomas de toerist?’
‘Ik weet het nog niet,’ zei Thomas, half bij zichzelf. ‘Terug naar Pompeii, denk ik.’
‘Man! Was één keer niet voldoende? Wat zie je in al die steenhopen?’
‘Niet genoeg, blijkbaar,’ antwoordde Thomas.

Hij ging naar het retraitehuis, zonder zich erom te bekommeren of het Pietro, Giovanni of Roberta zou zijn die opendeed. Hij wilde hen allemaal spreken. Deze keer stonden de grote deuren open, om een bestelwagen door te laten.
‘Voorraden voor de Franciscana,’ zei Giovanni een beetje vermoeid, toen hij hem wenkte. ‘De rest komt morgen.’

'Er waren problemen met een van de nonnen, hoorde ik,' zei Thomas. Giovanni haalde zijn schouders op. 'Het was waarschijnlijk niets,' zei hij, hoewel Thomas betwijfelde of hij dat zelf geloofde.
Pietro zou de hele dag wegblijven, maar toen hij hoorde wat Thomas was overkomen zei Giovanni dat hij nog die avond een gesprek met de oude monsignor zou regelen.
'Kan ik alvast met jou praten?' vroeg Thomas.
Giovanni keek op zijn horloge. 'Oké,' zei hij. 'Een uurtje. Maar niet hier. Het wordt hier veel te...' Hij zocht naar het juiste woord, maar gaf het op en hief zijn handen: rumoerig, frustrerend, krankzinnig.
Ze liepen naar de kruising met de Via Medina, staken voorzichtig de straat over en slenterden naar de zee, langs de mooie achttiende-eeuwse geveltjes, inmiddels zwartberoet en besmeurd met graffiti. De terrasjes van de kleine restaurants waren nog gesloten tot de lunch. Ze liepen rond een imposante fontein met beelden van een vage nautische mythologie en stonden toen opeens voor een indrukwekkende, goed onderhouden vesting, het Castello Nuovo.
'Ik ben hier met je broer geweest,' zei Giovanni. 'Dat was de eerste keer. Hij heeft me rondgeleid.'
'Als je zelf ergens woont, begrijp je vaak niet waar de toeristen voor komen,' zei Thomas.
'Precies,' zei de priester. 'Het kasteel is echt Napolitaans, met een heleboel lagen. Ondergronds liggen Griekse restanten, met een Romeinse laag daarboven. Het gebouw zelf stamt uit de dertiende eeuw, maar het is gerestaureerd in de vijftiende eeuw en later opnieuw. Nu komt de gemeenteraad hier bijeen. Ed hield van de... hoe zeg je dat?'
'Historie?'
'Ja,' zei hij, maar hij hield zijn hoofd schuin alsof hij naar een beter woord zocht. 'Meer de *traditie*. Zoiets?'
'Ja.'
Ze staken een brede houten brug over en kwamen door een rijkbewerkte poort, geflankeerd door zuilen en bekroond door een fries met paarden en een strijdwagen. De poort was bijna net zo hoog als de twee zware, donkere torens ernaast en kwam uit op een binnenplaats met plavuizen. Thomas bleef staan om de ouderdom – de traditie – van het kasteel op zich te laten inwerken, terwijl Giovanni kaartjes kocht in het voormalige poortgebouw.
'Je zei dat Ed in symbolen geïnteresseerd was,' zei Thomas toen de priester terugkwam. 'Kun je je daar nog voorbeelden van herinneren?'
'Ik weet niet veel over zijn werk,' zei Giovanni, 'behalve dat hij af-

beeldingen verzamelde van de vissen in de catacomben van Rome en andere vroegchristelijke kunst.'
'Het vissymbool? Zoals je wel op sommige auto's ziet?'
Giovanni haalde zijn schouders op en wees naar een lange, rechte trap. 'Het was een oud christelijk symbool,' zei hij. 'Een heel simpel motief. Sommige mensen denken dat het is ontstaan als een woord dat je uit de eerste letters van andere woorden vormt.'
'Een acroniem?'
'Ja,' zei Giovanni, 'maar ik denk dat het ook een soort code was. De taal van de vroege Kerk was Grieks en het Griekse woord voor vis is *ikthus*. Dat heeft je broer me laten zien. Wacht even.'
Ze kwamen in een van de torens, die naar de zee was gericht, en stapten een ronde kamer binnen met officiële, rechte banken: een soort parlement of gerechtshof. Het gewelfde plafond was bijna twintig meter hoog en werd ondersteund door stenen bogen. Giovanni haalde een papieren servetje uit zijn zak, leunde tegen een houten lessenaar en noteerde met een zwarte balpen:

I: **I**esous – Jezus
K: **K**ristos – Christus
θ: **TH**eou – Gods
Y: **U**ios – Zoon
Σ: **S**oter – Verlosser

Thomas las de woorden terwijl Giovanni met zijn vinger langs de beginletters ging.
'Zie je?' zei de priester. '*Ikthus* of "vis", maar ook Jezus Christus, zoon van God en verlosser. De vervolgde christenen gebruikten dat woord als herkenningsteken. Als ze elkaar ontmoetten, trokken ze een lijn; kijk, zo.'
Hij schetste een kromme lijn, een gestileerde golf. 'En de ander voltooide die tekening dan.' Hij trok een kromme lijn eronder, vanaf de linkerkant – de vissenkop – tot helemaal naar rechts, de staart.
'En dit is een heel oud beeld?' vroeg Thomas.
'Een van de oudste, misschien. Volgens Ed zag je het ook vaak bij andere godsdiensten maar werd het opgeëist door de vroegchristelijke Kerk. Het Nieuwe Testament wemelt van verhalen waarin vissen voorkomen.'
'"Ik zal u vissers van mensen maken,"' citeerde Thomas.
'En de spijziging van de vijfduizend,' zei Giovanni. 'Eduardo zei dat

de vis ook een "archetypisch vruchtbaarheidssymbool" was,' besloot hij, met een glimlach bij de herinnering aan die term.
Ze liepen een tijdje zwijgend verder, tot ze in een langwerpige kamer kwamen met uitzicht op zee en een vloer van dik glas. Eronder zagen ze een lagergelegen verdieping met de restanten van provisiekamers, kerkers, gangen en graven, waarvan sommige nog skeletten bevatten.
'Ze zeggen dat er onder het kasteel nog allerlei tunnels te vinden zijn die teruggaan tot de oorsprong van het gebouw,' zei Giovanni. 'Er schijnen zelfs gangen naar de zee te lopen. Volgens een legende kon je de gevangenen in de kerkers 's nachts horen schreeuwen. Als de cipiers dan de volgende dag kwamen kijken, waren de gevangenen verdwenen uit hun cel. Een paar jaar later doorzochten soldaten alle tunnels en vonden een krokodil die was ontsnapt van een bezoekende boot uit Egypte en al die tijd in de onderaardse gangen had geleefd. Ze doodden de krokodil, zetten hem op en hingen hem boven de poort. Het is maar een legende, maar Eduardo vond het wel een mooi verhaal.'
Weer glimlachte hij, een beetje spijtig. 'Ik moet weer eens terug,' zei hij met een zucht. 'Jij wilt naar Pompeii en ik moet me om de nonnen bekommeren.'
Thomas knikte.
Symbolen, dacht hij. Kruisen en vissen. Zouden die een verklaring vormen voor Eds dood? Maar hoe dan?
'Het lijkt allemaal zo... doelloos,' zei hij hardop. 'Er ontbreekt nog iets.'
Giovanni zei niets, en opnieuw vroeg Thomas zich af of Eds vrienden informatie achterhielden om zijn nagedachtenis – of zichzelf – te beschermen. Maar wat? En tegen wie?

40

Toen hij terugkwam in het retraitehuis merkte hij dat Roberta een beetje om hem heen drentelde.
'Ga je vandaag weer naar Pompeii?' vroeg ze. Het was een opstapje om te vragen of ze mee mocht, en Thomas onderdrukte een zucht. Hij genoot van haar gezelschap, maar vandaag had hij liever alleen willen zijn, om na te denken.
'Ja,' zei hij, zo vriendelijk mogelijk. 'Heb jij er nog geen genoeg van?'
'Het lijkt me leuker dan de hele dag hier te zitten,' zei ze. 'En dit zijn

mijn laatste vrije dagen voordat de retraite echt begint. Vind je het goed als ik meega?'
Hij zag de enigszins wanhopige blik in haar ogen en kon natuurlijk maar één ding antwoorden.
'Ik wacht hier wel op je.'
Ze was nauwelijks vertrokken toen Giovanni zijn hoofd over het hek van de binnenplaats stak en hem riep.
'De politie belde net. Ze komen hierheen om met je te praten.'
Thomas' eerste neiging was onmiddellijk op te stappen, maar dat had geen zin, dus wachtte hij af.
Even later arriveerde Camoranesi met een chauffeur in uniform en de nog altijd zenuwachtige tolk. Hij had gebeld vanuit het Executive, legde hij uit.
'Wat kan ik voor u doen?' vroeg Thomas.
Camoranesi haalde een klein bundeltje, in doek gewikkeld, uit zijn zak en vouwde het open.
'Hebt u dit al eerder gezien?' vroeg de tolk aan Thomas, hoewel hij de rechercheur aankeek. 'We hebben het gevonden op de kleren van de dode.'
Het was het zilveren visje dat Parks in Chicago uit Eds kamer had gestolen. Thomas pakte het op, voelde het gewicht van het koele metaal en vertelde wat hij ervan wist.
Het bleef een tijdje stil, totdat Roberta binnenstormde en Thomas vroeg of hij klaar was. Camoranesi maakte een eind aan het gesprek en stak zwijgend het visje weer in zijn zak. Toen ze opstonden mompelde de politieman een paar woorden in het Italiaans en liep weg.
'Hij vraagt of u hem wilt bellen als u uit het hotel vertrekt,' zei de tolk.
'Ben ik verdachte?' vroeg Thomas.
De tolk keek verlegen. 'Dat weet ik niet,' zei hij, en Thomas geloofde hem. Maar een koud gevoel in zijn maag vertelde hem dat hij wel degelijk werd verdacht.

41

Roberta kletste maar door, eerst in de drukke bus, lijn 2, vanaf de sigarenzaak tegenover het Executive, daarna op het perron van de Circumvesuviana, toen in de trein en ten slotte in de meedogenloze hitte van het terrein zelf. Ze praatte over Italië en de Italianen, over het Italiaanse eten en de Italiaanse taal, die ze graag beter wilde spreken. Ze was zenuwachtig voor de retraite, vertelde ze, en ze had haar gedachten over Thomas' gruwelijke ervaring van die nacht, de dreiging van de dood ('die kan je elk moment overvallen; het gaat erom dat je er klaar voor bent') en de geestelijke voorbereiding op het sterven. Ze praatte over de wonderen van de archeologie en de geschiedenis en hoe een confrontatie met het verleden je beleving van het heden kon beïnvloeden. Kortom, ze zei veel dingen die ze al eerder had gezegd. Maar terwijl het toen nog haar eigen ideeën hadden geleken, klonk het nu meer als iets wat ze gelezen had. Terwijl zij meeging met een rondleiding over het forum dook Thomas weg in de tempel van Apollo, wachtte tot Roberta een paar keer om zich heen had gekeken en geconcludeerd dat ze hem kwijt was, en ging er toen in zijn eentje vandoor.

Hij voelde zich wel een beetje schuldig dat hij Roberta had geloosd, maar dat was hij steeds al van plan geweest. Hij had het magische vierkant niet zelf gezien en wist dat het zich in een huis bevond dat niet open was voor het publiek. In de trein had hij een plan bedacht om zich te verbergen, misschien in het amfitheater op het stille gedeelte van het terrein, om daar te wachten tot het avond was. Als het complex sloot, zou hij het huis van Paquius Proculus zoeken en inbreken om het magisch vierkant te bestuderen.

Ondertussen liep hij langs alle plekken die Ed had genoemd en waarvan hij de meeste bij zijn vorige bezoek had gemist: de badhuizen met hun mozaïeken van zeewezens en – vooral – de tempel van Isis, waar hij de vorige keer twee keer voorbij was gelopen zonder hem te zien. Al die tijd probeerde hij te verwerken wat hij wist over Eds onderzoek, Parks, Satoh en de kleine zilveren vis, het kruis van Herculaneum en natuurlijk de omstandigheden van Satohs dood. De chaos van zijn gedachten werd weerspiegeld door de plaatsen die hij bekeek: de half ingestorte gebouwen van afbrokkelende baksteen, natuursteen en tegels, naamloze huizen langs eindeloze, lege straten. Nergens orde of logica. Toen hij eindelijk in de tempel van Isis stond, zag hij alleen maar de afzonderlijke stukjes van een puzzel die hij niet kon oplossen. Wat had zijn broer hier ontdekt dat zo belangrijk was? Wat was dit ooit geweest? Wat voor functie had die zuil daar, of dat altaar? Waarom was hier een Egyptische god vereerd, in een Romeinse stad uit de eerste eeuw?

Die laatste vraag was nieuw. Daar dacht hij even over na. Rome had ge-

bieden gehad in Noord-Afrika. Uit Shakespeare herinnerde hij zich de relatie van Cleopatra met Julius Caesar en Marcus Antonius. Dus de cultus van Isis was geïmporteerd en in het Romeinse pantheon geabsorbeerd zoals alle vreemde culturen in het rijk werden geïntegreerd? Zoals ook het christendom was opgenomen en drie eeuwen later tot staatsgodsdienst verklaard?
Zijn blik gleed nog eens over de restanten van de tempel. Het was een vierkante binnenplaats, omgeven door een zuilengalerij, met treden naar een heiligdom in het midden. Rond de open ruimte lagen een paar grote blokken steen, hoewel hij niet wist of het sokkels of altaren waren. In een hoek van de binnenplaats stond een vierkant, witgepleisterd gebouwtje. Thomas raadpleegde zijn gids. Dit was het purgatorium, een gebouw met een ondergronds gewelf dat ooit heilig water uit de Nijl had bevat.
Hij liep naar het witte gebouwtje en bekeek het eens. Het begon hem al te vervelen. Maar opeens beschutte hij zijn ogen toen hij een bekend beeld zag. Hij keek nog eens goed. Iets boven hoofdhoogte zat een gepleisterd fries met een vissenmotief. Vreemde vissen, met grote borstvinnen en in enkele gevallen driehoekige tanden als van een alligator. Weer die vissen.
Snel gingen zijn gedachten terug naar de andere plaatsen die hij die dag had gezien en Eds aantekeningen over nog andere plekken. En opeens leek het of hij sinds zijn aankomst niets anders had gezien dan vissen: in de mozaïeken van de badhuizen en het ondergrondse zwembad in Herculaneum, op de christelijke graftombe van de duiker met het rode water in Paestum, in het zilveren votiefmedaillon dat door Parks was gestolen en op Satohs lijk was teruggevonden, op allerlei plekken in Pompeii en vooral hier, in een Grieks-Romeinse tempel, gewijd aan een Egyptische god.
Thomas merkte dat zijn bloed sneller ging stromen. Was dit het dan? En als dat zo was, wat had het dan te betekenen?
Hij keek nog eens naar de stucreliëfs van de merkwaardige vissen, met hun bolle snuiten en wapperende staarten, hun scherpe tanden en grote borstvinnen, die bijna deden denken aan...
... aan poten.
Het was een Egyptische cultus en een van de dieren die het meest met Egypte waren verbonden was de krokodil. Zouden deze vreemde voorstellingen zijn gemaakt door Italianen die nog nooit een krokodil in het echt hadden gezien? Maar hij herinnerde zich de schilderingen van de tempel in het museum in Napels, van gedetailleerde Egyptische

godheden met jakhalskoppen en andere elementen waaruit een goede kennis van Egypte bleek. En hij had in Pompeii en Herculaneum genoeg afbeeldingen gezien van heel levensechte, herkenbare vissen. Maar er waren ook andere: die vreemde dieren met hun grote vinnen die op poten leken. Die kwamen niet allemaal uit Egypte. Die kwamen van hier. Waarschijnlijk waren het plaatselijke motieven die waren versmolten met de geïmporteerde Isiscultus, zoals Hera's granaatappel op de Maagd Maria was overgegaan.

Het symbool van de potenvis moest dus uit deze omgeving stammen en al heel oud zijn. De graftombe in Paestum toonde aan dat het motief pas later voor christelijk gebruik was aangepast. Giovanni had gezegd dat de vis in zijn bekende vorm een grote symbolische betekenis had voor de christenen, maar die potenvis moest een nog krachtiger symbool zijn. Immers, een vis met poten kon zich bewegen over land en water, en dus – nu hij erover nadacht – een voorstelling zijn van Christus toen hij zelf over het water liep terwijl de apostelen angstig in hun bootje op het meer van Galilea dobberden. Als die oudere tombe in Paestum het motief van de duiker had gebruikt als symbool van de overgang naar de dood, zou de christelijke toepassing van een *potenvis* dan niet de overgang symboliseren naar de dood en wat daarachter lag: het vermogen om in twee werelden tegelijk te leven?

Wat had Ed ook alweer geschreven op zijn ansichtkaart aan Giovanni?

☧ *– symbolisch gesproken heb ik misschien de hoofdprijs gewonnen (de verborgen schat gevonden), maar niet hier in Italië, dus volg ik het spoor.*

Was de potenvis misschien het oersymbool van het vroege christendom, het ultieme icoon van Christus' overwinning op de dood? Als dat zo was, waarom was het dan geen deel geworden van de centrale iconografie van de Kerk? Waarheen had Ed het spoor gevolgd? En hoe had die zoektocht kunnen eindigen in zijn dood – en die van Satoh? Thomas had geen idee, maar hij voelde een nieuwe energie door zijn aderen stromen. Eindelijk had hij nu zelf een spoor.

42

Roberta stond op Thomas te wachten bij de Havenpoort. Het magisch vierkant deed er niet toe, had hij besloten. Ed was niet geïnteresseerd geweest in kruisen en geloofde waarschijnlijk niet eens dat het kruis in het jaar 79 al een christelijk symbool was geweest. Als Satohs verhaal over het kruis van Herculaneum klopte, lag de sleutel zeker in het feit dat het kruis zich onderscheidde door de afbeelding van een 'vreemde vis'. Dat moest Eds nieuwsgierigheid hebben geprikkeld.

'En wat nu?' vroeg Roberta in de trein terug.

Om zijn geweten te sussen had hij haar een vage, algemene beschrijving van zijn ideeën gegeven. Hij voelde zich nog steeds schuldig dat hij haar had laten staan. Ze zou wel eenzaam zijn, zoals zo veel priesters en nonnen, vooral hier.

'Ik moet met Pietro praten,' zei Thomas. 'Geen uitvluchten, geen vijandigheid, geen excuses. Als hij me niet vertelt wat ik wil weten, geef ik zijn naam aan de politie.'

'Denk je dat hij iets te maken heeft met de dood van die Japanner?'

'Nee,' zei Thomas, 'maar wel dat hij betrokken was bij een groter raadsel, rond mijn broer.'

'Hij is vanmiddag op ziekenbezoek,' zei ze. 'Voor zes uur is hij niet terug. Laten we een uurtje pauze nemen om alles goed te overwegen en daarna pas met hem praten.'

Thomas keek haar even aan, met haar bleke ronde gezichtje en haar ernstige ogen. Het leek wel nuttig om de tijd te nemen alles op een rij te zetten.

'Pauze?'

'We kunnen uitstappen bij de halte Ercolano,' zei ze, zichtbaar enthousiast. 'Ik heb een idee. Toe nou, Thomas. Morgen begint mijn retraite en kan ik niet meer weg. Nog één uitstapje, een paar uurtjes maar. Dan kun je met Pietro gaan praten, oké?'

Deze keer gaf ze hem de kans om rustig na te denken. Terwijl de trein langs de kust denderde, met zijn verspreide strandjes van zwart zand, haalde ze een zilveren mobieltje uit een zak in de mouw van haar habijt. Thomas trok een wenkbrauw op.

'O,' zei ze nonchalant, met een speels gebaar, 'we zijn tegenwoordig heel modern, hoor.'

Thomas keek smalend.

'*Pronto,*' zei ze in de telefoon, en ze mimede: 'Pater Giovanni.' Ze maakte zich bekend in hakkelend maar redelijk goed Italiaans en stelde een serie vragen. De antwoorden schenen bevredigend te zijn.

'Waar ging dat over?' vroeg Thomas.

'Wacht maar af,' grinnikte ze meisjesachtig.

De verrassing stond op hen te wachten voor het station van Ercolano: een gehuurde witte tweedeurs Fiat.
'We moeten hem om zeven uur weer terugbrengen, dus hebben we nog tweeënhalf uur,' zei ze, voldaan over haar plannetje. 'Sinds ik hier aankwam wilde ik dit al doen.'
'Wat?'
'Een bezoekje brengen aan de bron van alle kwaad,' zei ze, alsof dat voor de hand lag.
Heel even sloeg Thomas' hart een slag over. Waar had ze het over? Wat wist ze precies?
'De Vesuvius!' zei ze toen ze zijn verbaasde gezicht zag. 'De vulkaan.'
'O,' zei hij. 'Dát kwaad.'
Ze schudde haar hoofd om zo veel domheid en prutste lachend met de sleuteltjes.

Roberta was een verrassend goede chauffeur en dat was maar goed ook, want de weg door het stadje was smal en gevaarlijk, en zodra ze aan de beklimming van de berg begonnen werd het allemaal nog erger. Roberta genoot zichtbaar van de haarspeldbochten, het luide getoeter bij elke bocht en de griezelige afgronden aan de passagierskant, maar Thomas kreeg er algauw genoeg van en was na tien minuten wagenziek. Twee keer moesten ze zich met maar centimeters ruimte langs grote, zware bussen wringen die de berg af denderden, terwijl er voortdurend andere auto's langs hen heen schoten met onverantwoordelijke snelheid.
'Wauw!' zei Roberta toen er een wit busje om een bocht op hen afstormde, luid claxonnerend, hen op een haar na ontweek en weer verder reed naar het stadje, zonder zelfs maar af te remmen. 'Die heeft er de sokken in!'
Ze scheen zich kostelijk te amuseren. Thomas staarde naar de paarse kegel van de vulkaan boven de bomen en probeerde de zigzaggende klim te negeren.
Toen ze eindelijk stopten op een parkeerplaats van rozebruin grint bleef hij nog een paar minuten over de boomtoppen zitten staren voordat zijn maag tot rust gekomen was.
'Kom mee,' zei zuster Roberta als een akela met een stel padvinders op sleeptouw.
Thomas keek somber over zijn schouder omhoog. Ze waren nog een heel eind van de krater.
'De rest moeten we lopen,' zei de non, alsof dat een prettige verrassing was.

Ze ging al op weg in de lage middagzon. Haar crucifix zwaaide heen en weer bij elke dreunende stap van haar sandalen, die de gespen deed rinkelen.
Aan het begin van het pad was een hekje. De meeste toeristen waren al op de terugweg. Bij het hek stond een magere vrouw met lang haar, die op haar horloge keek.
'Recht omhoog en omlaag. Niet meer dan een kwartiertje naar de krater,' zei ze terwijl ze kaartjes van een rol scheurde zonder hen aan te kijken.
Een paar meter voorbij het hek begon het pad steil te klimmen, slingerde weer terug en klom toen omhoog.
Dat zal niet meevallen, dacht Thomas vermoeid. Zijn voeten deden pijn van een hele dag lopen.
Misschien had hij beter niet mee kunnen gaan. Toch wilde hij de vulkaan wel zien. Zoals Roberta al had gezegd, was het de kern van het verhaal over Pompeii en Herculaneum, steden die zich anders normaal zouden hebben ontwikkeld, totdat er geen spoor meer was overgebleven van hun glorie uit de eerste eeuw.
Het pad van stenen en kiezels, vrij recht, werd aan beide kanten omzoomd door houten bielzen. Het was uitgehakt in de helling naar de top aan de andere kant. Er waren geen bomen meer, en de top stak glad en kaal omhoog, afgezien van wat verspreide rotsblokken uit dezelfde poreuze steen. Thomas had verwacht dat die steen grijs zou zijn, maar de basiskleuren waren bruin, roze en violet, terwijl de rots een korrelige structuur had, met kleine luchtbelletjes. Hier en daar groeide wat gras of mos, maar vergeleken bij de vruchtbare hellingen beneden was het hier opvallend dor. De top was een levenloos landschap, maar met een heel eigen, woeste schoonheid.
Iedereen was op weg naar huis. Een groepje Italiaanse tieners jogde vrolijk langs hen heen, maar de meeste anderen – veel mensen van boven de vijftig of zestig, en niemand uit de buurt – leken uitgeput. Terwijl Thomas vermoeid naar boven sjokte, zonder ook maar een poging te doen om Roberta bij te houden, keek hij nog een paar keer achterom. Misschien waren ze wel de laatste bezoekers die nog waren doorgelaten.
Het kostte hun twintig minuten om de top te bereiken, waar het kraampje dat limonade en ansichtkaarten verkocht al gesloten was voor de dag. De top zelf was zo goed als verlaten. De grillige kraterrand aan de binnenzijde van het pad maakte hier en daar plaats voor gedeelten waar slechts een enkele ketting de bezoekers scheidde van de

diepte beneden. Thomas tuurde omlaag, niet wetend wat hij kon verwachten, en zag een grote, kegelvormige kom van kleine steentjes. De wanden bestonden uit verbrijzelde en versplinterde rots, zwartgeblakerd en witgeschroeid. Het materiaal leek hard als vuursteen, maar toch was het verbrijzeld door de kracht van beneden. Rook kringelde lui omhoog uit allerlei spleten in de kraterwanden, maar het middelpunt van de diepe holte leek stil en onberoerd. De krater straalde geen hitte uit en er hing maar een vleugje zwavel in de lucht.
'Deze kant op,' zei Roberta, terwijl ze hem voorging vanaf de rand naar een nog smaller pad dan waarlangs ze omhoog waren gekomen. Het spoor daalde af langs de helling van de top en verdween daar uit het zicht.
'Waar gaat dit heen?' vroeg Thomas een beetje zuur.
'Langs de krater,' zei ze opgewekt. 'We willen toch een rondje om de krater maken? Als je het doet, moet je het goed doen. Kom, Thomas.'
Hij volgde in haar stoffige voetsporen, terwijl de zon onderging en de laatste toeristen aan de terugtocht begonnen.
'Aan de andere kant kunnen we over de krater heen de baai zien liggen,' riep ze over haar schouder.
'Ik kan niet wachten,' mompelde Thomas.
'En we kunnen een gebed zeggen.'
Nog beter.
Thomas' voeten deden pijn. 'Rustig aan,' riep hij. 'Ik geloof dat ik de stigmata krijg.'
'De wát?' Verbaasd draaide ze zich om.
'De stigmata,' herhaalde Thomas. 'Je weet wel. Als je handen en voeten gaan bloeden. Mijn voeten, in dit geval.'
'O, de stigmata,' zei ze. 'Ik verstond je niet.'
Ze keek nog steeds een beetje verwonderd, misschien zelfs gekwetst.
'Sorry,' zei hij. 'Flauwe grap.'
'Dat geeft niet,' antwoordde ze. 'Ik ben eraan gewend dat mensen niets van wonderen begrijpen.'
'Maar jij gelooft die dingen wel?' zei hij. Het was een oprechte vraag, zonder ironie. 'Een manifestatie van de wonden van Christus?'
'Natuurlijk,' zei ze. 'De wegen des Heren zijn ondoorgrondelijk, hoe Hij Zijn wonderen verricht,' declameerde ze heel serieus.
'Maar stigmata...' zei Thomas. 'Ik bedoel, wat is de zin daarvan? Waarom zou God mensen open wonden toebrengen? Ik kan het niet volgen.'
'Ik ben het nooit echt tegengekomen,' zei ze, 'maar ik weet zeker dat

het bestaat. De wereld is vol zonden, en soms besluit de Here die zonde op wonderbaarlijke wijze te bestraffen.'
Thomas staarde haar aan, maar ze liep door en ontweek zijn blik.
'Kijk,' zei ze. 'We zijn bijna aan de andere kant.'
'Ja,' zei Thomas.
'Ik vind dat we moeten bidden voor de rust van de ziel van die man die is vermoord. Deze plek ademt de grootheid en de macht van God.'
Ze klom over de schuivende steentjes omhoog naar de rand en tuurde over de grote krater naar de zee. De amberkleurige zon zakte steeds lager, waardoor de binnenkant van de krater doormidden werd gesneden: de ene helft diep in de schaduw, de andere helft badend in een oranje schijnsel, schitterend als vuur. Er was niemand meer te zien.
'Kniel met me,' zei ze, terwijl ze zich op een knie liet zakken. Haar gezicht werd nu verlicht door dezelfde gloed, die haar overtuiging nog meer glans en passie gaf.
Thomas klom naar haar toe, maar knielde niet. Hij dacht bliksemsnel na.
'Hoe heette hij ook alweer, die vermoorde man?' vroeg Roberta met gesloten ogen. Ze had haar handen gevouwen, met haar vingers omhooggericht, als een beeld van de Madonna.
'Satoh,' zei Thomas.
'Wij danken u, Heer, voor deze rijke dag, en bidden voor de ziel van Satoh en pater Edward Knight,' begon ze. 'Dat zij mogen rusten in vrede. Onze Vader, die in de hemelen zijt...'
Ze sprak langzaam, zodat Thomas kon invallen. Dat deed hij, maar niet van harte. Zijn gebarsten stem was weinig meer dan een gefluister. Hij had iets toepasselijkers verwacht, zoals 'Schenk hem de eeuwige rust, o Heer...' Of iets dergelijks. Maar zij had gekozen voor het Onzevader.
'... geef ons heden ons dagelijks brood...' vervolgde ze.
Thomas tuurde over de grote, rokende holte. De klim had hem uitgeput, de hele omgeving had iets onwerkelijks, en voor het eerst in jaren sprak hij een gebed uit – voor zijn overleden broer – met een vrouw die hij niet kende.
'... zoals wij vergeven onze schuldenaren...'
Het leek een droom, alsof al zijn twijfels en zorgen onverwachts aan de oppervlakte kwamen. En er zat hem nog iets anders dwars. Pietro had een preek gehouden over de Onbevlekte Ontvangenis, herinnerde hij zich. De woorden kwamen weer bij hem boven, als een echo in een tunnel...
'*Het meeste begreep ik niet eens – zo goed is mijn Italiaans niet – maar*

het was heel mooi, erg vroom en toegewijd. Aan het eind was hij bijna in tranen bij de gedachte dat Onze Heer zonder zonde was ontvangen en toen deze verschrikkelijke wereld moest betreden...'
Op dat moment was hij enigszins geïrriteerd geweest, maar het speelde nog altijd door zijn hoofd. De Onbevlekte Ontvangenis had toch geen betrekking op de geboorte van Christus? Hij kon zich die dingen niet meer zo goed herinneren, maar hij wist bijna zeker dat het om de geboorte van de Maagd Maria ging, de enige mens sinds Adam en Eva die ter wereld was gekomen zonder de smet van de erfzonde. Thomas prevelde nog altijd de oude, vertrouwde woorden mee, maar nu fronste hij en zweeg. Roberta ging door.
'Want u is het koninkrijk, en de kracht, en de heerlijkheid...'
Thomas' vermoeidheid en vage verdriet waren opeens verdwenen.
'Tot in eeuwigheid. Amen.'
Een ander zinnetje kwam bij hem boven. '*Soms besluit de Here de zonde op wonderbaarlijke wijze te bestraffen.*'
Te bestraffen? Met stigmata?
Stigmata waren een teken van vroomheid, een manifestatie van een heilige devotie tot het gekruisigde lichaam van Christus.
'*Want u is het koninkrijk...*'
En hoewel waarschijnlijk niet veel katholieken zich daar tegenwoordig nog in verdiepten, zou een franciscanes toch moeten weten...
'*Tot in eeuwigheid...*'
Want wie was de beroemdste van al diegenen bij wie zich de stigmata hadden geopenbaard?
'De heilige Franciscus,' fluisterde hij hardop.
En op hetzelfde moment besefte hij dat Roberta niet langer naast hem knielde. Ze stond achter hem.

43

De Pest kwam al in beweging voordat ze het gebed had voltooid. Knight maakte een vermoeide, afwezige en een beetje huilerige indruk, precies zoals de bedoeling was geweest. Ze kwam geruisloos overeind, haalde de kleine Walther-automaat uit de zak voor haar buik en richtte de loop op zijn achterhoofd met dezelfde ervaren beweging waarmee ze de veiligheidspal terugschoof.

Twee schoten maar. Daarna zou ze een ondiep graf graven in de as en het puimsteen op deze verlaten helling van de vulkaan, waar zelden iemand kwam. Het zou jaren kunnen duren voordat hij werd gevonden.

Katholieken, dacht Thomas, zeiden die laatste regels niet als deel van het Onzevader. Tijdens de mis hoorden ze bij het antwoord van de congregatie aan de priester.
'*Verlos ons, Heer, van alle kwaad,*' herinnerde Thomas zich de tekst van de priester, terwijl hij zich over de rand van de krater gooide, op het moment dat het pistool achter hem afging. '*Geef ons vrede in onze dagen...*'

De Pest vloekte toen het schot over het hoofd van de wegduikende man verdween.
Wat was er misgegaan?
Hij had zich in de krater geworpen alsof hij wist dat ze op het punt stond zijn hersens over die hele vervloekte berg uit te smeren.
Ze stapte naar voren en vervloekte haar lastige, rinkelende sandalen. Met het pistool voor zich uit gericht, turend over de loop, naderde ze de kraterrand. Er was daar geen plek om je te verbergen. Heel vervelend, dat wel, want nu zou ze zijn lichaam helemaal terug moeten slepen naar de plaats van het graf, maar in elk geval zou die zielige klootzak zijn gerechte straf krijgen. En misschien zou ze hem nog laten boeten voor deze stunt.

Thomas stortte in de krater en rolde nog even door, terwijl hij probeerde zijn val te breken om zich te oriënteren. Het was donker, maar niet zo donker dat ze hem niet meer zou kunnen zien. Hij klauwde tevergeefs naar een rotspunt en duikelde nog drie meter omlaag. Een fractie van een seconde zag hij haar op de kraterrand staan, met de laatste zon achter haar habijt en het pistool in haar hand. De vuurflits uit de loop werd onmiddellijk gevolgd door de knal, en een kogel deed een wolk van vulkaanstof opspatten, vlak bij zijn hoofd.
Toen raakte hij een hoekig rotsblok dat zich uit de zanderige trechter verhief als een walvis uit zee. Hij sloeg zijn armen uit, greep zich vast om zijn val te breken en maakte een grimas toen hij de pijn in zijn vingers voelde. De steen was heet.

De Pest had twee haastige schoten afgevuurd, waarmee ze niets had geraakt. Nu dwong ze zichzelf om rustig adem te halen en zuiver te rich-

ten, maar op dat moment kwam Knight tot stilstand en greep zich vast aan een grote steen. Haar volgende schot, dat rekening hield met zijn beweging, miste opnieuw en ketste tegen de rots, bijna een halve meter onder zijn voeten. Op hetzelfde ogenblik wurmde hij zich om het rotsblok heen en verdween uit het zicht.
Haar woede vlamde weer op. Ze controleerde het magazijn van haar pistool en daalde voorzichtig de krater af.

Onder aan het rotsblok zat een spleet, of een serie spleten, en hoewel hij in het donker niet veel kon zien, moest het een stoomgat zijn waaruit dunne slierten hete damp opstegen. Zodra hij zich veilig voelde liet Thomas de steen los en wapperde met zijn handen. Hij verwachtte geen blaren en afgezien van een lichte gevoeligheid viel de schade wel mee. Hij zocht naar een losse steen en zette zich schrap voor Roberta's nadering. Het bleef wel een minuut stil, maar het was onmogelijk je hier te bewegen zonder een aardverschuiving van kleine steentjes te veroorzaken. Even later hoorde hij haar, nog ongeveer een meter boven het rotsblok.
Als jij in haar plaats was, wat zou je dan doen?

De Pest bleef staan, met haar blote voeten gespreid. Ze had de lastige, luidruchtige sandalen op de rand van de krater achtergelaten en hield het pistool in beide handen. Voorzichtig bewoog ze het wapen in een halve cirkel, turend over de loop, zoals ze had geleerd. Misschien hield Knight zich nog verscholen achter de rots, of anders probeerde hij langs de zijkant weg te kruipen. Ze kon het beste over de bovenkant naderen. Behoedzaam zette ze een voet op de steen en klom omhoog. Het duurde een halve seconde voordat ze voelde hoe heet de steen was. Geschrokken, half struikelend, deed ze een sprong, recht in de armen van Knight, die haar opwachtte. Ze vuurde, maar het schot miste omdat ze uit haar evenwicht was gebracht.
Zorg dat je het pistool niet kwijtraakt.

Thomas raakte haar met zijn volle gewicht en sloeg het pistool opzij, maar ze liet het niet los, zelfs niet toen ze achterover tegen het rotsblok stortte. Soepel zwaaide ze haar arm met het wapen weer in zijn richting. Hij wierp zich boven op haar, klemde haar armen tegen de grond en probeerde het pistool uit haar rechterhand te wrikken.
Maar ze was sterk. Hij was zo gewend aan haar religieuze vermomming dat hij nog steeds niet kon geloven wat ze werkelijk was, maar de

druk op zijn pols toen ze het wapen in de richting van zijn ribben draaide verjoeg het beeld van 'zuster Roberta'.
Ze gaat je vermoorden. Nu.
Met zijn linkerhand nog steeds om haar vuist met het pistool maakte hij zijn andere hand vrij, klauwde naar haar gezicht en wrong haar hoofd naar achteren, zo hard als hij kon. Als ze het had zien aankomen, zou het hem niet zijn gelukt, maar blijkbaar verwachtte ze het niet, zodat hij haar heel even in zijn greep had.
Ze lag vlak naast de rokende spleet en de stoom uit de vulkaan raakte haar gezicht. Ze slaakte een kreet en kronkelde van pijn, waardoor haar andere hand zich opende. Het pistool viel eruit en Thomas wierp zich erbovenop.
Toen hij zich omdraaide zag hij haar op zich afkomen. De linkerkant van haar gezicht was roodverbrand door het hete gas en haar ogen glinsterden van woede, haat en nog iets anders – een soort zelfvoldane zekerheid.
Ze weet dat je niet zult schieten.
Thomas aarzelde, maar op het laatste moment, vlak voordat ze zich op hem wilde storten, pakte hij het wapen bij de loop en sloeg haar met de kolf hard tegen haar voorhoofd.
Bewusteloos viel ze boven op hem en een paar lange, bizarre seconden lag hij daar in de krater, starend naar de hemel, terwijl de rust en de koelte van de avond over hem neerdaalden.

44

Thomas liet haar achter waar ze lag. Ze zou nog wel even buiten westen blijven, en als ze bijkwam had ze geen vervoer. Hij nam haar pistool en haar mobieltje mee, begon toen aan de lange afdaling naar de parkeerplaats, klom over het hek en stapte in de huurauto.
Het feit dat Roberta op het punt had gestaan hem te vermoorden sloeg alle grond onder zijn theorieën weg. Hij wist nog maar drie dingen. In de eerste plaats dat machtige figuren bereid waren hem te doden om een onderzoek naar Eds dood te voorkomen. In de tweede plaats dat hij de oude monsignor moest dwingen zijn vragen te beantwoorden. En in de derde plaats dat hij zo snel en geruisloos mogelijk uit Italië vandaan moest. Hij wist niet waarheen of hoe, maar hij was ervan over-

tuigd dat Roberta – of hoe ze ook heette – niet in haar eentje werkte. Als hij nog een nacht in het Executive logeerde, zou het zijn laatste zijn. Hij reed naar het station van Ercolano, liet de auto daar achter, weerstond de verleiding om een biertje te pakken in een café in de buurt en stapte in de trein naar Garibaldi. Daar nam hij een taxi, terug naar zijn hotel. In de trein doorzocht hij Roberta's mobieltje op gebelde of ontvangen nummers, maar alle lijstjes waren gewist.

'De politie zocht je, jongen,' zei Brad met een brede grijns. Hij zat onderuitgezakt in de bar van het Executive, met een glas sinaasappelsap in zijn hand, en hield Thomas al tegen voordat hij zijn sleutel nog had gehaald. 'Wat heb je uitgespookt?'

Thomas verstijfde.

Roberta?

Zo snel toch niet? Bovendien zou zij niet naar de politie gaan. Het moest iets te maken hebben met Satoh.

Thomas grijnsde bleek en draaide zich om naar de receptionist, die hem met zijn grijze ogen strak aankeek.

'Ze vroegen u om zo snel mogelijk te bellen,' zei de Italiaan. 'En als u het niet doet, moet ik het doen.'

Het klonk half als een vraag, en Thomas dacht snel na.

'Als ik nu even naar buiten stap om met de priester op de hoek te gaan praten,' zei hij, 'en dan weer terugkom, zodat we dit gesprek kunnen herhalen?'

De receptionist keek hem nog eens aan.

'Maar wel snel,' zei hij ten slotte.

Het was negen uur. Giovanni opende de deur van het retraitehuis en schudde meteen zijn hoofd.

'Pietro is er niet,' zei hij. 'Hij is naar zijn kerk, de Santa Maria del Carmine.'

'Heb je zijn telefoonnummer daar?'

'Ja,' zei Giovanni. Hij zocht in zijn zak en haalde een visitekaartje van het retraitehuis tevoorschijn. 'Het tweede nummer dat hier staat.'

'Oké,' zei Thomas, en hij draaide zich om.

'Hij wil echt niet met je praten,' zei Giovanni.

'Hij heeft geen keus,' zei Thomas, terwijl hij vertrok. 'Evenmin als ik.'

Hij verliet haastig het hotel, belde het nummer met Roberta's telefoon en zocht ondertussen de drukke straat af naar een taxi.

Pietro nam op toen het toestel drie keer was overgegaan. Bruusk mompelde hij de naam van de kerk.

'Met Thomas Knight, de broer van Eduardo. Niet ophangen.'
Hij wachtte af, omdat hij geen idee had of Pietro wel voldoende Engels verstond. Het bleef even stil.
'Ja?' zei de stem aan de andere kant, die heel ver weg klonk.
'Ik kom met u praten,' zei Thomas nadrukkelijk. 'Nu. Iemand heeft zojuist geprobeerd me te vermoorden.'
Het wist niet hoeveel de oude priester ervan begreep en eigenlijk kon hem dat niet schelen.
'Goed,' zei de priester.
Thomas was verbluft. Geen tirade? Geen dreigementen? De stem meldde zich weer, heel behoedzaam.
'Is Tanaka dood?' vroeg hij.
'Tanaka?' herhaalde Thomas.
'De Japanner,' zei Pietro.
'Hij zei me dat hij Satoh heette.'
'Is hij dood?'
'Ja.'
'Weer een lange stilte, gevolgd door een soort zucht. 'Oké,' zei hij.
'Oké wat?' vroeg Thomas.
'Ik zal u Eduardo's papieren laten zien.'
'Dus u hebt ze niet verbrand?'
'Nee.'
Thomas' gevoel van triomf werd getemperd door zijn woede.
'Maar die indruk hebt u wel gewekt, en met opzet. In de hoop dat ik er niet meer naar zou vragen. Waar zijn ze? Ik wil ze zien. Nu.'
'De *messa*, dan maar.'
'De mis?'
'Ja,' zei de priester. 'Komt u?'
'Of ik naar de mis kom?' vroeg Thomas ongelovig.
'Ja. Alstublieft. Om voor mij te bidden.'
'Nee.' Thomas sloeg de uitnodiging geërgerd af. Hij had helemaal geen behoefte aan een olijftak, zeker niet nadat 'Roberta' dezelfde truc al op de Vesuvius had gebruikt.
'Een halfuurtje maar,' zei de priester.
Óf de man had de liturgie wel heel drastisch ingekort, óf hij ging er met sneltreinvaart doorheen. Opeens begreep Thomas dat er niemand in de kerk was en dat er niet zou worden gezongen. Dat scheelde een stuk. Het was geen uitnodiging voor een gewone mis. Ze zouden maar met hun tweeën zijn.
Ga nou maar. Blijf achterin zitten luisteren, net als vroeger.

Nee.
'Begin maar vast,' zei Thomas. 'Dan ben ik er wel tegen de tijd dat u klaar bent.'
'Goed,' gaf de priester toe, en hij hing op.

De taxi reed langs het museum en door een labyrint van straatjes waar de chaos steeds groter werd. Net als elders in de stad waren de kerken hier tegen andere huizen aan gebouwd, en omdat ze geen torens hadden waren ze alleen herkenbaar aan de rijkbewerkte deuren en de zwart uitgeslagen inscripties erboven. Thomas tuurde uit het raampje om te zien of hij de Santa Maria del Carmine al kon ontdekken. De straten werden nog smaller en armoediger, hoewel dit ooit een welvarende buurt moest zijn geweest. Het steeds drukkere verkeer werd gedomineerd door kleine auto's en scooters, vaak volgeladen met kinderen, die naar elkaar lachten en schreeuwden.
Bovendien wemelde het van voetgangers in de klinkerstraatjes van de Sanità. De markten op de kruispunten gingen sluiten en mensen waren bezig om watertanks met oesters, kreeften en mosselen in te laden. Twee keer stopte de chauffeur en boog zich uit het raampje om de weg te vragen. Een jonge vrouw met een roze T-shirt en een designerzonnebril wees zwijgend de straat door en stortte zich weer in de drukte alsof ze de toeterende auto's niet zag of ze – en dit was waarschijnlijker – haar aandacht niet waard vond. Ze weken voor haar uiteen als de Rode Zee toen ze verdween in een zijstraat waar lijnen met wasgoed waren gespannen als een triomfboog.
Thomas betaalde de chauffeur tien euro en de man reed weg, zichtbaar opgelucht dat hij terug kon gaan naar de buurten die hij beter kende. Thomas kon het hem niet kwalijk nemen. Sinds zijn aankomst in Italië had hij zich niet meer zo verloren gevoeld. Nee, veel langer nog. Sinds Japan.
Er waren hier geen toeristen. Hij was terechtgekomen in een gemeenschap waar hij een bezienswaardigheid was. Tot nu toe had hij weinig gemerkt van de criminele reputatie van Napels, maar hier, op deze donkere avond, leek het of hij een bordje om zijn nek droeg. Hij voelde de ongegeneerde, geïnteresseerde, licht geamuseerde blikken van de mensen op zich gericht toen hij door de straat liep waar zij werkten, woonden en speelden. Hij had de neiging zich te excuseren. Maar als Pietro hem straks de deur uit schopte, zouden excuses niet voldoende zijn om hier ongedeerd vandaan te komen.
Er stonden geen straatlantaarns en het was aardedonker.

Ideaal.
Hij voelde het gewicht van het pistool in de zak van zijn jasje.
'*Hi*,' zei een jochie zonder shirt op een fiets. '*Hi*, Amerikaan.'
Hij was misschien acht. Zijn vriendjes schaterden en bauwden zijn begroeting na. Iemand riep 'Coca-Cola!' en lachend verdwenen ze in de nacht.
De Santa Maria del Carmine was opgetrokken uit lichtgele steen met grijze biezen, goed onderhouden maar oud, zonder een monument te zijn. De straat, zag hij met een huivering, was de Via Fontanelle alla Sanità. Hij liep naar de kerkdeur, pakte de ring en draaide. De deur zwaaide zachtjes open.

45

In de kerk was het koel en schemerig. Het kale, bleke schip werd alleen verlicht door het schijnsel van een paar votiefkaarsen voor een beeld en de glinstering van koper op het altaar. De houten kerkbanken waren leeg. Het was er doodstil en Thomas kon niemand ontdekken.
Voorzichtig liep hij verder, zich bewust van de echo's van zijn voetstappen. Hij onderging weer die vreemde mengeling van ontzag en spanning die een kerk altijd bij hem opriep, deze keer nog versterkt door zijn verwachting. Hij had geen idee wat de vreemde oude priester hem zou vertellen. De geur van wierook en kaarsvet drong in zijn neus toen hij door het zijpad naar voren liep. Bij het altaarhek bleef hij staan, onderdrukte de neiging om te knielen en duwde toen een zijdeur open.
De deur kwam uit in een gang die toegang gaf tot een kleine sacristie, net zo verlaten als de kerk.
'Hallo?' riep hij. 'Monsignor Pietro?'
Niets.
In de hoek zag hij een smalle trap, die hij beklom naar de al even krap bemeten woonruimte van de priester: één enkele kamer, met een aanrecht en een kookplaatje. De wc lag naast de gang van de sacristie. De slaapkamer had geen centraal lichtpunt en de zwakke bureaulamp zette de kamer in een doffe kopergloed.
Zijn blik gleed door de kale ruimte.

'Father McKenzie, darning his socks in the night when there's nobody there...'
Zijn oog viel op een boek, *Hymn of the Universe*, door Pierre Teilhard de Chardin. Die naam kwam hem bekend voor, en het boek was in het Engels. Het moest van Ed zijn geweest.
Hij sloeg het zomaar open, vond een passage die met een verticale potloodlijn was gemarkeerd en begon te lezen.

> *Wees gezegend, harde materie, kale grond, koppige rots: gij die alleen wijkt voor geweld, gij die ons dwingt tot arbeid als wij willen eten.*
> *Wees gezegend, gevaarlijke materie, gewelddadige zee, ontembare hartstocht: gij die ons zal verslinden als we u niet aan banden leggen.*
> *Wees gezegend, machtige materie, onstuitbare mars van de evolutie, voortdurend wedergeboren werkelijkheid: gij die, door stelselmatig onze geestelijke versperringen te slechten, ons dwingt om verder en verder te gaan, altijd op zoek naar de waarheid.*

Thomas bladerde terug naar de inleiding en las iets over de schrijver, een vroeg-twintigste-eeuwse Franse jezuïet.
Vreemd, dacht hij. En ook verontrustend, die overtuiging, die merkwaardige, intense mystiek, vooral in dienst van zo'n concreet onderwerp. Materie? Welke vorm van katholicisme zong een loflied op de materie?
Peinzend luisterde hij naar de stilte. Wat had Pietro ook alweer gezegd? Blijkbaar had hij Satoh gekend, hoewel hij hem Tanaka noemde. Zijn dood scheen alles te hebben veranderd. Maar waarom?
De schreeuw die de stilte verscheurde – een langgerekte jammerklacht die ergens vanuit de diepte langs de trap omhoogzweefde – klonk zo schril en macaber dat Thomas met één sprong overeind was en in blinde paniek de trap af stormde.

46

Thomas had weinig hoop. Hij werd alleen gedreven door de krankzinnige behoefte om het te wéten. Met bonkend hart rende hij de trap af, de sacristie en de donkere gang door, terug naar de kerk.

De kerk was leeg, de achterdeuren zaten nog dicht en de banken waren verlaten. Thomas stapte het verhoogde koor op, met zijn rug naar het altaar, en tuurde door het schip. Niets.
En toen hoorde hij het, een licht gedruppel, alsof het regende.
Langzaam draaide hij zich om. Zijn angst leek af te koelen en te stollen tot een harde klomp in zijn maag. De stenen vloer achter het altaar ging half schuil onder een glinsterende, grillige plas. En ondanks het vage licht was duidelijk de afschuwelijke donkerrode kleur van die plas te onderscheiden. Weer viel er een druppel omlaag, en nog een. Ten slotte dwong Thomas zichzelf omhoog te kijken.
Tegen de achterwand van de apsis was een hoogaltaar met een gouden tabernakel, zes grote kaarsen en daarboven een ingelijst icoon van de Madonna met Kind tegen een driehoekig timpaan. Daarvoor, aan een zware ketting vanaf de galerij van de koepel, hing de monsignor.
Nee. Dit niet. Niet nu.
Zijn gescheurde zwarte soutane glinsterde zo door het bloed dat het moeilijk te zien was wat er met hem gebeurd moest zijn, maar de ketting leek dwars door zijn borstkas geboord, zodat hij aan zijn borstbeen in de lucht boven het koor bungelde.
Eén lang moment stond Thomas als aan de grond genageld. Toen hoorde hij een soort zucht en keek weer op. De priester had zijn ogen geopend. Hij leefde nog.
Thomas keek in paniek om zich heen. De ban was gebroken. Hij kon niet via het altaar naar hem toe klimmen. Eerst moest hij op de galerij onder de koepel zien te komen.
Waar was de trap, verdomme?
Hij sprong van het verhoogde koor af en gooide de deur naar de sacristie open. Daar, in de muur, zat een deuropening met een stenen trap erachter. Thomas rende met twee treden tegelijk naar boven en schoot met zo'n snelheid de lege koepel in dat hij bijna over de leuning duikelde.
De galerij was smal en de leuning niet meer dan een smeedijzeren stang die op heuphoogte rond de binnenkant van de koepel liep. Thomas hield zijn pas in en liep naar het punt waar de ketting om de wrakke leuning was geslagen. Het uiteinde, zo'n acht of tien meter lang, lag in een slordige lus. Het zou een eeuwigheid duren om de geknoopte ketting los te maken waaraan de oude priester hing, dus zat er niets anders op dan hem omhoog te hijsen. Thomas greep de ketting, die op sommige plaatsen glibberig was van het bloed, en begon te trekken.
Pietro was een grote man. Thomas zette kracht, maar het lukte hem

niet. Hij probeerde de ketting over zijn schouder te leggen, maar er was geen ruimte in de koepel, en hoe harder hij trok, des te meer hij het gevoel kreeg dat het gewicht hemzelf over de leuning zou sleuren. Hij ontspande zich even en haalde diep adem. Beneden hem kreunde de oude priester weer. Hij zou het niet lang meer redden.
Thomas zette zijn voeten klem tegen de ijzeren staanders van de leuning, boog zich zo ver mogelijk naar achteren en begon weer te trekken, nu alleen met zijn armen en zijn borst. Hij werkte hand over hand, steeds vijftien centimeter ketting, hangend naar achteren, met zijn hoofd in de nek, zijn tanden op elkaar geklemd en zijn schouderbladen gekromd. Hij baadde in het zweet. Eerst trok hij met één hand, tot zijn vuist zijn schouder naderde, en daarna met de andere. Elke ruk was zwaarder dan de vorige, en hij was bang dat zijn spieren of pezen zouden scheuren. Twee keer voelde hij de ketting een paar schakels terugglijden, zodat hij niets anders kon doen dan vasthouden, tot hij weer nieuwe energie had. Eindelijk, met een kreet van vastberaden woede, hees hij de priester naar de rand.
Hij greep Pietro onder zijn armen en sjorde hem over de leuning. Op dat moment gleed het pistool uit zijn zak, kletterde tegen de vloer van de galerij, stuiterde onder de leuning door en kwam met een holle klap beneden in de kerk terecht.
Hij is al dood, dacht Thomas hijgend. Een paar seconden lang lag de priester doodstil en maakte geen geluid. Alle leven leek uit zijn met bloed besmeurde gezicht geweken.
Toen knipperde hij met zijn ogen en gingen zijn lippen enigszins vaneen.
'Thomas,' zei hij langzaam, worstelend met de woorden. 'Het spijt me.'
'Het is goed,' zei Thomas, vechtend tegen zijn afschuw, starend naar het gezicht van de man om de rest niet te hoeven zien. 'Het is goed.'
'*Mea culpa, mea culpa, mea maxima culpa,*' fluisterde hij: Mijn schuld, mijn schuld, mijn grote schuld...
'Wat hebt u gedaan?'
'Tanaka,' zei hij.
'Die Japanner? Wat is er met hem?'
'Ik heb hem meegenomen naar binnen.'
'Naar binnen? Waar?'
Maar Pietro sloot weer zijn ogen. Tranen dropen over zijn wangen, van pijn of verdriet, dat was niet duidelijk. De priester was stervende. Thomas had nog maar een paar seconden tijd.

'Eds papieren?' zei hij zacht. Hij moest zichzelf dwingen het te vragen, hoe hardvochtig het ook leek. Maar dit was zijn laatste kans.
De priester glimlachte zacht. Hij begon al weg te zakken.
'*Il Capitano,*' zei hij.
'Wat?' vroeg Thomas. De priester sloot zijn ogen. 'Capitano? Wat bedoelt u? Pietro! *Pietro!*'
En toen gingen zijn ogen weer open, als een vis die zijn laatste reserves gebruikt om nog tegen de stroom op te zwemmen. Met onverwachte kracht greep hij Thomas' pols. Zijn mond opende zich, maar hoewel Thomas de inspanning in zijn ogen zag en de spieren van zijn keel verkrampten, wilden de woorden niet komen.
'Wat?' drong Thomas aan, op smekende toon. 'Zeg het me dan.'
De greep om zijn pols werd nog steviger. De monsignor trok hem naar zich toe en fluisterde hem iets in zijn oor. En die dringende, dreigende, afschuwelijke woorden kostten hem zijn laatste levensadem.
'*Il monstro,*' hijgde hij. 'Het monster. Het. Is. Nog. Hier.'
En toen was het afgelopen.
De stilte die op zijn laatste woorden volgde werd verbroken door een sissend gegrom. Toen Thomas zich omdraaide, zag hij het wezen dat hij in Paestum had gezien, boven aan de trap, nog geen tien meter van waar hij stond.

47

Het was een man. Min of meer. Hij was naakt vanaf zijn middel, bleek en spichtig, met grote, gespreide handen, brede schouders en een verfrommeld babygezicht met kleine bleke oogjes. Toen hij weer gromde, zag Thomas dat zijn tanden tot vlijmscherpe punten waren gevijld. Hij was volledig onbehaard, met bloed besmeurd, en straalde een ongelooflijke kwaadaardigheid uit. In een van zijn handen hield hij een lang, gebogen mes, licht van gewicht en scherp geslepen, maar breed en krom als een sikkel.
Thomas hoefde de man niet te zien bewegen om te weten hoe dodelijk dat wapen kon zijn in zijn handen. Er was geen andere uitgang, geen andere trap dan die waar de kobold nu gehurkt zat. Zonder één seconde te aarzelen greep Thomas het uiteinde van de ketting in twee handen, gooide het over de ijzeren leuning en sprong omlaag naar het koor.

De ketting glipte door zijn handen onder zijn gewicht en Thomas liet zich omlaagglijden. Hij was al beneden voordat Pietro's moordenaar naar de leuning was gerend.
Hij verwachtte dat zijn aanvaller langs de trap omlaag zou komen en schrok toen de man als een kikker naar de ketting sprong en hem behendig en zonder moeite volgde. Thomas rende naar de deur van de sacristie.
Hij had de deurkruk in zijn hand op het moment dat de ander beneden kwam. De deur zat op slot. Thomas rende naar de achterkant van de kerk en de hoofdingang naar de straat, waar mensen waren, maar ook die deur zat op slot. Heel even rukte hij vloekend aan de kruk, voordat hij zich omdraaide en de man met de vleermuizenkop langzaam door het linkerzijpad zag sluipen, bijna op handen en voeten. Thomas kon maar één andere deur ontdekken die misschien een uitweg bood.
Hij rende door het andere zijpad, speurend naar het gevallen pistool, maar dat was nergens te zien. Hij was bijna bij de deur.
Laat hij open zijn. Lieve God, laat hij open zijn.
De deur ging open en kwam uit in eenzelfde gang als aan de andere kant naar de sacristie. Thomas rende erdoorheen, maar zijn opluchting maakte plaats voor paniek toen hij zag dat de gang eindigde bij een volgende deur. Als die dicht was, zat hij in de val...
Hij greep de deurkruk, die wel meegaf, maar de deur bleef dicht. Hij duwde en trok, luisterend naar het gesis en gegrauw van de moordenaar in de kerk achter hem. Toen pas zag hij de zwarte sleutel in het slot. Onhandig draaide hij hem om en duwde nog eens. Te snel. Hij voelde dat het slot klemde en moest eerst zijn schouder van de deur halen voordat hij de sleutel helemaal kon omdraaien. De moordenaar kwam steeds dichterbij.
Het slot klikte. Thomas duwde, met een luid bonzend hart en wijd opengesperde ogen. De deur vloog open. Hij gooide hem achter zich dicht en bedacht te laat dat hij de sleutel had kunnen meenemen om de deur van deze kant af te sluiten.
Heel even, toen hij de koele avondlucht op zijn gezicht voelde, dacht hij dat het hem gelukt was. Toen zag hij de drie meter hoge betonnen muren aan weerszijden van het pad, dat een paar meter verderop bij een rotswand uitkwam. Boven zijn hoofd werd de nachthemel gedeeltelijk verduisterd door de takken van de bomen die zich boven het onoverdekte gangetje uitstrekten. De deur in zijn rug ging al open en het gegrom werd luider.

Thomas struikelde naar voren en keek met wilde ogen om zich heen of de steeg toch een uitgang had. Niets. Helemaal niets. Totdat hij omlaagkeek.
Er zat een ronde opening in de rots, een uitgehakt gat, als een put. Een lange houten ladder leidde omlaag in de donkere diepte en aan een haak boven het gat hing een zwartrubberen zaklantaarn.
Thomas keek nog één keer achterom, zag de deur opengaan en liet zich zakken.
Twee, drie, acht, tien meter daalde hij af in de toenemende duisternis voordat het bleke vollemaansgezicht van de moordenaar boven de opening verscheen, met zijn harde kleine oogjes en zijn afschuwelijke tanden. Thomas nam een sprong omlaag en sleurde de ladder weg, als Jaap die de bonenstaak omhakte voordat de reus kon volgen.
De ladder sloeg tegen de grond met een klap die door de stenen grotten en tunnels galmde. Daar had de moordenaar niets meer aan, maar misschien zou hij de ketting gebruiken of had hij helemaal geen hulpmiddelen nodig om af te dalen. Thomas was nog lang niet veilig. Maar zelfs als zijn ontsnapping was geslaagd, zou hij zich hier niet veel prettiger hebben gevoeld, omdat hij precies wist waar hij was.
In de Fontanelle.
En moge God mijn ziel genadig zijn, dacht hij.

48

Hij wilde niet kijken, maar hij kon zich hier niet bewegen zonder licht, zeker niet zolang dat monster daarboven nog op hem loerde. Hij deed de zaklantaarn aan, die een zachtgeel licht verspreidde. Thomas richtte de bundel omhoog door de schacht, maar zag niets anders dan de stenen wanden en de bladeren van de bomen, hoog boven zijn hoofd, afgetekend tegen de hemel. Geen koboldkop, geen magere gedaante die zich langs de wand liet zakken...
Hij liet het licht om zich heen spelen, in de verwachting dat het een smalle, muffe tunnel zou zijn, net als de gangen van de archeologen in Herculaneum. Maar de grot was groot en vierkant, gelijkmatig uitgehakt en zo ruim dat hij bijna luchtig leek. De zoldering was wel acht of tien meter hoog en de wanden liepen schuin, alsof de buitenkant de vorm van een piramide moest hebben. Hij ademde in. Geen stank,

geen muffe lucht. Niet het claustrofobische gevoel om gevangen te zitten. Nog niet.
Het valt wel mee, dacht hij, terwijl hij op weg ging.
De opluchting, na zijn gruwelijke ervaringen en angsten, was zo groot dat hij bijna hardop lachte.
Gewoon een andere uitgang zoeken. Het valt wel mee. Het zou veel erger kunnen zijn.
Dat was het ook.
Het licht van zijn zaklantaarn viel op een laag muurtje, nog geen meter hoog, aan beide kanten van de gang. Eigenlijk was het een soort platform, waarop vreemde voorwerpen lagen uitgestald, regelmatig van vorm en bleek van kleur, vaag bekend, zelfs van een afstand, maar toch onduidelijk, totdat hij een paar stappen dichterbij kwam.
Het waren botten. Hele stapels botten. Menselijke beenderen. Lange dijbeenbotten, die tegen elkaar aan waren gelegd, opgestapeld als brandhout. Toen een rij schedels, die naar voren keken. Nog meer dijbeenbotten en meer schedels, hoog tegen de wand in een strak patroon. Alleen al op deze plek moesten de resten van een paar honderd mensen liggen, opgetast als bakstenen van een muur, stuk voor stuk ooit deel geweest van een menselijk lichaam.
Thomas had wel eerder menselijke botten gezien, maar dit was anders. Niet alleen waren het er zo veel, maar hij kon ook zijn hand uitsteken om ze aan te raken.
Verbijsterd en met opengesperde ogen staarde hij om zich heen, alsof hij nooit eerder de dood had gezien. De haren op zijn rug en op zijn armen kwamen overeind.
Het waren er zo veel. Zo veel...
Hij liep door tot hij bij een kruispunt in de hoge, gewelfde gang kwam, waar tunnels naar alle kanten in het donker verdwenen. En overal lagen die stapels beenderen. Het patroon van de stapels wisselde, maar daardoor was het juist moeilijker eraan te wennen, ook al door de toevoeging van andere delen: hier en daar een paar schouderbladen of een intacte ribbenkast.
Op sommige plaatsen waren de schedels in kastjes met glazen deuren gelegd, één, twee of drie bij elkaar. Een groot aantal was van een naam voorzien – niet de namen van de overledenen, begreep Thomas, maar van degenen die de botten hadden geadopteerd. De doodskoppen die hem vanuit het halfdonker aanstaarden waren allemaal anoniem. Het was alsof hij in een massagraf achter een vernietigingskamp was beland, en hoewel de meesten van deze mensen niet waren vermoord

maar aan een ziekte waren bezweken, was hij zich zo scherp van hun nabijheid bewust dat zijn nekharen overeind kwamen en hij een kilte voelde die diep in zijn eigen botten doordrong.
De omvang van het complex was ontzagwekkend. Hij sloeg een van de brede gangen in, met zijn blik zo veel mogelijk afgewend van de stapels beenderen, en stuitte op drie bijna levensgrote kruisen, waarvan het middelste iets hoger was dan de andere twee. Hij richtte zijn zaklantaarn en zag dat elk kruis zich verhief uit een berg van menselijke schedels.
Golgotha, dacht hij met een huivering: de 'schedelberg' uit de evangeliën.
Geen wonder dat Giovanni zo'n afkeer had van dit oord, geen wonder dat de Kerk het had afgesloten. Het was niet alleen luguber, maar het ademde ook een sfeer van bijgeloof en iets verontrustends dat nog veel dieper ging. Het zorgvuldige arrangement van de botten suggereerde een ritueel, een nauwe, ongezonde relatie met de dood en het idee van sterfelijkheid.
Thomas herinnerde zich beelden van een kapel in Rome waar de beenderen van de monniken in de versieringen waren verwerkt. Dat was al bizar genoeg, maar de esthetische vroomheid daarvan miste de verpletterende macht van deze plek, waarvan de orde en eenvoud zo veel dubbelzinniger was. In de Romeinse kapel werd de dood voorgesteld als een portaal voor de gelovige, een onvermijdelijk maar gemakkelijk te overwinnen obstakel voor de orthodoxe christen. Hier zag je de dood in zijn grimmigste en minst verhulde vorm, en Thomas voelde zich als Hamlet op de begraafplaats, alsof hij eindelijk iets begreep wat iedereen wel wist maar op de een of andere manier negeerde.
Thomas haalde Roberta's telefoon tevoorschijn, maar die had geen bereik. Dat had hij ook niet verwacht, onder al die tonnen tufsteen. Hij liep weer verder, met het licht van de zaklantaarn recht voor zich uit gericht, zodat hij de gezichten van al die honderden doden niet hoefde te zien.
Zodat ze jou niet kunnen zien, bedoel je.
Dat ook.
Hij kwam in een volgende spelonk, waar een groot bouwwerk was opgetrokken, als de gevel van een kerk, misschien wel tien meter hoog, verdeeld in nissen rondom een centraal beeld van het Heilig Hart. Elke nis lag vol met beenderen, dijbeenbotten en starende schedels, bij honderden opgestapeld tot aan de zoldering, zodat Thomas zich een moment overweldigd voelde door de aanwezigheid van al die doden langs

de randen van zijn lichtbundel, rijen en rijen dik, tot ver in het donker. Hij moest hier vandaan.
Nog even bleef hij staan staren, maar toen hij wilde doorlopen zag hij heel kleine lichtpuntjes hoog in de duisternis links van hem. Hij deed een paar stappen die kant op en richtte zijn zaklantaarn, maar dat hielp niet, dus draaide hij het licht omlaag. Stokstijf bleef hij staan toen hij een grote glazen plaat in de vloer ontdekte, met daaronder een wirwar van bruin verrotte skeletten, fragmenten van oude kleding en misschien zelfs wat verdorde resten vlees. Dus zo waren de lichamen gevonden, dacht hij, voordat ze waren opgenomen in de vreemde, koesterende omhelzing van de Fontanelle. Hij liep om de glazen plaat heen, keek omhoog en daar zag hij ze weer, die kleine lichtpuntjes, als...
Sterren.
Hij stond onder de nachthemel.
Snel liep hij verder, zich bijlichtend met de zaklantaarn, terwijl de gang smaller werd en de gewelfde zoldering verdween. De wanden bestonden niet langer uit de steile, enigszins glooiende rots van de spelonk, maar uit blokken steen van elk zo'n vijf meter hoog. Opgelucht begon hij te rennen. Dit moest de uitgang zijn. Maar opeens veranderde de duisternis voor hem uit in een massieve wand van hout en metaal, zwart en ondoordringbaar, met scherpe punten aan de bovenkant.
Er zat een deur in. Thomas rukte aan de deurkruk, maar er was geen beweging in te krijgen. De deur rammelde zelfs niet.
Hij deed een stap terug en keek ernaar. De wand was gladgeschilderd, zonder richels of enig houvast, duidelijk bedoeld om mensen buiten te houden.
Of binnen.
Hij bestudeerde de muren aan weerskanten, maar die boden ook weinig hoop. Toen herinnerde hij zich de ladder waarlangs hij omlaag was gekomen. Als hij de weg terug kon vinden...
Thomas huiverde. Teruggaan door het labyrint van dat macabere mausoleum, terug naar de plek waar de moordenaar hem had zien afdalen? Misschien had het schepsel – het was moeilijk om het als een man te zien – zich al aan de ketting van Pietro's lijk naar dit knekelhuis laten zakken. Misschien wachtte het monster nu in het donker, ergens in zo'n stapel blinde schedels, terwijl hij zijn sikkel sleep...
Maar hier zat Thomas in de val. Als de moordenaar achter hem aan kwam uit de spelonk en hem hier verraste bij de hoofdingang, schoot hij er weinig mee op dat hij vlak bij de deur was. Hij had meer kans in

de grotten met de beenderen. Thomas sloot een moment zijn ogen, klemde zijn kaken op elkaar en ademde uit. Hij had geen andere keus dan terug te gaan.
Hij deed drie onwillige stappen, verzamelde al zijn wilskracht en liep toen terug, het grote stenen gewelf in. Voorbij de glazen vloer sloeg hij linksaf een tunnel in, met het licht van zijn zaklantaarn zo laag mogelijk, om de botten niet te verstoren.
Opeens herinnerde hij zich iets, en hij bleef staan. Toen hij de priester had gevraagd wat er met Eds papieren was gebeurd nadat ze zogenaamd in de haard waren verbrand, had hij geantwoord: '*Il Capitano.*'
Pietro's laatste woorden bleven door zijn gedachten spoken. Op dat moment had hij ze niet begrepen, maar plotseling drong de betekenis tot hem door. Hier, ergens in deze gewelven, dacht Thomas, tussen al die duizenden andere, moest één enkele schedel liggen die verband hield met een oud spookverhaal over een kapitein die zijn graf had verlaten naar een bruiloft die hij zelf had gearrangeerd voor de jonge vrouw die zijn beenderen had verzorgd.
En onder die schedel lagen de papieren van zijn broer.
Goed, dacht Thomas, terwijl hij de lichtbundel over de doodskoppen liet glijden. Maar welke?

49

Hij liep nu wat sneller en probeerde zich te herinneren wat Giovanni hem had verteld over de legende van de Kapitein. Eerst wilde hem niets anders te binnen schieten dan de grote lijnen van het verhaal, over de vrouw die een man wilde, het bruiloftsfeest en de knappe vreemdeling die de jaloezie van de bruidegom had opgewekt.
Maar hoe zat het met die schedel?
Hij was glanzend gepoetst geweest, zodat er geen stof aan kleefde.
Dat klonk als een legende met een realistische basis. Ergens in de Fontanelle moest een glimmend gepoetste schedel liggen die voor altijd verbonden was met het oude verhaal van de Kapitein. Die legende was bekend, dus de schedel kon niet onherkenbaar onder een stapel botten liggen. Hij lag waarschijnlijk apart, onderscheiden van de rest. Pietro had Eds aantekeningen verborgen waar ze veilig waren, maar ook terug te vinden.

Thomas liep naar de dichtstbijzijnde heuphoge richel waarop de schedels waren opgestapeld in blokken van acht, speurend naar een kop die anders was. Ze waren allemaal verschillend, dacht hij, hoewel niet zoals hij bedoelde. Dat maakte ze juist zo griezelig. Hij had gedacht dat de ene doodskop net zo was als de andere, maar daar vergiste hij zich in. Soms zat het alleen in de manier waarop ze lagen: voor zich uit starend met een lege blik, of naar opzij, of half achterover in een lugubere lach. Ook hun toestand verschilde. Sommige waren completer, met de tanden nog intact, de oogkassen scherp gevormd en de neusholte schoon. Andere waren verrot, gebroken of geschonden door geweld – hopelijk na hun dood, dacht Thomas: gespleten schedels, verbrijzelde jukbeenderen, gebroken neusbeentjes. In enkele gevallen leek zelfs het schedeldak chirurgisch weggezaagd. Er waren schedels zo bleek als albast, maar andere grauw en vlekkerig; sommige bruin, smerig en bedekt met een taaie viezigheid waar Thomas liever niet over nadacht. En dan waren er de kleinere doodskoppen, van kinderen en baby's.
God, wat een oord.
Als gebiologeerd staarde hij naar de kleinste van alle schedels, vechtend tegen de beelden en herinneringen die bij hem bovenkwamen. Thomas knipperde met zijn ogen en draaide zich vastberaden om...
Dat niet. Niet nu.
... maar merkte dat de knagende angst die hij al voelde sinds hij deze begraafplaats had betreden was overgegaan in een diep en allesoverheersend verdriet. Misschien hield dat de mensen hier vandaan, dacht hij toen hij verder liep en zichzelf dwong opnieuw te kijken en de resten te bestuderen. Het was niet de associatie met spoken, griezelfilms of domme verhalen die deze beenderen zo verontrustend maakte; het was de manier waarop ze je allemaal trachtten te vertellen wie ze waren, elk dood gezicht dat ooit door iemand was bemind, maar nu naamloos en vergeten. Er waren er zo veel dat Thomas hun aanwezigheid in zijn hoofd voelde toenemen, als stemmen verloren in een menigte.
Was de stem van Ed daar nu ook bij?
Het was een vreemde gedachte, onzinnig natuurlijk, en hij verzette zich ertegen, maar de suggestie verankerde zich diep in zijn bewustzijn.
Je hebt zijn lichaam zelfs nooit gezien.
Hij onderdrukte zijn zelfmedelijden en vermande zich toen hij de botten om zich heen bekeek.
Opeens zag hij het.

In een glazen kistje met het jaartal 1948 erop lag een schedel die gladder en glanzender was dan de rest – ivoorkleurig, tandeloos, maar vrij groot en goed geconserveerd. Iemand had er een roodglazen votieflampje bij gezet, hoewel de kaars allang was opgebrand. De schedel nam een opvallende plaats in op een richel in een hoek. Thomas legde zijn zaklantaarn neer, tilde voorzichtig het glazen kistje op en zette het op de grond.
Eronder lag een uitpuilende map met papieren.
Thomas stak de map onder zijn arm en zette het kastje met de glanzende doodskop weer terug.
'Dank u, Kapitein,' zei hij, en met iets van ontzag legde hij zijn vingers even op de bovenkant van het kastje, als een ritueel.
Hij had niet meer dan een paar stappen gedaan, toen iets hem tegenhield, meer nog zijn instinct dan wat hij feitelijk zag of hoorde. Hij draaide zich om en tuurde door de lange gang. Er was daar iets. Iets levends.
Thomas hield zich doodstil, en nu hoorde hij het ook, aan het einde van de tunnel: iets wat zich sluipend voortbewoog. Hij sloot zijn ogen en spitste zijn oren. Onmiddellijk ving hij het geluid op dat hij het minst wilde horen: een rochelend, slurpend gesis door onnatuurlijk scherpe tanden. Het monster kwam eraan.

50

Hij was niet bang deze keer, niet zoals hij bang was geweest op het moment dat de moordenaar de trap op was geslopen naar de koepel terwijl Pietro in zijn armen stierf als in een duivelse *Pietà*. Toen had de angst hem bij de keel gegrepen, zoals de bedoeling was. Want daar voedde dit gedrocht zich mee, daar leefde het van: angst.
Maar Thomas had al een halfuur door de gangen van dit knekelhuis gedwaald, en hoewel hij niet aan stukken gesneden wilde worden, zoals Satoh, of opgehangen, zoals de monsignor, was hij niet bang meer voor het theatrale gedoe van de moordenaar, en dat was al een soort overwinning. Als hij Roberta's pistool nog had gehad zou hij de griezel hebben opgewacht en neergeknald als het nodig was. Maar hij had geen wapen meer.
Hij doofde de zaklantaarn en hurkte in het donker terwijl hij nadacht,

luisterend naar het gesnuif van de demon en de dierlijke geluiden die hij had gecultiveerd om zijn slachtoffers angst aan te jagen. Een mengeling van minachting en woede maakte zich van Thomas meester, en opeens had hij geen zin meer zich te verstoppen. Zo geruisloos mogelijk schuifelde hij langs de wand en stak zijn linkerhand uit, met de vingers gespreid. Voorzichtig bewoog hij zijn arm, totdat hij de harde richel van een bot onder zijn hand voelde. Hij sloop nog een halve meter terug, heel behoedzaam, om geen schedels te verstoren. Het gesnuif en gesis kwam dichterbij.

Toen zag hij licht aan het einde van de gang, een flakkerend geel schijnsel dat grillige, dansende schaduwen over de wanden wierp. Het monster had een kaars uit de kerk meegenomen. Thomas putte moed uit die gedachte, omdat het de demon menselijker maakte. Blijkbaar hield hij niet van het donker.

Thomas' linkerhand raakte de rand van het glazen kastje. Hij gleed er met zijn vingertoppen overheen totdat hij de simpele sluiting vond, opende het haakje en klapte het deksel omhoog. Met twee handen tilde hij de glanzende schedel van de Kapitein uit het kastje, legde hem in zijn schoot, nog steeds gehurkt, en balanceerde het glazen kastje op zijn linkerhand als een ober met een dienblad vol glazen. Met zijn rechterhand greep hij de achterkant van de schedel. Zo bleef hij zitten, te midden van de beenderen, met zijn eigen gezicht tussen de doodskoppen, wachtend op de lugubere gedaante met de kaars. Hij voelde zich kalm, onnatuurlijk kalm.

Het bleke, kale hoofd van de moordenaar kwam in zicht. De sputterende kaarsvlam liet meer van hem zien dan hij vermoedelijk zelf kon onderscheiden. Abrupt draaide het monster zijn hoofd om, en weer zag Thomas die vleermuiskop met de grillige, vlijmscherpe tanden. En de sikkel in zijn hand. Thomas staarde naar het wapen en spande zijn spieren als een sprinter in het startblok.

De moordenaar deed nog drie passen naar hem toe door de brede gang, en Thomas las de honger en boosaardigheid in die kleine oogjes. Het liefst zou hij zijn opgesprongen om zo snel en zo ver mogelijk te vluchten, maar zijn smeulende, koppige woede was sterker dan zijn angst. In het kaarslicht leken de holle wangen van de demon net zo diep als van de doodskoppen om hem heen. De botten van zijn naakte borst en schouders tekenden zich af onder zijn bleke, met bloed bespatte huid toen hij dichterbij kwam. Vijf meter. Vier, drie... Nog één stap en het monster zou Thomas gehurkt zien zitten in de schaduwen aan het einde van de galerij.

Opeens verstijfde de kale man, met zijn kaars hoog geheven en zijn wapen voor zich uit. Er gleed een trek over zijn gezicht die hem totaal veranderde. De berekening en kwaadaardigheid maakten plaats voor een uitdrukking van onzekerheid, een gedaanteverandering waardoor hij plotseling veel nietiger en menselijker leek.
Thomas had het ook gehoord. Het begon met het gekreun van een zware deur die openging, gevolgd door stemmen – mannenstemmen, die zachtjes praatten. Thomas kon het niet verstaan, maar het klonk als Italiaans. Ze waren binnengekomen door de hoofdingang.
Wie zouden hier in vredesnaam 's avonds komen en zich zomaar toegang verschaffen, alsof ze hier thuishoorden?
De politie? Konden zij Pietro al hebben gevonden? Zo ja, dan was dat Thomas' beste kans, verdachte of geen verdachte.
Zonder nog langer na te denken sprong hij overeind, deed één grote stap in de richting van de demon en ramde hem de schedel van de Kapitein in zijn gezicht. De moordenaar kromp verbaasd – en misschien wel angstig – ineen. Op hetzelfde moment sloeg Thomas met zijn andere hand het glazen kastje tegen het hoofd van het gedrocht. De demon dook sissend weg, liet de sikkel vallen en klauwde naar zijn ogen toen het bloed over zijn gezicht stroomde. Thomas gaf hem nog een trap na en het monster zakte in elkaar, kreunend van pijn, terwijl de sikkel weggleed in het donker.
Thomas deed de zaklantaarn aan om te zien waar het wapen gebleven was en in de dansende schaduwen rolde de moordenaar bij hem vandaan en ging er hinkend vandoor. Thomas aarzelde even en vloekte inwendig, maar het voordeel van de verrassing was hij kwijt en een achtervolging zou hem waarschijnlijk het leven kosten. Dit was niet het moment voor gerechtigheid, en hij was niet degene die daarvoor moest zorgen. Voorlopig kon hij beter maken dat hij wegkwam.
Haastig liep Thomas naar de ingang waar de mannen waren binnengekomen. Hun gesprekken waren verstomd. Zodra hij de hoek om kwam, halfverblind door het licht van hun lampen, wist hij dat dit niet de politie was. De kleren en de lichaamstaal klopten niet. Een van hen had een pistool. Thomas was recht in de armen gelopen van de plaatselijke maffia, die – zoals Giovanni hem al had gewaarschuwd – zo nu en dan bijeenkwam in de Fontanelle.

51

Thomas ging bliksemsnel zijn mogelijkheden na en besloot zich eruit te bluffen.

Heel Italiaans, dacht hij, toen hij de map met aantekeningen weer onder zijn arm stak en verder liep. Hij hield nog steeds de schedel van de Kapitein in zijn handen.

Rustig kwam hij de bocht om. Vijf mannen in lange jassen stonden afgetekend tegen de deur, met hun zaklantaarns op hem gericht. Twee van hen hadden een wapen. Thomas aarzelde niet en stak evenmin zijn handen in de lucht. Hij zag de grijze rechthoek van de deur en liep erop af, vastberaden, met lange passen maar niet te snel, alsof hij alle recht had hier te zijn.

Iemand zei iets tegen hem in het Italiaans en herhaalde dat op dringende toon toen Thomas niet reageerde en verder liep. Er verscheen nog een pistool dat op hem gericht werd. Iemand fluisterde wat.

Thomas liep door. Een van de mannen deed een stap achteruit, naar de wand toe, en de man tegenover hem volgde zijn voorbeeld. Ze maakten ruimte voor hem! En achter hen stond de zware deur nog altijd op een kier.

'*Buona sera,*' zei Thomas met een beleefd knikje. Zonder oogcontact te maken of zijn pas in te houden duwde hij de schedel in de handen van de dichtstbijzijnde man, die hem aanpakte voordat hij besefte wat het was en toen woedend begon te sputteren.

God mocht weten wat ze hadden verwacht toen ze hier binnenkwamen, maar dit zeker niet. In de grotten achter zich hoorde hij nog het woedende gesis en gegrom van de demon. De maffiosi – als ze dat waren – hoorden het ook en richtten hun aandacht op de duisternis achter Thomas. Er werd nog een pistool getrokken.

Op dat moment was Thomas hun al voorbij. En hoewel ze hem in de gaten hielden, zei niemand meer iets. Zonder om te kijken stapte hij de deur door en sloeg rechts af, de straat in met de kerk. Hij was al buiten voordat hij besefte wat de mannen met hun zaklantaarns maar al te duidelijk hadden gezien: zijn shirt en broek, roodbruin verkleurd, zaten stijf onder het bloed van monsignor Pietro.

52

Zijn beheersing was maar schijn. Het leek hem de beste tactiek tegenover deze figuren, maar hij voelde zich lang niet zo zeker als hij scheen. Eenmaal in de buitenlucht merkte hij dat zijn hart als een bezetene tekeerging toen alle verschrikkingen van die dag voor het eerst in hun volle omvang tot hem doordrongen. Zijn brein had zich effectief afgesloten voor Roberta's verbijsterende verraad, de aanslag op zijn leven, de dood van Pietro en de episode in de Fontanelle, maar nu bedreigde het hem van alle kanten, als een dam die op het punt stond door te breken. Bovendien had hij overal pijn door zijn inspanningen, het vechten en het rennen. Maar hij wist dat hij op de een of andere manier het hoofd koel moest houden, nu meer dan ooit.

Hij vond een zijraam in de pastorie en brak het zo geruisloos mogelijk met de punt van zijn elleboog. Hij gunde zich niet langer dan drie minuten in het huis, tijd genoeg om zich te wassen, zijn kleren weg te gooien en een slechtpassende broek met een katoenen overhemd aan te trekken, allebei uit Pietro's kast. De kleren roken muf, alsof de priester er al jaren uit gegroeid was maar ze altijd had laten hangen. Even later stapte hij weer naar buiten door de zijdeur en liep de straat uit, zo nonchalant en zakelijk als hij kon.

Eigenlijk wilde hij de politie bellen om melding te maken van de moord op Pietro en het gedrocht in de Fontanelle, maar hij wist dat hij verdachte was in de zaak Satoh en de meest voor de hand liggende schakel met Pietro. Bovendien werd hij niet alleen bedreigd en bespioneerd, maar probeerde iemand hem nu daadwerkelijk te vermoorden. Pietro's lichaam zou vermoedelijk pas de volgende ochtend worden ontdekt, als een vrome gelovige de bloemen kwam verzorgen of een kaars aansteken op weg naar haar werk. Thomas huiverde bij de gedachte.

'Sorry!' zei hij hardop, zowel tegen de dode priester als tegen de ongelukkige die hem zou vinden.

Maar als ze Pietro pas de volgende morgen zouden ontdekken, had hij de rest van de nacht om een goed heenkomen te zoeken. Hij durfde niet terug te gaan naar het hotel, maar hij had wel zijn paspoort en zijn portefeuille. Roberta zou inmiddels wel bijgekomen zijn en misschien

zelfs een lift hebben gekregen naar de stad, vertrouwend op haar respectabele, veilige habijt.
Maar waar moest hij onderduiken in een stad die hij niet kende en waar zijn kennis van de taal niet verder reikte dan het bestellen van een glas wijn en een pizza? Hij had nog maar twee bondgenoten in de wijde omgeving, bedacht hij: Deborah Miller, die hij nauwelijks kende en die binnen een paar dagen uit het land zou vertrekken, en pater Giovanni, wiens vriendschap en vertrouwen een gevoelige knauw zouden krijgen zodra het lijk van Pietro werd gevonden.
Je moet uit Napels weg.
Maar waarheen?
Hij hield een taxi aan en bewoog zijn vingers alsof hij op een toetsenbord typte.
'*Internet?*' vroeg de chauffeur, met een blik op zijn horloge. Het was al na tienen.
'*Si.*'
Thomas stapte in.

Het was geen internetcafé waar hij terechtkwam, maar een hoekje in een halflege bar. De computer was een oud, vergeeld model dat niet berekend leek op de ontwikkelingen van de afgelopen vijfentwintig jaar, met een ingebouwde oranje trackball zo groot als een biljartbal en een toetsenbord met flinke, groen oplichtende functietoetsen langs de randen. Het leek meer een decorstuk uit een sciencefictionfilm uit de jaren zestig.
Verrassend genoeg werkte het ding niet alleen, maar nog snel ook, en even later was Thomas online.
Tot zijn verbazing vond hij een berichtje van Deborah in zijn mailbox, met de korte tekst: *Lees dit eens. Interessant, hm?* Er zat een link bij naar een artikel in de *New York Times* van twee dagen geleden. Thomas las de kop: JAPAN IN BEROERING DOOR VROEGE BEWIJZEN CHRISTENDOM, en staarde met open mond naar de foto eronder. Op die foto stond een stralende Japanner met een zilveren kruis in zijn hand, afgezet met edelstenen en in het midden de inmiddels bekende vis met de vinnen die zo sterk op poten leken. Thomas staarde nog een paar seconden langer, voordat hij begon te lezen:

In kringen van de Japanse antropologie ontstond vandaag grote beroering door een mededeling van de vermaarde archeoloog Michihiro Watanabe, die de ontdekking bekendmaakte van een christelijk graf in een zevende-eeuwse Japanse tombe. Als dit juist is, betekent het niet alleen het bestaan van een tot nu toe onbekende christelijke evangelisatie in Oost-Azië, maar het toont ook aan dat deze christelijke invloed vele eeuwen verder teruggaat dan de oudst bekende aanwezigheid van Europeanen in Japan. 'Het is een adembenemende vondst,' verklaarde Robert Levine van het Centrum voor Aziatische Studies aan de Universiteit van Stanford. 'We zullen onze visie op de Japans-Europese relaties in de middeleeuwen totaal moeten herzien.' Het graf, in de geheel door land omgeven prefectuur van Yamanashi, is in traditionele Kofun-stijl gebouwd, maar bevat volgens voorlopig onderzoek een vroeg Italiaans crucifix, tussen de beenderen van vermoedelijk uit Europa afkomstige reizigers...

Thomas richtte zich op en slaakte een diepe zucht. Niet alleen Japan, maar ook Yamanashi, de plaats waar hij en Kumi elkaar hadden ontmoet.

Thomas las het artikel nog eens door. Hij wist dat zijn broer naar Japan was geweest. Was dit de reden? Was dit het kruis van Herculaneum dat Ed in zijn bezit zou hebben gehad?

Je wist dat het zover zou komen.

Hij bezocht de sites van een aantal reisbureaus, op zoek naar een ticket voor Japan. Daarna schreef hij een mail aan Deborah, Jim en – in een opwelling – ook aan senator Devlin. De drie mailtjes waren gelijkluidend:

Verkeer in gevaar. Ga Ed achterna. Laat wel weer van me horen.

Hij had nog een veiligheidslijn nodig. Heel even staarde hij naar de drie adressen waar de mails naartoe moesten, scheidde ze toen en verzond zijn complete reisroute als bijlage bij het bericht aan Jim.

53

De Zegelbreker had moeite zich te beheersen.

'Hoe kun je hem kwijt zijn?' vroeg hij.

'Ik hield het hotel in het oog,' zei de Oorlog. 'Eerst was hij bij de Pest en later werd hij opgepikt door de Honger.'

'Maar hij is aan allebei ontsnapt,' zei de Zegelbreker.

'Ja, meneer. Er is wel een zendertje in zijn bagage verstopt,' zei de

Oorlog, 'maar blijkbaar heeft hij alles in het Executive achtergelaten.'
'Niet erg professioneel, vind je wel?' zei de Zegelbreker. 'De manier waarop je een doodgewone leraar schaduwt.'
'Nee, meneer. Het spijt me.'
De Zegelbreker masseerde zijn voorhoofd en kneep zijn ogen dicht. Drie mensen ter plaatse, en toch wist Knight te ontkomen.
'Denk je dat hij uit Napels is vertrokken?'
'Ja, meneer.'
'Is er reden om aan te nemen dat hij het weet?'
'De Honger kon niet bevestigen wat hij van die oude priester heeft gehoord, maar zijn aanwezigheid in de Fontanelle wijst er wel op dat hij iets zocht. We houden rekening met de mogelijkheid dat de priester zogenaamd die papieren had verbrand als een afleidingsmanoeuvre om Knight op een dwaalspoor te brengen.'
'Het doet er nu weinig meer toe,' zei de Zegelbreker. De Oorlog had hem nog nooit zo geïrriteerd gehoord. 'En de Pest is haar dekmantel kwijt. Hoe is de Honger eraan toe?'
'Schrammen en builen, maar niets ernstigs.'
'Mentaal, bedoel ik.'
De Oorlog aarzelde. Hoe moest je de psychische toestand van die krankzinnige onder woorden brengen?
'Hij is kwaad, meneer,' antwoordde hij. 'Belust op wraak.'
'Goed,' zei de Zegelbreker. 'Zodra je Knight gevonden hebt, laat je de Honger op hem los. En de Pest. Ik weet zeker dat ze popelt om zich te bewijzen.'
'Ja, meneer,' zei de Oorlog.
'En jij?'
'Natuurlijk, meneer.'
'Staat je team klaar?'
De Oorlog aarzelde. 'Is het niet wat te vroeg om ze nu al in te schakelen?'
'Daar denk ik toch anders over,' zei de Zegelbreker. 'Hou ze in elk geval gereed.'
'Ja, meneer.'
'En hoe wil je Knight nu opsporen?'
'We kunnen de plaatsen in de gaten houden waar hij de laatste tijd is geweest,' zei de Oorlog, 'maar als hij uit Napels is vertrokken moeten we misschien wachten op aanwijzingen van de Italiaanse politie. We volgen het radioverkeer en bewaken het station en het vliegveld.'
'Dat klinkt nogal wanhopig allemaal,' zei de Zegelbreker. 'En als de

Italiaanse politie hem eerder te pakken heeft dan wij, zou dat heel vervelend voor ons zijn, nietwaar?'
'Ja, meneer,' zei de Oorlog. 'Maar er is nog een andere mogelijkheid.'
'En die is?'
'Knight heeft het mobieltje van de Pest meegenomen.'
'Kan hij daar wijzer van worden?'
'Nee, het was schoon.'
'En werkt de GPS nog?'
'Ja, meneer. Maar hij heeft de telefoon nog niet aangezet. Zodra hij dat doet, hebben we hem.'
'Ik reken erop,' zei de Zegelbreker. 'Ik hoef jou – zeker jou – niet uit te leggen hoe belangrijk het is om hier zo snel mogelijk een eind aan te maken. Als we Knight eerder het zwijgen hadden opgelegd zou dat te veel de aandacht hebben getrokken. Maar het besluit om hem in zijn eentje te laten rondneuzen was... onverstandig. Het kan me niet schelen wie van jullie het doet, of hoe, maar hij moet onmiddellijk worden geëlimineerd. Goed begrepen?'
'Ja, meneer.'
Dus hoefden ze alleen maar te wachten totdat Knight het mobieltje zou gebruiken. Eén telefoontje en ze hadden hem. De Zegelbreker glimlachte bij zichzelf. Dat had een zekere... ja, wat? Ironie? Nee, symmetrie. Dat was het. Als de dag van gisteren herinnerde hij zich hoe hij pater Edward Knight een telefoon van hetzelfde model in zijn hand had gedrukt.
'Die heb je wel nodig, waar jij heen gaat,' had hij grijnzend tegen de priester gezegd.
En dat was ook zo, in zekere zin. Zonder die telefoon zouden ze nooit zo exact zijn coördinaten hebben geweten, hem nooit te pakken hebben gekregen. En nu had zijn broer...
Mobiele telefoons, dacht hij met een zuur lachje. Wat zou je zónder moeten beginnen?

54

Er was geen directe vlucht vanuit Napels en geen verbinding met Milaan om de volgende dag het vliegtuig naar Tokyo te halen. Thomas had geen zin om nog twee dagen in Italië te blijven. Hier was hij niet veilig meer. Zijn beste keus was een vlucht vanaf Frankfurt. Dat ging niet sneller dan een toestel uit Milaan, maar in elk geval was hij dan een dag eerder uit Italië weg. Hij bekeek de mogelijkheden naar Frankfurt en ontdekte dat de prijsvechter Ryanair van Bari naar Frankfurt Hahn vloog voor de belachelijk lage prijs van vijfendertig dollar. Bari lag aan de oostkust, bijna pal aan de andere kant, vanuit Napels gezien. De trein deed er ongeveer vijf uur over. Hij bevestigde de reservering, in de hoop dat niemand op dit moment zijn creditcard goed in de gaten hield.

De taxichauffeur was blijven wachten, zoals Thomas hem had gevraagd, en binnen tien minuten werd hij afgezet bij het station Garibaldi. Hij was er nog niet bij donker geweest, en het station maakte zijn dubieuze reputatie waar. Gelukkig vond hij een informatiebalie, die hem naar een kiosk verwees waar vreemd genoeg kaartjes naar Bari werden verkocht. Hij nam eerst een plaatselijke trein naar Caserta en wachtte daar drie kwartier op de nachtexpres.

Terwijl hij wachtte ontdekte hij de stationsrestauratie, een grimmig en rokerig zaaltje, vol met dikke, zoemende vliegen. Hij bestelde een bord pasta met mosselen bij een grote man die leek te schrikken van de aanwezigheid van een klant. De ober – of de kok, of misschien wel allebei – vroeg of hij wijn wilde. Thomas dacht even na, maar zei toch nee. Hij moest helder blijven.

Het eten was verrassend goed, zeker vergeleken bij de omgeving, en zou Thomas' volledige aandacht hebben opgeëist als hij niet dit moment had uitgekozen om de papieren door te lezen die hij uit de Fontanelle had meegenomen.

Het was een beduimeld dagboek, compleet met kaarten en tekeningen van de kust rondom Napels, foto's, museumgidsjes en een stapeltje geniete velletjes uit een vlekkerig schrijfblok. Het dagboek bleek een soort verhaal te zijn, in dagelijkse afleveringen, dat de twee weken van Eds verblijf in Napels besloeg en abrupt stopte op de twintigste februari, een maand voor zijn dood. Het was een variant van Thomas' eigen bezoek, met beschrijvingen van veelal dezelfde plaatsen, dezelfde vreemde vondsten en halve ontdekkingen, en dezelfde vragen. Het bezorgde Thomas het verontrustende gevoel dat hij over zichzelf zat te lezen. Ed gaf meer details, was wat rommeliger en had meer sporen gevolgd dan Thomas, maar verder scheelde het niet zo veel. Ook Ed had die merkwaardige symbolische vis met de vinnenpoten bestudeerd, als onderdeel van een bijna tweeduizend jaar oude iconografie van Napels en omgeving, in heidense en christelijke vorm.

Ed was ook op heel andere plaatsen geweest, zoals Rome, Florence, Bologna, Milaan en verscheidene steden op Sicilië, maar zijn aantekeningen maakten één ding duidelijk. Hoewel de christelijke vis (en zijn heidense voorgangers) in heel Italië en omstreken voorkwam, was de versie met de vinnenpoten nooit buiten een straal van zo'n honderdtwintig kilometer rond Napels opgedoken. Net als de granaatappel van Hera en Maria was de potenvis een merkwaardige plaatselijke variant, en juist dat had zijn broer zo interessant gevonden. Ed had talloze Bijbelverwijzingen naar vissen en water opgenomen, met bijzondere aandacht voor passages die allegorisch konden worden uitgelegd als een overgang na de dood.

Christus die over het water liep, las Thomas, *is niet alleen een wonder van kracht. Het laat ook Zijn macht over de natuur zien, en alles wat daarbij hoort, zoals de dood. Door over het water te lopen bevestigde Hij Zijn lichamelijkheid, maar ontsteeg die ook.*

Andere passages verbonden het symbool van de vis net zozeer met de christenen als met Christus zelf. Een voorbeeld:

> *Maar wij, kleine vissen, zijn volgens onze IKTHUS, Jezus Christus, geboren in het water, en zullen op geen andere manier worden gered dan door in het water te blijven.* Tertullianus, in het jaar 200.

Een ander citaat verwees naar 'de agape of heilige maaltijd waaruit de eucharistie ontstond' en luidde:

> *Ik zie de congregatie zo ordelijk bijeen in de banken, allen zo voldaan door overvloedig voedsel, dat voor mijn ogen de rijkdom van de evangelische zegening verrijst en het beeld van de mensen die door Christus werden gespijzigd met vijf broden en twee vissen – Hijzelf het ware brood en de vis van het levende water.* Paulinus van Nola, in het jaar 396.

Thomas herinnerde zich de schilderingen op de tombe van Paestum, de jongemannen aan de maaltijd en de potenvis die uit het rode water kwam.

Hij betaalde voor het eten en kwam net het perron op toen de trein – de modernste die hij tot dusver had gezien – het station binnenreed en de omroepinstallatie in het Italiaans en het Engels tot leven kwam. Thomas stapte in, zonder bagage, en vond een plaats bij het raampje, hoewel het te donker was om veel te kunnen zien.

Hij was doodmoe, en toen de trein vertrok en snelheid maakte kon hij zich voor het eerst sinds zijn bezoek aan Paestum weer enigszins ontspannen.
Maar slapen lukte niet, dus staarde hij het eerste uur van de reis uit het raampje, vastbesloten iets in de duisternis te onderscheiden. De wagons wierpen een blauwachtig licht in raamvormige strepen, zodat hij tussen de tunnels door soms een glimp opving van bomen, ruig grasland en een bochtige rivier die voortdurend weer opdook langs het spoor. Van tijd tot tijd boog hij zich over Eds aantekeningen en vouwde de kaarten open met hun gedetailleerde gegevens over de onderzeese contouren van de baaien van Napels en Salerno.
Thomas wreef in zijn ogen en zocht naar Roberta's telefoon. Giovanni drukte zwaar op zijn geweten. Hij wilde de priester bellen om hem uit te leggen wat er was gebeurd, hem in elk geval voorzichtig het nieuws van Pietro's dood over te brengen en zijn medeleven te laten blijken, in de hoop dat daarmee ook zijn onschuld duidelijk was. Maar het was al laat en hij kon de man beter laten slapen. Morgen zou het een zware dag voor hem worden.
Zijn neiging om Deborah te bellen was minder verklaarbaar, maar daarom niet minder hardnekkig. Hij mocht haar graag – nee, hij had bewóndering voor haar – en hij wilde niet dat ze slecht over hem zou denken. Maar zij sliep natuurlijk ook, dus kon zijn uitleg beter tot morgen wachten.
Je kunt haar beter helemaal met rust laten. Je hebt haar alleen maar problemen bezorgd, en ze zal blij zijn als ze nooit meer iets van je hoort.
Fronsend vroeg hij zich af welk deel van hem zo angstig was voor zijn interesse in haar, en waarom. Opeens, zomaar, kwam het beeld van Kumi bij hem op.
Daar ben je nu toch wel overheen?
Hij staarde uit het raampje en probeerde nergens aan te denken.
Hij sliep een paar uur, heel onrustig, en werd wakker toen de trein in Foggia stopte. Die vertraging beviel hem niet, en hij raakte pas goed in paniek toen de trein zich weer in beweging zette, de andere kant op! Werden ze omgeleid? Hij verzamelde zijn papieren en stond op, maar geen van de andere passagiers leek zich druk te maken.
'*Niet alles draait om jou, Thomas.*' Dat was Kumi's stem in zijn hoofd, het oude verwijt. '*Ondanks al je betrokkenheid, Thomas, ben je een arrogante klootzak. Altijd geweest.*'
Nee, niet altijd.
Ze reden over rangeerterreinen, langs de achterkant van huizen met

balkons en door een industrieel landschap van wisselsporen en cementfabrieken met stortkokers en silo's. Het was al ochtend en binnen een paar minuten zag hij weilanden met een soort gele margrieten en groepjes klaprozen, stralend in het halve licht. Zwaluwen en eksters zweefden boven velden met hagen. Het ruige landschap maakte plaats voor een meer gecultiveerde omgeving, wat tropischer van karakter, met hier en daar wat palmen.
Het was zes uur toen de trein het station van Bari binnenreed. De lucht was koel en rook naar de zee. Hij vond een taxi en vroeg naar een hotel, welk hotel dan ook. Het maakte hem niet uit of de broer van de chauffeur er de scepter zwaaide, als hij maar een paar uur rust kreeg.
Het werd het Vittoria Parc Hotel, waar hij zich onder zijn eigen naam inschreef, omdat hij daar niet over had nagedacht en zulke trucs – met alle problemen van paspoorten en creditcards – hem nu te ingewikkeld waren.
In zijn donkere, ruime kamer ging hij op de rand van het bed zitten, keek op zijn horloge en belde eerst Giovanni en daarna Deborah. Tegen allebei zei hij eenvoudig dat hij Pietro niet had vermoord en dat hij spijt had van alle ellende die hij hen had bezorgd. Ze moesten hem maar geloven als hij zei dat hij hun vertrouwen niet had beschaamd. Voordat ze iets konden antwoorden had hij al opgehangen, met de belofte dat hij zou terugbellen als alles wat duidelijker was.
Duidelijker voor wie, vroeg hij zich af. Voor hemzelf? Voor hen? Voor de politie?
Nadat hij de wekker had ingesteld strekte Thomas zich uit op het bed, met de gordijnen dicht, en maakte zijn hoofd leeg. Binnen een paar minuten was hij in slaap. Roberta's telefoon lag vergeten op het nachtkastje en stond nog aan.
Terwijl hij sliep kwamen de Oorlog, de Pest en de Honger hem achterna.

55

Toen Thomas vier uur later zijn ogen opende, had hij meer dan een minuut nodig om te bedenken waar hij was. De zware gordijnen hielden het licht tegen, zodat het ook nacht had kunnen zijn, hoewel zijn maag hem waarschuwde dat het lunchtijd was. Hij nam een douche, at een

hapje in het restaurant van het hotel en vroeg zich af hoe hij de middag zou besteden. Zijn vliegtuig naar Frankfurt vertrok pas om tien uur – een van de manieren waarop de luchtvaartmaatschappij de kosten drukte. Het had geen zin om uren op het vliegveld rond te hangen, waar hij gemakkelijk kon worden herkend als de beveiliging was gewaarschuwd, en hij wilde ook niet in de lobby van het hotel blijven. In elk geval had hij nieuwe kleren nodig.
Hij checkte uit en bestelde een hoteltaxi om hem naar de oude stad te brengen en hem 's avonds – als hij had gewandeld en gegeten – weer op te pikken en naar het vliegveld te brengen. De vrouw achter de balie was gekleed als een stewardess, in de rode en blauwe kleuren van het hotel. Ze droeg een bril met een hoornen montuur, sprak uitstekend Engels en reageerde op zijn dankbaarheid alsof dat de moeite niet was. Thomas vroeg zich af of hij misschien neerbuigend deed. Hij verontschuldigde zich dat hij geen Italiaans sprak, maar opnieuw haalde ze haar schouders op, bijna zonder hem aan te kijken. Ze glimlachte pas toen hij zijn rekening had betaald en ze hem kon overdragen aan de chauffeur.
De chauffeur, die zich in het Italiaans voorstelde als Claudio, droeg een zwart pak met een stropdas en een smetteloos wit overhemd, zodat Thomas zich nogal opgelaten voelde in Pietro's afdankertjes. Claudio bracht hem naar een van de identieke marineblauwe busjes van het hotel, met donkergetinte ruiten, en Thomas stapte achterin. Ze reden langs een kust met palmen, mooie huizen en een jachthaven.
'De oude stad, ja?' vroeg Claudio.
'Graag.'
'Het *Castello*?'
Thomas wist niet eens dat er een kasteel was. Hij had helemaal niets over Bari gelezen. 'Goed,' zei hij.
'Ik pik u weer op om zeven uur. *Vabbene*, oké?'
'Ja, hoor.'
'Hebt u geen koffers?'
'Nee,' zei Thomas. 'We kunnen meteen naar het vliegveld rijden.'
'Oké,' zei Claudio, die zijn schouders ophaalde om dit excentrieke gedrag. 'Gaat u de kerk bekijken in de oude stad?'
'Misschien.'
'De straten zijn erg...' hij liet het stuur los om iets aan te geven met zijn handen '... klein. Heel moeilijk aan te vallen. Toen de Moren kwamen, konden ze hier niet winnen. Kleine straten. De mensen schoten vanuit de ramen. Ze schoten met...'
'Pijlen?'

'*Sì*. Met pijlen.'
'Is er veel te zien aan het kasteel?'
'Niet veel. Het is nu een politiebureau. Maar er wordt kunst gemaakt.'
Thomas knikte dat hij het begreep. Kunstnijverheid.
De buitenkant van het kasteel was inderdaad indrukwekkend: een breed en laag ontwerp met zware, vierkante torens op de hoeken van de buitenmuren en een stenen brug over een droge slotgracht. In het midden verhief zich de donjon, licht okergeel met roze accenten.
'Let op zakkenrollers,' zei Claudio toen hij stopte voor een terrasje.
'En bel maar als u weg wilt.'
Thomas pakte het kaartje aan en bedankte hem.

'Heb je zijn signaal nog?' vroeg de Oorlog.
'Ja,' zei de Pest, nog altijd in haar habijt. 'Hij is bij het kasteel. Parkeer daar maar, dan kunnen we hem onderscheppen.'
'Dat is mijn beslissing, dacht ik,' zei de Oorlog.
'Ook goed,' zei de Pest, en ze concentreerde zich weer op de plattegrond die ze van het autoverhuurbedrijf had meegenomen. 'Wacht. Het signaal is weg. Misschien is hij ergens naar binnen gegaan.'
'Geweldig.'
'Nee, daar is het weer,' zei ze. 'Het zal wel storing zijn. Als de straten heel smal zijn of er veel hoge gebouwen staan kan dat het GPS-verkeer belemmeren. Dus, onversaagde leider, wat is uw plan?'
'We splitsen.'
'Briljant,' mompelde ze. 'Geen wonder dat jij de generaal bent.'
'Moet ik je eraan herinneren hoe het afliep toen jij hem in handen had...?'
'Laat maar,' zei ze, terwijl haar hand onwillekeurig naar haar pijnlijke wang ging, waar de stoom van de vulkaan haar had geschroeid.
'Goed,' zei de Oorlog. 'Ik houd de auto en rij naar de kustweg tussen het kasteel en de oude stad. Jij maakt een omtrekkende beweging vanaf deze kant.'
'En hij?'
Ze knikte naar de achterbank, maar zonder zich om te draaien. Ze keek liever niet naar de Honger, als het niet echt nodig was. Hij lag onderuitgezakt op de bank en sleep zijn mes met een leren riem.
'Hou de GPS in de gaten,' zei de Oorlog over zijn schouder, met een blik in het spiegeltje. 'Als het doelwit een gebouw binnengaat, volg hem dan en probeer visueel contact te houden totdat er een kans komt om hem te doden. Begrepen?'

De Honger ontblootte zijn puntige tanden in een grimas.
'Ik vroeg je wat,' zei de Oorlog.
'Ja,' gromde de Honger.
'Je hebt alleen maar last van hem,' mompelde de Pest. 'Zeker nu. Hij trekt de aandacht, en we hoeven niemand meer bang te maken. Heb je ook nog een écht wapen, behalve dat mes?'
Bij wijze van antwoord boog de Honger zich naar voren en draaide zijn bleke, kale hoofd, zodat hij bijna wang aan wang zat met de Pest. Ze dook weg, maar keek toen in de loop van het grote, zwarte automatische pistool dat de Honger in zijn andere hand hield. Ze duwde het opzij en hij siste van plezier, met zijn mond wijd open, smakkend met zijn tong.
'Bewaar dat maar voor de toeristen, godverdomme,' zei ze, en ze draaide zich om.
'Niet zo vloeken,' snauwde de Oorlog.

56

Thomas had jeans gekocht, een paar shirts, een licht jasje en nog een paar noodzakelijke dingen. Hij kleedde zich om in de winkel en gooide de oude kleren in een container achter een restaurant voordat hij de oude stad in slenterde. Even later was hij verdwaald.
De straatjes van Bari leken in miniatuur gebouwd. Ze waren dikwijls nog geen tweeënhalve meter breed, terwijl de huizen aan weerskanten zich drie of vier etages hoog verhieven als een massieve muur. Bogen verbonden de gebouwen over de straatjes heen. Er waren geen stoepen en alleen kleine auto's konden hier rijden. De straten slingerden zich grillig alle kanten op en kwamen bijeen op kruispunten waar vier of vijf bijna identieke straatjes zich in vreemde hoeken wrongen. Het was onmogelijk de richting te bepalen. Sommige huizen hadden vierkante torens, zodat zelfs het silhouet van de stad te rommelig was om houvast te bieden. Wasgoed wapperde boven de straten, aan waslijnen boven met bloemen bedekte altaartjes voor heiligen. Bladen met eigengemaakte gnocchi stonden te drogen in de zon en vrouwen met baby's zagen vanuit hun deuropening de wereld aan zich voorbijtrekken.
Hij liep langs de steile witte wanden van de indrukwekkende kathedraal, maar de enige deur zat op slot. Hij wandelde verder en kwam tot

zijn eigen verbazing weer bij zijn vertrekpunt, in de straat met het kasteel en de baai op de achtergrond. Net wilde hij zich omdraaien om een andere richting in te slaan toen hij Brad Iverson ontdekte, die uit een witte Alfa Romeo stapte, op maar enkele meters van de plek waar Claudio hem had afgezet.
Zijn neiging om Iverson aan te schieten – 'Dat is toevallig! Ben je hier voor zaken?' – duurde nog geen seconde. Thomas dook weg in de schaduw van de Strada Attolini en dacht snel na.
Hij is een van hen. Ze zijn je hierheen gevolgd.
Maar hoe?
Voorzichtig keek hij om de hoek. Iverson bestudeerde de telefoon in zijn hand, maar zonder te bellen.
Thomas griste het mobieltje uit zijn zak, prutste eraan en zette het uit. Toen hij opnieuw om de hoek keek, liep Iverson wat heen en weer, zijn blik op zijn telefoon gericht, alsof hij een signaal probeerde te krijgen. Thomas dook de straat weer in en rende in de richting van de binnenstad alsof duizend Moren hem op de hielen zaten.
Ze waren met hun drieën, als het monster er ook bij hoorde. Misschien waren er meer, maar drie van hen kon hij herkennen. Hij zou een politieman kunnen zoeken, maar dan kwam hij weer in heel andere problemen. Het was beter om te proberen ongezien naar het vliegveld te komen.
Hij rende de Strada Santa Chiara door om zo ver mogelijk uit de buurt te komen van de man die zich Brad noemde en zo joviaal over koetjes en kalfjes had gekletst in de ontbijtzaal van het Executive. Maar terwijl hij met logge passen voortdenderde, wist hij dat hij de weg al kwijt was en elk moment Roberta of – erger nog – haar macabere collega in de armen kon lopen. Hijgend bleef hij staan, keek om zich heen en liep toen een straat door die leek uit te komen in een grote open ruimte met witte plavuizen die fel contrasteerden met de diepblauwe lucht.
De piazza was het voorhof van een andere grote, bleke kerk, de Basilica di San Nicola, waarvan een van de reusachtige houten deuren op een kier stond. Thomas stak het open plein over en glipte naar binnen. De kerk was vroeg-Normandisch, met een hoge gevel, vierkant van ontwerp, zonder spits of koepel. De lage, plompe toren verhief zich boven de ingang. Binnen was het koel en het schip had grotendeels de kleur van de stenen, afgezien van de donkere pilaren en het hoge dak, waarvan de beschilderde panelen met goud waren omlijst. Thomas zocht een onopvallend plekje om na te denken en vond bij het hoogaltaar een trap omlaag met het bordje ALLA TOMBA DEL SANTO.

Naar de tombe van de heilige.
Haastig liep hij de trap af.
Hij kwam uit in een lange, lage ruimte die zich uitstrekte onder de kerk erboven. Er stonden rijen banken, er waren twee rijkversierde zijkapellen en in het midden zag Thomas een hek met daarachter een langwerpige stenen sarcofaag, verlicht door kaarsen die sprankelden tegen de gouden ornamenten van de tombe. Een bejaarde vrouw knielde in een van de kapellen, maar verder was de crypte verlaten. Thomas schoof in een van de bankjes. Nu pas merkte hij dat hij zweette en dat zijn hart tegen zijn ribben bonkte. Hij had een plan nodig, en snel.

'Ik ben het signaal kwijt,' zei de Oorlog in de telefoon. 'Hij zou overal kunnen zijn.'
'Het was steeds al onregelmatig,' zei de Pest, 'maar nu is het helemaal weg. Dat kan maar twee dingen betekenen: hij heeft het toestel uitgezet of hij bevindt zich in een gebouw met dikke muren.'
'Zoals een kerk,' besloot de Oorlog. 'Stuur de Honger maar naar alle kerken die hij kan vinden. Laat hem op jacht gaan.'
'Weet je het zeker?'
'Laat hem maar doen wat hij wil.'
'En als hij gewone mensen aanvalt?'
'Het belang van de zaak gaat voor,' zei de Oorlog. 'De Honger heeft vrij spel.'

57

De Honger hield niet van het daglicht. Dan voelde hij zich opvallend en kwetsbaar. Hij had zijn identiteit als moordenaar opgebouwd rond het duister, want als het eropaan kwam was iedereen bang voor het donker – en terecht, als hij daar rondsloop. Het kaalgeschoren hoofd, de bijgevijlde tanden en de lange nagels waren een accentuering van bepaalde fysieke eigenaardigheden die hij altijd al had bezeten.
En dat was niet alleen lichamelijk. Hij had zijn afwijkingen gekoesterd vanaf het moment dat de wereld hem liet blijken dat ze niet prettig vond wat ze zag. Maar wat de wereld zag was uiteindelijk niet zijn uiterlijk. Het was de leegte in zijn ogen, de zielloosheid, het onvermogen zich in te leven. Het was geen dierlijk gebrek aan menselijkheid dat de

wereld in die bleke irissen ontdekte, maar juist het tegendeel: het was de uiterst menselijke behoefte aan gewetenloze wreedheid.
Hij leefde ervoor om anderen angst aan te jagen. Hij voedde zich met hun paniek, hun afgrijzen als ze hem zagen aankomen en vermoedden wat hij met hen ging doen. Daar leefde hij voor, dat had hij nodig. Het stilde zijn honger, een gulzigheid die geen enkele hoeveelheid bloed volledig kon stillen.
Dit was niet zijn soort missie, rennend in de zon, met een pistool als wapen, om de prooi zo snel mogelijk te elimineren. Maar het succes in dergelijke opdrachten leverde hem veel uitgebreidere maaltijden op, langgerekte, macabere, afschuwwekkende slemppartijen, die wél voldeden. Voorlopig deed hij dus maar wat hem werd opgedragen en volgde hun orders op, zoals altijd, omdat hij nu eenmaal van hen afhankelijk was voor de bescherming van zijn indiscreties...
De telefoon gaf één kort piepje. Knight liet weer van zich horen. Hij was niet ver, vlak buiten de Basilica di San Nicola. Het signaal duurde niet langer dan dertig seconden, flikkerde nog eens zo lang en verdween toen weer. Hij was naar binnen gegaan en de Honger slaakte een stille zucht van voldoening toen hij naar het heft van het mes in zijn zak zocht.

'Zag je dat?' vroeg de Oorlog in zijn telefoon.
'Ja,' zei de Pest. 'De Honger is ter plaatse en zit achter hem aan. Knight moet in de basiliek verdwenen zijn.'
'Ga erheen en dek de aftocht. Als het doelwit zich laat zien, schiet je hem neer. Later maken we ons wel druk om de getuigen.'
'Als ik weet weg te komen, zal niemand me herkennen,' zei ze met een grimmig lachje. 'Het enige wat ze zien is het habijt.'

De Honger keek om zich heen in de grote kerk. Er waren wat toeristen en een paar eenzame gelovigen, maar er werd geen dienst gehouden, dus was het betrekkelijk rustig. Hij bleef in de schaduw aan de randen van het schip, terwijl hij snel de kerk door sloop, met de capuchon van zijn jas opgeslagen, zodat hij niemand opviel. Dit beviel hem wel, de kans om Knight ergens in een hoek te drijven en dicht op hem toe te komen voordat hij zich liet zien. Knight zou verlamd zijn van angst. Misschien zou hij zelfs schreeuwen. De Honger voelde een golf van genot door zijn lendenen slaan.
Hij had nu bijna een hele ronde gemaakt door het schip. Knight was nergens te bekennen, maar de Honger voelde zijn aanwezigheid als een

geur in de koele, stille atmosfeer van de oude kerk, waar stofjes dansten in het gekleurde licht dat door de hoge ramen viel.
Hij daalde af naar de crypte.
TOMBA DEL SANTO, las hij zwijgend.
Heel toepasselijk.

58

Het was een gok geweest, maar Thomas had het erop gewaagd. Hij was uit de basiliek vertrokken om Claudio te bellen in het Vittoria Parc, en had meteen daarna de telefoon weer uitgeschakeld. Als ze hem traceerden, zouden ze denken dat hij de kerk was binnengegaan. In werkelijkheid liep hij nu haastig door de smalle straatjes naar het punt waar Claudio hem zou oppikken. Maar hij moest nog vijftien minuten overbruggen, en het kasteel aan de overkant leek hem de beste keus.
Snel kwam hij de hoek om. Aan het eind van de straat zag hij de hemel en een hoek van het kasteel. Maar hij zag ook Brad Iverson zijn kant op komen. Op het moment dat Thomas glijdend tot stilstand kwam, had Iverson zijn verbazing al overwonnen en zich op één knie laten zakken. Hij trok een groot pistool onder zijn jasje vandaan, richtte en vuurde met één soepele beweging.
Thomas wierp zich tegen de grond en rolde weg, terwijl de ene na de andere kogel naast hem insloeg. Een plantenbak onder iemands raam explodeerde in een fontein van aarde. Rook steeg op van de klinkers toen een volgende kogel jankend wegsprong. Een seconde later krabbelde Thomas overeind en ging ervandoor. Iverson sprong op en zette vastberaden de achtervolging in.
Thomas rende op goed geluk, dook een steeg in, verloor bijna zijn evenwicht toen hij een sprint trok en zich langs een paar waslijnen met tafelkleedjes wierp, zonder ergens aan te denken. Hij zag een halfopen deur, aarzelde een seconde, maar rende toen verder, terwijl hij in het voorbijgaan de deur met een klap dichtsmeet.

De Oorlog zat achter hem aan. Voor zich uit hoorde hij een deur dichtslaan, en toen hij de hoek om kwam zag hij de deur nog trillen aan zijn hengsels.
Slim, dacht hij, toen hij erlangs rende.

Thomas wist dat hij Iverson niet voor kon blijven. Hij had hem van dichtbij gezien en de man was duidelijk een atleet die aan zijn conditie werkte. Thomas moest vertrouwen op zijn slimheid en de vreemde plattegrond van de stad.
Hier komen de Moren, dacht hij toen hij naar rechts afweek en de eerste kruising links nam. Hij had geen idee meer waar hij was of hoe dicht Iverson hem op de hielen zat.
Nog twee kruispunten. Zijn tempo nam af. Een derde kruising. Toen was hij uit het labyrint, terug in de hoofdstraat. Met een laatste sprint stak hij de brug over naar het kasteel.

'Hij is daarbinnen,' riep de Oorlog.
De Honger had zich bij hem aangesloten, met fonkelende ogen van woede omdat Knight hem in de kerk was ontglipt.
'Wat is er met zijn signaal gebeurd?' vroeg de Pest over de telefoon.
'Het komt door die straten en huizen,' zei de Oorlog. 'Er is te veel storing.'
'Of hij heeft het door.'
'Nee,' zei de Honger opeens, zwaaiend met zijn eigen telefoon alsof het een mes was. 'Daar is het weer.'
'Oké,' zei de Oorlog, turend naar het kasteel. 'Gaan jullie maar eerst, dan zorg ik voor dekking. Pest, let op zijn signaal en reageer op zijn bewegingen. Het bereik zal wel steeds wegvallen in dat kasteel, maar als je iets oppikt, blijf dan in de buurt om hem te volgen. Snel!'

Weer een gok. Thomas was het kasteel binnengestormd, had de telefoon uitgeschakeld en een moment de tijd genomen om zich te oriënteren. Het poortgebouw stond op de westelijke hoek van de ringmuur. Binnen de muur lag een donjon met twee boogdeuren en geparkeerde auto's langs de voorgevel. De donjon was hol, met een betegelde binnenplaats, omgeven door kamers, kantoren en expositieruimtes. Volledig afgesloten van de buitenwereld. Terwijl hij midden op de binnenplaats stond, onder vier palmbomen, zette Thomas zijn mobieltje weer even aan.
Meteen ging het over.
Hij aarzelde, maar nam toen op.
'Je hebt geen enkele kans hier levend vandaan te komen,' zei een bekende stem.
'Zuster Roberta,' zei hij. 'U belt over mijn geestelijk welzijn?'
'Je had me moeten doden toen je de kans nog had,' zei ze.

'Dat was misschien dom, ja,' zei Thomas, terwijl hij snel nadacht. Hij wist dat ze eraan kwamen, zoekend naar zijn juiste positie. Misschien hadden ze wel ergens een sluipschutter... Hij liep naar de dichtstbijzijnde deur en stapte een schemerige gang binnen, behangen met levendige, exotische maskers: de plaatselijke kunstnijverheidsexpositie.
'Hallo?' zei hij. 'Ik ben bang dat ik geen bereik meer heb...'
Een gekraak, afdalende elektronische piepjes en toen stilte. Hij verbrak de verbinding en rende naar buiten, de binnenplaats op, terug zoals hij gekomen was. Naast het poortgebouw was een stenen boog met een trap en een bordje VERBODEN TOEGANG. Hij trok zich er niets van aan en klom naar een open dak, met toegang tot de muren van het kasteel. Hij stond op de hoektoren, met uitzicht op de brug.
Thomas wierp zich voorover op het dak van de toren; de stenen balustrade was maar een halve meter hoog. Hij kroop ernaartoe en keek omlaag. Over de brug zag hij Brad Iverson naar het kasteel toe rennen, met een franciscaner non vijf meter achter hem.
Maar waar was...?
Hij draaide zich op zijn rug toen het gedrocht vanaf de trap sprong, met zijn mes in de hand.

59

Thomas was het zich niet werkelijk bewust, had er niet concreet over nagedacht, maar een fractie voordat hij wegdraaide had hij het karakteristieke gegrom van het monster gehoord, op hetzelfde moment dat hij zich afvroeg waar de demon was. Daarom lag hij al klaar, met een opgetrokken knie, om zich tegen de aanval te beschermen.
Hij zag de demon op zich toe springen met zijn mes, dat wit glinsterde in de zon. Maar de haat in de ogen van het gedrocht maakte plaats voor verbazing toen Thomas' opgeheven knie hem hard tegen zijn borst raakte. Het mes werd opzijgeslagen toen de aanvaller boven op hem landde, en even staarden de twee mannen elkaar aan, van heel dichtbij. De demon ontblootte zijn bijgevijlde tanden en stak zijn lange, roze tong uit.
Vol walging reageerde Thomas net als bij die vleermuis in zijn haar in de tunnel in Herculaneum. Hij dook weg, rukte zijn hand los en ramde die met de muis tegen het gezicht van zijn tegenstander. Het

monster kronkelde met ongelooflijke snelheid, ontweek de aanval en hapte met die verschrikkelijke tanden naar Thomas' vingers. Thomas trok zijn hand weg en besefte dat hij misschien nog maar enkele seconden te leven had. Door een rood waas zag hij het stervende gelaat van monsignor Pietro en in een reflex schopte hij hard naar boven en strekte zijn gebogen knie, waardoor zijn aanvaller naar achteren werd geworpen.

De demon sloeg tegen de grond, maar met zijn sterke, pezige armen zette hij zich af en sprong overeind voordat Thomas nog de kans kreeg rechtop te gaan zitten. Hij dook op Thomas af, met zijn armen wijd gespreid als een crucifix, balanceerde met één voet op de rand van de muur, en veranderde zijn greep op het mes, klaar voor een triomfantelijke, ceremoniële dolksteek in Thomas' hart.

Sissend van voldoening om de totale overwinning bracht de demon het mes omlaag, op hetzelfde moment dat Thomas zijn linkerarm omlaagzwiepte en de benen onder het lijf van zijn aanvaller vandaan sloeg.

Heel even leek het monster gewoon een kale man. Terwijl de verbazing en paniek versmolten in zijn bleke ogen, probeerde hij uit alle macht zijn evenwicht te bewaren, in het besef van de gapende afgrond naast hem. Hij stak een hand uit, bijna smekend, maar niemand had hem nog kunnen tegenhouden.

Het ging allemaal in slow motion, als in een film of een herinnering. De demon wankelde nog even, hing een seconde in het niets en stortte toen over het muurtje naar de rotsen beneden.

Thomas bleef een lange, trage seconde zo liggen, happend naar adem, voordat hij zich op zijn knieën hees en over de rand keek.

De demon lag bloedend op de stenen brug. Zijn verwrongen lichaam bewoog niet meer. Naast hem stond Brad, die in zijn jasje naar zijn pistool zocht en naar hem opkeek.

Het volgende moment hoorde hij een luid geschreeuw. Het kwam gedeeltelijk van Roberta, die een waarschuwing naar Brad riep om bij het lichaam vandaan te stappen. Maar er was ook iemand anders, een man, die iets schreeuwde in het Italiaans. Algauw klonken er meer stemmen, en terwijl Brad haastig over de brug naar de oude stad verdween, zag Thomas politiemensen in uniform uit het poortgebouw naar buiten stormen en zich verzamelen rond het lichaam.

'*Het is nu een politiebureau,*' had Claudio gezegd over het kasteel.

Thomas trok zich schielijk terug, uit het zicht. De politie had Brad en Roberta tijdelijk verjaagd, maar hij was hier nog niet weg. Hij keek op zijn horloge. Over minder dan vijf minuten zou Claudio aan de over-

kant van de straat parkeren. Als Thomas nu het kasteel verliet, zou Brad hem neerschieten, politie of geen politie. Het kasteel had immers maar één uitgang.
Thomas was er redelijk zeker van dat de politie hem hierboven nog niet had ontdekt, maar vroeg of laat zouden ze toch de trap op komen om te zien hoe de demon gevallen was. Hij moest hier dus weg. Als hij de trap afdaalde, zou hij hun recht in de armen lopen, met alle gevolgen van dien: een verhoor en waarschijnlijk een arrestatie. De muur aan de voorkant strekte zich helemaal uit tot de hoektoren, die in de steigers stond. De weermuur zelf was afgezet met provisorische versperringen en oranje lint. Zo diep mogelijk gebukt sloop Thomas over de afbrokkelende muur. Tegelijkertijd zette hij het mobieltje weer aan en belde.

60

'Ga zitten,' zei de Pest, die nog steeds de poort van het kasteel in de gaten hield. Ze stonden op een terrasje aan de overkant van de straat.
'Ik had hem bijna,' zei de Oorlog.
'Hij kan daar niet de hele dag blijven. We krijgen hem wel zodra hij zich verroert. Hij is nog steeds buiten en zijn signaal is sterk genoeg.'
'Tenzij de politie hem oppakt,' zei de Oorlog duister.
'Dat wil hij niet, evenmin als wij. Zeker nu niet. Als de politie Knight op dat dak ontdekt, zullen ze hem meenemen voor verhoor en is hij binnen de kortste keren verdachte in drie moordzaken.'
'Hij kan maar beter níét worden opgepakt,' zei de Oorlog. 'Het is zo al erg genoeg.'
De Pest zei niets. Geen van beiden wilden ze eraan denken hoe de Zegelbreker zou reageren op het verlies van de Honger, ook al was de man een onhandelbare psychopaat geweest.
Ze zagen een ambulance arriveren, die het lichaam inlaadde en haastig vertrok met zwaailichten en sirene.
'Wat doet Knight?' zei de Oorlog, met een blik op zijn GPS. 'Hij is helemaal naar de andere kant van de muur verdwenen, waar ze aan het bouwen zijn.'
'Is er echt geen andere uitgang?' vroeg de Pest.
'Nee.'
'Dat weet je net zo zeker als dat het kasteel geen politiebureau was?'

'Ach, hou je smoel,' zei de Oorlog.
Dat deed ze, heel even. Toen stond ze op.
'Hij komt naar beneden, op weg naar de poort,' zei ze. 'Hij wil de brug over rennen.'
'Nee,' zei de Oorlog, 'dat wil hij niet. Haal de auto!'
Hij tuurde langs de uitvalsweg naar de buitenwijken. De Pest volgde zijn blik en zag een marineblauw busje met de naam van het Vittoria Parc Hotel, dat nu de brug op draaide, naar de binnenplaats van het kasteel.
'Haal de auto!' herhaalde hij. 'Snel!'
Ze gehoorzaamde onmiddellijk, griste het reservesleuteltje uit de zak van haar mouw en rende naar de auto, die vijfentwintig meter verderop stond geparkeerd. Ze stapte in, startte de motor en keerde met piepende banden, waarbij ze een fiets omverreed die aan de stoeprand stond.
De Oorlog volgde roerloos zijn GPS.
'Hij is in beweging,' zei hij toen de Pest met de gehuurde Alfa Romeo voor het terras stopte en het rechterportier opengooide. Hij stapte in, bijna zonder zijn blik van de display los te maken, en keek op om te bevestigen wat hij daar las. 'Ja,' zei hij. 'Perfect.'
Het blauwe busje kwam de poort weer uit, reed de brug over en verdween in het verkeer.
'Blijf er een paar auto's achter,' zei de Oorlog. 'Hij is op weg naar het station. Deze keer laten we hem niet ontsnappen.'

61

Thomas zat in het poortgebouw van het kasteel en keek op zijn horloge. Een van de politiemensen die daar rondslenterden sinds het lichaam van de demon was afgevoerd scheen hem in het oog te houden. Het werd tijd om te vertrekken. Als Brad en Roberta...
Die absurde namen! Ze klonken als een echtpaar dat een barbecue organiseerde voor de sportvereniging.
Als Brad en Roberta nu nog niet in het aas hadden gebeten, kon hij het wel vergeten.
Hij stapte naar buiten en liep de brug weer over naar de oude stad. Nergens was een spoor te bekennen van zijn achtervolgers of de witte

Alfa Romeo waarin ze reden. Maar wel zag hij Claudio aankomen, die het tweede busje van het hotel parkeerde.
'U moet wel voor allebei de ritten betalen,' zei hij, toen hij het raampje omlaag had gedraaid.
'Ik heb het er ruim voor over,' zei Thomas, en hij stapte in.
'De andere chauffeur belde me,' zei Claudio, die hem argwanend opnam, alsof zijn passagier niet helemaal in orde was. 'Alles oké?'
'Ja.'
'En we gaan naar...?'
'Het vliegveld,' zei Thomas. 'Eindelijk.'

'Ik doe het wel,' zei de Pest.
Ze hadden het blauwe busje gevolgd naar het station, waar het nu stopte.
'Hier?' vroeg de Oorlog.
'Nog voordat hij uitstapt. Die chauffeur gaat er ook aan. Als ik snel ben, is er niemand die het ziet. En als iemand zich me later nog herinnert...' Ze wees naar haar habijt. Toen stak ze haar hand uit. De Oorlog knikte en gaf haar zijn automatische pistool. 'Bovendien,' zei ze met een harde glimlach, 'heb ik het verdiend.'

Deel III

Het beendermozaïek

62

De Ryanair-vlucht naar Frankfurt was een vrolijke chaos, een kale maar efficiënte operatie die een beetje de sfeer had van een schoolreisje. Toen het toestel landde, klaterde er een spontaan applaus op onder de passagiers. Een bizarre reactie, vond Thomas, die zich afvroeg of mensen dat ook al deden vóór de aanslagen van elf september. Niet in Amerika. Maar hier? Waarschijnlijk wel. Toen hij om zich heen keek had hij de indruk dat het applaus niet zozeer een teken van opluchting was als een blijk van waardering aan de piloot, uit naam van deze kortstondige gemeenschap voor wie de reis toch een avontuur was geweest.

Niemand hield hem tegen in Frankfurt. Als er alarm was geslagen, had dat de Duitsers nog niet bereikt, en toen het toestel van Japan Airlines naar Tokyo zijn landingsgestel introk kon Thomas eindelijk verlicht ademhalen. Het vliegtuig was niet vol en hij kon zich helemaal uitstrekken om wat te slapen. Voorlopig had hij het achter zich gelaten en kon hij een paar uur vergeten wat er was gebeurd of wat hij zou aantreffen bij de landing.

Die opzettelijke vergetelheid duurde niet langer dan vijf minuten, toen zijn rust werd verstoord door een zachte, ironische stem naast hem, die hij meteen herkende.

'Als dat onze atheïsthische, archeologische wereldreiziger niet is!'

Thomas, die slaperig uit het raampje had zitten staren, draaide zich ongelovig om.

Het was Jim. Hij droeg een olijfkleurige wollen sweater en jeans, zonder priesterboordje of crucifix, maar nog altijd met diezelfde ironische glimlach.

'Wat doe jij hier in godsnaam?' vroeg Thomas.

'Let op je woorden, mijn zoon,' zei Jim met gespeelde verontwaardiging toen hij zich op de stoel naast hem liet vallen.

'Ik meen het,' zei Thomas. 'Hoe kom jij in vredesnaam...'

'Ik ben nog nooit in Japan geweest,' zei de priester, terwijl hij het reizigerstijdschrift uit het netje van de stoel voor hem pakte en het doorbladerde alsof er niets aan de hand was. 'Jarenlang heb ik wat van mijn magere salaris gespaard in afwachting van een spannende maar kostbare kans. Voor mij en de meeste andere priesters, behalve misschien jouw broer, behoren avonturen in het buitenland niet tot de dagelijkse kost. "Dus, beste Jim," zei ik tegen mezelf, "als je een beetje spanning wilt – of gewoon eens wat anders dan ziekenbezoek in de omgeving van Chicagoland – zul je de koe bij de horens moeten vatten en..."'

'Laat maar,' zei Thomas.

'Je had me je reisroute gestuurd,' zei de priester. 'Dat vatte ik als een uitnodiging op.'

'Dat was het niet.'

'Blijkbaar,' zei Jim. 'Maar ik ben nog nooit in Japan geweest, zoals ik al zei. En zo te horen kon jij wel gezelschap gebruiken. En misschien zelfs wat hulp.' Jim keek hem niet aan. Hij scheen verdiept in een artikel met glanzende foto's over de stranden van Tahiti.

'Waarom ben je niet rechtstreeks vanaf O'Hare gevlogen?' vroeg Thomas. 'Waarom via Frankfurt?'

'Goedkoper,' zei Jim. 'Ik had de stoffige shekels geteld die ik in een pot onder mijn bed bewaarde. Een privévliegtuig met onbeperkt champagne drinken ging de klerikale begroting enigszins te boven. Overstappen van het ene vliegtuig op het andere is aanzienlijk voordeliger. Bovendien kunnen wij elkaar nu wat beter leren kennen. Met jouw reisroute in de hand en met de hulp van de brave mensen bij Japan Airlines kon ik voor de hele reis een plaatsje naast jou reserveren. Mooi opgelost, toch?'

'Het zal wel,' zei Thomas met een glimlach. Hij probeerde niet te laten blijken hoe moe hij was.

'Geweldig,' zei Jim. 'Iets drinken? Normaal zou het nog vrij vroeg zijn, maar ik heb allang geen idee meer van de tijd. Ik durf er zelfs niet op te zweren wat voor dag het is vandaag. Raar, hè? Het is net of ik al een paar borrels opheb.'

Thomas grijnsde weer en probeerde de man niet té aardig te vinden. Hij kon het zich niet veroorloven zijn achterdocht te laten verslappen. Dat had de Vesuvius hem wel geleerd. Maar een borrel kon geen kwaad. Hij hield een stewardess aan en vroeg om twee miniwhisky's. Het werd Jack Daniel's.

'Nou, hoor ik nog wat?' vroeg Jim.

Thomas aarzelde maar een seconde voordat hij begon te vertellen wat er allemaal in Italië was gebeurd. Hij bleef voorzichtig en lette op verdachte reacties van de priester, terwijl hij zorgvuldig de informatie selecteerde die hij prijsgaf, om niet het achterste van zijn tong te laten zien. Maar uiteindelijk hield hij niets achter. Óf Jim was onschuldig en

wilde hem werkelijk helpen, óf hij wist toch alles al. Hoe dan ook, dacht Thomas een beetje somber, hij had eigenlijk weinig ontdekt wat zijn vijanden echt kon verontrusten.
De Ierse priester kon goed luisteren, stelde de juiste vragen, reageerde geschokt op de goede momenten en verviel in peinzend stilzwijgen toen Thomas uitgesproken was.
'Ik weet niet of Ed zijn onderzoek naar dat "nieuwe" symbool met de dood heeft moeten bekopen,' zei Thomas, 'hoewel ik me niet kan voorstellen dat het zo belangrijk is dat iemand er een moord voor zou plegen. Aan de andere kant zit er wel een stelletje boeven achter me aan die mij de mond willen snoeren. Er zijn wapens in mijn huis in Chicago neergelegd en Satoh en Pietro zijn vermoord. Eds dood moet een reden hebben, en iemand besteedt veel tijd en geld om te voorkomen dat ik erachter kom.'
'En nu denk je dat je het antwoord zult vinden in Japan?' vroeg Jim.
'Daar is Ed naartoe gegaan vanuit Italië,' zei Thomas schouderophalend. 'En dan heb je dat verhaal over het kruis van Herculaneum en de vondst van dat vreemde christelijke graf, waaruit zou blijken dat Italiaanse missionarissen al in de achtste eeuw naar Japan waren getrokken. Mijn gevoel zegt me dat het allemaal met elkaar te maken heeft, maar hoe...?'
Hij spreidde zijn handen in een machteloos gebaar, alsof hij een vogel losliet.
'Ga je ook nog naar je vrouw?'
'Mijn ex.'
'Ja,' zei Jim.
'Misschien.' Thomas haalde weer zijn schouders op. 'Ik weet het nog niet. Ik zie wel hoe het uitpakt.'
'Het zou een goede gelegenheid kunnen zijn om... nou ja... het contact te herstellen. De strijdbijl te begraven.'
'Aha,' zei Thomas. 'De katholieke priester als huwelijksadviseur. Dat vond ik altijd een sterk staaltje. Wie anders dan de celibataire geestelijkheid, die vrouwen geen plaats gunt in hun wereld, zou beter geschikt zijn om stellen te adviseren hoe ze hun huwelijk goed kunnen houden?'
'Wie zegt dat de Kerk geen gevoel voor humor heeft?' grijnsde Jim.
'Heb je nog iets gehoord over die wapens die ze bij mij thuis hadden gevonden?'
'Er stond niets in de krant, behalve wat vermoedens dat de zaak op een dood spoor is geraakt,' zei Jim. 'Ik heb nog eens gesproken met Kap-

lan, die agent van de AIVD. Hij zei dat het ongewoon traag ging met de proeven.'
'Ik begrijp niet waarom ze geen contact met mij hebben gezocht,' zei Thomas.
'Dat weet je helemaal niet,' zei Jim.
'Hoe bedoel je?'
'Die lui die achter jou aan zitten schijnen heel wat informatie en middelen te hebben. Je denkt toch niet dat ze...'
'... voor de regering werken?' zei Thomas ongelovig. 'Nee.'
'Waarom niet?'
'Nou, als dat zo zou zijn...' Thomas zweeg en zocht naar de juiste woorden.
'Dan zijn we nog maar één stap verwijderd van de totale anarchie, zonder wetten, gerechtigheid of appeltaart?' vroeg Jim.
'Zoiets.'
'Welkom in de wereld, jongen,' zei Jim.
'Jij hebt net zo'n subversief trekje als Ed,' zei Thomas. 'Daar blijf ik me over verbazen bij een priester.'
'Omdat wij... orthodox horen te zijn? Godsdienst als opium voor het volk en zo?'
'Ja, ik denk het.'
'Sommigen van ons geloven in een maatschappelijk actieve kerk,' zei Jim.
'Ben je zo betrokken geraakt bij uitzettingszaken?'
Jim kromp ineen. 'Wie heeft je dat verteld?'
'Vertel het me zelf maar,' zei Thomas.
Jim knipperde met zijn ogen en zei toen, heel nadrukkelijk: 'Ik ben nog nooit in Japan geweest. Ik ben benieuwd hoe het zal zijn.'
En hij boog zich weer over zijn tijdschrift.

63

Het begon pas toen ze het vliegveld achter zich hadden gelaten. De meeste vliegvelden hadden immers weinig karakter en onderscheidden zich nauwelijks van elkaar. Dus had Thomas nog nergens last van toen hij zich door de benauwde drukte van Narita worstelde, behalve misschien als hij de babbelende aankondigingen in het Japans hoorde,

maar zelfs die waren te voorspelbaar om veel bij hem los te maken. Maar zodra ze in de bus naar de stad zaten begon het: die mengeling van vreemde en vertrouwde indrukken, een soort déjà vu, het gevoel dat hij dit land kende en dat een deel van hem hier nooit was weggegaan, terwijl hij hier eigenlijk niet thuishoorde en nooit hád thuisgehoord. Tegen de tijd dat de bus met stationair draaiende motor bij het station in Shinjuku stond, begonnen Thomas' handen al enigszins te trillen. Twintig minuten later stapten ze met hun bagage een goedkoop noedelhuis binnen voor een snufje couleur locale – zoals Ed dat altijd noemde – voordat ze op zoek gingen naar Kumi. Inmiddels was Thomas asgrauw, ademde hij oppervlakkig en overwoog hij serieus om de volgende bus terug naar het vliegveld te nemen.
Hij verborg het voor Jim, die met zijn neus tegen de getinte ruit gedrukt had gezeten sinds ze van het vliegveld waren vertrokken en zich als een echte toerist vergaapte aan het landschap, de wegwijzers, Tokyo Disneyland, dat kleurloos en blikkerig voorbijflitste, de wolkenkrabbers, de menigte zwartharige mensen op straat, de neonreclames en de reusachtige videoschermen. Hij praatte voortdurend, slaakte de ene uitroep na de andere, vroeg honderduit, hoewel hij nergens antwoord op kreeg, en keek om zich heen met ogen als schoteltjes, alsof hij naar een planeet was vervoerd waarvan hij nooit echt had geloofd dat die bestond. Geen wonder dat het hem ontging dat zijn reisgenoot aan een soort posttraumatische stress leed. Thomas werd heen en weer geslingerd op golven van toenemende angst en paniek, vreemd genoeg met het onderliggende gevoel dat hij nooit weg was geweest en hier nog altijd woonde met een meisje dat Kumi heette en met wie hij ooit hoopte te trouwen...
Hij had geweten dat het zo zou gaan, of ongeveer zo: een pijnlijk en verwarrend besef dat hij terug in het verleden was gestapt. In Amerika maakte hij dat nooit mee, ook niet als hij terugkwam in de straten waar hij was opgegroeid of door het huis liep waar zijn ouders hadden gewoond en uiteindelijk waren gestorven. Dat voelde wel als verleden en heden tegelijk, maar ook reëel, omdat hij er nooit aan had getwijfeld dat alles in principe nog hetzelfde was als toen hij op de hoek een balletje had geslagen met Ed en Jimmy Collins van twee huizen verder. Maar dit... dit was anders. Japan was anders.
Thomas had niets van het land geweten voordat hij er ging werken. Voor hem was het exotisch en vreemd geweest, en hoe hij er ook aan gewend was geraakt in de twee jaar dat hij les had gegeven op een middelbare school in een kleine stad ten zuidwesten van Tokyo, het

was altijd exotisch en vreemd gebleven. Toen hij vertrok had hij een deel ervan meegenomen in Kumi, maar zodra zij hem verliet was alles verdwenen, buitengesloten uit zijn leven, zijn werkelijkheid. Na een paar jaar had hij nauwelijks nog kunnen geloven dat er zo'n land bestond, dat hij er was geweest en dat het hem mede gemaakt had tot wie hij was. Zelfs op de schaarse dronken momenten dat hij de moed had de foto's uit die tijd te bekijken leken de gebeurtenissen in Japan iemand anders overkomen. Hij kon verbijsterd hele tijden naar die foto's staren, naar zichzelf, terwijl hij zich probeerde te herinneren hoe het was geweest, dat leven aan die andere kant van de wereld, op die andere planeet. Hij wilde er wel in geloven, maar het was te vreemd, te buitenissig, te ver verwijderd van elk besef van wie hij nu was.

Maar nu was hij terug en bleek alles er nog te zijn. De gezichten. De stemmen. Het verkeer. Het klimaat. De onberispelijke tuinen. De pannendaken en vakwerkhuizen. De oude houten heiligdommen die met het geluid van tempelklokken in je gedachten bleven hangen. Het prachtig uitgestalde eten in de etalage van het restaurant. Het personeel dat '*Irrashaimasse!*' riep toen ze binnenkwamen. De rood-zwarte lampions, versierd met schoonschrift. De verse houtlucht van het gebouw, bijna gesmoord door de rijke maar eenvoudige geuren van het eten zelf. De menu's met foto's van kommen dikke, dampende noedels... Nergens waar hij keek kon hij aan de indruk ontkomen dat de wereld om zijn as was gewenteld en de werkelijkheid een slag was gedraaid.

Je hoort hier niet. Dat is nooit zo geweest en dat zal ook nooit zo zijn.

Maar het zat ook in hem, onuitwisbaar in zijn zelfbeeld geprent.

Want dat was de ironie.

Hoe hij ook had geprobeerd Japan voorgoed uit zijn leven te bannen, toch had het hem gevormd en hem zelfs – hoe erg hij het ook vond – zijn mooiste jaren gegeven. Sindsdien was alles onder zijn handen afgebroken. Nu hij hier terug was, leek het of hij tien of twaalf jaar was teruggereisd, naar de tijd toen hij nog jong en zelfverzekerd was, de wereld nog aan zijn voeten lag en het leven vol beloften, ambities en successen leek.

'Ik geloof dat ik misselijk word,' mompelde hij opeens. En terwijl Jim uit zijn droomwereld ontwaakte en hem verbaasd aanstaarde, ging Thomas op zoek naar een plek om te kotsen.

64

Thomas stond met zijn handen op de oude houten leuning en keek naar de ceremonie die zich binnen afspeelde. De bruid droeg een bijna lichtgevende kimono, haar gezicht wit en stil, haar haar hoog opgemaakt en kunstig vastgestoken met gelakte stokjes. De bruidegom, in het zwart, was alert en een beetje nerveus. De boeddhistische priester met zijn brede, ronde hoed galmde zijn teksten boven het onregelmatige, doffe gerinkel van de klokken uit, terwijl er wierook uit de stenen votiefschaal kringelde. De tempel was aan twee zijden open, en het podium in het midden was met rode en goudkleurige stoffen bekleed. Vanaf zijn plaats leken het jonge paar, de priester, het gebouw zelf en de gesnoeide pijnbomen op de achtergrond een venster op een wereld van misschien wel duizend jaar oud. Alleen het roestvrijstalen horlogebandje van de bruidegom was een aanwijzing dat dit de eenentwintigste eeuw moest zijn.
Hij hield zijn ogen strak op de ceremonie gericht die zich enkele meters verderop voltrok. Jim stond een eindje bij hem vandaan. Kumi was zachtjes naar hem toe gekomen, maar Thomas had zich niet omgedraaid en was niet naar een andere plaats gelopen, dus had ze geen andere keus dan zwijgend naast hem te blijven staan. Dat was ook de reden geweest waarom hij haar had gebeld op het kantoor van de Agrarische Handelsmissie en haar had gevraagd hem hier te treffen, waar ze geen scène konden maken, niet konden schreeuwen, uit angst de serene, rituele plechtigheid te verstoren die voor de kleine, stille groep toeschouwers werd uitgevoerd.
'Je had niet moeten komen,' zei ze.
Thomas keek haar niet aan, maar antwoordde fluisterend, blij dat zijn ogen iets anders konden volgen dan haar. 'Wij hadden dit bijna ook gedaan, weet je nog? Een tweede ceremonie, in Japan…'
Het bleef een hele tijd stil. De priester glimlachte tegen het jonge paar, dat zenuwachtig antwoordde en slokjes sake nam uit houten bekertjes.
'Ga terug naar Amerika, Tom,' zei ze. 'En bel me niet meer. Oké?'
Hij wilde iets zeggen, maar ze schudde haar hoofd. Haar stem klonk droevig en vermoeid. 'Ga naar huis, Tom. En probeer wat te slapen,' voegde ze eraan toe. 'Je ziet er oud uit.'
Ze boog zich naar hem toe en kuste hem met koele lippen op zijn

wang, zo licht dat hij het nauwelijks voelde, voordat ze verdween. Thomas staarde voor zich uit, met zijn handen om de leuning geklemd, op het moment dat de bruid zich even bewoog om haar hand in die van haar man te leggen, voordat ze weer doodstil haar positie innam binnen het ceremoniële tableau.

65

'Zullen we een hotel zoeken?' vroeg Jim. 'Ik kan ook wel iets in mijn eentje zoeken, maar het zou geld besparen. Ik geloof niet dat ik snurk. Hoewel ik daar weinig bewijzen voor heb.'
Hij grijnsde schaapachtig. Die bleke humor hoorde bij zijn wat ongemakkelijke houding sinds Kumi's kortstondige verschijning. Thomas had nog steeds zijn twijfels over Jim, maar dit leek wel oprecht en hij had medelijden met de man. Niets is zo vervelend als het vijfde wiel te zijn, dacht hij, hoewel priesters zich vermoedelijk vaak zo voelden. *Darning his socks in the night, when there's nobody there...*
'Goed,' antwoordde Thomas. 'Ik wil ook bezuinigen. God mag weten hoe ik straks de rekeningen van mijn creditcard moet betalen.'
'Oké,' zei Jim, met iets van een dankbare glimlach, voordat hij haastig zijn ogen neersloeg. 'Weet jij iets betaalbaars?'
'Hier in Tokyo? Dan wens ik je veel succes. Maar dat geeft niet, want we blijven toch niet hier.'
'O nee?'
'We gaan naar het westen, naar de bergen van Yamanashi,' zei Thomas. 'Er is iets wat ik wil zien.'
'Maar...?'
'Hier heb ik niets te zoeken,' zei Thomas. Hij keek opzettelijk om zich heen, speurend naar een metrostation of een taxi, zonder Jim aan te kijken. Zijn blik viel op een kiosk met tijdschriften en gleed over het onbegrijpelijke kanji, net als vroeger. De paar woorden die hij kon lezen sprongen naar voren als neonletters. Hij deed een paar haastige stappen naar de kiosk en kocht een Engelstalige editie van de *Daily Yomiuri*. Op een foto op de voorpagina stonden twee glimlachende mannen, een Japanner en een westerling.
Wat...?
Het was Devlin.

66

Volgens de krant maakte de senator deel uit van een goodwill-handelsdelegatie met afgevaardigden uit staten die het meest te winnen hadden bij lagere heffingen op geïmporteerde vis uit de noordwestelijke Pacific en niet-genetisch gemodificeerd graan uit Illinois. Na een reeks gesprekken zou hij een persconferentie geven in het Keio Plaza Hotel in Shinjuku. Als hij snel was, dacht Thomas, zou hij nog het staartje kunnen meemaken.

'Dat is ook toevallig,' zei Jim.

'Misschien,' antwoordde Thomas.

Ze keken elkaar even aan, als pokerspelers wachtend op een aanwijzing dat de ander blufte.

'Je vertrouwt me niet helemaal, is het wel?' zei Jim.

'Niet helemaal, nee.'

'Waarom neem je me dan mee?'

Thomas lachte kort en vreugdeloos. 'Noem het een daad van geloof.'

Verder spraken ze geen woord meer totdat ze bij het hotel aankwamen.

'De gemiddelde Amerikaanse heffing op geïmporteerde soja, maïs en koren bedraagt twaalf procent,' verklaarde Devlin, terwijl hij zijn grote lichaam wat verplaatste op de zware stoel in de bar van het hotel. 'Weet je wat Japan daarvoor rekent?'

Thomas schudde zijn hoofd.

'Vijftig procent,' zei Devlin. 'En dat is nog maar de standaardbelasting. Er bestaan nog tweeënzeventig zogeheten "megaheffingen" van honderd procent of meer op buitenlandse import. Toch niet te geloven? De rijstinvoer is beperkt tot zevenhonderdzeventigduizend ton, minder dan tien procent van de landelijke behoefte. We praten over een vrije markt, maar dit is lachwekkend. Tenminste, dat zou het zijn als het niet zo'n misdadige vorm van protectie was om hun eigen gebrekkige landbouw te beschermen. Maar goed, daarvoor ben ik dus hier.'

'Alleen daarvoor?' zei Thomas, met een blik naar Hayes, die zoals altijd de senator adviseerde en zijn woorden op een goudschaaltje woog, hoewel zijn gezicht niets verried.

'Ja,' zei Devlin. 'Hoewel ik na je laatste bericht wel hoopte dat ik je

tegen het lijf zou lopen,' voegde hij er als een soort bekentenis aan toe. Hij lachte even, met blikkerende, scherpe tanden in een vierkante kaak.
'Dus u wist dat ik naar Japan zou gaan?'
'Ik wist dat pater Ed hier was geweest en dat jij hem achternareisde,' zei Devlin.
'Wat weet u verder nog, senator?' vroeg Thomas.
Jim schoof ongemakkelijk heen en weer.
Devlin keek de bar rond, dacht na over zijn antwoord en boog zich toen naar voren.
'De bijzonderheden zijn nog vaag,' zei hij, 'maar je broer is omgekomen bij een antiterreuroperatie. Daarom wil niemand iets zeggen. In de Filipijnen en omgeving zijn een paar militante islamistische afscheidingsbewegingen actief en een daarvan schijnt het doelwit te zijn geweest. Ik weet alleen niet of het ministerie van Binnenlandse Veiligheid dacht dat pater Ed bij die groeperingen betrokken was of dat hij gewoon op het verkeerde moment op de verkeerde plaats is geweest en tegen een kogel is op gelopen. In elk geval is het een delicate kwestie. Als hij een Amerikaanse terrorist was, zullen ze eerst alles over hem willen weten voordat ze de zaak bekendmaken.'
'En als hij dat niet was?' zei Thomas.
'Dat zou niet zo mooi zijn,' zei Devlin. 'Dan hebben ze een gewone burger – een Amerikaan en een priester, nota bene – om zeep geholpen. Wat denk je dat de pers daarvan zou vinden?'
'De pers?' schamperde Thomas. 'Is dat het enige waar u zich zorgen over maakt?'
'Dat is waar heel Washington zich zorgen over maakt,' zei Devlin met een bitter lachje.
'En hoe ver zouden ze gaan om zoiets geheim te houden?'
'Je bedoelt of ze zouden proberen jou uit de weg te ruimen uit angst dat de zaak bekend zou worden?' zei Devlin. 'Vergeet het maar. Uitgesloten. We hebben het hier over Amerika.'
Thomas staarde naar de grond en zei niets.

Thomas stak zijn handen in de zakken van zijn jasje toen ze met hun schamele bagage naar het station liepen.
'En?' vroeg Jim. 'Wat denk je ervan?'
'Ik weet het niet,' zei Thomas. 'Jij?'
'Politici!' Jim haalde zijn schouders op. 'Wie zal zeggen wat ze denken?'
'Denk jij dat hij loog?'

'Ik denk wel dat hij iets achterhield,' zei Jim.
Thomas knikte en bleef abrupt staan.
'Wat is er?' vroeg Jim.
Thomas keek verbaasd. Hij had een papiertje uit zijn zak gevist, niet groter dan een postzegel. Hij wilde het al weggooien, maar bedacht zich op het laatste ogenblik. Nu staarde hij ernaar.
'Heeft hij je een boodschap toegestopt?' vroeg Jim ongelovig.
'Hij niet,' zei Thomas, die het ook niet kon geloven. 'Maar Kumi.'

67

Thomas en Jim namen de Chuo-lijn van Shinjuku naar Kofu, waar ze in iets minder dan drie uur arriveerden. De metropool van Tokyo maakte langzaam plaats voor de beboste hellingen van Yamanashi en het Japan van de grote negentiende-eeuwse houtgravures: rijstvelden, kleine, afgelegen heiligdommen en steile, grillige heuvels waarvan de top in de nevel en de wolken verloren ging. En natuurlijk de berg Fuji, een besneeuwde, symmetrische kopie van de Vesuvius.
In de loop van de reis kwam het gevoel van déjà vu waarmee Thomas al sinds hun landing had geworsteld nog sterker terug toen ze het stadje naderden waar hij twee jaar had doorgebracht voordat hij afstudeerde. Hij trok zich in zichzelf terug, diep in gedachten, blij dat Jim in slaap was gevallen, zodat hij niet hoefde te praten. Hij las Kumi's briefje nog eens, dacht na over de afspraak op een van hun lievelingsplekken van vroeger, en kon het niet anders zien dan als een teken van hoop en harmonie, terwijl de trein hem terugbracht naar zijn verleden.
Ze namen een taxi vanaf het station. De chauffeur opende de achterportieren met zijn witte vilthandschoenen. Jim zei er iets over en Thomas bedacht dat dit het zoveelste punt van herkenning was sinds hun aankomst hier. Binnen tien minuten waren ze afgezet bij de Zenko-ji-tempel en liepen ze over de lange laan, omzoomd door gesnoeide zwarte pijnbomen, naar de ingang van het verbleekte rode gebouw. Elke stap was voor Thomas griezelig vertrouwd.
Een oude man op een trap was bezig de lange, rechte tak van een pijnboom met draden aan een lange bamboestok te binden. Hij keek naar hen vanonder de brede rand van zijn strohoed en knikte als begroeting. Links zat de grote bronzen Boeddha, boven de siertuin die Thomas

ooit in de regen en de sneeuw had gezien. Rechts was de begraafplaats met de stenen beelden en hoekige houten staven, voorzien van inscripties in het kanji. Hij zag Kumi al voordat ze hen had gezien. Ze stond voor een rij vierkante stenen beeldjes die op kleine Boeddha's leken, uitgebeeld als baby's in verschillende poses. Ze werden *jido* genoemd, herinnerde hij zich. Een groot aantal droeg *yodarekake*, een soort schorten of slabbetjes. Kumi legde er eentje recht.
Ze draaide zich om toen ze hun aanwezigheid bemerkte en kwam haastig naar hen toe. Tot Thomas' verbazing omhelsde ze hem, blij dat hij was gekomen. En ze verontschuldigde zich voor de vorige ontmoeting.
'Je draagt je haar kort,' zei Thomas.
'Korter, ja,' zei Kumi. 'Al drie jaar.'
'Ik vond je lange haar wel mooi.'
'Dat weet ik,' zei ze.
Het viel nu tot op haar schouders. Vroeger kwam het bijna tot haar middel.
'Het lijkt... zakelijker,' zei Thomas.
'Dank je,' zei ze, met een veelzeggende, besmuikte glimlach die zo helemaal bij haar paste dat Thomas een steek in zijn hart voelde en een andere kant op keek.
'Ik ben Jim Gornall,' zei Jim. 'Ik werk voor de parochie waaraan Ed ook verbonden was toen hij stierf.'
Kumi gaf hem een hand en maakte een lichte buiging, een gewoonte die ze had opgedaan sinds ze terug was, dacht Thomas.
'Ik word in de gaten gehouden,' viel ze met de deur in huis. 'De dag dat ik je belde was er iemand op kantoor geweest. Een Amerikaan. Ik had hem al eerder gezien op Sotobori Dori. Er is een golfshop naast mijn kantoorgebouw en daar komt hij wel eens.'
'Misschien houdt hij gewoon van golf,' opperde Thomas.
'Amerikanen stoppen met golf als ze naar Japan komen, Tom,' zei ze. 'Veel te duur.'
'Denk je dat hij voor het ministerie van Binnenlandse Veiligheid werkt?'
Ze schudde haar hoofd.
'Binnenlandse Veiligheid had me al ondervraagd over jou,' zei ze. 'Als deze vent voor de overheid werkt, moet dat een heel obscure dienst zijn. Mijn kantoor ligt maar een straat bij de ambassade vandaan, dus is het een soort magneet voor Amerikaanse zakenlui die willen scoren, maar deze man leek me niet officieel.'

'Waarom niet?'
'Hij had een sikje. Dat is niet gebruikelijk voor mensen die zaken doen met bedrijven of de Japanse politiek.'
Parks?
Thomas knikte en vertelde haar over zijn confrontatie met Parks.
'Ik weet niet precies wat zijn rol is,' gaf hij toe, 'maar hij is erbij betrokken en hij is gevaarlijk. Als hij het was, op jouw kantoor, dan is hij daar bijna onmiddellijk naartoe gegaan toen hij van St. Anthony's in Chicago kwam. En vandaar is hij naar Italië vertrokken.'
'Wie het ook was,' zei Kumi, 'ik had geen idee of mijn telefoon werd afgeluisterd, dus moest ik de indruk wekken dat ik niet met je wilde praten.'
'Het verbaast me eigenlijk dat je wél met me praat,' merkte Thomas op.
Hij zei het op luchtige toon, maar hij meende het en ze glimlachte ontwijkend.
'Binnenlandse Veiligheid weet dat je in het land bent,' zei ze. 'Ik weet niet waarom ze geen contact met je zoeken of je laten oppakken door de Japanse politie, maar waarschijnlijk denken ze meer te weten te komen door je te volgen.'
'Of ze hopen dat ik een tragisch ongeluk zal krijgen, zodat het probleem vanzelf is opgelost,' zei Thomas.
'Thomas ontwikkelt een nogal somber beeld van onze overheid,' zei Jim.
'Wat bedoel je met "ontwikkelt"?' zei ze. 'Ik heb Thomas nooit anders gekend. Hij heeft de Amerikaanse regering nooit vertrouwd.'
'Laten we zeggen dat ik op mijn oude dag nog cynischer word,' zei Thomas.
'Jammer,' zei ze droog. 'Je was altijd zo braaf en onschuldig.'
'Ben je hier gekomen om te helpen of alleen om te katten?' vroeg Thomas.
'Allebei,' zei ze. 'Ik kan niet lang blijven. Ik moet proberen de Amerikaanse minister van Landbouw, Bosbouw en Visserij te kalmeren, over precies...' ze keek op haar horloge '... drie uur. Die handelsdelegatie uit Amerika maakt de mensen nogal zenuwachtig hier.'
'Devlin?'
'Ja, onder anderen. Ken je hem?'
Thomas vertelde haar over zijn ontmoetingen met de senator en zijn connecties met Ed.
'Is het toeval dat hij hier is, denk je?' vroeg ze.

'Geen idee,' zei Thomas. 'Heb jij contact gehad met Ed toen hij hier was?'
Ze aarzelde.
'Hij heeft een paar dagen bij me gelogeerd, maar al onze energie ging op aan gesprekken over jou,' zei ze. 'Verder hebben we het bijna nergens over gehad. Ik geloof dat hij blij was dat hij kon vertrekken.'
Ze klonk spijtig.
'Maar denk je dat hij hier ook is geweest?' vroeg Thomas zakelijk.
'Ik weet wel dat hij deze kant op is gegaan,' zei ze, 'want ik heb hem nog geholpen met het spoorboekje. Maar hij zei niet precies waarheen en ik heb niets meer van hem gehoord toen hij uit Tokyo vertrokken was.'
'Dat is niets voor hem,' zei Thomas.
'Nee. Hij leek nerveus, zorgelijk zelfs,' zei Kumi. 'Toen ik hem ernaar vroeg zei hij dat hij er later wel meer over zou zeggen, als het allemaal duidelijker was. Hij praatte niet over zijn werk of wat hij hier deed. Ik vroeg er ook niet naar, omdat ik dacht dat het gedeeltelijk met ons te maken had. Ik had hem al vijf jaar niet meer gezien, moet je bedenken, niet meer sinds...'
'Sinds jij bij me was weggegaan,' zei Thomas. 'Ja.'
Kumi keek weg en kauwde op de binnenkant van haar wang, zoals ze deed als ze zich beheerste.
'Tenzij het dus echt om óns ging,' zei Thomas, met de nadruk op dat woord alsof het een wrang grapje was, 'is er iets gebeurd tussen zijn besluit om uit Italië te vertrekken en zijn aankomst in Japan. Hij leek heel gelukkig, volgens de mensen die hem in Napels hadden gezien. Waarom zou hij opeens zo "zorgelijk" zijn geworden?'
'Het zou schelen als we wisten waar hij naartoe was gegaan vanuit Tokyo,' zei Jim, die zich buiten het gesprek had gehouden, voor het geval het te persoonlijk werd.
'Ik denk dat ik dat wel weet,' zei Thomas, 'hoewel ik niet begrijp waarom.'

68

Buiten de NHK-studio in Kofu sloot Thomas zich aan bij een groepje buitenlandse journalisten die uit een bus stapten, hield zijn paspoort en een oude bibliotheekkaart omhoog toen ze zich langs de beveiliging wrongen en ging achterin zitten. Ze kregen een video van vijf minuten te zien over de indeling van het complex en luisterden naar een oudere Japanse archeoloog die de betekenis van de vondst toelichtte. De tolk was niet best en deed geen enkele poging de meer technische details te vertalen, maar de archeoloog was zichtbaar enthousiast, en dat bepaalde de toon voor die middag.

Toen de buitenlandse journalisten – voornamelijk Australiërs, Nederlanders en Duitsers – naar de perszaal werden gebracht wemelde het daar al van de Japanse verslaggevers. Het podium stond vol met microfoons en halogeenlampen. Sommige van de grotere kranten, met name *The Yomiuri* en *Asahi Shimbum*, hadden minstens vijf mensen gestuurd, met allerlei recorders en camera's, en het hele personeel van het tv-station leek zijn werk te hebben neergegooid om Watanabe te kunnen zien.

'Zijn de Beatles weer in de stad?' zei Thomas tegen een verslaggever met een borstelsnorretje en een badge van de *New Zealand Herald* aan een koordje om zijn hals.

'Deze vent is nog belangrijker,' zei hij. 'Of dat wordt hij, binnenkort. Of dat wíl hij worden.'

Hij lachte zuur om zijn laatste relativering en begon toen plaatjes te schieten. Michihiro Watanabe was net binnengekomen.

De perszaal leek te exploderen. Het geweld van de flitslampen was verblindend. Een golf van applaus ging door de zaal en iedereen, behalve een handvol journalisten – voornamelijk buitenlanders – juichte en straalde. Het was een ontvangst een sportheld of rockster waardig.

En voor een archeoloog had hij wel iets van een ster, constateerde Thomas. De man was mager, maar gespierd, met sterke, pezige armen. Hij moest rond de vijftig zijn, maar leek tien jaar jonger. Zijn zwarte haar werd met gel in model gehouden, hij droeg een grijsgetinte zonnebril met een blauwzweem en een strakzittend designer-T-shirt met een metallic glans. Hij gedroeg zich relaxed en glimlachte ontspannen naar de camera's.

'Michihiro Watanabe, het smakelijke hapje van de intellectuele Japanse vrouw,' fluisterde de Nieuw-Zeelander.

Thomas zag de meisjesachtige lach van de vrouwen van de zender en begreep wat hij bedoelde.

Watanabe nam meteen de leiding, praatte vriendelijk met iedereen, maakte soms een grapje met enige zelfspot en knikte toen naar een assistent achterin, die de PowerPoint-dia's van de opgraving op een scherm achter hem projecteerde: een paar tekeningen en diagrammen, maar voornamelijk foto's van de tombe, de inhoud, de aangrenzende – maar nog niet opgegraven – tombe en natuurlijk de grote man zelf, die naar de grond tuurde, zijn team aanwijzingen gaf en verder een ontspannen, intelligente en gezaghebbende indruk maakte. De tolk gaf commentaar, struikelend over de data. Thomas vermoedde dat hij een vrije interpretatie van de belangrijkste feiten gaf die werden gepresenteerd.

'In tegenstelling tot wat algemeen wordt aangenomen,' zei hij, 'toont dit aan dat er al niet-Aziatische vreemdelingen in Japan aanwezig waren halverwege de Kofun-periode, omstreeks het jaar 600. Alles wijst erop dat dit vroege christelijke missionarissen moeten zijn geweest.'

Dat wist iedereen al, maar het veroorzaakte toch een golf van opwinding, alsof ze het persoonlijk van de man zelf wilden horen om het te geloven, of omdat ze half hadden verwacht dat Watanabe zijn bizarre bewering zou terugnemen. De afgelopen vier dagen waren de berichten over de opgraving het beste wetenschappelijke nieuws dat Japan in jaren had gekend. De informatie was zorgvuldig gedoseerd via prikkelende citaten, terwijl het terrein zelf en Watanabes laboratorium, niet ver daarvandaan, streng werden bewaakt. Dat was begrijpelijk, gezien het belang van de vondst, maar het rook ook naar goed georkestreerde marketing.

Ten slotte, met de houding van een goochelaar die zijn beste truc voor het laatst had bewaard, haalde Watanabe een perspexkistje onder het spreekgestoelte vandaan, dat een gedeeltelijke schedel bevatte, met een losse maar intacte onderkaak, en een versierd zilveren crucifix. De menigte drong op en de camera's flitsten weer.

'De Japanse schedel heeft heel ronde oogkassen,' zei de tolk, terwijl Watanabe vergelijkende tekeningen liet zien. Zelfs met zijn lekenoog kon Thomas enig verschil constateren. 'Net als zijn Kofun-voorouder. De oogkassen van een Europese schedel zijn duidelijk langwerpig, overeenkomend met de resten die op ons terrein zijn gevonden. Ook de lange botten uit het graf vormen een bewijs dat de lichamen uit Europa kwamen, hoewel deze beenderen veel fragmentarischer zijn. Een Japans Kofun-dijbeenbot is aanmerkelijk rechter over de hele lengte dan een Europees been. Zoals u ziet, zijn de voorbeelden uit dit graf betrekkelijk gebogen.'

Daarna volgden vragen, voornamelijk in het Japans, en niet al te kritisch. Watanabe wist er wel raad mee. Ja, er waren bewijzen van Europese connecties tussen Rome en Han-China in de eerste en tweede eeuw, via de zijderoute. Ja, de Chinese Muur was inderdaad gebouwd om de Xiong Nu buiten te houden, dezelfde Hunnen die ook Rome hadden belegerd. Recent DNA-onderzoek toonde aan dat een meer dan tweeduizend jaar oud skelet in het Chinese Sian bijna zeker uit Europa afkomstig moest zijn. De grote oecumene tussen China en Europa was het werk van militante nomaden die invloed hadden gehad op beide culturen, en er konden concrete contacten met Japan zijn geweest via de Siberische *kurgan*. Alles bijeengenomen was het gebrek aan eerdere bewijzen geen goede reden om aan te nemen dat er geen contacten konden zijn geweest tussen Oost en West, tussen Europa en de uiterste kusten van Azië. Bekend waren immers ook de vermaarde blonde mummies uit westelijk China...

Dat ging zo een tijdje door, totdat de vragen persoonlijker werden: hoe Watanabe gemotiveerd bleef, wat zijn ethische opvattingen waren over zijn werk, en hoe hij tot de 'geniale' hypothese was gekomen die niemand anders durfde te stellen maar die de enige logische verklaring vormde van de feiten? Ten slotte werd duidelijk dat dit minder een persconferentie over de ontdekkingen was dan een heiligverklaring van de ontdekker zelf. De enige wanklank kwam van de Nieuw-Zeelander:

'Is het niet zo dat de Jomon-voorouders van de Yayoi-Kofun-Japanners al eerder aanleiding gaven tot de onjuiste suggestie van een westerse achtergrond?'

De zaal draaide zich naar de buitenlandse pers toe en mompelde wat toen de vraag in het Japans was vertaald. Alleen Watanabe bleef onverstoorbaar.

'We zijn ervan overtuigd,' zei hij in het Engels, met een glimlach om de verbazing die deze strategie bij het publiek teweegbracht, 'dat deze beenderen duidelijk een Europese oorsprong aantonen op een totaal andere manier dan de Kofun-Japanse botten.'

'Hoewel er maar zo weinig Kofun-botten bewaard zijn gebleven?' wierp de verslaggever tegen.

'Niet zo weinig dat er twijfel kan bestaan over hoe ze eruitzien,' zei Watanabe. 'Maar voor de zekerheid onderwerpen we de beenderen aan alle denkbare proeven, zoals gedetailleerde opmetingen van de schedel- en gelaatstrekken, die vervolgens door de computer zullen worden vergeleken met een database van bekende voorbeelden. En die gegevens worden verwerkt door een onafhankelijke analist.'

Zijn glimlach verbleekte geen moment, maar zijn blik gleed wel naar de student die naast hem zat, en Thomas wist zeker dat er iets werd uitgewisseld. De student sloeg zijn ogen neer, als een teken van respect. Het applaus aan het eind was meer dan beleefd, meer zelfs dan enthousiast. Het was allemaal wat overdreven, zoals vaak het geval is bij de ontvangst van een beroemdheid.

'Wen er maar aan.' De Nieuw-Zeelander boog zich naar Thomas toe. 'Die komen we nog vaker tegen.'

Binnen een vakgebied dat toch als stoffig bekendstond was Watanabe inderdaad een ster, iemand met gevoel voor de media. En nu had hij bovendien een ontdekking gedaan die paste bij zijn charisma.

'Waarom is dit eigenlijk zo belangrijk?' vroeg Thomas.

'In elk Japans schoolboekje kun je lezen dat de Europeanen hier pas in 1543 voor het eerst arriveerden, toen een Portugees schip aan de grond liep bij de zuidpunt van Kyushu. Franciscus Xaverius – of *Sint* Franciscus Xaverius voor goede katholieken – volgde zes jaar later, met de Bijbel in de hand. Als Watanabe gelijk heeft, kun je die schoolboekjes dus wel weggooien. Dan waren er al veel eerder christelijke evangelisten in hartje Japan, honderden jaren vroeger dan iemand had kunnen denken. Dat is groot nieuws. In elk geval groot genoeg om Watanabes professionele glimlach nog tijdenlang op de tv te zien.'

'Ik kan het nog steeds niet volgen,' zei Thomas. 'Ik bedoel, ik begrijp wel wat je zegt, maar waarom al die heisa?'

'Het komt voor een deel door de man zelf,' zei de Nieuw-Zeelander, terwijl hij zijn cameratas dichtritste en naar het groepje op het podium knikte. 'Als hij een colaflesje in zijn achtertuin vond, kon hij er nog een spannend verhaal van maken. Maar het ligt ook aan hén.'

'Aan wie?'

'De Japanners. Ze komen niet graag te laat bij belangrijke gebeurtenissen. In het algemeen zoeken ze uit alle religies wat hen het meeste aanspreekt. Op bepaalde feestdagen heb je boeddhistische workshops in shintotempels, maar er zijn ook christelijke huwelijksfeesten, zoals ze die in films zien. Christendom is cool, en daar valt de Japanner voor. Jezus schijnt ook cool te zijn. En als ze de geschiedenis zodanig kunnen herschrijven dat blijkt dat het christendom hier al net zo lang bestaat als in de rest van de wereld – en veel langer dan in Amerika – dan komt dat heel goed uit.'

Hij grinnikte smalend en Thomas herkende in hem de ontevreden expat, zelf een kleine beroemdheid als buitenlander, maar altijd een beetje buiten de cultuur waarin hij had gekozen zich te vestigen.

'Tot ziens bij de volgende aflevering,' zei de journalist met gespeelde vrolijkheid.
Toen hij wegliep, keek Thomas weer naar de groep op het podium, waar Watanabe nog steeds werd gefotografeerd en vertroeteld door de plaatselijke NHK-nieuwslezeres. Ze knikte en glimlachte met hevige instemming, en Thomas begreep iets van de bitterheid van de Nieuw-Zeelander – hoewel het bij hem eerder een gevoel dan een herinnering was. Alle ogen waren gericht op Watanabe met zijn designerzonnebril. Iedereen keek naar hem, behalve een.
Die uitzondering was Watanabes assistent, een jonge Japanner van begin twintig, een keurig geklede student met zijn scheiding opzij. Hij was donkerder van huid dan de meeste anderen en had voor een Koreaan of zelfs een Maleisiër kunnen doorgaan. Hij staarde Thomas aan met een ondoorgrondelijke blik, hoewel er toch iets te ontdekken viel in zijn ogen toen hij eindelijk weer zijn aandacht op Watanabe richtte. Hij leek niet op zijn gemak.
Thomas deed een paar stappen naar voren en opeens gebeurde er iets vreemds. Watanabe stond druk te oreren en amuseerde iedereen met zijn gezellige, geestige, wetenschappelijke verhalen, toen hij plotseling zweeg, midden in een zin. Zijn publiek wachtte beleefd. Iemand giechelde, in de veronderstelling dat dit bij de voorstelling hoorde, maar Watanabe liet zijn zonnebril zakken en keek Thomas strak aan. Hij verstijfde, en ook Thomas – zich bewust van het merkwaardige moment – bleef doodstil staan.
Op dat ogenblik flitste er een camera, en in het felle licht leek de archeoloog behoedzaam, misschien zelfs angstig. Zijn gehoor keek nog eens naar de man, wisselde een verbaasde blik, lachte ongemakkelijk en draaide zich toen naar Thomas, als een theaterpubliek dat beseft dat het stuk achter in de zaal verdergaat en niet langer op het toneel.
Even was het doodstil, toen begon de bleke student weer te praten om de aandacht op zichzelf te richten, zodat uiteindelijk ook Watanabe zich weer omkeerde en het publiek opgelucht lachte. Bijna meteen dook er een veiligheidsman naast Thomas op, samen met de tolk, die hem naar zijn papieren vroeg en zijn lichaam als schild gebruikte toen hij hem van het podium afschermde en naar de uitgang loodste.

69

'Ze kenden me,' zei Thomas. 'Hoe wil je dat verklaren? Watanabe en die andere vent, die student, herkenden me zodra ze me zagen.'
Kumi was terug van haar vergadering in Tokyo. Zonder nadere uitleg had ze aangekondigd dat ze het weekend bij hen zou blijven. Ze hadden drie kamers gehuurd in een traditioneel hotel of *ryokan* in Shimobe, een dorpje aan een rivier, een paar kilometer buiten Kofu. Het was rustig en schilderachtig genoeg voor een toeristisch bezoek, en zo klein dat iedere vreemde die naar hen zou informeren net zo zou opvallen als zijzelf. De lokale trein kon hen binnen enkele minuten naar Kofu of de bergheiligdommen van Minobu brengen.
'Hoe reageerden ze op je?' vroeg Kumi.
'Dat was het vreemde,' zei Thomas. 'Watanabe keek ongerust, zelfs angstig.'
'Hij kan toch niet bang zijn voor wat je hebt ontdekt,' zei Kumi met een nonchalance waardoor Thomas meteen rood aanliep. 'Zo veel weten we nog niet.'
'Dus je hebt onderzoek gedaan?' zei Thomas, een beetje te luid voor de kleine zesmats-kamer met zijn schuivende, met papier beklede *shoji*.
'Ik heb iemand gevraagd inlichtingen in te winnen bij de ambassade op de Filipijnen, voor zover dat iets oplevert,' zei ze, alsof ze zijn ergernis niet opmerkte. 'Ze kunnen elk moment bellen, maar ik verwacht er niet veel van. Tot nu zijn we steeds tegen een muur op gelopen.'
'Weet je zeker dat *jij* het was die ze herkenden?' vroeg Jim. Hij zat zonder schoenen op de vloer gehurkt, als een echte monnik, met een verre blik in zijn ogen. 'Ik bedoel, misschien hielden ze je wel voor iemand anders?'
'Zoals?' vroeg Kumi peinzend.
'Ed,' zei Jim zacht, bijna verontschuldigend. 'Het zou niet de eerste keer zijn dat je voor hem werd aangezien.'
'Maar hoe kunnen ze Ed dan hebben gekend?' vroeg Thomas.
'Satoh zei dat Ed iets wist over een kruis,' zei Jim. 'Jij bent naar Japan gekomen omdat er zoiets als dat kruis hier is opgedoken. Heeft Ed misschien hetzelfde verband gelegd?'

'Maar die ontdekking is pas na zijn dood gedaan,' zei Kumi.
Thomas staarde de priester aan, met een harde blik in zijn ogen.
'Wat hij bedoelt,' zei hij, 'is dat het kruis bedrog is, dat het hier opzettelijk is neergelegd en dat mijn broer daar op een of andere manier bij betrokken was. Nietwaar?'
'Het is maar een idee,' zei Jim.
'Hou je ideeën maar voor je.'
'Misschien kan ik beter teruggaan naar Chicago,' zei Jim effen.
'Misschien wel.'
'Ach, toe nou!' kwam Kumi tussenbeide. 'Doe even volwassen allebei. Hij probeert alleen maar te helpen,' zei ze tegen Thomas. 'Je kunt hem ook dankbaar zijn. En we schieten er niets mee op om onprettige mogelijkheden te verwerpen.'
'Denk je echt dat Ed bij zoiets betrokken had kunnen zijn?' vroeg Thomas. Kumi zuchtte pruilend, geïrriteerd. 'Nou?' drong hij aan.
'Nee,' gaf ze toe. 'Maar hij was wel in Japan. Als hij hier is geweest, heeft hij me dat niet verteld, maar ik raak er steeds meer van overtuigd dat hij geen open kaart heeft gespeeld. Hij heeft me lang niet alles verteld.'
Ze staarde naar de mattenvloer, opeens verdrietig, en Thomas had het gevoel dat die bekentenis haar iets had gekost, hoewel hij niet wist wat.
'Ik kom er wel achter,' zei Jim. 'Als Ed hier is geweest en niet echt incognito was, moet de plaatselijke geestelijkheid dat weten. Dan heeft hij zich bekendgemaakt. Of als er een onbekende buitenlander in hun kerk verscheen zullen ze zich dat nog herinneren.'
'Maar als hij helemaal niet in de kerk is geweest?' merkte Thomas droog op.
'Dat is niet gebruikelijk voor een priester,' antwoordde Jim, al even droog. 'Zeker niet voor een priester zoals Ed. De katholieke congregaties hier zijn maar klein en alle priesters zijn buitenlanders, voornamelijk xaverianen uit Italië, maar ook een paar jezuïeten. Hij moet hen hebben gesproken, tenzij hij zich doelbewust verborgen heeft gehouden. Ik ga wel eens praten met de priesters in Kofu.'
'En ik met Watanabe,' zei Kumi, die zich met enige moeite weer in het gesprek mengde.
'Waarom denk je dat hij je iets zal vertellen?' vroeg Thomas.
'Punt één weet hij niet dat ik iets met jou te maken heb,' zei ze. 'Ik kan me inmiddels heel goed voordoen als een echte Japanse. Hij zal niet merken dat ik Amerikaans ben.'

'En punt twee?' vroeg Thomas.
'Heb jij Watanabe ooit gezien zonder een bedeesde, bewonderende starlet aan zijn arm?'
'Je wilt hem verleiden?' zei Thomas ongelovig. 'Daar komt niets van in.'
Kumi maakte een grimas om zijn reactie en de gedachte dat hij haar zou kunnen tegenhouden.
'Ik wil gewoon niet dat je in moeilijkheden komt,' zei Thomas.
'O nee?' zei ze. 'Weet je zeker dat je me niet te hulp zou willen snellen op een wit paard? Ik los mijn eigen problemen wel op, Tom. Altijd al gedaan.'
Haar telefoon ging. Ze nam op in het Japans, liep naar een hoek en legde een hand over haar ene oor om het geluid van de kamer buiten te sluiten. Niet dat het erg rumoerig was. Jim zat in gepeins verzonken en Thomas, die de lucht van de tatami opsnoof, die vreemde vertrouwdheid van dit soort kamers, dacht terug aan de tijd toen hij en Kumi elkaar pas kenden. Maanden hadden ze dit soort hotelletjes verkend, tijdcapsules, volledig afgesloten van de moderne buitenwereld. Alles had er uniek en magisch gevoeld, kostbaar en totaal los van de rest van hun leven. Als insecten, gevangen in amber. Als de liefde.
Kumi's toon klonk afgemeten en ze ijsbeerde door de kamer terwijl ze probeerde het initiatief van het gesprek terug te krijgen. Ze drong aan, smeekte zelfs, binnen de beleefde beperkingen van het formele Japans, maar het was duidelijk een verloren zaak. Ten slotte hing ze op en vloekte. Maar er lag meer dan alleen frustratie in haar ogen, hoewel weinig mensen behalve Thomas dat zouden hebben gezien. Ze was van streek; angstig, zelfs.
'Wat is er?' zei Thomas.
'Mijn contact op de ambassade,' zei Kumi. Na het ijsberen stond ze nu doodstil, alsof ze moeite deed een machtige, chaotische invloed te beteugelen. Thomas merkte dat zijn hart in zijn keel bonsde.
'En?' vroeg hij.
'Niemand wil iets zeggen,' zei ze. 'En ik kreeg in niet mis te verstane bewoordingen het advies om niet meer terug te bellen.'
'Dus we zijn geen steek wijzer,' zuchtte Thomas.
'Eén ding weet ik wel,' zei ze, doodsbleek nu. 'Geen harde feiten, alleen een gerucht, maar het schijnt dat Ed niet bij een auto-ongeluk om het leven is gekomen.'
'Dat geloofde ik toch al niet, en Devlin zei...'
'Tom,' viel ze hem in de rede. 'Luister. Hij was niet het enige slacht-

offer. Er waren misschien wel twintig of dertig doden onder de plaatselijke bevolking. Op dezelfde tijd, dezelfde plaats. Daar waren geen terroristen bij. Het was een bom, en een zware.'

70

Thomas kwam bij zodra hij het koude water raakte. In paniek sperde hij zijn ogen open. Zijn benen waren tegen zijn borst getrokken en met zilverkleurig isolatieband vastgesnoerd. Zijn polsen zaten op zijn rug gebonden.

Het duurde even voordat hij zich alles weer herinnerde.

Hij was naar buiten gestapt om een eindje te wandelen en na te denken. Toen hij bij de ryokan terugkwam had hij zichzelf binnengelaten omdat Jim en Kumi er niet waren. De eigenaresse zei dat er een *gaijin*, een buitenlander, had rondgeneusd. Thomas was naar zijn kamer gegaan, maar daar werd hij opgewacht. Hij had een klap tegen zijn achterhoofd gekregen en het bewustzijn verloren...

Hij slaakte een kreet door de schok en de kou van het water, een woordeloze schreeuw van angst, terwijl hij probeerde te begrijpen wat er gebeurde.

Hij bevond zich in een betegelde ruimte met een wastafel en een putje in de vloer, en hij was volledig aangekleed in een *o-furo* – de traditionele vierkante badkuip van de meeste Japanse badkamers – gegooid. Hij spartelde zo veel hij kon, maar hij was stevig vastgetapet en kon zich nauwelijks bewegen, laat staan uit het bad komen.

Over hem heen gebogen, kletsnat en nog nahijgend van de inspanning, stond Parks. Hij richtte de replica van het korte zwaard op Thomas' borst.

'Hallo,' zei hij. 'Je bent een tijdje buiten westen geweest. Ik ken mijn eigen kracht niet.'

Hij klonk opgewekt, zelfs vriendelijk, maar met een scherpe ondertoon, alsof hij nauwelijks de aandrang kon onderdrukken Thomas' gezicht open te snijden met zijn zwaard.

'Wat stelt dit voor?' hijgde Thomas. 'Haal me hieruit.'

'De Japanners kunnen ons nog heel wat leren over persoonlijke hygiëne, vind je niet?'

'Dit is absurd,' zei Thomas, die op de bodem van het bad zat als een

Egyptisch kubusbeeld, met zijn cipier over zich heen gebogen. Hij voelde zich onnozel en machteloos. Hij knipperde met zijn ogen en slikte een paar keer. Zijn keel was droog, hij voelde zijn maag in opstand komen en hij zag wazig. Het knipperen hielp. Dom genoeg probeerde hij in zijn ogen te wrijven. Parks grinnikte.

'Vooruit,' zei Thomas. Zijn stem galmde toonloos door de betegelde badkamer. 'Je hebt een wapen. Haal me hieruit.'

'Ja, hoor,' zei Parks, zonder zich te verroeren. 'Goed idee. Vooral omdat ik zo achterlijk ben.'

Hij boog zich naar voren en Thomas deinsde terug, ervan overtuigd dat Parks zou toeslaan met dat akelige wapen, maar hij grinnikte weer.

'Dat zwaard,' zei Parks, alsof hij nu pas zag wat hij in zijn hand hield, 'heeft een zekere stijl, vind je niet? En vuurwapens zijn lastig te krijgen in Japan. Satoh had een pistool. Wil je het zien?'

Hij tastte achter zich en haalde een klein, zwart automatisch wapen tevoorschijn, dat hij nonchalant op Thomas' hoofd richtte.

'Keurig, toch?' zei hij. 'Maar zwaarder dan het lijkt. Hij had het niet mee naar Italië genomen omdat het moeilijk langs de beveiliging van het vliegveld is te krijgen. En hij wist natuurlijk niet dat de sukkelige, paranoïde broer van een andere sukkel zou proberen hem te fileren als een vis.'

Die beschuldiging drong pas na een paar seconden tot Thomas door, met het besef in welk gevaar hij verkeerde.

'Denk je dat ík Satoh heb vermoord?'

'Ik moet bekennen dat ik verbaasd stond,' zei Parks. 'Ik dacht niet dat je het in je had. Of dat die oude Satoh je de kans zou geven. De man was niet onbekwaam, moet je weten.'

'Dit is een misverstand,' zei Thomas. 'Ik heb hem niet vermoord.'

'De Italiaanse politie denkt van wel,' zei Parks.

'Dan vergissen ze zich,' zei Thomas, met nog meer nadruk. 'De moordenaar van Satoh is zelf omgekomen in Bari. Hij was me daarheen gevolgd. We vochten op de muren van een kasteel en hij is in de afgrond gestort.'

'Nog een slachtoffer, dus?' zei Parks, met spottend ontzag. 'Je bent wel een seriemoordenaar! En laten we de oude monsignor Pietro niet vergeten. Hij weigerde zeker te vertellen wat je wilde weten?'

'Dit is krankzinnig,' zei Thomas. 'Ik heb Satoh dood gevonden, en Pietro stervend. De moordenaar was beide keren nog in de buurt. De tweede keer heeft hij geprobeerd mij ook te vermoorden.'

'Maar je hebt het overleefd, tegen iemand met de zwarte band in vecht-

sporten?' zei Parks. 'Natuurlijk. Leraren Engels staan bekend als echte killers. En daarna heb je de dader vermoord op een kasteel in...?'
'Bari,' zei Thomas met een droge mond. Hij probeerde zijn polsen te strekken, maar het isolatieband gaf niet mee en de kleinste beweging veroorzaakte golfjes water die hem verrieden. Het water leek nu warmer dan zonet.
'Bari,' herhaalde Parks. 'Juist ja.'
Hij stond op, liep even weg en draaide Thomas zijn rug toe, wetend dat hij zich toch niet kon bewegen.
'Ik zal je zeggen wat we doen,' kondigde hij aan. 'We gaan praten. Of beter gezegd, jij gaat praten.'
'Waarover?'
'Hierover, bijvoorbeeld.'
Voorzichtig legde hij iets op de tafel, richtte zich op en lette scherp op Thomas' reactie. Het was het zilveren votiefvisje.
'Wat moet ik daar dan over zeggen?' vroeg Thomas.
'Hoe kom je eraan? Waar heb je het vandaan?'
'Ik heb het niet gevonden,' zei Thomas geïrriteerd. 'Zoals je heel goed weet. Het lag in Eds kamer in Chicago. Ik had het nog nauwelijks gezien toen jij al binnenkwam om het te stelen. Ik zag het pas terug in Italië, tussen Satohs spullen, toen de politie me die liet zien. Hoe heb je het teruggekregen?'
'Dit is een ander,' zei hij. 'Je merkt zeker wel dat het water steeds warmer wordt? Geweldige dingen, die o-furo, vind je niet? Er zit een verwarmingselement in het bad ingebouwd, in dit geval op gas. Als je het lang genoeg aan laat, begint het water ten slotte te koken. De bediening ligt natuurlijk ver buiten je bereik. Dus hoe zit dat met Eds zilveren visje? Waar komt het oorspronkelijk vandaan? Waar is het gemaakt, en wanneer?'
'Hoe moet ik dat in godsnaam weten?' zei Thomas. Hij kon de gasverwarming nu horen en voelde het water snel warmer worden. 'Je luistert niet naar me. Ik weet helemaal niets over dat ding. Níéts. Ik weet alleen dat Ed geïnteresseerd was in religieuze afbeeldingen van vissen met overdreven grote vinnen. En ik heb gehoord dat er een zilveren kruis moet zijn met zo'n vis erop. Satoh vertelde erover, maar ik geloofde hem niet erg. Nu wordt er gepraat over een soortgelijk kruis hier in een graf dat achthonderd jaar ouder is dan iedereen ooit dacht. Vind je dat geen merkwaardig toeval? Ik ook. Maar verder weet ik er ook niets van, oké? Geen idee. En maak nou mijn polsen los, verdomme.'

Hij benadrukte zijn terechte verontwaardiging en lette op Parks' reactie, maar hij kon zijn paniek toch niet verbergen. Het water was nu al handwarm en werd met de minuut heter.
'Dit exemplaar is gekocht in Bilbao, in Spanje,' zei Parks opeens, met een blik op het visje. 'Het is van zilver.'
'Waarom vraag je het dan, als je weet waar ze vandaan komen?' zei Thomas, terwijl hij probeerde het water in beweging te brengen, zodat de hitte op de bodem zich zou verspreiden. Hij begon te zweten.
'Ik zei niet waar het vandaan kwam, maar waar het was gekócht. Het is heel oud en het komt niet uit Spanje. Ik denk dat het in Mexico is gemaakt, ongeveer driehonderd jaar geleden, en dat het vandaar naar Spanje is gekomen, zoals zo veel zilver. Wat vind je daarvan?'
Hij wilde blijkbaar een reactie uitlokken. Thomas was de wanhoop nabij.
'Ik vind helemaal niets,' zei hij. 'Het zegt me ook niks. Komt het uit Mexico? Heel interessant. Mag ik nu gaan?'
Het water begon te stomen.
'Je weet dat het Smithsonian een merkwaardige vissenschub heeft gekregen die in 1949 in Florida is gevonden? Een coelacantschub?'
Thomas begon te vrezen dat Parks niet goed bij zijn verstand was.
'Nee,' zei hij, 'dat wist ik niet.'
'Je broer wel,' zei Parks, terwijl hij zich naar Thomas toe boog en het pistool nonchalant aan zijn hand liet bungelen. 'Waar is hij gestorven?'
'Op de Filipijnen,' zei Thomas. Pas later besefte hij dat hij Parks eindelijk iets had verteld wat hij nog niet wist. De man keek hem met grote ogen aan en zijn mond viel een eindje open.
'De *Filipijnen*,' fluisterde hij vol ontzag. 'Waar precies?'
'Geen idee,' zei Thomas.
Parks stak een arm uit en gaf hem zo'n harde zet dat zijn voeten omhoogkwamen en hij met zijn hoofd onder het hete water verdween. Nog afgezien van de pijn was de kans groot dat hij zou verdrinken als Parks hem niet snel weer overeind hees.
Hij werd weer in zithouding getrokken en zoog de koele lucht in zijn longen. Zijn huid was al roze. Nog een paar minuten en hij werd gekookt.
'Dat is alles wat ze me hebben verteld,' zei Thomas. 'Je kunt me hier laten zitten zo lang als je wilt, maar meer weet ik niet: de Filipijnen. Jezus, man, laat me hieruit...'
Maar Parks was in gepeins verzonken en fluisterde nog eens: 'De *Filipijnen*,' als een vreemde, raadselachtige mantra. Hij scheen Thomas'

aanwezigheid te zijn vergeten, maar toen hij weer opkeek was Thomas niet echt blij met die hernieuwde aandacht.
'Je weet écht helemaal niets, hè?' zei Parks met een zekere verwondering. 'Al dat speurwerk in Italië, en je hebt nog altijd niets ontdekt. Satoh zei dat je wel nuttig kon zijn, maar...'
Hij schudde zijn hoofd, als een ouder die te dikwijls is teleurgesteld in een kind. Toen bracht hij het pistool omhoog en richtte het op Thomas' gezicht.

71

Heel even staarde Thomas recht in de loop van het pistool. Hij voelde zich slap, verslagen. Toen hij zijn ogen sloot, kwamen de eerste regels van het oude gebed bij hem op: 'Uit de diepten roep ik tot u: O Here. Here, hoor naar mijn stem...' Daarna de oorverdovende knal van het pistool...
Alleen was het geen pistool. De knal kwam van de deur die met een klap werd dichtgeslagen. Parks was verdwenen.
Opluchting overspoelde hem.
'Goddank,' zei hij tegen de lege kamer, weifelend of dat ook een gebed was, of zomaar een uitroep. Maar het zachte sissen smoorde zijn gevoel van opluchting meteen. Het water werd nog steeds verhit, op weg naar het kookpunt. Parks had hem hier achtergelaten om te sterven.
Hij vocht tegen zijn boeien, hopend dat het hete water het isolatieband wat losser had gemaakt, de lijm had opgelost, of wat dan ook. Maar er was geen beweging in te krijgen. Hij kon nauwelijks meer iets zien door de stoom en wist niet hoelang hij nog bij bewustzijn zou kunnen blijven. Hij worstelde om overeind te komen, maar de tape hield hem tegen. Moeizaam rolde hij opzij, met zijn hoofd onder de kraan boven het bad. Als hij met zijn tanden de koude kraan kon opendraaien zou hij misschien wat tijd kunnen winnen. Terwijl hij dat probeerde, schreeuwde hij om hulp in het Engels en Japans. Zijn schrille kreten galmden door de betegelde ruimte, zodat hij er zelf van schrok. Maar hij bleef roepen.
De deur vloog open.
Heel even dacht hij dat Parks was teruggekomen om het karwei af te maken, maar het was Kumi, gevolgd door Jim. Zonder aarzelen stak ze

haar handen in het hete water en sleurde hem zo ver mogelijk omhoog. Jim stak zijn armen onder hem en samen wisten ze hem uit het bad te tillen.
'Parks,' hijgde Thomas.
Kumi, die geen woord zei maar zich concentreerde, zoals altijd in een crisis, richtte de koude kraan op zijn lichaam, terwijl Jim met een zakmesje het isolatieband doorsneed. Thomas strekte zich uit op de koude tegels, nauwelijks in staat nog een woord uit te brengen.
Jim staarde naar het dampende bad.
'Heel positief van je, Thomas, om de plaatselijke tradities over te nemen,' zei hij. 'Maar de volgende keer zou ik maar douchen, als ik jou was.'
'Uit naam van het Japanse volk,' zei Kumi, toen ze zich uitgeput op de natte vloer had laten zakken, 'wil ik verklaren dat isolatieband niet bij de tradities hoort.'

72

De opgravingen werden streng beveiligd en journalisten werden enkel toegelaten in kleine groepjes, onder begeleiding, en niet eens tot de grafkamer zelf, die te kwetsbaar werd geacht om er onbevoegden doorheen te laten walsen. Pas als alle sporen en bewijzen binnen uit de tombe waren verzameld zou hij voor het publiek worden geopend, maar dat kon nog maanden duren.
Thomas had nog steeds zijn nep-papieren, maar de wachtposten leken onder de indruk van alle niet-Japanse documenten, dus werd hij zonder probleem tot de rondleiding toegelaten. De Nieuw-Zeelander was nergens te bekennen.
Eigenlijk was er niet veel te zien buiten de tombe zelf, en de rondleiding werd duidelijk verzorgd door ondergeschikt personeel. De grafheuvel was blijkbaar al een tijdje bekend en werd goed afgeschermd. Maar het eerste wat Watanabe en zijn team hadden ontdekt toen ze drie weken geleden met de opgravingen waren begonnen was dat de tombe aanzienlijk groter was dan ze hadden vermoed. De zichtbare heuvel bleek slechts de bovenkant van de tombe te zijn. De feitelijke omtrek strekte zich uit tot ver voorbij het hek waar de verzamelde journalisten nu stonden.

Het graf, verklaarde hun gids – een tengere, serieuze vrouw die zich voorstelde als Miss Iwamoto – had acht kanten.
'Zoals u ziet,' zei ze, 'is het vrij groot. De zijden zijn bijna dertig meter lang, hoewel ze grotendeels onder de grond begraven lagen, met alleen de bovenkant van de heuvel in het zicht. De meeste Kofun-tombes hebben een karakteristieke sleutelgatvorm; deze achtkantige variant is heel zeldzaam. In het begin van de Kofun-periode werd het lichaam meestal boven in de heuvel begraven, maar in latere tombes, zoals deze – die uit de zevende eeuw dateert – werd het lichaam in een met steen beklede kamer gelegd, onder in de heuvel. Die kamer was toegankelijk via een gangetje, hier.' Ze wees. 'De zogenaamde *yokoana*-kamer. Als u deze kant uit komt, kunt u zien dat de yokoana ooit beschilderd was, hoewel het onderwerp van de schildering moeilijk is vast te stellen. Watanabe-*sensei* zal bij zijn analyse proberen de juiste betekenis te bepalen.'
Zwijgend liepen ze met haar mee naar de met steen beklede opening. Binnen waren werklampen opgesteld, maar die stonden niet aan en alleen het begin van de binnenruimte van de tombe was zichtbaar.
'In deze kist,' zei ze, wijzend naar een vitrinekist met een glazen deksel, naast de met touwen afgezette gang, 'ziet u enkele van de keramiekvoorwerpen die bij de dode man zijn aangetroffen. Er werden ook spiegels, kralen, een zwaard en onderdelen van een paardentuig gevonden. Die worden nu onderzocht en zijn niet tentoongesteld. U ziet ook enkele van de *haniwa* die dikwijls bij Kofun-graven werden ontdekt, hoewel hun doel niet duidelijk is.'
Ze wees naar een aantal kleicilinders tegen de muren.
'Er zijn er ongeveer tweehonderd gevonden op de heuvel, voornamelijk glad, maar sommige met afbeeldingen van dieren en mensen.'
'Klopt het dat hier dieren leefden?' vroeg een van de journalisten, die de hele archeologische uitleg nogal saai leek te vinden.
Thomas had verwacht dat Miss Iwamoto korte metten zou maken met deze poging om het verhaal een Disney-tintje te geven, maar haar gezicht lichtte op en ze leek opeens veel jonger toen ze antwoord gaf.
'Ja, er leefde een familie van *tanuki* – een soort Japanse wasberen – in de centrale kamer,' zei ze. 'Heel leuke dieren, maar wel ondeugend. Het team van Watanabe-sensei hoopt dat ze de resten niet hebben beschadigd.'
'Waar is het kruis?' vroeg Thomas, die ongeduldig werd.
'Dat wordt nu bestudeerd in het laboratorium van Watanabe-sensei. Het zal tentoon worden gesteld als de proeven zijn voltooid.'

Wat doe ik dan hier, in godsnaam, vroeg Thomas zich af. Hij draaide zich om en wilde al vertrekken, toen hij merkte dat de apathische veiligheidsman opeens geïnteresseerd was geraakt. In hem. Naast hem stond de starende student van de persconferentie. Ze kwamen naar hem toe.
Na de incidenten in Italië was Thomas op alles voorbereid. Het ergste wat ze konden doen was hem vragen te vertrekken. Hij zette zich schrap.
'Neem me niet kwalijk, meneer,' zei de student, 'maar mag ik uw naam weten?'
'Jenkins,' zei Thomas. 'Peter Jenkins.'
'En voor welk persbureau werkt u?' vroeg de student, terwijl hij nadrukkelijk een klembord met een lijstje raadpleegde. Zijn Engels was goed, zijn blik strak, zijn toon neutraal.
'Voor de *New Zealand Herald*,' antwoordde Thomas. 'Ik heb mijn kaartje in de wagen laten liggen.'
Watanabes assistent – die volgens zijn badge Tetsuya Matsuhashi heette – keek hem nog eens strak aan. Thomas wist zeker dat hij hem niet geloofde.
'U schijnt niet op de lijst te staan,' zei hij rustig, zelfs vriendelijk, maar Thomas had geen idee wat de man dacht. 'Alle geaccrediteerde verslaggevers moeten hun papieren altijd bij zich hebben. Ik ben bang dat ik u moet vragen te vertrekken.'
Thomas haalde zijn schouders op. Hij werd hier toch niets wijzer. Toen hij wegliep van het groepje journalisten bij de grote grafheuvel riep de student hem nog iets na.
'En, meneer Jenkins, het hek zal in de toekomst beter worden bewaakt. Dit is een heel waardevol complex en we willen geen problemen. Daar zult u begrip voor hebben.'
'Natuurlijk,' zei Thomas. 'Waar is meneer Watanabe?'
'In zijn laboratorium in de stad,' zei Matsuhashi, maar zijn ogen gingen even naar de stacaravan die langs de rand van het terrein geparkeerd stond. 'Archeologie is niet alleen de glamour in het veld. Er gaat ook veel tijd heen met saaie proeven.'
'Onderzoek naar materialen van dit terrein?'
'Grotendeels wel,' zei de student, 'maar hij is een drukbezet man en dit is niet de enige opgraving waarmee hij zich bezighoudt.'
'Ook met zaken uit het buitenland?' vroeg Thomas.
Matsuhashi's gezicht betrok. 'Meestal niet,' zei hij, een beetje onzeker.
'En de laatste tijd?'

'Een paar weken geleden zijn er wat kisten voor hem gearriveerd,' zei Matsuhashi energiek. 'Om er zijn deskundige mening over te geven.'
'Waarvandaan?'
'Dat weet ik niet. Had u iets in gedachten, meneer...?'
'Jenkins,' zei Thomas met een glimlach. 'Nee, ik ben gewoon nieuwsgierig. Hebt u ook gezien wat erin zat?'
'Kofun-aardewerk, neem ik aan,' zei Matsuhashi, zonder met zijn ogen te knipperen.
'Ik heet geen Jenkins,' zei Thomas opeens. 'Mijn naam is Knight. Mijn broer was priester. Kende u hem?'
'Knight?' zei Matsuhashi. Zijn gezicht verstrakte als een keramisch masker. 'Nee, die heb ik niet gekend. En als u het niet erg vindt...'
Thomas knikte, lachte nog even en vertrok, ervan overtuigd dat de andere man hem de hele weg nakeek. En dat hij loog.

Terug in de ryokan hoorde hij Jim mompelen op zijn kamer, en hij schoof de paneeldeur opzij. De priester zat gehurkt op de tatami naast een laag tafeltje, met Kumi geknield aan de andere kant, rustend op haar kuiten op de formele Japanse manier. Naast het tafeltje stond een fles plaatselijke wijn en een schaal knapperig brood.
'Ik laat u vrede. Vrede schenk ik u,' hoorde hij Jim zeggen. 'Zie niet naar onze zonden, maar naar het geloof van uw kerk, en houd ons in uw genade vrij van zonden en bescherm ons tegen alle vrezen...'
Hij keek op naar Thomas.
'De mis,' zei hij. 'Je bent welkom, als je...'
Maar Thomas schudde al zijn hoofd en schoof de deur weer dicht.

73

De naam in zijn paspoort luidde Harvey Erickson, met de aantekening dat hij blind was. Hij droeg een grote zonnebril met donkere, enigszins spiegelende glazen en een lange, harige overjas, net zo harig als zijn gezicht. Zijn tanden waren wit en regelmatig, hij droeg handschoenen van reebruin kalfsleer en hij liet zijn witte stok met de rode punt alleen los als hij zat.
De vlucht en de daaropvolgende treinreis had hij in bijna volledig stil-

zwijgen doorgebracht, zonder aandacht voor de stewardessen, alsof ze niet bestonden. De afgelopen vierentwintig uur had hij hooguit tien of twaalf woorden gesproken. Als er naar zijn tickets of legitimatie werd gevraagd, liet hij die zwijgend zien. Hij voelde dat mensen hem ontweken en zelfs niet naar hem keken, maar hij hield van de eenzaamheid, dus dat kwam goed uit.

Hij hield niet van Japan, met zijn vreemde geuren en geluiden, maar hij liep rustig met zijn stok over de stoepen, luisterend naar de vrolijke elektronische piepjes van de oversteekplaatsen, verankerd in oude liedjes, totdat hij een goedkoop hotel had gevonden in een hoekje van de stad waar het wemelde van cafés, poolhalls en *yakitori*-vakwerkhuizen. Tegen de avond was het stil op straat, behalve waar dronken, rood aangelopen *salarymen* door een bepaald soort dames naar binnen werden gelokt voor pleziertjes die hij nooit zou ervaren.

Maar ook dat gaf niet. Hij had andere geneugten.

Hij bleef voor de spiegel in de badkamer staan, zonder zijn jas en handschoenen, en nam met zijn lange, bleke vingers de zware, donkere bril van zijn neus, terwijl hij keek hoe zijn irissen zich vernauwden in het zwakke maar plotselinge licht. Het was geen probleem om de rol van een blinde te spelen. Het gaf hem niet alleen een bijzonder soort anonimiteit, maar ook de duisternis waaraan hij de voorkeur gaf. Hij haalde de pruik van zijn kale schedel, trok de baard weg en wreef de lijm van zijn gezicht, dat nu zijn normale trekken aannam. De snee op zijn hoofd was weer dicht en de meeste kneuzingen waren verbleekt tot een vage metaalachtige schaduw.

Ten slotte maakte hij een grimas in de spiegel, trok zijn lippen terug als een grauwende hond en haalde het voorgevormde gebit uit zijn mond, zodat zijn eigen, scherp gevijlde tanden weer bloot kwamen. Toen stak hij een roze, natte tong uit en siste met een zeker genoegen tegen zijn eigen spiegelbeeld.

De Honger was terug.

74

Jim stond met een witte Toyota-sedan te wachten op de weg naar de opgravingen. De pers was grotendeels verdwenen en er hingen alleen nog wat groupies rond om de grote man te zien.

'Is Watanabe hier?' vroeg Thomas.
'De meisjes denken van wel,' zei Jim. 'En zij zullen het wel weten.'
'Zijn assistent, Matsuhashi, zei dat hij in het laboratorium in Kofu was. Blijkbaar mocht ik hem niet zien.'
'Ik heb wel een vermoeden waarom,' zei Jim.
'Is Ed in Kofu geweest? Ach, mijn voorspellende gave!'
'Minstens twee dagen,' zei Jim. 'Een dag of tien voordat hij stierf. Hij kwam kennismaken bij de plaatselijke kerk, at een hapje mee, heeft minstens één keer de mis opgedragen en is blijven logeren.'
'Hij was dus bepaald niet incognito,' zei Thomas. 'Maar wat deed hij hier in vredesnaam?'
'Hij kwam voor de opgraving, neem ik aan.'
'Dat zou je wel denken,' zei Thomas, 'maar er wás toen nog geen opgraving. Die ontdekking is pas na zijn dood gedaan. Waar kwam hij dan voor?'
'Geen idee,' zei Jim. 'Wat doen we nu?'
'We wachten af,' zei Thomas. 'En we houden onze ogen open voor het geval de geachte archeoloog weer opduikt.'
Het bleef een hele tijd stil.
'In Chicago zei je dat je een missionaris was,' merkte Thomas op.
'En?'
'Waarom heeft Amerika een missionaris nodig?'
'Amerikaanse katholieken vertrouwen te veel op het geloof.'
Thomas fronste.
'Het gaat er niet alleen om wat je gelooft,' zei Jim, 'maar ook wat je doet, hoe je het evangelie in praktijk brengt – en dan bedoel ik niet dat je andere mensen moet veroordelen om hun morele opvattingen. Ed begreep dat. Sommige priesters zijn geweldige kerels zolang je samen naar een wedstrijd kijkt, maar zodra het over religie gaat zetten ze hun heilige pet op en komen ze met allerlei regeltjes en huichelachtige gemeenplaatsen. Ed dus niet. Hij wist het.'
'Wat wist hij?'
Jim dacht even na. 'Christen zijn betekent dat je één bent met de armen en verdrukten. Wij delen hun lichaam, zoals Christus het Zijne deelde. We nemen deel aan hun leven, hun maatschappelijke omstandigheden en hun politieke en economische omgeving.'
Thomas keek hem aan. Hij herinnerde zich wat Hayes had gezegd over een uitzettingskwestie en vroeg zich af of Jims principes kortgeleden op de proef waren gesteld. Hij wilde ernaar vragen, maar de werkelijkheid kwam tussenbeide.

'Kijk,' zei Jim.
Het werd al donker buiten. De laatste journalisten waren met de bus vertrokken. De tolk, Miss Iwamoto, opende het portier van haar eigen witte auto en wiep een ondoorgrondelijke blik op de drie jonge vrouwen die nog steeds hoopvol stonden te wachten voor het inderhaast geplaatste ijzeren hek. Matsuhashi kwam uit de stacaravan en sprak met de nachtwaker, die knikte, alsof hij zijn instructies ontving. Daarna werden de meisjes teleurgesteld van het terrein naar de weg geloodst. Allemaal, op één na.
'Ik denk dat iemand vanavond toch nog gaat scoren,' mompelde Thomas met vermoeide weerzin.
Matsuhashi opende de deur van de stacaravan en het laatste meisje, een elegante Japanse met loshangend haar en een zwarte cocktailjurk, maakte een kleine buiging voor hem en verdween in de geelverlichte rechthoek van de deuropening. Matsuhashi's werk zat erop. Hij knikte naar de nachtwaker en liep naar de laatste auto op het grind van de toegangsweg. De vrouw draaide zich om en trok de deur achter zich dicht.
Het was Kumi.
Thomas slaakte een paar vloeken en gooide zijn schouder tegen het portier, maar Jim hield hem tegen.
'Wist jij hiervan?' snauwde Thomas. 'Wist jij dat zij het was? Wat ze daar deed?'
'Ik mocht niets tegen je zeggen,' zei Jim.
'Ja, dat is natuurlijk belangrijker dan alle andere morele overwegingen. Heel ethisch van je!' bulderde Thomas. 'Dat is mijn vrouw!'
'Je ex,' zei Jim.
'O, dus dan is het geen probleem, *eerwaarde*?'
'Ze doet het voor jou,' zei Jim. 'En zoals ze al zei: ze kan heel goed op zichzelf passen. Ze zal heus niets... onsmakelijks doen.'
'Onsmakelijk?' viel Thomas uit. 'Dit hele gedoe is onsmakelijk!'
'Ze zal proberen hem zover te krijgen dat hij iets blootgeeft...'
'Daar kunnen we wel van uitgaan, dacht je niet?' snauwde Thomas.
'Informatie, bedoel ik,' zei Jim. 'En zolang zij daar is, houdt ze hem bezig. Dus kan ik jou naar het lab in Kofu brengen, zodat je daar kunt rondneuzen. Ik rij weer terug hierheen. Kumi heeft een paar prepaidmobieltjes gekocht. Hier. Het is al geprogrammeerd. Ze kan ons bellen zodra ze ons nodig heeft.'
'En dan schiet jij haar zeker te hulp als de cavalerie met een priesterboordje, verdomme?'

'Hopelijk zonder vloeken,' zei Jim. Hij startte de motor. 'Oké?'
Thomas zuchtte. 'Als je maar zorgt dat je hier snel weer terug bent.'

Kumi had haar research gedaan. Die meisjes buiten waren wel jonger dan zij, maar te goedkoop en opvallend in hun houding en kleding om een kans te maken. Ze had een paar uur op het net de artikelen over haar beroemde doelwit gelezen in *Shukan Shincho*, *Shukan Bunshun* en andere boulevardbladen. Watanabe hield van een beetje klasse, of de schijn daarvan, en ook van een uitdaging, al was het maar omdat de onvermijdelijke verovering zijn ijdelheid dan nog meer streelde. Er gingen geen geruchten dat hij zich opdrong als het niet naar wens verliep, hoewel dat waarschijnlijk niet vaak voorkwam.
Hij droeg een strakke zwarte jeans met een grote zilveren gesp met Navajo-motief, laarzen van krokodillenleer en een kraagloos wit zijden hemd, van boven losgeknoopt en met de mouwen losjes omgeslagen tot aan zijn ellebogen. Deze keer had hij een blauwgetinte bril op, en hij rookte met een bestudeerde nonchalance een sigaret toen hij haar met een knikje begroette. Hij hoefde niet al te scherp te kijken. Matsuhashi had haar uitgenodigd, maar Watanabe had de keus gemaakt.
Kumi kwam behoedzaam binnen, met wat kleinere, sierlijker bewegingen dan ze gewoon was, terwijl haar blik met een zorgvuldige mengeling van verlegenheid en koketterie door de verrassend luxueuze caravan gleed. Het paste niet bij haar karakter, maar ze had in haar werk wel geleerd om rollen te spelen, hoewel minder grotesk dan nu, zoals buitenlanders – vooral vrouwen – nu eenmaal gedwongen waren als ze wilden slagen tussen de salarymen van Tokyo.
Watanabe maakte een kleine buiging, mompelde zijn *dozos*, zijn begroeting en zijn gladde complimentjes met een stunteligheid die bijna vertederend was. Ondanks zijn sterrenstatus gedroeg hij zich tegenover vrouwen zoals de meeste Japanse mannen die ze kende: met een jongensachtige houterigheid die haar bijna verleidde om haar argwaan te laten varen. Hij bood haar een sigaret aan, die ze weigerde, en champagne, die ze accepteerde.
Ze spraken Japans. Kumi was niet van plan haar achtergrond prijs te geven en beheerste de taal daarvoor voldoende. Ze zou niet overtuigend een Japans dialect kunnen spreken, maar de vrouw die ze speelde zou alle moeite doen zo'n provinciale beperking juist te verhullen, dus ook dat was geen probleem. Ze was een zelfverzekerde dame uit Tokyo, op bezoek bij een oude studievriendin die bij NHK werkte. Zo had ze hem op die persconferentie gezien, en ze was... geïntrigeerd ge-

raakt. Hij glimlachte voldaan en zei dat hij haar daar niet gezien had.
'Dat wilde ik ook niet, voordat ik had besloten wat ik zou doen,' loog ze gladjes.
'En wat gá je doen?' vroeg hij, met plezier in het spel.
'Een goed glas drinken,' zei ze koel, zonder zich in de kaart te laten kijken, hoewel ze recht en openhartig in de glazen van zijn donkere bril staarde.
Verheugd proostte hij met haar en nam een slok.
Tien minuten lang praatten ze over van alles en nog wat, maakte hij haar regelmatig complimentjes en hield zij fysiek afstand – echte Japanse terughoudendheid, maar zonder hem helemaal buiten te sluiten. Daarna bracht ze het gesprek op de opgravingen, benadrukte hoe geïnteresseerd ze was en hoe indrukwekkend ze hem vond. De vrouw die ze speelde prees hem niet rechtstreeks, maar wel zijn werk, en dat kwam op hetzelfde neer. Hij wilde zich niet laten afleiden, maar scheen te beseffen dat dit de weg naar grotere intimiteit was en begon dus te vertellen over de opgraving, hoe hij de eerste voorwerpen had ontdekt en wat hij zo uniek vond aan de botten... Voorzichtig, discreet, zonder haar berekende beheersing op te geven, sperde Kumi haar ogen open en beloonde zijn nonchalante snoeverij door zo nu en dan even zijn hand aan te raken.
'En de rest van je team?' vroeg ze. 'Werken die nog voor de kost, of regelen ze alleen je groupies?'
Hij lachte om haar eerlijkheid.
'Matsuhashi is een student van me,' zei hij. 'Geen geweldige archeoloog, maar heel loyaal. Wetenschappers hebben geen lijfwacht, maar hij vervult die functie vrij aardig.'
'Hij maakt indruk,' zei Kumi.
'Je weet de helft nog niet,' vertrouwde Watanabe haar toe, terwijl hij haar nog eens inschonk. 'Hij is een zwarte band, negende dan, in taekwondo en shim soo do. En hij heeft in de gevangenis gezeten voordat hij met archeologie begon.'
Opeens zwaaide hij met zijn armen, half als imitatie, half als parodie, en slaakte een kreet als Bruce Lee, voordat hij zich giechelend liet terugzakken.
'Beschermt hij je?' drong Kumi aan. 'Houdt hij lastige mensen bij je weg?'
'Daar heb ik hem niet voor nodig,' zei Watanabe minachtend. Hij werd minder subtiel, onder invloed van de drank. 'Ik kan wel voor mezelf zorgen. En ik heb andere vrienden. Machtige figuren.'

'Vast wel,' zei ze.
'Zo is het,' zei hij, terwijl hij zijn zonnebril afzette, zich naar haar toe boog en haar aankeek met een blik waarin verlangen maar ook een zekere dreiging lag.

75

Het kantoor van Watanabe bevond zich in het Yamanashi Archeologisch Instituut, een laag, betonnen gebouw met een sierlaag van bruine kiezels en een plat dak dat in de jaren zestig misschien architectonisch vernieuwend was geweest maar nu alleen armoedig en een beetje plomp overkwam, als een dikke pad die ongewenst aan de rand van de stad hurkte. Hij had ook een plek aan de universiteiten van Tokyo en Osaka als hij daar in de buurt veldwerk deed, maar de meeste tijd bracht hij hier door, op korte afstand van de Kofun-centra waar zijn carrière om draaide.
Thomas stapte een paar straten eerder uit om de rest van de weg te lopen, met een baseballcap diep over zijn ogen getrokken. Yamanashi was geen Tokyo en buitenlanders vielen op.
'Rij terug naar Kumi,' zei hij tegen Jim. 'Als haar iets overkomt...'
'Ga nou maar,' zei Jim, terwijl hij hem een zaklantaarn uit het handschoenenkastje gaf. 'De colleges zullen wel afgelopen zijn. Dat is het ideale moment om daar binnen te komen.'
Thomas liep door een park, waar de kersenbloesems net opengingen, en wachtte daar drie lange minuten voordat hij de eerste studenten uit het gebouw zag komen. Snel en met gebogen hoofd stapte hij door de glazen deuren naar binnen.
Er waren niet meer dan acht docenten, te oordelen naar de lijsten op het prikbord, van wie er twee in deeltijd werkten. Twee van de overige zes waren op excursie voor veldwerk, een ander had een sabbatical en nog iemand was afwezig vanwege een conferentie. Watanabe, de beroemdheid van de school, werd elders beziggehouden, dus bleef er maar één fulltimedocent over. Thomas vond het collegelokaal op de eerste verdieping en wachtte.
Binnen een minuut waren ook de laatste studenten vertrokken. Thomas ving een glimp op van de docente, een kleine vrouw van middelbare leeftijd met een strenge uitstraling en een krankzinnige bril met een

hoornen montuur, en bukte zich naar zijn rugzak, zodat ze hem niet goed kon zien toen ze hem voorbijliep op weg naar haar kantoortje. Thomas volgde haar behoedzaam en glipte de toiletten in, vlak bij haar kamer. Toen hij de deur voor de tweede keer hoorde open- en dichtgaan wierp hij een blik door de kier en zag dat de docente haar jas en haar tas pakte, terwijl ze naar haar sleuteltjes zocht om te vertrekken.
Op een gegeven moment zou er wel een conciërge zijn ronde doen, en misschien waren er nog een paar studenten in het lab om een onderzoekje af te maken, maar voorlopig had hij nog niemand gezien, en hij was er redelijk zeker van dat hij het gebouw voor zich alleen had. Hij kon geen bewakingscamera's of alarminstallaties ontdekken, behalve een lamp met een bewegingssensor op het parkeerterrein. De kust was veilig.
Watanabes kantoor lag in dezelfde gang. Hij probeerde de deurkruk, maar die gaf niet mee. Het was de enige deur in het gebouw met twee sloten, één in de kruk en een grendel daarboven. Thomas had geen geheim talent voor dat soort dingen, geen behendigheid met haarspelden, geen magische elektronische apparaatjes die de grendel deden terugschieten, maar hij wist wat er in dit gebouw werd bestudeerd. Na een korte test van de sterkte van de deur probeerde hij alle andere deuren die hij kon vinden.
De bezemkast was open, maar daar had hij niet veel aan. Daarnaast lag een kantoortje met oude meubels en uitpuilende archiefkasten. Toen vond hij de voorraadkamer die hij zocht, pakte wat hij nodig had en liep terug naar het kantoor van Watanabe.

Kumi trok zich een eindje terug, legde een vinger tegen zijn naderende lippen en duwde hem speels bij zich vandaan.
'Geduld,' zei ze. 'Dingen zijn altijd leuker als je erop moet wachten.'
'Dat hangt ervan af hoe lang het duurt,' zei Watanabe een beetje korzelig, maar hij richtte zich weer op en wist zelfs een glimlach op zijn gezicht te toveren.
'Je moet heel wat reizen in jouw werk,' zei ze. 'Vertel eens.'
Ze bood hem een nieuw onderwerp aan, als een volgende fase van het spel, om hem nog verder te verleiden.
'Ik kom veel in Korea,' zei hij.
Ze bromde teleurgesteld. 'Ik bedoelde iets interessants,' zei ze. 'Europa? Frankrijk? Italië?'
Hij kneep zijn ogen samen en scheen opeens niet meer zo dronken en onhandig. Haastig herstelde Kumi haar fout.

‘Ik ben er nog nooit geweest,’ zei ze. ‘Praag! Dat schijnt prachtig te zijn. Daar zou ik graag naartoe willen. Of naar Wenen.’
‘Ik ben wel in Italië geweest,’ zei hij, kennelijk gerustgesteld. ‘Het is er lelijk en smerig. Vooral Napels.’
Kumi probeerde de vonk van interesse uit haar ogen te bannen. Hij hield haar scherp in de gaten.

Het was niet subtiel en ook niet geruisloos, maar het zou wel werken. Thomas wrikte de punt van het houweel dat hij in de voorraadkast had gevonden tussen de deur en de deurpost en zette kracht op de steel. Het hout van de deurpost begon te versplinteren. Hij verplaatste het houweel een beetje en probeerde het nog eens. De hele deurpost begon te golven en kwam een centimeter los van de muur. Met het vlakke uiteinde van het houweel wrikte hij verder, totdat er een hele berg houtsplinters aan zijn voeten lag en de deur eindelijk bezweek onder de kracht van zijn schouder.
Trillend vloog hij open en Thomas stond in een ruim, zakelijk kantoor met een metalen bureau, een computer, telefoon, fax en een serie zware stalen dossierkasten. Op een lange tafel zag hij dozen, bakken met chemicaliën, een paar microscopen en nog wat andere apparatuur, die hij niet kon benoemen.
De zonwering was omlaag. Thomas sloot de lamellen, deed de deur zo goed mogelijk dicht en klikte eerst zijn zaklantaarn en toen de computer aan. Terwijl de pc opstartte, doorzocht hij haastig de kamer, hoewel hij niet precies wist waarnaar. De dossierkasten zaten allemaal op slot en hij betwijfelde of het houweel daar veel aan kon veranderen. In de hoek achter de deur stond een stapel pakkisten, waaronder twee grote houten kratten die alleen houtschilfers bevatten. De transportlabels waren met zorg verwijderd.
Een van de bureauladen was open. Er zat een serie mappen in, met papieren die waren volgeschreven met getallen, formules en Japanse toelichtingen die veel te technisch voor Thomas waren om te ontcijferen. Maar één map leek getallen te bevatten die bij drie verschillende proeven hoorden, aangeduid door de cijfer-lettercombinaties 4F, 12A en 21A. De eerste pagina van elke proef begon met de vergelijking:

$D^2 i,j = (x_i - x_j)^2 \, Pw^{-1}(x_i - x_j)$
x_i = vector van waarden voor afzonderlijke *i*,
x_j = gemiddelde vector voor populatie *j*,
Pw = verzamelmonster covariantiematrix

Thomas staarde naar de getallen en de formule, maar kon er niets van maken, behalve dat de cijfers op maten in millimeters leken.
Maar maten van wat?
De volgende map bevatte grafieken en getallen, blijkbaar voor een grotere groep proeven, waarvan slechts een deel terugkeerde in de andere map. Daarbij zat een begeleidende brief in het Engels, gedateerd op 10 maart, van een bedrijf dat Beta Analytics heette en was gevestigd in Miami, Florida. De relevante informatie leek een kolom van gegevens te zijn die waren gekoppeld aan de nummers van proeven: 250±75 BP (BETA-895) [Monster 1A], 1000±75 BP (BETA-896) [Monster 1B], tot en met 200±75 BP (BETA-909) [Monster 25D].
Thomas las de cijfers twee keer door, speurend naar een patroon of iets anders dat hem wijzer zou kunnen maken, maar tevergeefs. Het symbool in het midden van elke gegevensgroep leek op een kruis, maar het was waarschijnlijk een teken voor 'ongeveer': 250 plus of minus 75. Maar 250 wat?
Jaren?
Misschien. En wat zou 'BP' kunnen betekenen?
Hij miste gewoon de kennis of het inzicht. Voor de zoveelste keer sinds Eds dood voelde hij zich totaal verloren.

76

'Wat deed je in Napels?' vroeg Kumi.
'Onderzoek,' zei Watanabe.
'Archeologie?'
'Niet echt,' zei hij, duidelijk niet geïnteresseerd in dit onderwerp. 'Toeristisch, voornamelijk. Een beetje rondkijken.'
'Waarnaar? De renaissance? Het oude Rome?'
Weer zag Kumi die behoedzame, oplettende blik in zijn ogen. Ze dronk van haar champagne.
'Een beetje rondkijken,' herhaalde hij.
'Heb je je eigen collectie?' gooide ze het over een andere boeg. 'Oude voorwerpen?'
'Een paar,' antwoordde hij.
'Waardevol?' vroeg ze, terwijl ze een bijna erotische opwinding in haar stem legde.

'Een paar,' zei hij weer, met een lachje.
'Waar heb je die?'
'Thuis. We kunnen er wel heen rijden, als je wilt...?'
De vraag bleef een moment in de lucht hangen toen Kumi nadacht. Als antwoord dronk ze haar glas leeg en stond op.

Er zat Matsuhashi iets dwars. Dat was niets nieuws, want de afgelopen zes maanden had hij meer zorgen aan zijn hoofd gehad dan de eerste vierentwintig jaar van zijn leven bij elkaar, maar dit was anders. Het ontglipte hem steeds, als een stem op een slecht afgestemde radio, die wegzakte voordat je de woorden kon verstaan.
Als een herinnering.
Het had iets te maken met Knight, allebei de Knights, die dode priester en zijn broer, die zich als journalist had voorgedaan.
Hij zette de tv uit, trok een blikje Kirin open en pakte zijn laptop. Op internet typte hij het adres van de kerk van Edward Knight in. Hopelijk was de site nog niet bijgewerkt. Maar dat was hij wel. Die nieuwe man, Jim Gornall, stond er nu op, met een overlijdensbericht van Knight en het verzoek voor hem te bidden. Een paar van de oudere foto's waren verzameld in een klein album, ter nagedachtenis. Matsuhashi liet ze als dia's voorbijkomen, terwijl hij zijn bier dronk. Om de vijf seconden verscheen er een volgende foto: Knight met een jeugdgroep, in vrijetijdskleding, Knight met de bisschop bij een wijding, Knight die de mis opdroeg in een groengouden misgewaad, Knight met een hamer op een bouwplaats van Habitat for Humanity, Knight die een huwelijk inzegende...
Wacht. Even terug.
Hij zette de diavertoning stil en bestudeerde de foto: Edward Knight, een jaar of tien jaar jonger dan zoals Matsuhashi hem voor het laatst had gezien, met het gelukkige bruidspaar: de bruidegom die verdacht veel op hem leek – dat moest zijn broer zijn – en de bruid...
Hij pakte de telefoon en belde, terwijl zijn ogen weer naar het computerscherm dwaalden.

Watanabe trok net de deur van de stacaravan dicht toen binnen de telefoon ging.
'Moet je opnemen?' vroeg Kumi.
'Ach, nee,' zei hij, terwijl hij het sleuteltje van de Mercedes op de auto richtte tot het alarmsysteem piepte en de portieren werden ontgrendeld.

'Gelukkig maar,' zei ze. 'Ik speel niet graag de tweede viool.'
Hij grinnikte, bracht haar naar de auto en opende het portier met een spottend ridderlijke buiging.
Kumi stapte in. Watanabe had net haar deur gesloten en liep om de auto heen toen ze zijn mobieltje hoorde overgaan. Door het andere raampje zag ze dat hij naar het nummer van de beller keek. Hij zuchtte, vormde met zijn lippen het woord 'werk' door het raampje en bracht de telefoon naar zijn oor.

De computer werd natuurlijk beschermd door een wachtwoord. Gefrustreerd en prikkelbaar logde Thomas in als workstationgebruiker, ging online en opende zijn mailbox. Tegelijkertijd zocht hij in zijn zak naar een kaartje, zette zich schrap en pakte de telefoon, in de hoop dat hij zich de code van het land nog goed herinnerde. Het toestel ging drie keer over voordat ze opnam.
'Deborah,' zei hij, 'met Thomas Knight.'
Hij dacht dat ze even haar adem inhield, maar ze zei niets.
'Ik weet dat dit onverwacht is en dat je waarschijnlijk de vreselijkste dingen over me hebt gehoord, maar ik kan je verzekeren...'
'Ik weet wel dat je die mensen niet hebt vermoord,' zei Deborah. Ze klonk eerder beslist dan overtuigd, alsof ze van de hoge duikplank was gesprongen en wist dat iedere aarzeling nu fataal kon zijn.
Weer een daad van geloof.
'Dank je,' zei hij. 'Zou je die foto willen aanklikken die je me gestuurd hebt – bij dat artikel over die Japanse opgraving?'
'Momentje,' zei ze.
Hij opende de foto en bekeek hem nog eens.
'Kun je hem dateren?' zei Thomas, turend naar het glinsterende beeld van het zilveren kruis met de potenvis in het midden.
'Niet met zekerheid. Niet op een foto. De stijl lijkt Europees, uit de middeleeuwen, mogelijk de zevende of achtste eeuw.'
'En die vis?'
Een stilte.
'Ik zie het,' was alles wat ze zei.
'En?'
'Wat wil je precies weten, Thomas?'
'Ik wil weten of dit afkomstig zou kunnen zijn uit het graf dat jij hebt opgegraven in Paestum. Je dacht dat er al dingen waren weggehaald voordat jij daar kwam. Zou dit een van die dingen kunnen zijn?'
'Dat kan ik niet beoordelen op basis van een foto, Thomas,' zei ze.

Haar stem schoot uit. 'Thomas, als jij wilt beweren dat dit kruis van mijn opgravingen in Italië afkomstig is, zou dat een ernstige beschuldiging zijn aan het adres van de Japanse archeoloog die zegt dat hij dit in Japan gevonden heeft. Dat kun je niet volhouden zonder concreet bewijs. Anders is het smaad.'
'Maar zou het uit Paestum kunnen komen?'
'Je luistert niet...'
'Jawel, en ik stel je bezorgdheid erg op prijs, maar geef nou antwoord. Die mogelijkheid moet ook bij jou zijn opgekomen, anders had je me dat artikel niet gestuurd! Kan dat kruis zijn geplunderd uit de opgravingen in Paestum?'
'Het komt overeen met de kruisen die op de wanden van de tombe zijn afgebeeld. Die vis is een ongebruikelijk detail, vanwege de grote borstvinnen. Die heb ik buiten dit gebied nooit ergens gezien, en ook niet ergens anders binnen de christelijke kunst. Maar dat bewijst nog niet dat die Japanse vondst bedrog is. Misschien was er wel een vroege evangelische beweging waar wij niets van weten, een groepering die in Italië is ontstaan en naar Japan is getrokken...'
'Nee,' zei Thomas. 'Dat klopt niet. Er is iets aan de hand. Een grote zaak. En Ed heeft dat ontdekt, dat kan niet anders.'
'Ik dacht dat die Japanner die was vermoord...'
'Satoh,' zei Thomas.
'Ik dacht dat hij zei dat het kruis uit Herculaneum kwam,' zei ze.
'Maar dat is toch te vroeg?' zei Thomas. 'Volgens mij loog hij maar wat, om mij te motiveren nog harder te zoeken en misschien te vinden wat hij niet gevonden had.'
'Thomas, luister nou,' zei Deborah. 'Als je de reden op het spoor bent waarom Ed is vermoord, zullen zij... wie ze ook zijn... dat weten. Je moet daar weg voordat jou zelf iets overkomt.'
'Misschien,' zei Thomas. 'Maar nu nog niet.'

Jim was in paniek. Toen de deur van de caravan openging, had hij een zucht van opluchting geslaakt. Kumi had het dus overleefd. Misschien was ze zelfs iets nuttigs te weten gekomen, en straks zou ze weer veilig zijn. Maar Watanabe kwam achter haar aan en samen stapten ze in zijn luxe Mercedes, maar niet voordat de archeoloog eerst op zijn mobieltje was gebeld.
Jim stond aan de overkant geparkeerd en er was niet veel licht, maar hij zag de uitdrukking op Watanabes gezicht, zijn blik naar Kumi, die in de auto op hem zat te wachten, en de manier waarop hij bij de auto

vandaan liep om het gesprek af te maken. En toen hij eindelijk instapte, was hij weggescheurd met meer agressie dan alleen bravoure.
Kumi verkeerde in gevaar. Jim voelde het in zijn botten. Hij wist niet hoe ze door de mand was gevallen, maar toch was dat gebeurd, en alles dreigde fout te gaan.
Hij draaide de gehuurde Toyota de weg op en volgde de Mercedes, zoekend naar het mobieltje in zijn zak.

'En de botten?' zei Thomas tegen Deborah. 'Bij die Japanse opgravingen zijn Europese botten gevonden die uit dezelfde periode schijnen te dateren als het kruis. Kunnen die uit het graf in Paestum zijn gekomen?'
'Nee,' zei ze, met meer overtuiging nu. Haar vlakke, voorzichtige toon was verdwenen. 'Botten overleven niet in Paestum. Daarvoor is het terrein te lang te nat geweest. Er zijn geen menselijke beenderen bewaard gebleven uit de bewoonde tijd.'
'Dus moet hij die ergens anders vandaan hebben gehaald,' zei Thomas. Meteen kreeg hij een idee. 'Pietro dacht dat Satoh dezelfde man was die hij Tanaka noemde, maar als dat nou niet zo was? Stel dat de monsignor een heel andere Japanner heeft ontmoet die zichzelf Tanaka noemde?'
'Watanabe?' zei Deborah ongelovig.
'"*Meegenomen naar binnen,*"' zei Thomas, toen Pietro's woorden weer door zijn hoofd gingen. 'Dat zei hij voordat hij stierf. Het was allemaal zijn schuld, want hij had Tanaka meegenomen naar binnen.'
'Waarheen dan?'
'De Fontanelle,' zei Thomas. 'En zo, bewust of onbewust, heeft hij Watanabe gegeven wat hij zocht.'
'O mijn god,' zei Deborah. Haar afkeer en woede waren zelfs te horen over de lange, gebrekkige verbinding.
'Een paar weken voor de Kofun-vondsten kreeg hij een paar kisten bezorgd. Zijn assistent had niet gezien wat erin zat en dat was vrij ongebruikelijk, kreeg ik de indruk.'
'Denk jij dat er in die kisten...'
'... botten zaten?' vulde Thomas aan. 'Ja.'
Het bleef een moment stil. Toen zei Thomas: 'Kan ik je de uitkomsten van een paar proeven voorleggen om te zien of jij er iets van begrijpt?'
'Natuurlijk,' zei ze.

Matsuhashi liep geruisloos over het donkere voorplein. De voordeuren van het Yamanashi-laboratorium waren nog open, zoals zijn docent al

had gevreesd. Iedereen kon zo naar binnen. Natuurlijk maakten ze zich geen zorgen om iedereen, maar wel om Knight.
Er stond geen auto geparkeerd, maar dat zei niets. Snel en onhoorbaar liep de student de gang beneden door, naar de trap. Alle lichten waren gedoofd, en dat kwam goed uit. Zijn hand ging naar het mes in zijn zak toen hij naar de versplinterde deurpost van Watanabes kantoor sloop, waar een streep licht doorheen kwam. Hij bewoog zich geruisloos, als een moordenaar.

77

'Zegt de naam Beta Analytics je iets?' vroeg Thomas.
'Ja,' zei Deborah. 'Het is een testlaboratorium in Florida. Het museum heeft ze een keer gebruikt toen het CAIS in Athens, Georgia, geen ruimte had. Ze werken heel snel.'
'Wat voor tests doen ze dan?'
'Radiokoolstofdateringen. Hoezo?'
'Dus Watanabe probeerde ergens de ouderdom van vast te stellen. Wat betekent BP?'
'*Before present*,' antwoordde Deborah. 'Voor het heden. Of juister gezegd: voor 1950.'
Dus die getallen stonden voor jaren, teruggerekend vanaf 1950, plus of min 75.
'Oké,' zei Thomas. 'Luister goed.' Hij bekeek de kolom met gegevens, maar op dat moment begon het mobieltje in zijn zak te trillen.
'Moment,' zei hij tegen Deborah en hij legde de telefoon op het bureau. 'Ja?' zei hij.
Het was Jim.
'Watanabe heeft Kumi in zijn auto. Misschien weet hij wie ze is.'
Thomas sprong overeind en liep naar de versplinterde deur, bijna op hetzelfde moment dat die werd opengesmeten. De deur raakte hem recht in zijn gezicht, waardoor hij achteruitwankelde toen Matsuhashi naar binnen stormde en zich boven op hem wierp. Het blauwe schijnsel van het computerscherm weerkaatste even in het mes in zijn vuist en het mobieltje vloog uit Thomas' hand toen de twee mannen tegen de grond sloegen.
Thomas werd volledig overrompeld. De andere man was jonger, ster-

ker, getraind en bereid om te vechten. Ook zonder het mes had Thomas geen kans gehad. De student ging schrijlings op hem zitten en drukte zijn armen tegen de grond met een hand en een knie, zodat hij de hand met het mes vrij hield. Thomas had niets anders dan zijn stem.
'Je bent te laat, Matsuhashi,' zei hij, onnodig luid.
De Japanner keek naar de telefoon op het bureau, zag dat de hoorn eraf lag en drukte met zijn vrije hand op de toets om hem uit te schakelen. Toen raapte hij het gevallen mobieltje op, stak het in zijn zak en pakte de telefoon van het bureau. Zonder Thomas uit het oog te verliezen toetste hij een nummer.
'Jij hebt grote problemen,' zei hij, bijna nonchalant.
Thomas hees zich in zithouding en keek verward. 'Jij ook,' zei hij.
'Dat denk ik niet,' glimlachte de ander.
'Ik weet alles,' zei Thomas. 'Dat zei ik je al.'
De student aarzelde en legde de hoorn weer neer. De uitdrukking op zijn gezicht was moeilijk te peilen, maar achter die geamuseerde blik ging iets anders schuil. Wat kon het zijn?
Nieuwsgierigheid? Angst?
Misschien.
'Je baas moet zijn dossiers beter opruimen,' zei Thomas, terwijl hij zijn linkerpols testte, waar de Japanner zijn knie op had gezet.
'Wat denk je dan te weten?' zei de student. 'Als het echt interessant is, draag ik je misschien niet aan de politie over.'
De politie? In deze omstandigheden zou Thomas maar al te graag als inbreker aan de politie worden uitgeleverd. Merkwaardig. Misschien wist Matsuhashi echt van niets.
Of misschien wil hij alleen maar horen wat je hebt ontdekt voordat hij je de keel doorsnijdt.
'Ik heb mijn vriendin al verteld wat ik te weten ben gekomen,' loog hij.
'Dat heb je niet,' zei Matsuhashi. 'Ik ben net op tijd binnengekomen.'
'Ze weet genoeg om een paar heel vervelende vragen te kunnen stellen,' zei Thomas.
'Waarover dan?' Hij raakte geïrriteerd en dacht blijkbaar dat Thomas een spelletje speelde.
Thomas knikte naar de mappen op het bureau. 'Uitslagen van de radiokoolstofproeven,' zei hij.
'Nou en?' zei Matsuhashi. 'We doen voortdurend zulke tests.'
'Op Europese botten?' zei Thomas. Het was een gok. Zijn keel kneep dicht en hij kreeg een droge mond.
'Die tests moeten nog worden uitgevoerd,' zei Matsuhashi. 'De botten

uit de tombe worden op dit moment geprepareerd voor de proeven. Dat kost tijd.'
'De proeven waarover hij de pers wil vertellen? Die bedoel ik niet. Ik heb het over de tests die hij al heeft laten doen.'
'Wat klets je nou?'
'Kijk zelf maar,' zei Thomas. 'Proeven waarvan hij de uitslagen al tien dagen voor de "vondst" in de Kofun-tombe ontving.'
Matsuhashi staarde hem aan, pakte langzaam de papieren van het bureau en las ze door, met één oog op Thomas gericht. Zijn gezicht betrok en bevroor. Toen hij weer opkeek, scheen hij te trillen over zijn hele lichaam, door een soort nerveuze energie. Hij leek in paniek en zijn toon was uitdagend.
'Dit kan overal over gaan. Als je wilt suggereren dat er fraude is gepleegd...'
'Dit zijn niet zomaar wat uitslagen, is het wel?' zei Thomas. 'Ze hebben betrekking op twee kisten met oude beenderen, afkomstig – gestolen, moet ik zeggen – uit Italië, net als het zilveren kruis. Watanabe heeft die botten meegebracht, maar voordat hij ze in het graf legde moest hij eerst weten of ze oud genoeg waren. De C14-scan zou dat meteen duidelijk maken, en de meeste beenderen in de Fontanelle dateerden uit de renaissance of later. Hij moest naar de oudste fragmenten zoeken en die hierheen laten brengen, om ze vervolgens te laten testen, zodat hij wist welke botten oud genoeg waren om ze in een Kofun-graf te leggen. Het zou een sensationele vondst zijn! Europese botten, duizend jaar eerder dan ze ooit ergens anders waren aangetroffen? Daarmee zou hij voorgoed zijn reputatie vestigen.'
Matsuhashi zei niets en keek hem niet aan. Met een wilde blik in zijn ogen staarde hij naar de vellen papier.
'Alleen de botten die ongeveer duizend jaar oud waren kwamen in aanmerking,' vervolgde Thomas. 'Die heeft hij in de Kofun-tombe gelegd.'
Matsuhashi keek nog steeds niet op. Hij controleerde de cijfers, en nog een keer, bladerend door de print, zoekend naar ontlastende bewijzen.
'Die andere gegevens,' zei Thomas, met een knikje naar de pagina's met de formule en resultaten in millimeters, 'zijn een systeem voor de vaststelling van de raciale herkomst van de botten, op basis van opmetingen. Nietwaar?'
De student knikte heel even als bevestiging.
'Watanabe heeft dus botten gekozen die oud genoeg waren voor de

Kofun-periode,' zei Thomas, 'en hun schedels en gelaatstrekken laten opmeten om er zeker van te zijn dat ze Europees waren, voordat hij ze begroef.'
'Dit is niet mogelijk,' zei Matsuhashi, nog steeds zonder op te kijken. 'Hij is een groot man. Dit kan niet zo zijn.'
'Laat me met mijn vriend spreken,' zei Thomas. 'Ik denk dat mijn vrouw in gevaar verkeert.'
Maar de andere man leek hem niet te horen, en nog altijd hield hij het mes in zijn vuist geklemd.

De auto maakte snelheid.
'Woon je hier ergens?' vroeg Kumi, terwijl ze uit het raampje keek naar een bosje met bamboe zo dik als telegraafpalen.
'Ja,' zei Watanabe kort.
Ze geloofde hem niet. Het was allemaal zo goed gegaan tot aan dat telefoontje. Daarna had hij zich in zichzelf teruggetrokken. Hij keek haar niet meer aan, gaf korte antwoorden als ze hem een rechtstreekse vraag stelde en probeerde haar niet langer te versieren.
Ze moest uit deze auto vandaan...

78

'Als de vindplaats al was verstoord voor de ontdekking,' zei Matsuhashi, zonder te letten op Thomas' blik, die heen en weer ging tussen het mes en de telefoon, 'had het team dat moeten zien. Dan zou de aarde niet voldoende compact zijn. Dan zouden ze hebben gezien dat er een kuil was opgevuld.'
'Misschien hebben ze dat wel gezien maar besloten om niets te zeggen,' opperde Thomas. 'Ik bel nu mijn vriend op mijn mobieltje, oké?'
'Nee,' zei Matsuhashi. 'Je weet niet waar je over praat.'
Opeens begon hij te schreeuwen in het Japans. Hij ging als een razende tekeer en onderging een gedaanteverandering die beangstigend was om te zien. Er kwam een grimas over zijn gezicht en hij sperde zijn mond wijd open. Het duurde een moment voordat Thomas besefte dat hij huilde.
'Hij is een groot man,' fluisterde hij in het Engels.
'Misschien,' zei Thomas.

'Niks misschien!' schreeuwde Matsuhashi. Hij leek opeens veel jonger. Zijn woede en verontwaardiging waren leeg en hol.
'Oké,' zei Thomas sussend. 'Maar in dit geval is hij toch niet eerlijk geweest.'
Hij wachtte af wat die kritiek voor reactie zou oproepen, maar de jongeman staarde nors voor zich uit en zei niets. Tranen biggelden over zijn wangen. Het was nu helemaal donker en de zonwering glansde in het zachte schijnsel van de straatlantaarns. Thomas keek weer naar de telefoon op het bureau en vroeg zich af waar Jim nu was. En Kumi.
'Geef mij dat mes,' zei hij, 'en laat me met mijn vriend bellen.'
Matsuhashi keek naar het mes in zijn hand alsof hij zich afvroeg waar het vandaan kwam. Voorzichtig legde hij het op het bureau.
'Oké,' vervolgde Thomas vriendelijk, 'hoe is hij in die grafkamer gekomen zonder dat iemand dat merkte?'
De stilte duurde een hele tijd, zo nu en dan verstoord door het snikken van de bevende student.
'Misschien door de tanuki,' zei Matsuhashi ten slotte, terwijl hij zwaar vooroverleunde op het bureau. Hij veegde de tranen uit zijn ogen, haalde diep en huiverend adem en leek opeens zo kalm dat Thomas vermoedde dat het ergste achter de rug was. Maar misschien was het toch al te laat.
'Wat?' vroeg hij, met iets van wanhoop in zijn stem.
'De grafheuvel was verstoord door tanuki, een dier. Ze hadden een gang naar binnen gegraven. Als hij die heeft gebruikt, is dat misschien niet opgevallen...'
'Laat me alsjeblieft mijn vriend bellen,' zei Thomas. 'Ik moet weten of alles in orde is met mijn vrouw.'
Matsuhashi draaide zich naar hem om en keek hem onderzoekend aan. Heel even gebeurde er niets.
'Ik bel zelf wel,' zei hij.

De auto klom uit het dal waarin Kofu lag en de lichtjes van de stad verdwenen achter hen. Kumi en Watanabe zwegen al een hele tijd. Geen van beiden probeerden ze nog de schijn op te houden, allebei verdiept in hun eigen gedachten toen de terrassen van de rijstveldjes plaatsmaakten voor een ruiger gebied. Ten slotte stopte Watanabe aan de rand van een boerderij met afbrokkelende muren, overwoekerde betonnen afvoergoten en tsjirpende krekels. De maan hing laag en vol boven de zwarte pijnbomen.

'Hier,' zei hij, terwijl hij uitstapte en de sleuteltjes meenam.
Ze had geen andere keus dan uit te stappen op de verlaten weg. In de auto blijven zitten was minstens zo gevaarlijk...
Het geluid van Watanabes telefoon klonk schril in de drukkende stilte. Met iets van opluchting nam hij op.
'Ze is het niet,' zei Matsuhashi. 'Ik heb de foto nog eens bekeken. Ze lijkt er een beetje op, maar ze is het niet.'
'Weet je het zeker?' vroeg Watanabe.
'Ja. Is alles oké met haar?'
'Ze... ja. Dus je weet het zeker?'
'Ze is journaliste bij een weekblad in Tokyo en ze jaagt op een primeur. Waarschijnlijk heeft ze al gebeld.'
'Journaliste?'
'Ja,' zei Matsuhashi. 'Dus doe niets wat u zondag niet in de krant wilt lezen.'
Watanabe hing op en wierp een onderzoekende blik op de vrouw die naast de auto naar de maan stond te kijken en deed alsof ze niet doodsbang was.

'Dank je,' zei Thomas.
Matsuhashi's gezicht stond uitdrukkingsloos, zonder enige emotie.
'Wat wil je nu doen?' vroeg Thomas.
Matsuhashi haalde zijn schouders op. 'Ik kan niets doen,' zei hij. 'In Japan staan we niet tegen onze leraren op. Wij zijn...' hij zocht naar de juiste woorden '... leerlingen. We "bijten niet de hand die ons voedt".' Hij grijnsde droevig om die frase.
'Nee,' zei Thomas, 'dat zal wel niet. Maar toch wil ik nog dingen weten. Over mijn broer.'
'Ik kan je niet helpen.'
'Dat weet ik. Dus zal ik zelf met Watanabe-sensei moeten spreken.'
Het was voor het eerst dat hij de archeoloog zijn titel gaf, maar alleen uit respect voor de student, niet voor de man zelf.
'Hij zal je niets vertellen,' zei Matsuhashi. 'Hij kan goed liegen.'
Weer grijnsde hij, droevig en gekwetst.
'En jij?' vroeg Thomas. 'Vertel jij hem niet dat je van de fraude weet? Hoewel dat betekent dat alles wat er in de kranten en de wetenschappelijke tijdschriften staat, alles wat op school zal worden onderwezen, niet klopt?'
Matsuhashi zakte nog dieper in elkaar, met zijn hoofd bijna op zijn buik, een toonbeeld van verslagenheid en wanhoop.

‘Ik kan niet tegen hem opstaan,’ fluisterde hij. ‘Daar heb ik de kracht niet voor.’
Politiek of moreel, dat wist Thomas niet. ‘Heb je mijn broer gekend?’ vroeg hij.
‘Ik ben niet naar Italië gegaan,’ zei Matsuhashi, fronsend om de verandering van onderwerp. ‘Ik heb hem hier wel gezien, maar ik wist niet waar hij voor kwam. Hij heeft gesproken met de sensei...’ hij herstelde zich, ‘met Watanabe-*san*. Eerst leken ze blij elkaar te zien, maar ik geloof dat ze ruzie kregen, in stilte.’
‘Waarover?’
‘Dat weet ik niet. Hun houding veranderde. Ze werden kil tegenover elkaar.’
‘Hoe lang was hij hier – twee dagen?’
‘Ja,’ zei Matsuhashi, wat rustiger nu het over een minder controversiële zaak ging. ‘Het grootste deel van de tijd werkte hij in het lab, en hij ging uit eten met Watanabe-san. We moesten beslissen welke heuvels we zouden opgraven en we gebruikten satellietopnamen van locaties verspreid over heel Japan. Hij was heel geïnteresseerd in de technologie. Daarna kregen ze ruzie en heb ik hem naar het station gebracht.’
‘Leek hij boos of van streek toen hij vertrok?’
‘Nee,’ zei de student, en hij fronste weer, alsof hij dat merkwaardig vond. ‘Hij leek vrolijk, zelfs enthousiast.’
‘Kende je iemand die Satoh heette, of misschien Tanaka? Een man die in Italië contact met Ed heeft gehad?’
‘Nee.’
‘Hij zal dit nog eens doen, dat weet je,’ zei Thomas, die weer abrupt van onderwerp veranderde. ‘Watanabe, bedoel ik. Als je hem nu de kans geeft, doet hij het opnieuw. Er zullen heel wat vragen komen over deze vondst. Iemand zal gaten schieten in zijn verklaring en dus zal hij nog meer bewijzen vervalsen om zich in te dekken. Je kunt je halve carrière bezig blijven zijn leugen te verdedigen. Wil je liever een echte archeoloog worden of een valse beroemdheid?’
Die vraag hing in de lucht als rook. Toen de seconden wegtikten en de student bleef zwijgen, dacht Thomas dat hij niet meer zou reageren. Maar opeens bewoog Matsuhashi zich, heel langzaam, en rechtte zijn rug, wervel voor wervel. Zijn ogen, vol tranen, kregen een andere glans, half vastberaden, half krankzinnig.

79

Het was middernacht. Kumi had Jim gebeld om te zeggen dat Watanabe haar had achtergelaten aan de rand van een bergweg op vijftien kilometer van de stad. Ze was ongedeerd, maar woedend omdat ze zich vernederd voelde. En om redenen die Jim niet begreep leek ze Thomas de schuld te geven.

Jim reed met de huurauto in de aangegeven richting, terwijl hij wegwijzers bestudeerde waarvan hij de letters niet kon lezen. Maar eindelijk, toen hij een bocht om kwam, zag hij haar. Hij remde krachtig en de wielen slipten toen de wagen tot stilstand kwam. Kumi sprong opzij. Ze was blootsvoets en hield haar pumps vergeten in haar vermoeide hand. Ze zette zich al schrap, bang dat er weer een griezel voor haar was gestopt, en haar ijzige blik ontdooide geen fractie toen ze zag dat het Jim was.

'Waar is Thomas, verdomme?' vroeg ze.

'In het lab, met Matsuhashi,' zei Jim.

'Dus hij zit gezellig te pokeren met een biertje erbij?'

'Dacht het niet,' zei Jim zacht.

'Maar wel dikke vrienden met de vent die mij heeft uitgeleverd aan die griezel met zijn smerige plannetjes?'

Jim wilde antwoorden dat Matsuhashi haar ook uit deze situatie had gered en dat ze deze ontmoeting met Watanabe zelf had gewild, ondanks Thomas' bezwaren. Maar dat was zijn plaats niet, en bovendien vermoedde hij dat dit maar een glimp was van een conflict dat al jarenlang in het landschap van hun relatie lag geworteld, als een boom met diepe vertakkingen.

'Klaar?' vroeg Thomas.

Als antwoord toetste Matsuhashi een nummer op zijn telefoon in en wachtte tot Watanabe opnam. Hij draaide Thomas zijn rug toe, omdat hij zijn gezicht voor hem verborgen wilde houden, zelfs in het donker van de grafheuvel.

Thomas' Japans was niet goed genoeg om de technische details te kunnen volgen van de discussie die ontstond, maar Matsuhashi had dit gesprek van tevoren gerepeteerd, dus Thomas wist waar het over ging.

'Er is een probleem met de botten van de opgraving,' zei Matsuhashi.
'Wat voor probleem?' vroeg Watanabe. Hij klonk slaperig of dronken, waarschijnlijk allebei.
'Het team heeft de monsters geprepareerd voor de radiokoolstoftest,' zei Matsuhashi, 'en alles onderzocht wat verder nog van de botten af kwam.'
'Ja, en?'
'Er zit stuifmeel op.'
'Je belt me uit bed, nadat je eerst mijn avond hebt verziekt, om me te vertellen dat er stuifmeel op zit?' zei Watanabe. 'Natuurlijk zit er stuifmeel op! Hoezo?'
'Het is het verkeerde stuifmeel. Van de *olea*, de olijf.'
Watanabe zweeg een moment. Toen hij antwoord gaf, klonk zijn stem wat geforceerd. 'Er groeien olijven in Japan,' zei hij.
'Jawel, maar dat is een nieuwe variant. De olijf is pas naar Japan gekomen in de Bunkyu-periode, na 1860.'
'Wat wil je daarmee zeggen?'
'De vondst is besmet,' zei Matsuhashi. 'Die botten horen daar niet. Ze moeten ergens zijn begraven waar olijven groeien. Pas later zijn ze verplaatst. Die beenderen kunnen wel Europees zijn, maar het graf niet.'
Het bleef een hele tijd stil.
'Praat hier met niemand over,' zei Watanabe. 'Sluit alle resten goed af totdat ik daar ben. Laat ze aan niemand zien; ook de resultaten niet. En ga dan naar huis. Begrepen?'
'Ja. Gaat u rechtstreeks naar het lab?'
'Morgenochtend vroeg,' zei hij. 'Eerst wil ik slapen.'
Matsuhashi hing op en bleef staan, starend naar het zwarte silhouet van de grafheuvel.
'Nou?' vroeg Thomas.
'Hij is onderweg.'

80

Thomas lag op zijn rug aan de andere kant van de afvalberg met het zand en het restmateriaal van de opgravingen. Bij de werkzaamheden was een grote, kegelvormige berg puin en rulle aarde opgeworpen die nog hoger was dan de grafheuvel zelf. Vanuit zijn positie had Thomas

een goed uitzicht op het hele terrein, terwijl hij zelf onzichtbaar bleef. Maar zonder schijnwerpers was er niet veel te zien in het donker. De nacht was rustig en stil, het was nog te vroeg in het jaar voor het metaalachtige getsjirp van de krekels.
Watanabe arriveerde een halfuur voor het eerste ochtendlicht. Hij had minstens een hele straat verderop geparkeerd en naderde geruisloos en schichtig. Hij had een kleine zaklantaarn bij zich, maar het grootste deel van de tijd bewoog hij zich in het donker. Zijn voorbereidingen namen niet langer dan vijf minuten in beslag, voordat hij langs de achterkant van de heuvel verdween. Thomas luisterde, maar hij hoorde niets meer, en tien minuten lang vroeg hij zich af of Watanabe weer vertrokken was.
'Waar is hij?' fluisterde hij.
'Binnen,' zei Matsuhashi, die al minstens twee uur geen vin had verroerd.
'Hoe is hij dan binnengekomen? De ingang is daar.'
'Er moet nog een tanuki-gang zijn die wij niet kennen, aan de andere kant,' zei Matsuhashi. 'Slim. Zo heeft hij toegang tot het niet-opgegraven gedeelte van de heuvel.'
Weer gingen er vijf minuten in stilte voorbij. Toen hoorden ze hem weer om de heuvel sluipen. Thomas waagde een blik. Het duister vervaagde nu snel tot grijs en de archeoloog had zijn zaklantaarn opgeborgen. Hij zat gebukt op de grond, bijna roerloos, afgezien van zijn handen, die bezig waren een serie kleine voorwerpen schoon te schrobben met iets wat op een kindertandenborstel leek. Watanabe werkte heel zorgvuldig. Hij droeg handschoenen en hij had een soort zeildoek op de grond uitgespreid, hoewel die zakelijke werkwijze schril contrasteerde met zijn koortsachtige gemompel, dat steeds luider werd naarmate de tijd verstreek. De man was wanhopig, in paniek. Thomas draaide zich om en daalde de heuvel af, voorzichtig om geen enkel steentje te verstoren.
'Hoe lang blijft stuifmeel bewaard?' fluisterde hij.
'Tienduizenden jaren,' antwoordde Matsuhashi, die zich nog altijd niet bewoog. 'De buitenste schil is bijna onverwoestbaar. Dus zegt dat veel over de omstandigheden waarin een voorwerp is begraven.'
'Als het werkelijk zo is,' zei Thomas.
Matsuhashi zweeg een paar seconden en zei toen: 'Hij gaat weer naar binnen. Het is bijna tijd.'
Ze wachtten tot de zon net boven de horizon uit kwam en het gekwetter van de vogels enigszins verstomde. Toen kwamen ze in beweging.

Zonder veel moeite klommen ze over de top van de heuvel en daalden af naar het terrein. Ze spraken geen woord en bewogen zich nog steeds geruisloos, aarzelend om zich te laten zien.
Het duurde even voordat Watanabe hen in de gaten kreeg. Hij kwam naar buiten, vuil en verstrooid, en had zijn gereedschap al verzameld toen hij eindelijk opkeek en het tweetal daar zag staan wachten.
Eén moment stond hij als verstijfd, toen verscheen de bekende grijns weer op zijn gezicht, alsof hij zich hoopte te redden met de kracht van zijn persoonlijkheid. Maar zonder de zonnebril leek hij oud en afgetobd.
'Vroeg uit de veren?' zei hij in het Japans.
Matsuhashi stond doodstil, met een kaarsrechte rug en zijn ogen naar de grond gericht, als een soldaat op appel.
'Het is voorbij,' zei Thomas. Hij voelde geen triomf, alleen een diepe vermoeidheid en het verlangen om dit zo snel mogelijk achter de rug te hebben. Maar eerst wilde hij nog iets weten.
'Hoe zat het met Ed?' vroeg hij. 'Mijn broer. Waarover hebben jullie ruzie gekregen?'
'Ik heb geen idee wat je bedoelt,' zei hij.
Thomas keek naar Matsuhashi, maar de student stond als verlamd, niet in staat zijn leraar aan te kijken.
'Vertel hem over het stuifmeel,' zei Thomas.
'Welk stuifmeel?' zei Watanabe. Hij haalde zijn schouders op, maar het gebaar miste elke overtuiging. Hij probeerde te bluffen, omdat hij erop rekende dat zijn student hem niet zou laten vallen. 'Weet jij iets van stuifmeel?' vroeg hij, terwijl hij een stap naar de jongeman toe deed, zodat hij boven hem uittorende.
'Nee, sensei,' zei Matsuhashi. 'Ik weet niets van stuifmeel.'
Watanabe glimlachte, deze keer oprecht. Hij klopte op zijn borstzakje en vond zijn onafscheidelijke zonnebril.
'Uw broer,' zei hij, 'was een dwaas.'
'Kwam hij voor het kruis?' vroeg Thomas met moeite. Maar hij gaf het niet op.
Watanabe keek nog eens naar Matsuhashi, die stil en machteloos voor hem stond, en veroorloofde zich weer een grijns.
'U komt hier met beschuldigingen tegen mij die u niet kunt waarmaken,' zei hij. 'Net als uw broer. Hij jammerde over een passende begrafenis voor bepaalde... menselijke resten.' Watanabe schudde zijn hoofd en grinnikte. 'Een vreemd verzoek voor een priester, nietwaar? Waarom zou hij dode mensen, van wie hij de naam niet eens kende, willen terug-

brengen naar een gat in de grond aan de andere kant van de wereld?' Hij rolde met zijn ogen bij die belachelijke gedachte.
'Is dat alles?' vroeg Thomas ontzet. 'Wilde hij de botten mee naar Napels nemen omdat Pietro door schuldgevoel werd verscheurd toen hij die lichamen had verkocht? Is dat alles? En het kruis dan? Het symbool van de vis? Zijn onderzoek?'
'Onderzoek?' zei Watanabe smalend. 'Hij was een priester. Wat voor onderzoek had hij kunnen doen dat van enig belang was voor de wetenschap? We hebben het er niet over gehad.'
Watanabe haalde nog eens zijn schouders op, met zichtbare voldoening over Thomas' teleurstelling. Hij leek oprecht. Eds bezoek aan Japan was een zijsprong geweest, een omweg, en door hem hierheen te volgen had Thomas gewoon zijn tijd verdaan. Woedend draaide hij zich om naar Matsuhashi.
'Maak jij het maar af,' zei hij.
Maar Matsuhashi, bij wie de tranen weer over de wangen biggelden, scheen niet in staat nog iets te zeggen of zich te bewegen.
'Weet u, meneer Knight,' zei Watanabe, terwijl hij zijn zonnebril opzette, 'hier in Japan zijn we erg trouw aan onze *sempai*, onze superieuren. Matsuhashi-san is mijn student, mijn *kohai*, mijn ondergeschikte. Zijn toekomst is ook de mijne. Zonder mij is hij niets.'
Thomas keek van hem naar de student, wachtend op zijn antwoord.
'Er is geen stuifmeel,' zei Matsuhashi ten slotte, zwaar en moeizaam, alsof elk woord een molensteen was.
'Precies,' zei Watanabe. 'Je moet een fout hebben gemaakt in het lab...'
'Er is nooit buitenlands stuifmeel op de botten aangetroffen,' herhaalde Matsuhashi. Opeens rechtte hij zijn rug en keek zijn leraar strak aan. Het was zo'n verrassende en opstandige reactie dat Watanabe terugdeinsde. Dit had de archeoloog nooit eerder meegemaakt. 'Maar,' vervolgde Matsuhashi, 'dat wist u niet, en daarom bent u zojuist de graftombe binnengegaan om de voorwerpen schoon te maken die u daar had neergelegd, voorwerpen die u pas over enkele dagen wilde "ontdekken".'
Watanabe kromp ineen alsof hij een klap in zijn gezicht had gekregen.
'Dat is een leugen,' zei hij zacht.
'Nee, sensei,' zei Matsuhashi, weer met zijn ogen neergeslagen, als de soldaat tegenover zijn officier.
'Ja,' zei Watanabe, 'dat is het wel.'
'Nee,' zei Thomas, wijzend naar de rand van het terrein. 'En wij hebben bewijzen.'

Zoekend keek Watanabe over de rand van zijn zonnebril. Opeens kwamen er mensen tevoorschijn die zich vlak bij de ingang verborgen hadden gehouden, en anderen vanaf de top van de afvalheuvel. Ze waren gewapend met videocamera's en lange richtmicrofoons met bollen van schuimplastic. De zender NHK was pas bereid geweest te komen toen Thomas had gewaarschuwd dat een onbeduidende journalist van de *New Zealand Herald* anders de primeur zou krijgen van het hele verhaal en de Japanse archeologische wereld in zijn hemd zou zetten. Ze hadden zijn verhaal niet willen geloven, maar nu wel. Zoals iedereen.
'Nee!' schreeuwde Watanabe, en hij sprong op Thomas af. Fotolampen flitsten en deden het zachte ochtendlicht opflakkeren als een salvo van geweervuur.

81

Al aan het ontbijt waren de beelden overal te zien. De televisie herhaalde om de tien minuten de reportage van NHK en de kranten kwamen met vette koppen. Het was een gekkenhuis, en hoewel ze hadden genoten van Watanabes snelle roem, maakte dat zijn dramatische ondergang tot een nog grotere sensatie.
Fragmenten van een derde skelet werden uit het 'niet-opgegraven' gedeelte van de grafheuvel gehaald, compleet met vermoedelijk authentiek Kofun-aardewerk en een terracottabeeldje van de Maagd Maria, waarschijnlijk Italiaans, uit dezelfde tijd. De Heilige Moeder had een granaatappel in haar rechterhand.
Watanabe wachtte gevangenisstraf voor verschillende vormen van fraude, en Matsuhashi was een tegenstribbelende beroemdheid geworden en behoorde tot de kandidaten om na zijn promotie de leiding van het Yamanashi Archeologisch Instituut over te nemen. Dat zou misschien veranderen als de camera's niet meer op hem gericht waren, maar voorlopig had Thomas een groot succes geboekt, en hoewel hij nog nachtmerries had over het monster uit de Fontanelle werd hij toch wakker met een gevoel van opluchting en de gedachte dat hij in elk geval déze zaak had afgesloten.
Zijn depressie na alle sensatie in het nieuws was dus niet direct verklaarbaar. Hij meed de schijnwerpers en liet de eer zo veel mogelijk aan

Matsuhashi, dat leek hem tactisch en ethisch het beste. Het was immers de student die zijn nek had uitgestoken en uiteindelijk een archaïsche hiërarchie had getrotseerd, wat hem zijn hele carrière had kunnen kosten.
Maar ondanks alle beproevingen was hij geen stap verder gekomen met zijn onderzoek naar Ed, behalve dat hij in Napels was geweest op hetzelfde moment dat Watanabe naar anonieme botten en christelijke artefacten zocht en dat Ed hem naar Japan was gevolgd om hun teruggave te eisen. Maar Thomas was nog geen stap dichter bij de verklaring waarom Ed naar een obscure plek op de Filipijnen was vertrokken en de vraag waarom het ministerie van Binnenlandse Veiligheid een terrorismedossier met zijn naam had geopend.
In elk geval heb je je volledig van je ex vervreemd...
Kumi was nog altijd kwaad omdat hij haar veiligheid aan Jim had overgelaten terwijl hij samen met Matsuhashi een plan beraamde om Watanabe in de val te lokken. Het feit dat ze er zonder kleerscheuren vanaf was gekomen deed er niet toe, vond ze. Thomas protesteerde dat Jim onmogelijk had kunnen doen wat Matsuhashi voorstelde en dat hij de enige was die deze rol had kunnen spelen.
'Ja, hoor,' snauwde ze terug. 'Altijd de leider en de grote held. Nietwaar, Thomas? Altijd in de schijnwerpers, behalve als het er echt toe doet, behalve als ík je nodig heb.'
En dus – zoals al eerder duidelijk had kunnen zijn – begrepen ze dat deze ruzie niet om haar avond met Watanabe draaide, maar om iets heel anders, waar al hun ruzies over gingen, hoewel ze dat nog nooit hardop hadden gezegd.
Anne.
Spreek die naam niet uit. Zelfs niet in je gedachten. Nooit.
Maar nog altijd, net als toen, vond hij dat het zijn schuld niet was. Hij had Kumi willen beschermen. Zo zag hij het. Hij had haar afgeschermd van hun vrienden en familie, om haar rust te gunnen terwijl ze herstelde. Het was nooit bij hem opgekomen dat ze hem juist bij zich had willen houden, om samen met haar te huilen, dag na dag. Hij had het beter kunnen verwerken door actief te blijven, zich eroverheen te zetten.
En dat heeft ze je nooit vergeven.
Wel ironisch, als hij er goed over nadacht, omdat hij er nooit overheen gekomen was. Niet echt. Het was het begin van het einde geweest, en niet alleen van zijn leven met Kumi. Het einde van veel dingen: zijn huwelijk, zijn werk, zijn relatie met God en daardoor ook met zijn

broer. En opnieuw stak het de kop op, in deze laatste ruzie, zoals altijd. Het zou nooit anders worden.
'Ik moet terug naar Tokyo,' zei ze. 'Devlin heeft een of ander plannetje waar niemand op zit te wachten, dus hebben ze me nodig.'
Ze zaten in een rustig restaurant aan de hoofdstraat in Kofu, niet ver van het station met het beeld van Takeda Shingen in volle samoeraiwapenrusting.
'Neem me niet kwalijk,' zei Jim, terwijl hij opstond en in de richting van de toiletten knikte, hoewel niemand daarin trapte.
Het etentje was bedoeld geweest om de overwinning te vieren, maar vanaf het eerste moment had er een grafstemming geheerst.
'Oké,' zei Thomas, starend naar de groentetempura op zijn bord. De garnalen schenen op te zijn. Een nationaal tekort maakte ze zeldzaam en schreeuwend duur. Niet dat het ertoe deed. Hij had toch geen trek meer. 'Oké,' zei hij nog eens.
Zijn gelaten houding irriteerde haar, maar ze had geen zin in een discussie. Hij bestelde nog een biertje. Ook dat irriteerde haar, maar ze zei er niets van.
'Ik mag Jim wel,' zei ze. 'Als hij erbij is, heb je het rare gevoel...'
'... dat je met Ed bent,' voltooide Thomas. 'Ik weet het.'
'Het spijt me dat dit niets geworden is,' zei ze. Hij wist niet wat 'dit' precies was en vroeg zich af of ze het zelf wel wist. 'Ik zou het maar opgeven, als ik jou was. Ga terug naar Amerika. Ik weet niet of je ooit de waarheid over Ed zult vinden. Dat is heel akelig, maar... Je moet terug naar huis. Werk zoeken. Je leven weer oppakken.'
Zijn bier kwam.
'Alsof ik daar zo goed in ben,' zei hij.
'Dat zei ik niet.'
'Ik weet het.'
Hij hoopte dat Jim zou terugkomen, zodat ze geen van beiden meer iets hoefden te zeggen. Dan kon dit troosteloze etentje doodbloeden met nietszeggende gesprekken, terwijl ze zich in zichzelf terugtrokken, hoe leeg en hol dat ook voelde. Hij nam een grote slok van zijn bier en zij keek weg.
'Het spijt me,' zei hij, zodra hij zijn glas had neergezet. 'Ik moet weg. Ik kom zo gauw mogelijk weer terug. Zeg maar tegen Jim... ik weet het niet. Wat dan ook.'
Kumi zweeg, en hij wist ook niets te bedenken, dus vertrok hij maar.

82

De Pest had zich van haar nonnenhabijt ontdaan. In haar strak gesneden zakelijke pakje leek ze jonger en harder, met sterke, zongebruinde armen en benen. Het was nog steeds onmogelijk voor een gaijin om volledig onder te duiken in Tokyo, maar haar nieuwe uiterlijk maakte haar in elk geval veel anoniemer.

Toch voelde ze zich niet op haar gemak. Samen met de Oorlog had ze zo veel mogelijk grote hotels en Kumi's kantoor in Tokyo in de gaten gehouden, maar ze hadden nog steeds niets nieuws ontdekt, zodat ze de telefoontjes van de Zegelbreker begonnen te vrezen. Knight en zijn kameraden leken van de aardbodem verdwenen.

Ze wisten dat hij in het land was en contact had opgenomen met zijn ex. Ze hadden een auto, maar ze reden in kringetjes. Geen van beiden spraken ze Japans en ze hadden geen idee waar ze moesten zoeken. De telefoontjes van de Zegelbreker werden steeds korter en dreigender. Hij zinspeelde er al op om de Dood erbij te halen. De Pest had de gewoonte opgevat om doelloos langs de *pachinko-parlors* en elektrawinkels van Shinjuku te dwalen, in de hoop hun doelwit tegen het lijf te lopen. Het leek volstrekt zinloos.

Maar dat was het niet.

Ze pakte haar telefoon en belde de Zegelbreker, iets wat ze maar drie keer in haar leven had gedaan.

Ze staarde omhoog naar de JumboTron boven de ingang van een tv-zaak terwijl ze wachtte tot hij opnam. Er waren beelden te zien van een archeologische fraude waarvoor een plaatselijke beroemdheid was gearresteerd. Ze had er nog niet eerder op gelet en wist niet precies hoe het zat, maar de afgelopen twaalf uur was het overal in de media geweest. Hoe was het mogelijk dat ze nog niet eerder die westerling had gezien die tegen de archeoloog op de korrelige blauwgrijze video stond te praten?

'Ja?'

'Ik heb hem,' zei ze.

'Eindelijk,' zei de Zegelbreker. 'Maar je zult wel ontdekken dat een collega je voor is geweest.'

De Pest zweeg. 'Wat?'

'De Italiaanse kranten staan vol over een incident in Bari,' zei hij.
'De dood van de Honger,' antwoordde ze, terwijl ze zich schrapzette.
'Niet helemaal,' zei de Zegelbreker. 'Blijkbaar is er een man... een vreemde man, volgens alle verhalen... voor dood meegenomen na een val van de kasteelmuren.'
'Voor dood?' herhaalde de Pest, met opkomende paniek. 'Hoe bedoel je, "voor dood"?'
'Ik bedoel dat hij in de ambulance weer bijkwam,' zei de Zegelbreker op harde toon.
'Dus hij leeft nog?' Het was niet alleen verbijstering die in haar stem doorklonk, maar ook iets wat het midden hield tussen berusting en angst.
'Behoorlijk gekneusd, en met een hersenschudding,' zei de Zegelbreker, 'maar hij leefde nog. Wat je niet kunt zeggen van de chauffeur van de ambulance en een van de ziekenbroeders.'
'Hij is ontsnapt,' zei ze toonloos, zonder ongeloof of hoop. Wat de Zegelbreker er ook van vond, ze had zich prettiger gevoeld bij de gedachte dat hij dood was.
'En hij is zonder mijn hulp naar Japan gekomen,' vervolgde de Zegelbreker. 'Ik denk dat hij iets weet wat hij jullie niet heeft verteld, iets wat hij van die oude priester of van Satoh heeft gehoord voordat ze stierven. Ik denk dat hij weet waar Knight is en dat hij hem achterna is gereisd. Hij heeft een wraakzuchtig karakter. En ik vrees,' voegde hij eraan toe, 'dat hij geen onderscheid meer zal maken tussen vriend en vijand.'
Doodsbleek verbrak de Pest de verbinding. Pas na een minuut herinnerde ze zich dat ze het doelwit hadden teruggevonden – dat Knight op hen wachtte in Yamanashi.
Als de Honger hem nog niet heeft gevonden, dacht ze, terwijl ze zich afvroeg wat hij zou doen met de man die hem van de kasteelmuur had gegooid, of met hén, omdat ze hem in de steek hadden gelaten...

83

Thomas trof Matsuhashi in het lab, waar hij net klaar was met een volgende serie interviews en persconferenties.
'Geloof jij Watanabes verhaal dat Ed hier alleen was om die botten terug te halen?' vroeg hij.

'Ja,' zei Matsuhashi, met zichtbare spijt dat hij niets concreters te melden had. 'Hij is niet lang gebleven. Ik heb hem naar het station gereden.'
'Hebben jullie nog gepraat?'
'Niet veel.'
'Ging hij terug naar Tokyo?' vroeg Thomas.
'Nee. Tenminste, niet rechtstreeks,' zei Matsuhashi. 'Ik heb hem geholpen een kaartje te kopen. Hij sprak geen Japans.'
'Waar ging hij dan naartoe?' drong Thomas aan.
'Naar Kobe,' zei Matsuhashi.
'Kobe?' herhaalde Thomas. 'Zei hij ook waarom? Kende hij daar iemand?'
Matsuhashi schudde droevig zijn hoofd. 'Het spijt me,' zei hij.
'Is er een museum in Kobe?' vroeg Thomas. 'Of misschien een school of... een archeologisch instituut?'
'Dat zal wel,' zei Matsuhashi, 'maar niet iets wat beroemd is. Ze hebben er wel een aquarium, dat heel goed schijnt te zijn. Als je erheen wilt...'
'Nee, hoor,' zei Thomas, met een moeizame glimlach. 'Bedankt.'
En hij wilde weglopen.
'Wacht,' zei Matsuhashi. Thomas draaide zich om en zag dat de Japanner met een ernstig gezicht zijn hand optilde en zijn wijsvinger uitstak. Thomas had hem nog nooit zo spontaan en levendig gezien. 'Hij heeft een tas op het station achtergelaten. Waarschijnlijk heeft hij die later opgehaald, maar...'
'Ga je mee?' zei Thomas.
'Met genoegen.'

Ze naderden het station van de stadszijde, zetten de auto op een parkeerterrein vol met fietsen en kwamen uit achter het beeld van Takeda Shingen, niet meer dan een paar straten van het restaurant waar Kumi en Jim nog zaten te eten en te praten – god wist waarover. In het grijze avondlicht rende Thomas de trappen op naar de loketten. Kofu was een regionaal station met redelijk directe verbindingen met Tokyo en Shizuoka, maar de Shinkansen of kogeltrein reed hier niet in de bergen. Thomas liet Matsuhashi het woord doen.
'Knight,' zei hij. 'Edward Knight. Een buitenlander die hier omstreeks 5 maart doorheen is gekomen.'
De vrouw achter de balie, die ergens in de vijftig was en haar veel te zwarte haar opgestoken droeg, typte wat op haar toetsenbord en knik-

te. Hij had inderdaad een kluisje genomen en het was nog niet geopend, maar het druiste tegen de voorschriften in om het te openen. Alleen de politie had dat recht.
'Dit is zijn broer,' zei Matsuhashi.
De vrouw glimlachte en boog toen Thomas haar zijn paspoort onder de neus duwde, maar ze hield haar hoofd schuin, maakte een grimas om aan te geven dat het haar heel erg speet, en verklaarde dat ze hem helaas niet kon helpen.
Matsuhashi praatte op haar in en probeerde het beleefd uit te leggen, maar ze schudde voortdurend haar hoofd, nog steeds met een glimlach. Ze kon niets voor hem doen. Matsuhashi kleedde zijn verzoek wat anders in, maar weer schudde ze haar hoofd.
'*Watashi no kyodai ga, shinda*,' zei Thomas abrupt. 'Mijn broer is dood.'
De vrouw verstijfde. Ze keek Matsuhashi aan, die ernstig knikte. Aarzelend wierp ze hem een blik toe, opende een la en haalde er een sleutelbos uit. Ze zei iets tegen Matsuhashi wat Thomas niet verstond.
'Wat zegt ze?' vroeg hij.
'Dat haar moeder twee maanden geleden is gestorven,' zei hij.
Thomas keek de vrouw even aan. Hun blikken kruisten elkaar en ze knikte.

In het kluisje lag een rugzak met een verschoning, een paar boeken en een knipsel uit de *New York Times* van 4 april 2006. De kop luidde: WETENSCHAPPERS BESTEMPELEN VISSENFOSSIEL ALS 'ONTBREKENDE SCHAKEL'.
Er stond een foto bij van een fossiel skelet met een zware bruine kop, naast een levensgroot model van het dier zelf. Het was een groenige vis met schubben, een beetje plomp, met een korte staart en een brede kop als van een krokodil, met ogen aan de bovenkant. Het had een vissenlijf, maar een reptielenkop, en de borstvinnen die vlak onder de zware kaken begonnen waren duidelijk poten.
'Wat is dát?' fluisterde Matsuhashi.
'Dat,' zei Thomas, die haastig het artikel doorlas, 'is de *Tiktaalik roseae*, een monster van bijna drie meter dat in het water zwom en op het land jaagde tegen het einde van het late Devoon, driehonderdzestig miljoen jaar geleden.'
'Was Ed geïnteresseerd in paleontologie?'
'Nee,' zei Thomas. 'Niet als zodanig, tenminste.'
'Hoe dan wel?' vroeg Matsuhashi.
Maar Thomas zweeg een hele tijd. De student, het station met zijn ver-

keer en zijn aankondigingen, en alles wat er tot dan toe door zijn hoofd had gespeeld verdwenen naar de achtergrond. In plaats daarvan zag hij een diavoorstelling in zijn hoofd, met reliëfs van zeedieren met krokodillenkoppen in de tempel van Isis in Pompeii en de bizarre potenvis die uit het rode water kroop op een grafschildering in Paestum...
Maar dat sloeg nergens op. Het dier uit het krantenartikel was al driehonderdvijftig miljoen jaar dood.
Waarom zwom het dan nog op afbeeldingen uit het Romeinse Italië?

84

In jubelstemming liep Thomas terug naar het restaurant, klaar om alle vijandelijkheid en scepsis van tafel te vegen met de kracht van zijn overtuiging. Eindelijk had hij het gevonden. Na al die zwerftochten en ongerichte vragen was hij er toch achter gekomen. Er bleven nog heel wat vraagtekens over, maar het was alsof hij in een kistje met sleutels had gezocht en er opeens een had gevonden die perfect paste. Er zouden nog meer deuren volgen, maar deze eerste was het belangrijkst. Nu hoefde hij alleen maar zo veel mogelijk sleutels te proberen totdat ook de andere deuren zouden opengaan.
Kumi heeft wel gewacht, stelde hij zichzelf gerust. Ze zou niet zomaar zijn vertrokken zonder afscheid te nemen. Nu hadden ze in elk geval iets om over te praten, een reden waarom ze wat langer bij hem zou blijven.
Het was al donker buiten het station, en het restaurant lag in een van die smalle straatjes van het labyrint in de binnenstad, met stoffige roodpapieren lampions, beschilderd met zwarte Chinese karakters. Er kwam damp uit de ventilatiekokers van de keukens, met de geur van *ramen-* en *udon*-noedels. Hoog tegen een muur brandde een neonreclame voor Kirin-bier.
En er was nog iets.
Thomas had het al gemerkt toen hij afscheid nam van Matsuhashi bij het station: iets aan de rand van zijn blikveld, iets wat hij bijna had gezien. En nu was het terug. Hij vertraagde zijn pas en luisterde scherp om te bepalen wat zijn aandacht had getrokken. Hij keek eens over zijn schouder.

Niets. Het steegje was verlaten.
Hij liep weer door. De deur van het restaurant was nog maar twintig meter bij hem vandaan. Maar daar was het weer, niet achter hem, maar voor hem uit. En het riep een soort oerangst bij hem op. Hij bleef staan en tuurde door de damp die als nevel boven een moeras hing. En daar, even voorbij die metalen deur, zag hij... iets, een zwarte plek op de muur, of een gat, of...
Iemand in een zwarte cape.
Voor zijn ogen veranderde de vlek en kwam er meer tekening in. De vlek bewoog. Bleke handen met lange vingers kwamen onder de cape vandaan, gingen omhoog en schoven de donkere kap naar achteren. Hetzelfde, afschuwelijke gezicht...
'Nee,' zei Thomas, nog altijd verstijfd. 'Jij was dood.'
Het monster siste op zijn bekende manier, ontblootte die gruwelijke tanden, zocht onder zijn cape en haalde een lang mes tevoorschijn.
'Nee,' zei Thomas.
Het was gewoon te veel, na alles wat er al was gebeurd. Dit had hij toch eindelijk achter zich gelaten? Blijkbaar niet, en dat besef verlamde zijn gedachten, beroofde hem van al zijn energie en holde hem uit. Hij herinnerde zich de worsteling op de muren van het kasteel, de val, de ambulance...
Met zwaailicht en sirene, zei een stem in zijn hoofd. Als hij dood was, zouden ze niet zo'n haast hebben gehad.
Thomas staarde naar het gedrocht terwijl de waarheid langzaam tot hem doordrong. Hij had het overleefd, de boeman uit zijn nachtmerries, maar het monster was teruggekeerd en was hem de halve wereld achternagereisd om zich te wreken.
De moordenaar naderde langzaam, met bliksemende ogen en wijd open kaken. Als een spin schuifelde hij het lege steegje door, berekenend en doelbewust. Toen, zonder enige waarschuwing, ging hij tot de aanval over.
Hij was zo snel, zo onwaarschijnlijk snel en sterk, dat Thomas pas reageerde toen het monster hem al ruggelings tegen de straat had gesmeten. Wanhopig greep hij naar de hand met het mes. In Bari was hij voorbereid geweest, met al zijn zintuigen gescherpt en de adrenaline nog pompend door zijn aderen na zijn vlucht door de oude stad. Nu moest hij ergens de reflexen vandaan halen om te overleven tegen dit gedrocht, dat snauwde en siste, genietend van het gevecht. Thomas sloeg, worstelde en schopte, maar de afloop leek al vast te staan, en hoe heftiger hij vocht, des te groter zijn zekerheid dat hij geen enkele kans

had. Het mes trilde al boven Thomas' keel, heel even maar. Thomas verzette zich met al zijn kracht, maar de vlijmscherpe punt van het wapen kwam onstuitbaar naar beneden.
Thomas wrikte en kronkelde, maar hij kon zich niet bevrijden. Nog steeds kwam het mes naar hem toe. Hij voelde de punt al tegen de huid onder zijn adamsappel, koel en scherp. Met al zijn energie concentreerde hij zich op een laatste poging het wapen af te wenden. Eén seconde leek de druk wat te verminderen, maar toen drong de punt nog verder in zijn vlees en begon hem open te snijden. Thomas had geen kracht meer over.
De moordenaar rolde met zijn ogen, in een extase van geweld, als een haai die bloed proefde. Maar opeens ging er een rilling door hem heen en verstrakte hij. Zijn ogen, die Thomas aanstaarden, kregen een verbaasde uitdrukking. Hij sperde ze wijd open en ze weerspiegelden een scala van gevoelens, die eindigden in maar één emotie: angst.
Het volgende moment zakte hij in elkaar, met stuiptrekkende spieren, zodat Thomas de kans kreeg zich onder hem vandaan te worstelen, hijgend van afschuw. Een kort zwaard stak uit de rug van het gedrocht. De man die het vasthield was Ben Parks.

85

Deze keer was hij wel dood.
'We moeten de politie bellen,' zei Thomas, toen hij zich op zijn hurken hees en probeerde overeind te blijven.
'Maar eerst moeten wij even praten,' zei Parks.
Hij had het lichaam naar een hoek met een berg vuilnis gesleept en het verborgen onder wat lege dozen, om 'tijd te winnen'.
'We moeten de politie bellen,' herhaalde Thomas.
'Ze weten wie je bent, Thomas,' zei Parks. 'Niet de politie, maar de anderen. De mensen die je dood willen. De mensen die je broer hebben vermoord. Als je nu de politie belt, zul je hen nooit tegenhouden. Dan zul je nooit weten waarom Ed is gestorven of waarom ze jou zullen vermoorden, politie of geen politie.'
'Je had mij achtergelaten om te sterven,' snauwde Thomas.
'In een warm bad?' vroeg Parks smalend. 'Toe nou. Ik was alleen vergeten de knop uit te zetten. Maar ik wist dat er niets kon gebeuren.

Er waren genoeg mensen in de buurt. Je hoefde alleen maar te roepen.'
'Ik vertel je helemaal niets,' zei Thomas.
'Ik weet het allemaal al, geloof me,' zei Parks.
'Jou geloven?' snoof Thomas. 'Dat meen je niet.'
'Ik heb net je leven gered,' zei Parks. 'Daarvoor ben je me toch minstens een etentje schuldig.'
Hij knikte in de richting van het restaurant. 'Ik geloof dat je gezelschap had. Haal ze maar op, dan gaan we ergens heen waar we...' hij zocht peinzend naar het juiste woord '... wat meer afstand hebben van mensen die ik uit jouw naam heb vermoord. Wat vind je?'

Kumi en Jim waren nog binnen, bezig plannen te maken en afscheid te nemen. Kumi had getelefoneerd en wilde terug naar Tokyo en haar werk. Jim had nog niet besloten of hij bij Thomas wilde blijven of nog een paar dagen in zijn eentje zou rondreizen voordat hij naar Chicago terugging. Angstig en verbijsterd luisterden ze naar het verslag van de overval in het steegje en keken naar Parks – die trots vertelde hoe hij Thomas had geschaduwd – alsof hij hen elk moment zou kunnen bespringen.
Thomas wist niet wat hij moest denken van Parks' ogenschijnlijk nieuwe houding tegenover hem, maar een paar minuten geleden had hij nog gedacht dat hij ging sterven, en Parks had hem gered, hoe gewelddadig ook. Maar zijn opluchting was nog geen reden om de man te vertrouwen. Hij had grote twijfels over hem, maar wilde hem wel de kans geven zijn verhaal te doen.
'Nou,' zei Parks, toen ze zich installeerden aan een vurenhouten tafeltje in een druk restaurant-annex-bar met roepende, zwetende obers die dienbladen met flessen bier en sake op hun hand balanceerden. 'Je hebt net een grote ontdekking gedaan. Laat me even denken...' Hij drukte een vinger tegen zijn slaap, sloot zijn ogen en zoemde, zoals een puber die deed alsof hij nadacht. 'Je bent er eindelijk achter gekomen dat je broer niet alleen geïnteresseerd was in oude *afbeeldingen* van vissen, maar ook in die vissen zelf, als dat onderscheid je duidelijk is. En vooral in iets wat een soort vis was, maar ook weer niet, en al heel lang uitgestorven.'
'Waar heeft hij het over?' vroeg Kumi, die nog altijd bleek en vermoeid leek.
Thomas zei niets en nam een flinke slok bier. Het was zijn tweede al.
'Zijn broer en ik kwamen elkaar tegen op het moment dat hij van zijn eigen terrein – symbolen, God en aanverwante poespas – op het mijne

kwam,' zei Parks. 'Hoewel we elkaar niet echt ontmoetten. We hadden een gemeenschappelijke kennis, een Japanner die Satoh heette en uiteindelijk werd opengereten door die griezelige vampier die zijn verdiende loon heeft gekregen in dat steegje hierachter.'
'En wat is jouw terrein?' vroeg Kumi. Ze probeerde zich te concentreren en de draad weer op te pakken, al was het maar – dacht Thomas – om haar gedachten af te leiden van wat er zojuist was gebeurd.
'Wetenschap. Biologie. Maritieme biologie, om precies te zijn, en...' vervolgde Parks zelfvoldaan '... de evolutie in het bijzonder.'
Kumi keek vragend van Parks naar Thomas en terug.
'Onze eerwaarde Ed,' ging Parks verder, 'herkende bepaalde eigenaardigheden in de afbeeldingen van vissen binnen een heel beperkt gebied rondom Napels. Zulke voorstellingen had hij nooit ergens anders gezien. Ze besloegen maar een periode van ongeveer duizend jaar en verdwenen omstreeks de achtste eeuw na Christus. Hij kwam tot de conclusie, en dat was heel slim van hem, dat die afbeeldingen niet abstract konden zijn, maar gebaseerd waren op een werkelijk bestaand dier. Het leek op een vis, maar het had ook kenmerken van een amfibie, zoals een volledig beweeglijke kop, longen en – jawel! – poten, opgebouwd uit een schouder, een elleboog en een polsgewricht. In ons vak noemen we dat een *fishapod*, een overgangsvorm uit het late Devoon, een kruising tussen een vis en viervoetige landrotten zoals de *Ichthyostega*. Cool, toch?'
Griezelig, dacht Thomas, zoals hij zijn verhaal vertelde alsof er niets gebeurd was, alsof hij niet nog maar een uur geleden iemand had gedood. En het had iets ironisch. Parks had geen betere manier kunnen kiezen om te bewijzen dat hij aan Thomas' kant stond, maar het gemak waarmee hij zich van het incident leek te hebben hersteld maakte Thomas nog argwanender tegenover hem. Alleen was het een ander soort argwaan. Tot nu toe had hij Parks voor een vijand aangezien. Nu bleek hij een bondgenoot, maar daarom was hij niet minder gevaarlijk, of menselijker, dan zijn moordzuchtige tegenstanders.
'Thomas,' zei Kumi, met haar ogen nog steeds op Parks gericht, 'dit is krankzinnig. Waar hééft hij het over?'
'O, Thomas vindt dit helemaal niet krankzinnig, is het wel, ouwe makker?' slijmde Parks, die in zijn element was.
Thomas zocht in zijn zak, haalde het knipsel uit de *New York Times* tevoorschijn en spreidde het voorzichtig op het tafeltje uit, alsof het ongelooflijk kwetsbaar was.
'De *Tiktaalik roseae*,' zei Parks. 'Je hebt je huiswerk gedaan, zie ik. Ik kan trots op je zijn.'

Thomas reageerde niet, nam een slok bier en zei: 'Dit vond ik in Eds bagage. Ik weet het niet, maar misschien heeft Ed er wel in geloofd.'
'Dat er in Pompeii nog prehistorische vissen voorkwamen?' vroeg Jim, die voor het eerst zijn mond opendeed. Hij leek perplex en hield Parks scherp in de gaten, met een vijandige blik.
'Niet alleen in Pompeii,' mompelde Thomas onzeker, zelfs een beetje opgelaten door de vreemde situatie. 'Ed dacht dat ze in de hele omgeving leefden. Niet in grote aantallen,' vervolgde hij, 'áls ze echt bestonden. Ik bedoel, ze waren zo zeldzaam dat ze een mystieke uitstraling hadden waardoor ze in de religieuze iconografie werden opgenomen.'
'Amen, broeder,' zei Parks, en hij stak een sigaret op.
'En ze leefden nog tot in de middeleeuwen,' zei Thomas met plotselinge overtuiging. 'Nou ja, dat dacht Ed,' voegde hij eraan toe.
'Hij dacht zelfs te weten waar de laatste was gestorven, nietwaar, Tommy, vriend?' zei Parks.
Thomas dacht even na en knikte toen.
'Het Castello Nuovo in Napels,' zei hij, toen hij zich herinnerde wat Giovanni hem had verteld. 'Volgens de legende leefde het daar in de kerkers en vrat het zo nu en dan een gevangene op. Ten slotte werd het opgejaagd, gedood en boven de ingang van het kasteel gehangen.'
'Je zei dat het een krokodil uit Egypte was,' wierp Jim koppig tegen.
'Ze zouden nog geen krokodil hebben herkend als die hen in de kont gebeten had,' zei Parks. 'En dat deed dit beest. Een paar keer. Ze wisten al evenmin dat de Nijlkrokodil een zoetwaterdier is, terwijl het beest dat in de kerkers van het kasteel rondspookte vanuit zee was gekomen.'
'"*Eduardo vond het een mooi verhaal,*"' mompelde Thomas bij zichzelf. Dat had Giovanni gezegd. Hij worstelde met zijn gevoelens. Aan de ene kant was hij blij dat hij de kern van het mysterie had opgelost, maar aan de andere kant vocht hij tegen het verdriet en de teleurstelling dat zijn broer zo'n belachelijke Graal had nagejaagd. Hij wenkte een dienster en bestelde nog een biertje. Kumi keek, maar hij ontweek haar blik.
'Je gelóóft dit toch niet echt?' zei Jim. 'Ik bedoel, zelfs als Ed het voor waar aannam? Die vis uit de krant is al honderden miljoenen jaren uitgestorven, zoals je zei. Die bestond tweeduizend jaar geleden echt niet meer! Als je uitgestorven bent, kom je niet meer terug.'
'Dat moet je de coelacant vertellen,' merkte Parks op.
'De wat?' vroeg Jim.

'Ook zo'n potige vis uit het Devoon, die net zo lang uitgestorven had moeten zijn als onze vriend hier,' zei Parks, en hij tikte op het krantenknipsel. 'Totdat die beesten omstreeks 1930 opeens begonnen op te duiken bij de Comoros-eilanden in de buurt van Madagascar. Dat was een hele sensatie, geloof me.'
'Alleen daar?' vroeg Kumi. 'Bij de Comoros-eilanden?'
'Tot 1997, want toen verscheen er een in Indonesië,' zei Parks. 'Ook een coelacant, maar genetisch verschillend van de Afrikaanse soort; een heel andere populatie waarvan we het bestaan niet kenden.'
'Maar je denkt niet dat de coelacant ook in de Middellandse Zee voorkomt?' zei Kumi.
'Nee,' lachte Parks. 'In de Middellandse Zee leeft niets wat we niet kennen.'
'Maar wel toen Pompeii door de Vesuvius werd begraven?' vroeg Jim sceptisch, zelfs uitdagend.
'Nee,' zei Parks. 'De vis waar Ed achteraan zat is geen coelacant, maar een veel interessanter dier.'
'O ja?' zei Thomas.
'Toen de eerste coelacant werd gevangen, beschouwden wetenschappers hem als de *missing link*, de "ontbrekende schakel",' zei Parks. 'Het levende bewijs van de evolutionaire stap waarmee de vissen aan land waren gekropen. Daar was al over gespeculeerd op basis van gevonden fossielen, omdat hun grote, gelobde vinnen als poten hadden kunnen dienen. Toen wetenschappers ze levend in het water zagen, constateerden ze dat die vinnen in diagonale paren bewogen, linksvoor gelijk met rechtsachter, net als bij het lopen. Maar ze liepen niet, en uiteindelijk waren die vinnen gewoon vinnen. De coelacant is evolutionair een doodlopende steeg, geen tussenstap naar de landdieren.'
'Dus toch geen overgrootvader van me,' zei Jim droog.
'Nee,' zei Parks. 'Maar dit...' hij schoof het krantenknipsel naar de priester toe, '... of een soortgelijk dier, was dat wel. Blijkbaar hebben ze in heel geringe aantallen overleefd tot in de middeleeuwen, geïsoleerd en in heel bijzondere omstandigheden: donkere, onderzeese grotten, dikwijls ontstaan door vulkanische activiteit, ongelooflijk afgeschermd, maar toch met toegang tot het land via ondiep water, zodat de dieren soms aan de kust naar voedsel konden zoeken. De coelacant leeft in diep water van honderd tot driehonderd meter of meer, zo diep dat niemand ze ooit naar de oppervlakte heeft kunnen halen om ze daar meer dan een paar minuten in leven te houden. De *Tiktaalik roseae* leefde waarschijnlijk in ondiepe poelen, verbonden door stro-

ken land waar hij overheen trok. Onze vriend is een soort kruising daartussen, neem ik aan.'
'Ik geloof er geen woord van,' zei Jim. 'Het is een raar verhaal.'
'*De Profundis*,' zei Thomas, half bij zichzelf. 'Herinner je je die ansichtkaart nog, die hij je had gestuurd? Stel dat het geen grap was over de wanhoop op die exotische plek, maar een grap over wat hij had ontdekt?'
'Wat bedoel je?' vroeg Jim.
'Het betekent "uit de diepten",' zei Thomas. 'Niet de diepten van de wanhoop, maar de diepten van de zee.'
'Slim,' zei Parks.
'Ik zie het niet,' zei Jim, bewust koppig.
'Denk jij dat de dood van mijn broer hiermee verband houdt?' vroeg Thomas langzaam en nadrukkelijk, zodat iedereen – zelfs Parks – zweeg en hem aankeek. Ze zaten alle vier doodstil, op hun hoede en gespannen. 'Aangenomen dát hij dood is, natuurlijk.'
Kumi wierp hem een snelle blik toe, maar de anderen dachten nog na over de vraag.
'Ja,' zei Parks eenvoudig.
'Waarom dan?'
'De wortel van alle kwaad,' zei Parks. 'Geld.'

86

'Waarom?' vroeg Thomas. Het bier maakte hem suf, maar Parks' opmerking dat Ed om geld zou zijn vermoord bracht hem weer helemaal bij de les. 'Wie zou er geïnteresseerd zijn in een vis die niemand in duizenden jaren was opgevallen?'
'Weet je wat er gebeurde toen de eerste exemplaren van de coelacant bij de Comoros-eilanden werden ontdekt?' zei Parks. 'Dat veroorzaakte echt een schokgolf in de wetenschappelijke wereld. Elk museum wilde er een. Elk aquarium vroeg erom. Wie weet hoeveel er zijn gedood bij pogingen ze levend naar de oppervlakte te krijgen? Eilanders die een paar centen per maand verdienden kregen nu duizenden dollars aangeboden. En dat was alleen nog de legale belangstelling. Gewetenloze Chinese importeurs betalen miljoenen voor de wervelkolom van een coelacant. God mag weten wat ze ermee willen, maar het materiaal van

een fossiele vis moet meer waard zijn dan tot poeder gemalen rhinoceroshoorn, nietwaar? Waar dat al niet tegen kan helpen! Erectiestoornissen, Alzheimer, kanker? Het is zuivere magie.'
'Stel dat het allemaal waar is,' zei Thomas, terwijl hij het hele verhaal voorlopig wegwuifde, 'waarom praat je dan met ons? Wat wil je precies?'
'Wat ik wil,' zei Parks, 'is een verbond.'
Thomas snoof. 'Dat meen je niet.'
'Waarom zou jij een verbond met ons willen,' vroeg Kumi, 'als je alles al weet wat wij weten, en nog meer?'
Thomas keek haar snel aan toen ze 'ons' zei. Ze was dus nog niet vertrokken. Hij voelde dat hij verlicht ademhaalde en merkte nu pas tot zijn verbazing hoe gespannen hij was geweest.
'Ik wil weten waar je broer is omgekomen,' zei Parks. 'Ik heb een boot – een grote – van het aquarium in Kobe, waar ik werk. Hij ligt op dit moment voor de kust van Shizuoka. Ga met me mee om te ontdekken waar Ed is gestorven. Of drink een krat bier leeg. Zeg het zelf maar.'
'We hebben het hier al over gehad,' zei Thomas, zonder op die laatste opmerking te reageren. 'Toen jij me overviel. Ik heb je gezegd dat Ed op de Filipijnen was omgekomen. Meer weet ik niet.'
'Dan moeten we dus meer aan de weet zien te komen,' zei Parks, zwaaiend met een menukaart naar de dienster. Hij bestelde sushi, in uitstekend Japans.
De dienster verontschuldigde zich voor de karige keus aan sushi. Een nationaal tekort, zei ze. Parks koos maar voor *tonkatsu*. Thomas staarde zwijgend voor zich uit.
'Ik begrijp het nog steeds niet,' zei hij toen. 'Denk je echt dat mensen zo veel geld zullen betalen voor fossiele vissenbotten?'
'O, die fossielen zijn kostbaar genoeg,' zei Parks, 'maar daar zoeken we niet naar.'
'Hij is geen paleontoloog,' zei Kumi, 'maar bioloog. Het gaat hem niet om fossielen.'
Jim en Thomas keken hem aan.
'Goed punt van de dame,' zei hij. 'Ik ben zeebioloog, en dit is wat ik zoek.'
Hij stak zijn vrije hand in zijn jasje en haalde een foto tevoorschijn, zo groot als een pocketboek, die hij met een klap op het tafeltje legde, als een pokerspeler die vier azen had.
Op de foto was een glanzende vis te zien, chocoladebruin – behalve dat het natuurlijk geen echte vis was, maar een dier met de krokodillenken-

merken van de *Tiktaalik roseae*. En het was geen model. Het dier was nat en zwaar, een deel van de staart was teruggeklapt en het werd omringd door andere, kleinere, gewone vissen op een lange houten plank met ijs. Thomas keek ernaar. 'Wat is dit?' vroeg hij.
'Een niet-fossiele, hedendaagse, pas onlangs gestorven fishapod,' zei Parks grijnzend.
'Heb je er een gevonden?' zei Thomas.
'Niet ik,' zei hij een beetje spijtig, 'maar Ed.'
'Ed heeft dat beest van die afbeeldingen gevonden, dat dier uit de kerkers van het kasteel?'
'Ik weet niet of het exact hetzelfde beest is,' zei Parks, 'maar het komt dicht in de buurt.'
'Waar?' vroeg Thomas. 'En hoe?'
'Daarvoor heb ik juist jouw hulp nodig,' zei Parks. 'Uit jouw verhaal leid ik af dat het dier is gevangen op de Filipijnen. En daar komt dit ook vandaan.'
Hij zocht in een andere zak en legde de zilveren votiefvis op het tafeltje tussen hen in.
'Maar de Filipijnen,' zei hij, 'bestaan uit meer dan zevenduizend eilanden, en ik heb geen idee waar ik moet beginnen.'
'Wij ook niet,' zei Thomas.
'Nee,' zei Parks, 'maar Ed wel. Dit was geen toevallige ontdekking. Hij was hier in Japan, hij is naar de Filipijnen vertrokken en binnen een paar dagen had hij dit gevonden. Wat wist hij? Wat had hij ontdekt dat hem rechtstreeks naar een dier bracht dat niemand nog ooit bewust heeft kunnen vinden?'
'Dit lijkt wel een vismarkt,' zei Kumi, die nog steeds naar de foto staarde.
'Bingo,' zei Parks. 'Dat is trouwens ook de manier waarop de Indonesische coelacant is ontdekt. Een of andere bioloog op huwelijksreis slenterde over een dorpsmarkt en zag hem in een kraampje liggen. Een plaatselijke visser had het dier aan boord gehaald en wist niet wat hij er anders mee moest. Vermoedelijk is het met dit exemplaar ook zo gegaan.'
'Maar waar?' vroeg Thomas. 'En hoe kom jij eraan?'
'Je broer heeft deze foto aan Satoh gestuurd, twee dagen voor zijn dood,' antwoordde Parks. 'Per e-mail. We hebben geprobeerd de locatie van de computer op te sporen, maar zonder succes.'
'Zat er ook een berichtje bij?' vroeg Thomas dringend.
'Eén woord maar,' zei Parks. '*Gevonden*.'

'Ongelooflijk,' zei Kumi, terwijl ze de foto bestudeerde. Er klonk ontzag in haar stem.
'Weet je hoe het op mij overkomt?' zei Parks, met fonkelende ogen.
'Nou?' vroeg Jim.
'Als de dood van God,' zei hij. 'En nu echt.'

87

De Pest had maar tien minuten nodig om van het station van Kofu naar het steegje te komen waar het lichaam van de Honger verborgen lag. Het was nog donker, maar ze bewoog zich alsof ze de stad op haar duimpje kende. Alleen bij kruisingen controleerde ze haar GPS. Blijkbaar had de Honger uit voorzorg zijn telefoon aangezet, vlak voor het lugubere carnavalsnummer dat hij voor Knight in gedachten had. Maar het was niet goed afgelopen. De telefoon, die nog aanstond, lag onder een bundel kleren die hij moest hebben uitgetrokken voor zijn voorstelling. De kleren lagen achter een airco-eenheid, een paar meter van de vuilniscontainer waarin het lichaam van de man zelf lag, met het wapen waardoor hij was gedood.
De godvergeten griezel, met zijn amateurtoneel.
Het zwaard kende ze ergens van. Ze woog het peinzend op haar hand. Toen belde ze de Oorlog en gaf hem een beknopt verslag. Ja, hij was nu echt dood. Nee, niemand had het lijk nog gevonden. Ja, ze had hem onmiddellijk nodig met een busje om het lichaam te lozen. Ze wilden de politie er niet bij hebben. Voorlopig zou ze wat in de container gooien om het lichaam te verbergen.
'Enig spoor van Knight?' vroeg de Oorlog.
'Nee,' zei ze. 'Maar een paar uur geleden was hij nog hier, dus ver kan hij niet zijn. Ik vind hem wel.'

88

'Ik stel dit erg op prijs,' zei Thomas.
'Geen punt,' zei Matsuhashi. Hij leek veel meer ontspannen en zelf-

verzekerd sinds de commotie rond Watanabe wat was bedaard. Zijn collega's, zelfs de leiding van de faculteit, behandelden hem met een zeker ontzag, en hoewel dat voor een deel de politieke voorzichtigheid was van mensen die al een keer op het verkeerde paard hadden gewed, zat er ook bewondering bij. Hij had op een gedurfde, dramatische manier het systeem getrotseerd en het niet alleen zonder kleerscheuren overleefd maar ook de status bereikt van een rijzende ster, een vakman met een groot ethisch besef.

Maar als hij op weg was een beroemdheid te worden, pakte hij dat heel anders aan dan zijn voormalige mentor, dacht Thomas. Hij was nu tevreden en zeker van zichzelf, veel meer dan voorheen, maar hij had niets van Watanabes bravoure, zijn doorzichtige zelfspot of zijn liefde voor publiciteit. Matsuhashi leek juist gerijpt door de hele kwestie, en hoewel de media groot respect hadden voor de man en zijn werk, verloren ze algauw hun interesse in hem als icoon. En dat, dacht Thomas, was maar goed ook.

Toch gingen er op het Yamanashi Archeologisch Instituut nu deuren voor Matsuhashi open die voor andere studenten gesloten bleven, en de bureaucratische belemmeringen die Thomas zouden hebben weerhouden van een blik op de computerbestanden waar zijn broer aan had gewerkt tijdens zijn verblijf hier werden nu zonder pardon opzijgeschoven. Japanse organisaties kenden eindeloze protocollen die elk afwijkend verzoek frustreerden, vooral als het andere mensen slecht uitkwam of in verlegenheid kon brengen, maar met Matsuhashi aan zijn zij leken er voor Thomas geen obstakels te bestaan.

'Heeft hij hier twee dagen gewerkt?' vroeg Thomas.

'Afgezien van zijn maaltijden en een paar gesprekken met Watanabe-san heeft hij hier bijna de hele tijd gezeten. Ik zal de meeste dingen die hij op het satellietsysteem van de universiteit heeft bekeken wel kunnen terughalen, tenzij hij de cache volledig heeft gewist.'

'Waarom denk je dat hij daarnaar keek?' vroeg Thomas. 'Misschien heeft hij wel gewoon op het web gesurft of iets geschreven.'

'Zou kunnen,' zei Matsuhashi, terwijl zijn vingers met ongelooflijke snelheid over het toetsenbord vlogen, 'maar hij had Watanabe-san gevraagd om een wachtwoord om de satellietgegevens te kunnen benaderen.'

'Waar gebruiken jullie die voor?'

'De apparatuur is ontwikkeld voor topografische scans en detectie van grafheuvels in het hele land.'

'Met satellietbeelden?'

'Ja,' zei Matsuhashi. 'Ook bij de plek die we uiteindelijk hebben opgegraven was het zichtbare gedeelte maar een fractie van de feitelijke begraafplaats. Met SAR, *synthetic aperture radar*, proberen we contouren onder de grond te ontdekken.'
'En dat lukt?
'Ja, hoor. Het systeem is gevoelig voor lineaire en geometrische kenmerken op de grond, vooral bij toepassing van verschillende radargolflengten en combinaties van horizontale en verticale gegevens.'
Thomas staarde hem aan.
'Sorry,' zei Matsuhashi, toen hij opkeek van zijn toetsenbord. 'Nou ja, het werkt dus. Het SAR-systeem straalt energiegolven naar de grond en registreert de teruggekaatste energie. Het is niet eens zo'n nieuwe technologie. In 1982 ontdekte de radar van de spaceshuttle oude waterlopen onder het zand van de Soedanese woestijn. En met radarvliegtuigen zijn al historische voetpaden in Costa Rica getraceerd.'
Hij zweeg en fronste toen een volgende pagina met gegevens over het scherm scrolde.
'Wat is er?' zei Thomas.
'Deze coördinaten zijn nogal vreemd,' zei Matsuhashi. 'Ze liggen niet in Japan.'
Weer voelde Thomas zijn hart sneller slaan. 'Waar dan wel?'
De student riep een paar beelden op, en zijn frons werd nog dieper. Het leken opnamen van brokkelige kustlijnen, wit tegen een zwarte achtergrond, met grote, levendige kleurvlakken: groen dat overvloeide in geel, oranje, rood, magenta en bruin. Elk beeld was voorzien van een datum en een tijd, en de map had als titel 'SeaWiFS chlorofylproductie en windvelden van SAR'.
'Wat is dat in vredesnaam?' vroeg Thomas.
'Geen idee,' zei Matsuhashi, 'maar het zijn geen grafheuvels.'
Ook de volgende serie leken opnamen van een kustlijn, met helder groen en blauw water en wat oplichtend magenta, dat verbleekte tot wit. De map heette 'AVHRR: zichtbaar, nabij en thermisch infrarood composiet', gevolgd door lijsten met getallen, grafieken en groepen coördinaten.
'Zou het een opmeting van onderzeese grotten kunnen zijn?' opperde Thomas.
Matsuhashi schudde zijn hoofd.
'Deze gegevens lijken grotendeels op de oppervlakte gericht,' zei hij. 'Misschien nog een meter eronder, maar niet dieper. En voor het opmeten van grotten zou je niet meerdere *passes* nodig hebben. Zie je?

Het zijn opnamen van dezelfde locaties, over een periode van enkele dagen. Grotten veranderen niet, behalve bij grote bevingen. Dus waarom zou hij de beelden hebben herhaald? En deze serie hier schijnt ook rekening te houden met de windrichting, die niet van belang is voor structuren onder water.'
'En die verwijzing naar chlorofyl?' zei Thomas. 'Dat zijn toch planten?'
'Wat planten gebruiken voor hun fotosynthese, ja.'
'Ik begrijp het niet,' zei Thomas.
'Ik ook niet,' zei Matsuhashi, die nu wat minder zelfverzekerd leek. 'Het heeft niets te maken met archeologie. Ik zal eens bellen. Ik ben nu erg populair bij NHK,' voegde hij er met een spottend lachje aan toe.
Ze printten een aantal opnamen en reden ermee naar het tv-station. Thomas bleef op de achtergrond terwijl de medewerkers veel drukte maakten om hun plaatselijke held, maar sloot zich weer aan voor overleg met de chef-meteoroloog van de zender, een academisch uitziende man met peper-en-zoutkleurig haar en een keurig snorretje, die toevallig de enige leek te zijn die niet op de hoogte was van Matsuhashi's verheven status of zich er weinig van aantrok. Matsuhashi verzekerde Thomas dat de man een expert was op het gebied van satellietbeelden, vooral als het om weersverschijnselen ging, en dáár leek het hier op. Hij tuurde naar de opnamen, knikte ernstig en gaf zijn oordeel in het Japans.
Thomas probeerde het allemaal te volgen, maar de man leek zich te beklagen over het menu van het plaatselijke restaurant.
'Wat zegt hij?' vroeg hij.
'Hij zegt dat dit de reden is waarom hij al voor de tweede keer dit jaar geen goede sushivis kan krijgen,' antwoordde Matsuhashi, geamuseerd en verbaasd.
'*Habzu*,' zei de meteoroloog tegen Thomas.
'Pardon?' zei Thomas.
De weerman pakte een pen van zijn bureau en schreef op een blocnote: *HABS*. Toen herhaalde hij de letters met nadruk.
'Geen idee wat het betekent,' zei Thomas.
De meteoroloog hield een rap betoog, en Matsuhashi had moeite om bij te blijven met zijn vertaling. 'Kleine plantjes in het water,' zei hij, terwijl hij achter zijn computer *HABS* intypte op een zoekmachine. 'Gevaarlijk. Ze vergiftigen alle vis.' De meteoroloog wees naar het scherm. '*Habzu,*' zei hij weer, met een gezicht alsof het nu toch wel duidelijk was.
De foto liet een zonnig strand zien, heel idyllisch, afgezien van één

merkwaardige afwijking die Thomas een moment deed terugdeinzen, omdat het niet klopte met de werkelijkheid. Het had iets van een droom. De zee was veranderd in bloed.
'*HABS of* Harmful Algae Blooms,' las Matsuhashi. 'Ook bekend als...'
'... *akashio*,' zei de meteoroloog.
Thomas had geen vertaling nodig.
'Rood tij,' fluisterde hij.
Het was alsof de sleutel die hij had geprobeerd niet alleen paste, maar ook tien andere sloten had geopend. En opeens vulde Thomas' hoofd zich met de echo's van al die deuren die openzwaaiden.

89

Thomas was in een uitbundige stemming. Zelfs de rust van het tempelcomplex van Minobu kon zijn enthousiasme niet temperen.
'Sommige Bijbelgeleerden,' zei hij, 'hebben geopperd dat de plaag van Egypte waardoor de Nijl in bloed veranderde het oudst bekende voorbeeld is van rood tij: de grootschalige groei van microscopische algen of fytoplankton, waardoor het water rood kan verkleuren. Er zijn een heleboel verschillende soorten. Volgens mij hebben we te maken met *Alexandrium tamarense*.'
'En wat doet dat?' vroeg Kumi.
'Het is een dinoflagellaat die PSP veroorzaakt,' zei Parks, die over het grind voor het complex ijsbeerde. 'Een afkorting van *Paralytic Shellfish Poisoning*, een verlammende vergiftiging van schaaldieren, die mossels, kokkels, oesters enzovoort kan treffen. Als je zulke giftige schaaldieren eet, kan in het ergste geval je hele ademhaling worden lamgelegd en sterf je binnen vierentwintig uur.'
'Giovanni had het de dag voordat Ed uit Italië vertrok,' zei Thomas. 'Een milde vorm, maar toch zette het Ed aan het denken.'
Hij had de Italiaanse priester gebeld om zijn vermoeden te bevestigen voordat hij zich weer bij de anderen aansloot. Giovanni was verbaasd geweest van hem te horen, maar niet vijandig, en hij gaf Thomas niet de schuld van Pietro's dood. Thomas' opluchting was een van de redenen voor zijn uitbundigheid.
Ze hadden de trein naar Minobu genomen en de tweehonderdzevenentachtig steile, brede treden naar de tempels beklommen. Het was

Kumi's idee geweest – om de spanning even te breken, zei ze. Ze moesten toch uit Kofu weg om uit de buurt te komen van het lichaam van Thomas' aanvaller, een lichaam waarover nog steeds niets gemeld was in de plaatselijke media. Kumi scheen die stilte verontrustend te vinden. Een moord, vooral zo'n vreemde moord, hoorde dagenlang het nieuws te beheersen in een stad als Kofu.
De Yoshino-kersen stonden in bloei: bleek, kwetsbaar roze tegen de scherp afgetekende takken en de diepblauwe hemel. Bovendien, en nog belangrijker, was het uitstapje een herhaling van een bezoek dat zij en Thomas hier jaren geleden hadden gebracht. Als zodanig betekende het een wapenstilstand, zij het heel voorzichtig en kwetsbaar, net als de kersenbloesem.
Parks, die merkwaardig ongevoelig leek voor de tijdloze schoonheid van het bergheiligdom en de oude houten tempels, was op eigen houtje hierheen gekomen van waar hij logeerde in Kofu.
'PSP is niet alleen dodelijk voor mensen,' zei hij, 'het tast de hele voedselketen aan. Als een prooidier de dinoflagellaat eet, wordt het zelf giftig voor de volgende eter. Het betekent niet alleen sluiting van een paar restaurants in Maine, maar het kan hele vissenpopulaties vernietigen.'
'Tenzij de vis ongebruikelijk goed is toegerust om een nieuwe voedselbron te vinden,' zei Thomas.
Parks staarde hem aan. 'O, dat is een goeie,' zei hij.
'Wat?' zei Kumi.
'Onze fishapod,' zei Parks. 'Die brengt bijna zijn hele leven in het water door, waarschijnlijk in grotten, zwemt wat heen en weer met zijn rudimentaire poten en voedt zich met vis. Maar als de hele omgeving opeens verandert en zijn vaste voedselbron verdwijnt...'
'... weggevaagd door HABS...' vulde Thomas aan.
'... dan heeft hij iets wat andere vissen niet hebben: namelijk poten. En de mogelijkheid om een tijdje boven water te ademen. Dus klimt hij uit het water en eet hij wat anders tot alles weer normaal is in de zee.'
'Dat klopt met onze schildering in Paestum,' zei Thomas, 'de enige afbeelding die we hebben van de vis als hij werkelijk uit het water komt. Dat is wat Ed vermoedde. Het rode water in die schildering is geen apocrief symbool, evenmin als de vis uitsluitend een christelijk icoon is. Het was een echte vis, in echt rood water. De fishapod kwam aan land toen de zee rood kleurde.'
'Leven uit de dood,' zei Jim. 'Geen wonder dat Ed dacht dat hij de symbolische hoofdprijs had gewonnen. Het is het perfecte beeld van Christus die het kruis ontstijgt.'

'Ed gebruikte de satellietbeelden om de huidige uitbraakhaarden in kaart te brengen,' zei Parks, die niet in theologie geïnteresseerd was. 'Hij vergeleek de omgevingsfactoren – watertemperatuur, diepte, onderaardse topografie – van de plekken bij Napels, voor zover hij die kende, met andere uitbraakhaarden van de *Alexandrium*-dinoflagellaat. Daarna lette hij op herhalingen en ging op jacht.'
'Weet je ook waar?' vroeg Kumi. Het was een voorzichtige vraag, en haar blik naar Parks maakte Thomas duidelijk wat ze werkelijk wilde weten: *Als je het weet, vertel je het hem dan? Vertrouw je een man die je al twee keer heeft overvallen?*
Thomas keek haar aan en staarde toen langs haar heen naar de tempels, genesteld in het rijke groen van de heuvels.
'Als ik probeer op de normale manier het land uit te komen,' zei hij, 'word ik aangehouden en overgedragen aan de Italianen of een antiterreureenheid in Amerika. Ik heb geen zin om de rest van mijn leven in Guantanamo op mijn proces te wachten.'
'Je kunt ook naar Devlin gaan,' opperde Jim.
Thomas opende zijn mond om te antwoorden, maar zag toen iets in Kumi's gezicht, een schaduw van een herinnering of een besef. Hij keek haar aan, maar ze schudde heel even haar hoofd. Voorlopig wilde ze het voor zichzelf houden.
Parks keek smalend en verwachtingsvol naar Thomas.
'Vooruit, Tommy, kerel,' zei hij. 'Waar denk je aan?'
Kumi draaide zich om en keek over de beboste vallei. Thomas haalde langzaam de papieren uit zijn jaszak en spreidde ze uit. Hij had de coördinaten van de satellietbeelden op een kaart van de Filipijnen geprojecteerd.
'De dag voordat Ed uit Japan vertrok,' zei hij, terwijl hij zijn vinger op een klein eilandje in de afgelegen Sulu-archipel legde, 'ontwikkelde zich hier rood tij. Het duurde bijna een week. Tegen de tijd dat de zee zich weer had hersteld, was mijn broer dood.'
Een paar lange seconden staarden ze allemaal op de kaart. Toen trok Parks zijn vingers naar achteren, één hand tegelijk, totdat de knokkels kraakten. Hij grijnsde.
'Trossen los,' zei hij. 'Alle hens aan dek.'
'Ik ga niet mee,' zei Kumi. 'Misschien heb je iets ontdekt, misschien ook niet, maar volgens mij moet je het aan de autoriteiten overdragen voordat er nog meer doden vallen. Bel de ambassade, vertel ze wat je weet en hou je er verder buiten.'
'Ja, hoor,' zei Parks. 'Alsof we díé kunnen vertrouwen.'

'Jim?' zei Kumi.
'Ik ben gekomen om te helpen,' zei de priester. Hij schudde peinzend zijn hoofd en voerde duidelijk een innerlijk gevecht. 'Ik ben het Ed verplicht. Als ik iets kan doen...'
'Thomas?' zei ze. Opeens leek ze heel vermoeid en klein.
'Sorry,' zei hij. 'Ik heb geen keus. Totdat ik het weet. Totdat het achter de rug is.'
Ze knikte gelaten, maar zei niets.
'Alleen maar kerels!' zei Parks. 'Geweldig. Haal het bier en regel een paar hoertjes. Behalve voor Piet Celibaat hier.'
'Wacht,' zei Thomas. 'Misschien moet je nog iets anders bekijken voordat je je als vrijwilliger aanmeldt voor deze cruise.'
De anderen keken hem aan.
'Dankzij Matsuhashi en de meteorologische afdeling van NHK hebben we ook andere beelden gekregen, satellietfoto's met tussenpozen van zesendertig uur, van een stuk strand van bijna een kilometer lang, midden in die uitbraak van rood tij.'
Hij legde de foto's in volgorde neer.
'Dit is de eerste,' zei hij.
'Ziet er heel idyllisch uit,' vond Kumi, met een blik op het lichte zand van het door palmen omzoomde strand, van boven gezien. 'Afgezien van dat rode water, natuurlijk. Wat zijn dit?'
'Vissersboten,' zei Thomas. 'Op het land getrokken. En daar staan de hutjes van het dorp, achter die bomenrij. Dit is de tweede foto.'
Het was bijna onmogelijk iets te onderscheiden, behalve het rode water. Het land ging schuil onder een dikke grijze wolk.
'Is dat noodweer?' vroeg Parks.
'Dat dacht ik eerst ook,' zei Thomas, 'maar op de grotere foto's zijn daar geen opvallende weersverschijnselen te zien.'
'Dus is het...?' Kumi aarzelde.
'Rook,' zei Thomas.
'Dat weet je niet zeker,' zei Parks, die ongerust keek.
'Dit is de derde foto,' zei Thomas.
De zee was weer stralend blauw, het strand net zo idyllisch als voorheen, afgezien van een paar donkere vegen, vlak bij de bomen.
'Waar zijn de boten?' vroeg Kumi. Het was een nonchalante vraag, maar toen niemand antwoord gaf, stelde ze de volgende, nu met angst in haar stem: 'En waar is het dorp?'
'Verdwenen,' zei Thomas. 'Alles is weg.'

90

De zon was nog nauwelijks opgekomen boven de besneeuwde, symmetrische top van de Fuji toen de helikopter vanaf Narita snelheid minderde en met bulderende motor laag boven de bomen langs de oever van de rivier bleef hangen. De deur was al open en binnen vijftien seconden hadden drie commando's zich langs het nylontouw op de zanderige oever laten zakken. Niemand zag hun aankomst, en tegen de tijd dat mensen slaperig uit hun ramen keken bij het geluid van de helikopter was het toestel alweer vertrokken, terug naar de stad in het noordoosten.

De soldaten waren gekleed in zwarte gevechtspakken, kogelbestendige vesten, Eagle-jacks en Nomex-mutsen die alleen hun ogen vrijlieten. Ze bewogen zich snel en goed getraind, met hun wapens – Heckler & Koch MP5-SD6 machinepistolen met geïntegreerde geluiddemper – op de omgeving gericht, als een deel van hun eigen lichaam. Ze hadden bevel om voorzichtig te zijn en alleen in het uiterste geval dodelijk geweld te gebruiken tegen burgers die in de weg liepen. Maar ze namen geen enkel risico. De mensen om wie het ging zouden natuurlijk niet op die clementie kunnen rekenen. Op dat punt waren hun orders volstrekt duidelijk: 'De doelwitten vormen een rechtstreekse, geloofwaardige bedreiging en dienen met alle beschikbare middelen te worden geëlimineerd.'

Toch was dit een geheime missie, waarbij geruisloos moest worden opgetreden en de lichamen binnen vijftien minuten per helikopter moesten worden afgevoerd. De soldaten bewogen zich snel langs de oever van de rivier naar de zuidkant van de één verdieping hoge ryokan. Ze hadden geen gedetailleerde informatie over de kamers waar de doelwitten zich bevonden, en er konden nog meer buitenlanders aanwezig zijn. Ze beschikten niet over een plattegrond van het gebouw of andere inlichtingen. Er was geen verkenning uitgevoerd. Deze eenheid moest zich zelf oriënteren en dus dubbel zo efficiënt te werk gaan.

De teamleider knikte en de twee anderen gingen uiteen, laag boven de grond, bijna op handen en voeten, met de lange geluiddempers van hun wapens speurend naar prooi. De leider had liever een uur eerder willen zijn, dan was het nog donker geweest. Volgens hun schaarse informa-

tie waren er maar vijf gastenkamers, plus de woonvertrekken van de eigenares, maar ze wisten niet hoeveel kamers de doelwitten gebruikten – misschien één, maar misschien ook drie.
De leider kwam voorzichtig overeind en tuurde door een raam op ruim een meter boven de grond: een keuken, waar niemand te zien was. Hij sloop verder en hield halt achter een in model gesnoeide yaupon. Hij stond hier vlak bij de ingang en de meest onbeschermde zijde van het gebouw, die uitkeek over een grindweg naar het dorp. Voorzichtig keerde hij terug naar het keukenraam, zette een zuignap op het glas en trok er met een diamanten glassnijder een cirkel omheen. Met enige druk op de zuignap sprong de cirkel keurig uit het glas en kon hij zijn hand naar binnen steken om het raam te openen. In nog geen dertig seconden stond hij binnen.
De kleine keuken puilde uit met grote, zwartgeblakerde ijzeren pannen, waarvan er een aan een ketting boven het fornuis hing. Het hout van de kasten en tafels was grijs geworden en op de vloer lagen plavuizen. Afgezien van de eivormige elektrische rijstkoker had de keuken ook duizend jaar oud kunnen zijn. Met de loop van zijn machinepistool voor zich uit hurkte hij ineen om onder de marineblauwe katoenen *noren* door te kijken die in de deuropening hing. Toen stapte hij de gang in. Zijn schoenen lieten donkere afdrukken na op de schone vloer. Er was niemand te zien.
Op de met matten belegde gang kwam een rij schuifdeuren uit. Met uitzondering van de keuken was het hele gebouw in feite één grote ruimte, die door papieren *husuma* was onderverdeeld in zesmatskamers, allemaal aan deze centrale gang gelegen. Wie in de ene hoek nieste, kon waarschijnlijk in alle slaapkamers worden gehoord. Hij sloop de gang door, zich bewust van het zware, ritmische gesnurk uit de dichtstbijzijnde kamer. Toen hij zijn hand op de schuifdeur legde, verscheen de tweede man van het team aan het andere eind van de gang. Ze waren door de achterdeur binnengekomen. Hij schudde zijn gemaskerde hoofd: niets te melden.
De teamleider opende de deur, die bijna geruisloos over zijn houten rails schoof. De kamer was donker, maar hij kon de slapende gestalte van een bejaarde Japanse vrouw onderscheiden, ineengerold op een futon op de vloer: de eigenares. Hij schoof de deur weer dicht en liep de gang door, terwijl zijn tweede man zich naar buiten boog uit de kamer die hij had geïnspecteerd. Nog altijd niets, en veel kamers waren er niet meer over.
Hij probeerde de volgende deur, en die daarna, met zijn wapen in de

aanslag, klaar om te vuren. Een blik naar zijn collega bevestigde zijn conclusie. De doelwitten waren vertrokken.
Hij knikte naar de andere man, opeens ongeduldig om weg te komen uit dit vreemde houten huis met zijn oude, exotische sfeer. Hij maakte een kapgebaar met zijn hand.
Wegwezen.
Zodra een terreurcel zoals deze eenmaal was ontdekt, raakten ze snel hun voorsprong kwijt. Hij zou hen de volgende keer wel te pakken krijgen.

91

Ze waren uit de trein gestapt in Zenko-ji, een paar haltes voor het hoofdstation van Kofu, omdat ze niet wilden opvallen terwijl ze op hun aansluiting naar Shizuoka wachtten. Daar zou Kumi afscheid nemen van Thomas en de anderen, om op de trein naar Tokyo te stappen, terug naar de rest van haar leven. Ze wenste hun heel veel sterkte, zei ze, maar ze stopte ermee. Hier, op deze plek die ooit bijzonder was geweest voor Thomas en Kumi, zou ze haar eigen weg gaan, lopend naar het hoofdstation, waar ieder zijn eigen trein kon nemen.
Maar Kumi had hun nog één ding te vertellen, iets wat ze liever niet tegen Parks wilde zeggen. Maar Thomas nam een besluit en vond dat ze het de hele groep moest vertellen. Het werd tijd dat ze elkaar leerden vertrouwen. Kumi haalde haar schouders op, niet overtuigd, maar deed wat hij haar vroeg.
'Devlin,' zei ze. 'Dat bezoek van hem gaat niet alleen over invoerheffingen. Hij is bezig met de details van een handelsovereenkomst. En raad eens wat hij wil importeren?'
'Vis?' zei Jim.
'Precies,' zei Kumi. 'Japan is de grootste importeur van vis ter wereld, en daar wil hij een aandeel in.'
'Vanuit Illinois?' zei Thomas sceptisch. 'Waar komt die vis dan vandaan? Uit Lake Michigan?'
'Hij financiert een of ander ultrageheim kweekprogramma,' zei Kumi. 'In het zuiden van Illinois staan kassen waarin tomaten en andere gewassen hydroponisch worden gekweekt...'
'Hydro-wát?'

'Zonder grond,' zei Parks. 'De planten groeien in voedselrijk water.'
'En in datzelfde water kweken ze ook vis,' zei Kumi. 'Op dit moment tilapia. En ze testen dezelfde condities voor een speciaal gecultiveerde gestreepte baars. Het zou een geweldige opsteker kunnen zijn voor de economie van Illinois als Devlin hier een importcontract kan regelen.'
'Daar heeft hij nooit iets over gezegd,' zei Thomas, terwijl hij Jim vragend aankeek.
'Hij houdt het stil,' zei Kumi, 'om de concurrentie een stap voor te blijven.'
'Misschien,' zei Thomas.
Parks keek peinzend. Thomas voelde dat ze allemaal probeerden deze nieuwe informatie een plaats te geven, maar ze wisten niet genoeg, of het had niets met de zaak te maken, dus zweeg iedereen.
Bovendien had Thomas wel iets anders aan zijn hoofd. De verbleekte rode tempel waar ze elkaar na Tokyo voor het eerst hadden ontmoet was erg besloten en afgelegen vergeleken bij de grootsheid en pracht van het complex dat ze zojuist hadden bezocht. Het leek de ideale plek om een idee uit te leggen dat hij steeds had beschermd, als een man die een kaarsvlam beschut tegen een sterke bries.
'Hoor eens, ik heb nagedacht,' zei Thomas. 'Ik weet dat het krankzinnig klinkt, maar heeft iemand de mogelijkheid overwogen...?'
'Wat?' vroeg Kumi behoedzaam.
'Luister nou even,' zei hij.
'Ga door.'
'Heeft iemand de mogelijkheid overwogen...?'
'Dat Ed niet dood is?' zei Jim. 'Daar dacht je toch aan?'
'Ik vroeg het me gewoon af,' zei Thomas.
Een paar lange seconden staarden ze hem aan. Het was doodstil op het tempelterrein.
'Je broer is dood, Tom,' zei Kumi ten slotte.
'Dat zeggen ze,' zei Thomas, 'maar ik heb zijn lichaam niet gezien. We hebben geen enkel bewijs waar of hoe hij is gestorven. Misschien is hij helemaal niet dood, maar ondergedoken...'
'Tom,' viel Kumi hem in de rede, als iemand die een zware last zo voorzichtig mogelijk wil neerlaten, 'we weten dat er een explosie is geweest waarbij een heleboel mensen zijn omgekomen. Ed was daar ook bij.'
'Dat weten we niet zeker,' hield hij vol. 'Stel dat er veel lichamen waren, misschien wel... verminkt, onherkenbaar. Wie zal zeggen of ze niet gewoon hebben aangenomen dat hij was omgekomen omdat hij toevallig in de buurt was, of...'

‘Ze wisten het zeker, Tom,’ zei Kumi, weer op vermoeide, droevige toon, omdat ze zelf ook graag hoop hield, maar er niet in geloofde.
‘Hoe kunnen we iets van al die verhalen geloven?’ vervolgde Thomas. ‘We worden van het kastje naar de muur gestuurd. Waarom zouden ze ons de waarheid vertellen? Waarom gaan we ervan uit dat hij echt dood is?’
‘Haal je toch niets in je hoofd, Tom,’ zei Kumi.
‘Ik zeg alleen maar...’ begon Thomas.
‘Laat hem los,’ zei Jim.
‘Jij ook al?’ Thomas keek hem nijdig aan. ‘Ik dacht dat jij een man van het geloof was, die hoop hield op zulke dingen?’
‘Maar niet in dit geval, Thomas,’ zei Jim. ‘Ik denk dat hij dood is.’
‘Het is zwaar,’ zei Kumi, ‘maar je moet het accepteren.’
Hij vloog haar bijna aan. Zijn oude woede vlamde op, als een vergeten wond, diep vanbinnen, die onverwachts was opengegaan.
‘Jij zegt míj dat ik het moet accepteren?’ snauwde hij. ‘Jij zegt míj dat ik me eroverheen moet zetten? O, die is goed.’
Kumi werd rood. ‘Zo is het genoeg, Tom,’ zei ze, met een smeekbede in haar ogen. ‘Niet doen.’
‘Wat moet ik niet doen, Kumi?’ beet hij haar toe. De pijn maakte hem wreed. ‘Wat? Moet ik het soms niet hebben over die kleine stenen baby’s daar?’
‘Hou je mond, Tom,’ zei ze. Tranen sprongen in haar ogen en ze drukte haar handen tegen haar oren om hem niet te hoeven horen, zoals een kind zou doen.
Maar Thomas zweeg niet. Hij greep haar vast en riep haar toe: ‘Moet ik mijn mond houden over dat gat in je buik, dat gat zo groot als een kind, waar je al zeven jaar mee rondloopt? Kom je daar binnenkort nog overheen, Kumi?’
Ze sloeg hem in zijn gezicht, een harde klap, die weerkaatste in de stilte van de tempeltuin. Toen vluchtte ze struikelend tien meter verderop, snikkend in haar handen. Jim ging haar achterna, maar langzaam, op een afstand. Parks stond een moment als versteend, met opengesperde ogen, voordat hij in zijn eentje wegslenterde. Thomas bleef achter, alleen met zijn verdriet en zijn schaamte, zoals altijd. De schimmen van de vier mensen die tot een vormeloos geheel waren versmolten scheidden zich weer en gingen huns weegs. Ze wierpen scherpe, negatieve schaduwen van verlies en eenzaamheid over het grind.
‘Zijn jullie een kind verloren?’ vroeg Parks aan Thomas. Hij fluisterde op een vreemde toon en had zijn ogen nog steeds opengesperd.

'Nee,' zei Thomas. 'Of ja. Anne. Een miskraam op het laatste moment.'
'Maakt dat verschil?' zei Parks, met een blik naar Kumi. Het klonk als een beschuldiging, heel bizar, uit zijn mond, maar toch was het zo. Thomas keek ook naar haar, maar zag enkel die dag toen ze in de geparkeerde auto voor de zwangerschapskliniek hadden gezeten, samen in tranen, maar toch al los van elkaar. Nu haalde hij zijn schouders op, dodelijk vermoeid, en stelde de vraag die hij al net zo lang koesterde als zij.
'Hoe rouw je om het verlies van iets wat je nooit hebt gehad?'

92

De tempels in Japan hadden Thomas altijd een gevoel van rust en schoonheid gegeven, maar als het spirituele plaatsen waren, dan hadden ze een spiritualiteit die hij niet echt begreep. Hij verzette zich tegen de Kerk waarin hij was opgegroeid, maar kon diezelfde Kerk wel begrijpen. Zenko-ji, Minobu en dat soort plaatsen fascineerden hem omdat ze zo bovenaards en exotisch waren. Maar hij voelde zich er altijd alleen. En als er één ding was dat hij had begrepen van Eds geloof was het die gedachte van een hechte gemeenschap, een levende sociale wereld met het altaar als middelpunt. Andere volkeren – Japanners – zouden dat hier ook wel voelen, maar Thomas niet, en tot zijn verbazing had hij opeens behoefte aan een kerk, een kerk die hij kende en herkende, niet als toerist, maar als iemand die geboren was met dat besef in zijn bloed.
Bijna zonder een woord verlieten ze de tempel. Kumi's gezicht was nog steeds rood, maar ze had haar tranen weggeveegd met een energiek, beslist gebaar dat duidelijk maakte dat het onderwerp was afgesloten. Jim pakte een moment haar hand, maar hoewel ze hem dankbaar was, stond ze het maar een paar seconden toe voordat ze hem weer losliet en zei dat ze naar het station in Kofu moesten.
Thomas slenterde zwijgend achter haar aan en herinnerde zich de route langs de met netten beschermde wijngaarden, door de smalle, bochtige steegjes tussen de tuinmuren, naar de oude *onsen*-baden aan de voet van de helling. Elke bocht in de weg verraste hem weer omdat hij zo pijnlijk vertrouwd was. Kinderen in schooluniform fietsten

voorbij, zoals altijd, misschien minder in buitenlanders geïnteresseerd dan vroeger, maar verder niet veel veranderd. Hij had hier gewoond, al was hij hier nooit echt thuis geweest, en alles lag nog zo scherp in zijn geheugen gegrift dat hij zich oud, verloren en nutteloos voelde.
Een meer recente herinnering kwam bij hem boven: Peter het Hoofd die hem had ontslagen: '*Je was altijd al een buitenbeentje, Thomas, maar nu ben je een paria geworden, en eerlijk gezegd begrijp ik niet goed waarom.*'
'*Ik weet het,*' had hij geantwoord. '*Het spijt me.*'
En nu was hij hier terug, in zijn Japanse prehistorie, terwijl hij zich afvroeg wat hij in godsnaam hoopte te bereiken met dat vreemde gezelschap van drie mensen om hem heen. Voor de winkel op de hoek stonden een paar automaten. Een ervan was gevuld met grote blikken bier. Thomas liep erheen, zoekend in zijn zakken. Een merkwaardig ritmisch gedreun klonk over de pannendaken.
Trommels?
Daar leek het op. Hij bleef staan, spitste zijn oren en liep toen haastig de anderen achterna. Pas toen ze de zanderige sportvelden van een middelbare school bereikten werd duidelijk wat er aan de hand was. Hij wist het, op hetzelfde moment dat Kumi zich met stralende ogen naar hem omdraaide – hetzelfde besef, dezelfde herinnering.
'Het is de *Shingenko matsuri*,' zei ze.
Hij knikte, met net zo'n lach als zij, tegelijk blij en verdrietig.
'Wat krijgen we nou?' vroeg Parks.
'Nog meer prehistorie,' zei Thomas.
Het veld was afgeladen met mensen die zich in groepen van twintig of meer hadden opgesteld, allemaal verzameld onder kleurige vaandels. Ze waren gekleed – of werden nog gekleed – in de wapenrusting van de samoerai of hun voetsoldaten, gewapend met bogen, pieken en *katana*.
Het was de jaarlijkse feestdag van de zestiende-eeuwse krijgsheer en volksheld van Yamanashi, Takeda Shingen. Duizenden mensen zouden vandaag in bataljons door de hoofdstraten van Kofu marcheren: schoolkinderen, ambtenaren, middenstanders, kantoorpersoneel, de halve stad, inclusief een speciaal regiment buitenlanders, toegejuicht door de andere helft van de bevolking. Het was een spectaculair feest waaraan geen einde kwam. Het kon diep in de nacht worden voordat Shingens plaatsvervanger eindelijk van zijn paard stapte om de slotceremonie te leiden. Thomas en Kumi hadden twee keer in de stoet meegelopen, genietend van de plechtstatige onzin, die hen zelfs nu

– ondanks alles wat er in de voorbije jaren tussen hen verloren was gegaan – nog met nostalgie vervulde.
'Kunnen we niet even blijven kijken?' vroeg ze.
'Ja, hoor,' zei Thomas, en hij kwam naast haar staan.
'Daar is geen tijd voor,' zei Parks. 'We moeten naar het station. Weg hier.'
'Een paar minuutjes maar,' zei ze, en Thomas keek Parks zo vernietigend aan dat hij zijn schouders ophaalde en een eindje verderop bleef wachten tot ze weer doorliepen.
'Het is best leuk,' zei Jim, toen hij een samoerai in een zwart harnas met rode en gouden koorden zijn gewapende manschappen zag aanvoeren door de straat.
'Ja,' zei Thomas. 'Dat is het.'
Anderhalve minuut bleven ze staan kijken.
'Zijn jullie zover?' vroeg Parks, en hij tikte op zijn horloge.
'Kumi?' zei Jim, en hij boog zich oneindig zorgzaam naar haar toe, alsof hij niet haar tranen zag.
Ze knikte even, en ze liepen verder.

De Oorlog was niet blij met de parade. Het slaperige stadje was opeens een heksenketel, en de stoepen stonden vol kraampjes met smerige etenswaren. Hij had zijn team verspreid over de belangrijkste straten rond het station, omdat hij ervan overtuigd was dat Knight en de anderen daar uiteindelijk zouden opduiken, maar het was een nachtmerrie om te voorkomen dat ze hem in de drukte zouden ontglippen. Hij moest hen hier tegenhouden, en hoewel hij geen behoefte had aan een schietpartij met al die mensen in de buurt, zou de parade de aandacht van de omstanders misschien voldoende afleiden om ongezien een paar bloedende buitenlanders in een busje te kunnen sleuren.
Hij meldde zich bij de teamleider, een man die de Oorlog persoonlijk had gerekruteerd na zijn tweede termijn bij de Amerikaanse Navy SEAL's in Afghanistan.
'Ben je in positie?'
'Ik zie hier de hele noordkant van het station, meneer,' antwoordde de man.
'Hoe druk is het daar?'
'Valt wel mee. Er is hier niets te beleven.'
'Hou je ogen open,' zei de Oorlog. 'Als je ze ziet, bel dan het busje voordat je begint te schieten, tenzij het echt niet anders kan.'

Er was iets vreemds aan de man op de hoek, genoeg reden voor Thomas om te blijven staan en de anderen terug te drijven in het steegje. Ze waren nog maar een paar straten van het station, en de parade had een climax bereikt van herrie en energie.
Waarom let die vent dan alleen op de toeschouwers?
Het was een lange, atletisch ogende westerling, in Amerikaanse kleren die veel te warm leken voor deze temperatuur. Hij maakte een ernstige, geconcentreerde, dreigende indruk.
'Ze zijn hier,' zei Thomas, en hij dook het steegje weer in.
'Wie is het?' vroeg Parks.
'Geen idee,' zei Thomas. 'Deze heb ik nooit eerder gezien.'
'Hoe weet je dan...?'
'Omdat ik het weet,' zei Thomas. In Amerika zou de buitenlander misschien een veiligheidsman zijn geweest die de menigte in de gaten hield. Hier niet.
'We komen niet langs hem heen,' zei Jim. 'En er zullen nog wel anderen zijn.'
'Als we nou een taxi namen, tot aan het station?' opperde Kumi.
'De straten zijn afgezet,' zei Thomas. 'We kunnen daar niet komen zonder gezien te worden.'
'En als ze het níét zijn?' zei Parks. 'Een verdwaalde buitenlander zegt ook niet alles. Daar zijn er meer van. Als je deze man niet kent, hoort hij er misschien niet bij.' Zijn toon was meer dan dringend. Hij klonk wanhopig. 'Ik bedoel, met hoeveel kunnen ze zijn?'
'Hoe moet ik dat weten?' zei Thomas, die liever niet nadacht over de omvang van het genootschap dat hen wilde tegenhouden of vermoorden.
'We moeten naar de trein,' zei Parks.
'Wacht,' zei Kumi, die opeens de leiding nam, zoals ze soms deed in een crisis – haar manier om zich erdoorheen te slaan. 'Kom mee.'

'Weet je zeker dat ze in de trein uit Minobu zaten?' vroeg de Oorlog in zijn headset. Hij raakte geïrriteerd en zenuwachtig. Eigenlijk moest hij de Zegelbreker bellen om te melden dat alles onder controle was en dat ze het groepje hadden gevonden – of geëlimineerd.
'Ja, meneer,' zei de teamleider. 'We hebben ze zien instappen, maar mijn man op het perron in Kofu zei dat ze daar niet zijn uitgestapt.'
'Kunnen ze in de trein zijn gebleven?'
'Onbekend, meneer.'
'Onbekend?' zei de Oorlog op enigszins kribbige toon. 'Wat is dát voor antwoord?"

'Sorry, meneer. Het is onwaarschijnlijk, maar we weten het niet zeker.'
'Zorg dan dat je het zeker weet,' snauwde de Oorlog. 'Doorzoek die trein.'
'Ja, meneer.'
De Oorlog richtte zijn aandacht weer op de menigte. Het probleem was deze stompzinnige parade, al die heidense idioten die door de stad marcheerden in hun pakjes uit de gouden eeuw. Elke andere dag van het jaar zouden de straten verlaten zijn geweest en was een groepje buitenlanders onmiddellijk opgevallen.
Alle ogen waren op de parade gericht, behalve de zijne. Daarom was hij de enige die niet het gedeeltelijk in wapenrusting gestoken viertal – drie buitenlandse mannen en een Japanse vrouw – zag dat zich opeens uit de stoet losmaakte en haastig de trappen van het station beklom, slechts enkele meters van waar hij naar de menigte stond te staren.

In de hal van het station hield Kumi een schooljongen aan, gaf hem een briefje van vijfduizend yen en de zak met nephelmen die minstens de helft van hun vermomming hadden uitgemaakt. Tegen de tijd dat Thomas hun kaartjes had gehaald, rende de jongen al terug naar het provisorische arsenaal van het schoolplein, grijnzend alsof hij de loterij had gewonnen.

93

De trein naar Shizuoka was sneller dan ze gewend waren, maar nog niets vergeleken bij de Shinkansen. Parks klaagde voortdurend en keek soms zelfs over zijn schouder alsof hij verwachtte dat hun achtervolgers elk moment de bijna verlaten coupé konden binnenstormen. Thomas vermoedde dat hij andere zaken aan zijn hoofd had: niet alleen waar ze naartoe gingen, maar ook waar ze waren geweest.
'Zou het veilig zijn om mijn mobiel te gebruiken?' zei Parks. 'Ik moet eigenlijk even bellen om te horen of de boot klaarligt, maar...'
Hij zweeg wat ongelukkig, en ze keken elkaar allemaal aan. Hoe eenvoudig was het om het signaal van een mobiele telefoon te volgen of af te luisteren? Hoeveel technologische middelen hadden hun vijanden daarvoor nodig? Ze hadden geen idee.
'Waar zie je me voor aan?' zei Jim. 'James Bond?'

Parks wierp hem een scherpe blik toe.
'Ik zie je meer als een priester,' zei hij.
'Dank je wel,' zei Jim, die het maar als compliment opvatte. Parks, die nog steeds geïrriteerd keek, alsof hij ruzie zocht, richtte zich nu tot Kumi.
'Ik dacht dat jij niet meeging,' zei hij.
'Ik heb de ryokan in Shimobe gebeld,' zei ze.
'En?' vroeg Parks.
'Ze zijn vannacht overvallen,' antwoordde ze. 'Vroeg in de morgen, beter gezegd. Iemand heeft een gat in een ruit gesneden. Maar er is niets gestolen. Blijkbaar waren ze op zoek naar iets of iemand.'
'Ze?' zei Thomas, die probeerde in een onschuldige verklaring te geloven. 'Het kan toch gewoon een dief uit de buurt zijn geweest?'
'Een professionele inbraak in een Japans bergdorp?' zei ze. 'Nee. En dieven uit de buurt komen niet per helikopter.'
Thomas keek haar aan.
'Maar goed dat we vannacht in Minobu zijn gebleven,' zei ze.
'Maar dan zitten we wel met een interessante vraag,' zei Parks. 'Want als ze ons zijn gevolgd naar een kleine ryokan in de rimboe, moeten ze hulp hebben gehad.'
'Dat hoeft niet,' zei Kumi zuchtend. 'Buitenlanders op het platteland van Yamanashi vallen net zo op als een 747 in de woestijn. Je kunt het ding wel begraven, maar als iemand het ontdekt, zal hij het niet licht vergeten. Bovendien is Thomas op de nationale tv geweest. Ze hadden helemaal geen tipgever nodig.'
'Misschien,' zei Parks. 'Maar toch wilde ik het even vragen aan pastoor Jim hier.'
'Wat bedoel je daarmee?' vroeg Jim.
'Ik dacht alleen hardop,' zei Parks.
'Wat zou ik voor een tipgever zijn als ik ze had verteld waar we de vórige nacht hadden geslapen?' zei Jim. Hij draaide zich om en mompelde 'klootzak', maar zo luid dat iedereen het hoorde.
Parks stond op.
'Ik moet pissen,' zei hij, met een blik op Jim.
Jim draaide zich opzij en staarde strak uit het raampje, zodat Kumi en Thomas elkaar voor het eerst sinds Zenko-ji weer recht in de ogen keken. Hij trok vragend zijn wenkbrauwen op en knikte naar de twee andere mannen, maar ze haalde haar schouders op, schudde haar hoofd en deed haar ogen halfdicht.
'Ga je mee met de boot?' vroeg hij.

'Ik moet mijn kantoor bellen,' zei ze. 'Ik denk dat ik vanuit Shizuoka de Shink naar Tokyo neem.'
'Je had niet met ons mee hoeven te komen,' zei hij, geërgerd omdat ze geen beslissing nam.
Zuchtend keek ze uit het raampje. Toen draaide ze zich weer naar hem toe.
'Tom, ik ben bang. Oké?' zei ze. 'Ik zou graag gewoon naar kantoor teruggaan en doen alsof ik hier niets mee te maken heb of dat het nu achter de rug is, maar dat geloof ik dus niet. Ik wil... ik weet het niet... de zaak afsluiten.'
Ze had het niet alleen over Eds dood of hun huidige problemen, begreep Thomas. Hun ruzie bij de tempel was geen breuk tussen hen geweest, maar had wel duidelijk gemaakt hoeveel er in al die jaren onuitgesproken was gebleven. Thomas zei niets, maar zo voelde hij het ook, alsof ze wachtten tot er iets zou gebeuren wat – eindelijk – een stap vooruit betekende. Voor hen allebei, maar los van elkaar, veronderstelde Thomas. De kans om eindelijk de deur te sluiten en dat deel van hun leven af te ronden dat ze samen hadden doorgebracht.
'Ik weet niet of ik wel met je meekan,' zei ze. 'Ik heb nog wat verlofdagen te goed, maar... Eerst moet ik bellen en nadenken, oké?'
'Goed.'
Thomas was moe en radeloos. Parks en Jim gedroegen zich schichtig, allebei op hun eigen manier, en Kumi... Hij wist het gewoon niet met Kumi. Niet voor het eerst voelde hij zich stuurloos, alsof de kust allang onder zijn voeten was weggezonken en hij door onvoorspelbare stromingen steeds verder werd meegesleurd naar dieper en donkerder water. Ondanks alles wat hij de afgelopen weken had ontdekt was hij nog geen stap dichter bij het antwoord op de vraag wie hem nu eigenlijk over de hele wereld achternazat. Jim had gelijk: hij was geen James Bond, evenmin als Thomas. De gedachte dat de mensen die hem uit de weg wilden ruimen – dezelfde mensen die zijn broer hadden vermoord – beschikten over overheidsdiensten en goed getrainde commando's in helikopters was meer dan beangstigend. Alleen door stom geluk had hij het zo lang overleefd, en aan dat geluk kon ieder moment een eind komen. Misschien moest hij zichzelf maar aangeven en de zaak onder ogen zien, thuis of in Italië. Hij was onschuldig. Dat betekende toch wel iets?
Dat leek een retorische vraag, en ondanks al zijn scepsis over het gezag zou hij het ook zo hebben gezien. Maar nu zijn broer was vermoord en hij zelf verdacht werd van terroristische contacten, was het opeens niet retorisch meer.

God, ik lust wel een borrel, dacht hij.
Zwijgend zaten ze met hun vieren tegenover elkaar terwijl de trein voortdenderde rond de voet van de Fuji, op weg naar de kust. Het leek geen veelbelovend begin vóór een reis over de Zuid-Chinese Zee en nog verder. Thomas had geen idee hoelang ze erover zouden doen, maar veel onderling vertrouwen hoefde hij niet te verwachten.

De avond viel op de Heiwa Dori en aan de eindeloze parade van nep-samoerai was ten slotte een eind gekomen, zonder een spoor van Knight of de anderen. De Oorlog en zijn mannen hielden nog steeds het station in de gaten, maar het was nu wel duidelijk dat hun prooi hun weer door de vingers was geglipt. Hij keek nog wel, maar zijn gedachten waren elders. Hij wachtte.
Het onvermijdelijke telefoontje kwam een halfuur later. De stem van de Zegelbreker klonk rustig en effen. De man zweeg terwijl de Oorlog professioneel verslag uitbracht van zijn mislukking en bleef zwijgen toen hij uitgesproken was, zodat de Oorlog zich zenuwachtig afvroeg of de verbinding was verbroken.
'Meneer?' vroeg hij. 'Hebt u me verstaan?'
'Ja,' was het antwoord. 'Ik had natuurlijk liever iets anders gehoord, maar... ja.'
'Het spijt me, meneer,' zei de Oorlog. 'Ik weet niet hoe ze langs ons heen zijn gekomen, maar het is hier nog steeds een chaos...'
'Blijkbaar,' zei de Zegelbreker, op zo'n besliste toon dat de Oorlog zweeg, alsof hij een klap in zijn gezicht had gekregen. Maar toen de Zegelbreker verderging, leken alle irritatie en korzeligheid opeens uit zijn stem verdwenen. 'Nou ja,' zei hij, 'ik ben niet blij dat het zover gekomen is, maar het zij zo.'
'Moeten we het station vannacht nog in de gaten houden, meneer?'
'Nee,' zei de Zegelbreker. 'Ze zijn verdwenen, maar dat geeft niet.'
'Meneer?'
'We weten immers waar ze naartoe gaan,' zei de Zegelbreker, alsof hij in zichzelf sprak.
'Zullen we ze ergens onderscheppen?'
'Nee,' zei de Zegelbreker. 'We hebben altijd geweten waar ze terecht zouden komen als ze de kans kregen. Dan kunnen we ze beter daar te pakken nemen, waar een paar lijken meer of minder niet te veel opvallen. Onze troefkaart moet nog worden uitgespeeld, en zo krijgt de hele zaak een zekere symmetrie, een passend einde. Ik verheug me erop daar persoonlijk bij aanwezig te zijn.'

'Gaat u met ons mee?' vroeg de Oorlog geschrokken, maar ook een beetje opgewonden. Hij had de Zegelbreker maar één keer persoonlijk ontmoet. De Pest nog nooit, een feit dat de Oorlog als een duidelijk bewijs van zijn hogere rang beschouwde.
'Natuurlijk,' zei de Zegelbreker. 'We zullen ons hergroeperen. Verzamel je mensen – allemaal – en wacht op de coördinaten voor de actie. Ik zal jullie opwachten als je daar aankomt. We kunnen de afloop samen meemaken. En, Oorlog?'
'Ja, meneer?'
'Zet deze mislukking uit je hoofd.'
'Ja, meneer,' zei de Oorlog, die een golf van paniek voelde opkomen door de ongebruikelijke mildheid van de Zegelbreker.
'De wegen des Heren zijn ondoorgrondelijk, hoe Hij Zijn wonderen verricht,' verklaarde de Zegelbreker. 'Waar de ene deur zich sluit, zo opent zich de andere, en daardoor leidt de weg tot glorie.'
'Jawel, meneer,' zei de Oorlog, die het opeens koud kreeg. Hij voelde de haren van zijn armen en zijn nek overeind komen – van opwinding of van angst, dat wist hij niet.

Deel IV

De Jezusvis

Wij staan nu op een kruispunt in de menselijke evolutie waar de enige weg vooruit naar een gemeenschappelijke passie leidt... Onze hoop nog langer te stellen op een maatschappelijke orde die door extern geweld is bereikt is niets anders dan alle hoop laten varen om de Geest van de Aarde tot ultieme vervulling te brengen.

– Pierre Teilhard de Chardin

94

Ze zaten al bijna twee weken op zee. Thomas had niet geweten wat hij kon verwachten toen ze in Shizuoka aankwamen, maar de boot had hem verrast. Het was een groot schip van meer dan dertig meter lang, uitgerust met de modernste maritieme onderzoeksapparatuur, inclusief sonar en een tweemansduikboot, en een bemanning van tweeëntwintig koppen, de wetenschappers en gasten niet meegerekend. Hij was eigendom van het aquarium in Kobe, en hoewel Parks in naam de leiding had van de expeditie, was hij binnen de organisatie van de boot nauwelijks meer dan een passagier. Thomas had geen idee wat Parks zijn mensen had verteld, maar in de trein en de haven had hij uitvoerig getelefoneerd voordat hij toestemming had gekregen voor de expeditie. God mocht weten hoe hij hun magere bewijzen had overdreven, maar uiteindelijk waren ze met karakteristieke Japanse hoffelijkheid aan boord verwelkomd door Nakamura, de kapitein.

Het was onmogelijk te bepalen wat de kapitein en zijn bemanning van deze missie dachten, en ze bleven nadrukkelijk op afstand. Toch vermoedde Thomas dat ze Parks als een ongeleid projectiel beschouwden en dat ze bij de geringste aanleiding meteen rechtsomkeert zouden maken naar Japan. Of de kapitein wist dat de namen van de buitenlanders op zijn passagierslijst waren vervalst kon hij niet zeggen, maar Thomas bracht de eerste twee dagen aan dek door, speurend naar tekenen van de Japanse kustwacht. Ze waren nu wel van het vasteland ontsnapt, maar als de autoriteiten besloten om hen op te pakken was de boot niet veel beter dan een drijvende gevangenis.

Pas toen ze op zee waren kwam Thomas erachter dat er geen alcohol aan boord was. Eerst was hij alleen teleurgesteld dat hij het biertje niet kon krijgen dat hij toch verdiend had, maar na nog twee dagen raakte hij prikkelbaar. Iedereen, behalve Jim, bleef bijna een week uit zijn buurt – geen geringe prestatie op een boot. Tegen die tijd begon Thomas na te denken over de laatste keer dat hij meer dan twee dagen niet gedronken had en veranderde zijn slechte humeur in een veel zwarter en persoonlijker gevoel. De dorst was voorlopig wel verdwenen, maar hij voelde zich opzichtig en vernederd, en het duurde nog eens twee dagen voordat hij weer het gezelschap van anderen opzocht.

'Welkom in onze eigen drijvende Betty Ford-kliniek,' zei Parks met zijn gebruikelijke gebrek aan tact. Jim kromp ineen, maar Thomas haalde zijn schouders op.
De boot heette *Nara*, hoewel Parks een handgetekend bordje over de zijkant had gehangen met de naam *Beagle II*. Het leek of ze met halsbrekende snelheid door het water sneden, totdat Thomas besloot om aan het einde van een dag de kaart te bestuderen met de kapitein en tot zijn teleurstelling constateerde hoe langzaam ze naar het zuiden kropen. Twee dagen eerder hadden ze hun eerste glimp van de Filipijnen opgevangen, de noordwestkust van Luzon, en de nacht doorgebracht met uitzicht op Manilla, waar de bemanning nieuwe voorraden insloeg. De buitenlanders hadden besloten dat ze niet langs de Filipijnse douane wilden en hadden de halve nacht jaloers naar de lichtjes van de stad zitten staren. Inmiddels was iedereen weer terug aan boord en voeren ze verder naar het zuiden, nu door de Suluzee naar de archipel van de duizend eilanden, die een gespikkelde, onregelmatige pijl vormde, gericht naar de Maleisische kust in het zuidwesten.
Toen ze in de buurt kwamen, werd de bemanning wat stiller en leek iedereen nog meer op zijn hoede. Deze wateren hadden een slechte reputatie, evenals de eilanden zelf, en niet alleen vanwege piraterij. Dit was de achtertuin van het Moro Islamic Liberation Front en de kleinere maar radicalere Abu Sayyaf. Die laatste groepering was de extremistische, oorlogszuchtige vleugel van de grotendeels vreedzame moslimbevolking die al voor de Spaanse veroveringen op de eilanden woonde maar vaak door de regering in Manilla werd vergeten. Een deel van het conflict tussen Parks en kapitein Nakamura scheen verband te houden met de veiligheid van hun reisdoel, een plek die bekendstond om bomexplosies, moordaanslagen en ontvoeringen, en dus door de meeste regeringen als bestemming werd afgeraden. Bovendien werd zo nu en dan een drie meter lange tijgerhaai waargenomen, waardoor zelfs deze lichtgekleurde, door palmen omzoomde stranden – misschien onterecht – een duistere, dreigende sfeer hadden gekregen.
'Ideaal, vind je niet?' zei Parks, die naast Thomas opdook.
'Ja, het is mooi,' beaamde Thomas.
'Nee,' zei Parks, 'ik bedoel dat het een ideale omgeving is voor de vis. Al deze eilanden zijn vulkanisch, net als de omgeving van Napels: dezelfde onderzeese grotten, hetzelfde warme water. Zodra we in de buurt van het eiland op de satellietfoto's komen zullen we de duikboot lanceren. Honderd meter diepte moet wel genoeg zijn. Dan kunnen we zien wat daar rondzwemt.'

'Denk je dat we ze zullen vinden?' vroeg Thomas.
'We zullen wel moeten,' zei Parks. 'Daar is je broer toch voor gestorven?'
'Misschien,' zei Thomas. 'Denk je dat hij is vermoord omdat iemand de locatie van deze vissen geheim wilde houden?'
'De locatie, of het feit van hun bestaan,' zei Parks.
'Omdat ze geld waard zijn op de Chinese markt van huismiddeltjes?'
'Mogelijk,' zei Parks, turend over het water.
'Maar niet waarschijnlijk,' zei Thomas, die de twijfel in zijn stem hoorde.
'Weet je wat ik écht denk?' zei Parks, en hij draaide zich naar hem toe. 'Ik denk dat het helemaal niets met geld, terrorisme of wetenschap te maken had. Zeker niet met wetenschap. Volgens mij ging het om antiwetenschap.'
'En dat is?' vroeg Thomas.
'Religie,' zei Parks, als iemand die eindelijk zijn kaarten op tafel legde. 'In het bijzonder het christelijk geloof. Jouw broer heeft het zwemmende, lopende bewijs van de evolutietheorie gevonden, waarmee hij geld wilde verdienen, en dus hebben ze hem het zwijgen opgelegd.'
'Ze?'
'De Kerk,' antwoordde Parks. 'Zijn Kerk, vermoedelijk. Wat denk je dat de eerwaarde Jim hier doet, Thomas? Hetzelfde als wat hij deed toen hij je broer in de gaten moest houden. Als wij die vis vinden, kun je pater Jim beter overboord gooien voordat hij ons de katholieke doodseskaders op de nek stuurt.'
'Dat geloof je niet echt,' zei Thomas.
'O nee?' zei Parks. 'Wil je een lijst van wat de Katholieke Kerk allemaal heeft gedaan met mensen die het niet met haar eens waren? Moet ik je vertellen over de Inquisitie of de Albigenzenkruistocht? Wat dacht je hiervan? Het is 22 juli 1209, in Beziers, een stad in Frankrijk. De pauselijke legers omsingelen de stad en eisen de uitlevering van ongeveer vijfhonderd leden van een ketterse sekte, bekend als de Katharen. De stad weigert, omdat ze weten wat er met de Katharen zal gebeuren. Dus wat doet het pauselijke leger? Het gaat in de aanval. Ooit het zinnetje gehoord: "Jaag ze allemaal over de kling en laat God ze maar uitzoeken?" Dat komt daar vandaan, min of meer. Dat zei de pauselijke gezant of zo iemand toen hem werd gevraagd hoe ze de ketters van de gelovigen moesten onderscheiden. Ze plunderden de stad en slachtten iedereen af die ze konden vinden. Twintigduizend doden.'

'Dat is al lang geleden,' zei Thomas.
'Sommige dingen veranderen niet,' zei Parks. 'Religie tolereert geen andersdenkenden en discussieert niet over de waarheid. Je bent vóór of tegen.'
'Maar Ed was een priester.'
'Een priester die bewijzen had gevonden voor de evolutie,' zei Parks. 'Dat maakte hem een doelwit.'
'Ik zie niet in waarom die twee dingen strijdig met elkaar zouden zijn,' zei Thomas, 'en ik begrijp nog steeds niet waarom die fishapod zo belangrijk is als hij alleen maar bevestigt wat je al wist uit fossielen.'
'Het gaat niet om wetenschappelijk bewijs, want deze mensen zijn niet in wetenschap geïnteresseerd, tenzij ze het kunnen gebruiken als ondersteuning voor een onnozel verhaal over de ark van Noach,' zei Parks smalend. 'De fishapod vormt voor de wetenschappelijke wereld geen bewijs voor de evolutie dat ze al niet kenden in algemene termen. Maar als je die vissen werkelijk zou zien rondlopen zou dat onder het grote publiek heel wat mensen van mening doen veranderen. De creationisten en aanhangers van het *intelligent design* kunnen gaten schieten in het fossielenbestand zo veel als ze willen, maar als je een levend voorbeeld van Darwins evolutietheorie kunt laten zien, hebben ze niet veel meer in te brengen. Dat hoort niet zo te zijn, en als ze echte wetenschappers waren zóú het ook niet zo zijn, maar het zijn geen wetenschappers, dus... vandaar.'
Het was een credo, een geloofsbelijdenis, en hij genoot ervan.
'Ed was een christen die in de evolutie geloofde,' zei Thomas. 'Zo'n kleine minderheid kan dat niet zijn.'
'Onzin,' zei Parks. 'Hij was een christen die bereid was zijn geloof te laten vallen toen de feiten hem de kans gaven een leuke cent te verdienen.'
'Het is wel duidelijk dat je mijn broer niet kent,' zei Thomas.
'Héb gekend,' verbeterde Parks. 'Hij is dood, weet je nog?'
'Christenen kunnen ook in de evolutie geloven,' zei Thomas nog eens, zonder op die opmerking in te gaan.
'Amerika,' vervolgde Parks, 'is het achterlijkste land van de ontwikkelde wereld. Wij klampen ons vast aan onze onwetendheid. Jij denkt dat een bewijs van de evolutietheorie er niet toe doet? Vertel dat maar aan de eenenvijftig procent van de Amerikanen die het nog steeds niet gelooft. Vertel dat aan de commissie van onderwijs in Kansas die alleen maar is aangesteld om de evolutietheorie uit het lesprogramma te krijgen, zodat de scholen hun kinderen kunnen *trainen* in onwetendheid.

Denk je dat ik het verzin? Zoiets verzin je niet. Wij leven in de donkere middeleeuwen, verdomme, en nog vrijwillig ook!'
'Ik denk dat Ed geloofde dat de wetten van de wetenschap Gods wetten zijn,' zei Thomas nadenkend. 'Hij dacht dat God de wereld had geschapen, maar volgens een proces dat jullie een natuurlijke, wetenschappelijke ontwikkeling zouden noemen, in de loop van miljoenen jaren. God schiep de mens, maar dat kostte tijd, want voor God – die in de eeuwigheid woont – zijn miljoenen jaren slechts enkele seconden.'
Parks wierp hem een lange, vreemde blik toe en Thomas staarde naar het water onder hun kiel, een beetje opgelaten.
'En geloof jij dat ook?' vroeg Parks.
'Nee,' zei Thomas. 'Ik weet het niet. Doet het ertoe?'
'Het is dit weekend Pasen, wist je dat?' zei Parks.
'Ik denk... Nee,' zei Thomas. 'Ik was het vergeten.'
'Weet je wat er daar gaat gebeuren, dit weekend?' zei Parks, met een vage hoofdknik naar de kust.
'De mensen gaan naar de kerk,' zei Thomas, die genoeg begon te krijgen van het gesprek.
'Ja,' zei Parks, 'en daarna rijdt er een groepje naar een veld om zich te laten kruisigen, zodat de menigte zich aan hen kan vergapen. Een daadwerkelijke kruisiging, in de eenentwintigste eeuw. Niet te geloven! Mensen bieden zich daar vrijwillig voor aan of vragen God om een extra brood of zoiets.'
'Ik heb ervan gehoord,' zei Thomas neutraal. Hij ergerde zich aan Parks' minachtende toon.
'En weet je wat het mooiste is?' zei Parks. 'Ze gebruiken roestvrijstalen spijkers, in alcohol gedrenkt, om infectie te voorkomen. Hoe vind je dat? Ze laten zich vrijwillig kruisigen, maar op voorwaarde dat de spijkers die door hun handen en voeten worden geslagen hun geen *infectie* zullen bezorgen. Tok, tok, tok!' zei hij met een scheve grijns, terwijl hij deed alsof hij een spijker insloeg.
'En?' vroeg Thomas.
'God en wetenschap gaan niet samen,' besloot Parks. 'Je zult moeten kiezen. Zo niet, dan vraag je gewoon om infecties als je jezelf hebt gekruisigd.'
Thomas zei niets. Hij wilde reageren, maar zelfs hij kon niet gissen wat Ed zou hebben gezegd. Hij wist niet eens wat hij er zelf van vond.
'Laat me nou niet in de steek,' zei Parks, en hij sloeg Thomas op zijn schouder toen hij wegliep. 'Er zit eindelijk tekening in de strijd. Je vecht zelf al weken aan het front.'

Een stem riep Parks naar het roer. Het was kapitein Nakamura. Parks liep naar hem toe.
'Gaat het?' vroeg Kumi, die naast Thomas kwam staan terwijl hij over het water staarde.
'Ja,' zei hij, zonder lang na te denken. 'Het zal wel. Parks...'
Maar hij maakte zijn zin niet af. Hij wist niet hoe hij het loodzware gevoel moest uitleggen dat de woorden van de man bij hem hadden opgeroepen.
'Hij is een man met een missie,' zei Kumi. 'Een kruisvaarder.'
Thomas glimlachte om die ironie en knikte.
Hij had niet verwacht dat Kumi nog altijd bij hem zou zijn. Tot het moment waarop de boot vertrok had hij nog gedacht dat ze zou vertrekken.
Vreemd genoeg had Parks die beslissing voor haar genomen, langs een omweg. Kumi had het aquarium in Kobe gebeld, zogenaamd als ambtenaar van Buitenlandse Zaken die onderzoek deed naar het ongebruikelijke dienstverband van een Amerikaanse burger. Ze bekende achteraf dat ze vastbesloten was geweest iets te ontdekken over Parks of zijn verhaal wat de onzinnigheid van deze expeditie zou aantonen. Maar ze had niets gevonden. Parks stond goed aangeschreven bij zijn werkgever, die hem – met een doctorstitel van Stanford, nota bene – uitermate geschikt vond. Bovendien was hij gemotiveerd en goedkoop. De enige mogelijk smet op zijn blazoen was dat hij geen vaste aanstelling had gekregen aan Berkeley, waar hij na Stanford als lector was begonnen. Hoewel Nakamura het uiteindelijke gezag had over de *Nara*, vertrouwde het aquarium in Kobe op Parks' oordeel. Het feit dat hij zo fanatiek was, op het onberekenbare af, scheen hen niet te deren.
'Ik denk dat ze gebruik van hem willen maken,' had ze gezegd. 'Ze laten hem zijn gang gaan met zijn onderzoek, en als hij vindt wat hij zoekt, eisen zij de publiciteit voor zich op. Als ze werkelijk een exemplaar van die vis ontdekken, dood of levend, zijn ze in één klap het beroemdste aquarium ter wereld.'
'Dus jij vertrouwt hem?' vroeg Thomas.
'Niet echt,' antwoordde ze, 'maar als hij legitiem is en inderdaad op het punt staat een belangrijke ontdekking te doen, wil ik erbij zijn.'
'Als vertegenwoordiger van de Amerikaanse regering,' voegde Thomas er met een zuur lachje aan toe.
'Zoiets,' had ze gezegd, voordat ze hem een kneepje in zijn arm gaf en wegliep, net als vroeger, lang geleden. Thomas had nog een paar minuten op het dek gestaan, starend in het water.

Dat was twee dagen geleden en hij wist nog steeds niet wat hij ervan moest denken.
'Hoe is het met Jim?' vroeg hij nu.
'Heel afstandelijk,' zei zijn ex-vrouw. 'Hij lijkt in de war, een beetje droevig ook. Waarom ga je niet met hem praten? Jullie hebben nauwelijks meer een woord gewisseld sinds ons vertrek uit Japan. Omdat hij je te veel aan Ed herinnert?'
'Ik weet het niet,' zei Thomas. 'Misschien. Maar jij mag hem toch wel?'
'Ja,' zei ze. Het was een duidelijk, beslist antwoord, maar ook een bewuste keuze, een verklaring van hoop en geloof, misschien zelfs barmhartigheid. Minder een beschrijving van haar gevoel dan een uitspraak over de wereld waarin ze wilde leven. Thomas knikte eenvoudig en zei niets.
Parks kwam stralend terug.
'Nog twee uur, dan zijn we er,' kondigde hij aan. 'Wie gaat er met mij mee in de duikboot?'
'Ik,' zei Thomas. Hij had er nog niet over nagedacht, maar als er daarbeneden iets te vinden was, wilde hij het zien.

95

Deborah Miller zat fronsend achter haar bureau in het Druid Hills Museum in Atlanta. Wie was die Matsuhashi en waarom mailde hij haar deze vreemde luchtopnamen? Hij beweerde, in formeel en wat houterig Engels, dat Thomas Knight hem had gevraagd haar die foto's te sturen, hoewel hij erbij zei dat hij zelf niet wist waarom. Ze bekeek ze nog eens: een dorp aan een strand, rood water, rook en toen niets meer. Het zou wel iets te maken hebben met Thomas' broer, maar Deborah had geen idee wat zij ermee moest.
Toen ze Thomas voor het laatst had gesproken had hij nog niet geweten waar zijn broer was omgekomen. Dit leek nieuwe informatie, hoewel ze zich niet kon voorstellen hoe een dorp zomaar van de aardbodem kon zijn weggevaagd. Ze haalde een atlas uit de boekenkast en zocht de coördinaten op. Het bleek een plek in de Sulu-archipel te zijn, in de Filipijnen.
Op internet zocht ze naar actueel nieuws over dat gebied, maar ze vond alleen een paar strenge waarschuwingen van regeringen om deze

omgeving te mijden vanwege problemen met terroristen. Een kleine maar gewelddadige groepering voerde een onafhankelijkheidsoorlog om een eigen moslimstaat te vormen op Mindanao en de Sulu-archipel. Als deel van de strijd tegen het terrorisme was er in 2002 een troepenmacht van zeshonderdvijftig Amerikaanse militairen, onder wie honderdvijftig commando's, naar Basilian (het grootste eiland van de archipel) gestuurd.

Was dat rokende strand het gevolg van een terreuraanslag of juist een antiterreuractie? In beide gevallen was pater Edward Knight misschien op het verkeerde moment op de verkeerde plaats geweest, hoewel Deborah niet wist wat hij daar te zoeken had.

Er werd op haar deur geklopt en Tonya, de pr-chef van het museum, kwam binnen.

'Ik heb net koffie gezet. Wil je ook?' vroeg ze.

'Graag,' zei Deborah. 'Hier, bekijk dit eens.'

Ze had Tonya al uitvoerig verslag gedaan van het merkwaardige incident tijdens haar verblijf in Paestum, dus hoefde ze niet veel uit te leggen.

'Waarom heeft hij je dit laten sturen?' vroeg Tonya.

'Thomas vertrouwt me, neem ik aan,' zei Deborah, 'en volgens mij zijn er op dit moment niet veel mensen die hij vertrouwt – en met reden.'

'Ik denk dat het een band schept tussen mensen als ze worden verhoord in dezelfde moordzaak,' merkte Tonya op.

'Absoluut,' zei Deborah. 'Maar wat denk jij hiervan?'

'Ik heb nog nooit van die plaats gehoord,' zei Tonya, 'en als het werkelijk om terrorisme en militaire acties gaat, moeten wij ons daar vooral niet mee bemoeien.'

'Dus jij vindt dat ik niets moet doen?' zei Deborah, terwijl ze opstond en zich uitrekte tot haar volle – aanzienlijke – lengte.

'Nee, zeker niet,' zei Tonya, 'maar je moet wel contact opnemen met mensen die er verstand van hebben.'

'Ik wil Thomas' vertrouwen niet beschamen en hem in problemen brengen.'

'Problemen heeft hij toch al, zou ik denken,' zei Tonya. 'Bovendien kun je iemand bellen met connecties, iemand die bereid is – voor jou – om heel discreet te zijn.'

'Voor mij?' vroeg Deborah verbaasd. Maar Tonya lachte veelbetekenend, als een sfinx, en Deborah begreep het.

Tien minuten later, met de koffie nog in haar hand, maar heen en weer trippelend als een verstrooide strandvogel, pakte Deborah de telefoon. Het kostte haar nog geen twee minuten om langs de centrale van de FBI

te komen, en de stem die antwoordde overviel haar, maar niet voldoende om te vergeten waarvoor ze belde.
'Ja?' zei hij. 'Met Cerniga.'
'Hallo, Chris,' zei ze zakelijk, alsof ze elkaar een paar dagen geleden nog hadden gesproken. 'Met Deborah Miller.'

96

Zodra het luik van de onderzeeër zich had gesloten had Thomas al spijt dat hij was meegegaan. De duikboot was klein, ongeveer drie meter lang, tweeënhalve meter breed en bijna net zo hoog, met een bolle cabine van acryl, waardoor hij nog het meest op een duikhelm leek. Hij was voorzien van het basisgereedschap om te overleven, waaronder een mes, een lichtpistool en een minimaal rantsoen. De uitrusting bestond verder uit een sonarsysteem, life-support en een op afstand bediende grijparm. De romp was geel gespoten.
Heel voorspelbaar reageerde Parks met een liedje op Thomas' claustrofobische twijfels.
'*Sky of blue and sea of green,*' zong hij, '*in our yellow submarine*... En nu allemaal samen: *We all live*...'
Thomas zong niet mee.
'Weet je zeker dat dit ding werkt?' vroeg hij.
'De modernste in zijn soort, kerel,' zei Parks, overdreven vrolijk. 'Beter bestaat niet. Als we willen, kunnen we wel tot zeshonderd meter diepte duiken.'
'Maar dat willen we toch niet?'
'Het lijkt me niet nodig,' zei Parks. 'Het zou me verbazen als die dieren op meer dan een paar honderd meter diepte leven. Nog dieper en ze kunnen zich niet meer aan de oppervlakte aanpassen vanwege het drukverschil. Klaar?'
Thomas was allesbehalve klaar, maar hij knikte toch en grijnsde even tegen Kumi, die hen gadesloeg door de dikke glazen neus van het vaartuig. Iemand van de bemanning stak zijn duimen op en de duikboot werd aan een A-frame met een lier over de rand van de *Nara* neergelaten. Thomas voelde zich benauwd en machteloos toen de onderzeeër langzaam aan de kabels draaide, maar hij zei niets. Parks zat weer te zingen. Hij was in zijn element en genoot met volle teugen.

De twee mannen zaten naast elkaar in de doorschijnende acrylkoepel van de cockpit. Het zicht was uitstekend, en alleen naar achteren en omlaag konden ze niets zien. Thomas voelde zich merkwaardig kwetsbaar toen ze door de oppervlakte van het water braken en in de golvende blauwe diepte zakten. Hij greep zijn armsteunen vast en staarde naar de vissen die voorbijflitsten in de trillende, flakkerende bundels gefilterd zonlicht van boven. Pas na een minuut merkte hij dat hij zijn adem inhield. Hij zoog de lucht diep in zijn longen toen Parks op afstand de lier ontkoppelde en het vaartuig opeens gewichtloos was in de golven.

De *Nara* was ongeveer duizend meter van de rotsachtige kust voor anker gegaan. Hoewel het eiland werd omgeven door idyllische zandstranden, lagen er ook rotsen en ruggen van donker vulkanisch gesteente, die ver de zee in staken. Het zou zelfmoord zijn om dichterbij te komen met de boot. Om de onderzeese rotspartijen te doorzoeken naar de grotten die volgens Parks de leefomgeving van de fishapod vormden, moesten ze er in de duikboot naartoe varen, met een rustig tempo van twee knopen.

Geleidelijk doken ze steeds dieper, en toen het licht vervaagde, schakelde Parks de schijnwerpers in, waaronder twee felle halogeenlampen die naar voren stonden gericht op een rechthoekig frame. Op deze diepte maakten ze nog niet veel verschil, maar ze zouden van onschatbare waarde zijn als de onderzeeër nog verder dook. Parks haalde een schakelaar over.

'*Nara*,' zei hij, helder en duidelijk. 'Meldt u zich.'

'Dit is de *Nara*,' antwoordde een Japans bemanningslid in het Engels, met een zwaar accent. 'Alles oké?'

'Dik voor mekaar,' zei Parks.

Het bleef een moment stil, waarschijnlijk omdat een van de buitenlanders het moest vertalen, voordat het bemanningslid zich weer meldde.

'Heel goed,' zei hij. 'Hier ook alles... eh... dik voor mekaar.'

'Nou, geweldig,' zei Parks. 'De sonar registreert een steile rotswand voor ons uit. We minderen snelheid tot halve kracht, duiken nog dieper en beginnen nu met de zoektocht.'

Thomas schoof heen en weer op zijn stoel.

'Pas op voor de grote octopus,' zei Parks.

'Zijn er hier dan grote octopussen?'

'Doe niet zo belachelijk,' grijnsde Parks. 'Hebben ze je helemaal niets geleerd op die school van je? Of legden ze je daar uit hoe God kleine visjes heeft gemaakt?'

'In elk geval was er een dag dat ze me waarschuwden om niet in zee te duiken in een plastic fles met een vent die had geprobeerd me te vermoorden,' zei Thomas.
'Blijf je daarover zeuren?' zei Parks. 'Ik dacht dat we vrienden waren. Hoe diep zitten we?'
'Vijftig meter. En we zakken nog.'
'Mooi zo,' zei Parks. 'Ik schat dat we nog vijfhonderd meter van het klif zijn. Aan de landzijde ligt een koraalrif – als de plaatselijke bevolking het niet heeft opgeblazen om de tonijn en makreel te pakken te krijgen – maar hier daalt het af tot de zandbodem. Volgens de sonar kunnen we nog zeventig meter dieper. Schrik maar niet als de cabine rare geluiden maakt. Hij is er wel tegen bestand.'
Thomas schoof nog eens heen en weer en tuurde door de wisselende duisternis. Hij had hele scholen vissen verwacht, vreemd en felgekleurd, misschien zelfs een paar haaien, maar er was niets te zien: geen planten, geen koraal, geen vissen, alleen dat vage blauwe schijnsel. Stel dat er hier helemaal niets is? Stel dat Ed zich heeft vergist en deze hele expeditie een spokenjacht blijkt te zijn?
'Ik rem nog wat af,' zei Parks. 'We komen in de buurt. Ik wil niets verschrikken.'
'Of tegen die rotswand knallen,' zei Thomas.
'Ook dat niet.'
Hij controleerde de waterval van groene lijnen op het sonarscherm.
'We komen binnen zichtbereik,' zei hij. 'Hou je ogen open.'
Ze zwegen een paar minuten, luisterend naar het zachte gezoem van de vijf hydraulische motoren van de duikboot, het enige geluid hier in de diepte. Thomas werd nerveus.
'Weet je zeker dat die sonar werkt?' vroeg hij.
'Sst,' zei Parks. 'Blijf kijken.'
'Ik vroeg alleen...' begon Thomas. 'Wacht. Kijk daar eens.'
In het licht van de schijnwerpers veranderde de oneindig blauwe zee opeens in een donkere, massieve wand.
'Dit moet het zijn,' zei Parks, en hij bracht de snelheid terug tot nul. De onderzeeër dreef verder en dook nog dieper, tot ze de bleke zeebodem en de voet van het klif konden onderscheiden. Thomas keek op naar de zwarte rotswand, die zich verhief tot aan de oppervlakte, ver boven het bereik van hun lichten.
'En nu?' vroeg hij.
'Nu komen we zo dichtbij als we durven,' zei Parks. 'Hou je ogen open.'

97

'Dat valt helemaal buiten mijn bevoegdheid,' zei Cerniga. 'Daarvoor moet je bij een van de geheime diensten zijn. De CIA, de NSA, noem maar op.'

'Ik vraag je alleen om wat informatie in te winnen,' zei Deborah.

'Vanwege vroeger?'

Deborah hield haar adem in en probeerde zijn toon te peilen. De laatste keer dat ze elkaar hadden gesproken was aan het eind geweest van een zaak waarin ze hem had geholpen, maar op een andere manier dan verwacht. Tot die tijd had hij haar behoorlijk lastig gevonden, en waarschijnlijk terecht. Maar uiteindelijk had ze zijn respect afgedwongen, en daar rekende ze nu op.

Vanwege vroeger.

Ze wist niet of hij glimlachte, dus was haar antwoord maar een gok: 'Zoiets, ja.'

Het bleef even stil. Misschien slaakte hij een zucht, maar ze voelde dat ze gewonnen had.

'O, nog gefeliciteerd met je promotie,' zei ze.

'Ja, oké,' zei Cerniga, en nu hoorde ze zijn glimlach. 'Ik bel je wel terug.'

Toen de onderzeeër dichterbij kwam zagen ze dat de ogenschijnlijk steile rotswand in werkelijkheid een gelaagde wand van stenen richels was, als de botten van het eiland, met gaten, nissen en gangen, ontstaan toen de hete lava in zee was gestroomd. Waar het gesmolten gesteente in aanraking kwam met het koude water was het gestold, maar de hete kern was blijven stromen en had grote stenen tunnels gevormd, tot aan de zeebodem.

'Geen wonder dat we niets weten over wat hier leeft,' zei Parks. 'Dat ingewikkelde labyrint, plus het feit dat de ingang bijna honderdvijftig meter onder water ligt, in een uithoek van de wereld die wordt beheerst door terroristen, verklaart wel waarom we ze nooit hebben gevonden.'

Thomas had genoeg redenen om Parks niet te mogen, vooral vanwege hun eerdere ontmoetingen voordat ze dit duivelsverbond hadden ge-

sloten en in deze duikboot waren gestapt. Maar zolang het verbond standhield en ze dezelfde doelstellingen hadden, kon hij hun vijandschap wel negeren, had hij gedacht. Dat bleek niet het geval, en niet alleen omdat Thomas hem nooit had vergeven dat Parks hem zomaar had achtergelaten in de o-furo. Het was nog simpeler. Hoewel hij de man soms wel grappig vond en bewondering had voor zijn beheersing, mocht hij Parks eenvoudig niet. En hoe langer hij in zijn gezelschap was, des te meer Parks' brutale bravoure en zijn arrogante onverschilligheid tegenover alles wat hem niet interesseerde hem begon te irriteren. Alles wat de man zei leek beledigend bedoeld en het feit dat hij het níét zo bedoelde – omdat Parks gewoon nooit nadacht over de gevoelens van een ander – maakte het juist nog erger.
'De ontdekking van de fishapod zal zo'n sensatie zijn,' zei hij, 'dat iedereen zal vergeten dat dit gebied voornamelijk bekend was omdat gestoorde moslims en christenen elkaar hier met kokosnoten bestookten.'
'Daar verheug je je op, nietwaar?' zei Thomas. 'Dat jij de wereld de verlichting kunt brengen? Daar gaat het om, die zoektocht van jou?'
'Wat bedoel je?'
'Er moet toch een reden zijn waarom jij je gedraagt als kapitein Ahab.'
'Een persoonlijk tragedie of zoiets? Een ondraaglijk verlies, waardoor ik tegen God in opstand ben gekomen?' zei Parks. 'Ja, mijn pup is gestorven toen ik drie was. Daar ben ik nooit overheen gekomen. Hoe kon Jezus nou toestaan dat zo'n schattig klein hondje...'
'Oké, oké,' zei Thomas. 'Laat maar.'
'Je hoeft heus geen baby te verliezen om in te zien dat er geen sturende intelligentie achter het universum steekt,' zei Parks. 'Dat de wereld wordt geregeerd door hebzucht, wreedheid en stompzinnigheid. Als er een God bestaat, is Hij achter het roer in slaap gevallen vlak na de geboorte van de mensheid.'
'Heb je dat die studenten aan Berkeley ook geleerd?' vroeg Thomas. De man wist hem altijd weer op de kast te krijgen.
Parks keek hem scherp aan. 'O, dus dat weet je?' Zijn irritatie maakte plaats voor een smalend geamuseerde toon. 'Als mensen geen natuurwetenschappelijke colleges willen volgen, moeten ze zich er niet voor inschrijven.'
'Maar ze hebben je niet weggestuurd omdat je de evolutie predikte aan de universiteit,' zei Thomas, terwijl hij in gedachten de puntjes met elkaar verbond. 'Dat kan niet.'
'Dus je weet het níét,' zei Parks, zelfvoldaan. Thomas wachtte. 'Daar

kwam het wel op neer, het prediken van de evolutie,' ging Parks verder. 'En volgens mij binnen de grenzen van de academische vrijheid.'
'Maar daar dachten zij anders over?'
'Er was een meid,' zei Parks. 'Jessica Bane. De nagel aan mijn doodskist. Knap, hoor, en heel beleefd. Ze sprak keurig met twee woorden en ze kwam naar mijn kantoortje om over intelligent design te praten. Ik zei haar wat ik daarvan dacht en ging er in mijn colleges nog een paar weken op door. Voordat ik het wist werd ik voor een commissie gesleept wegens religieuze onverdraagzaamheid.'
Thomas trok zich behoedzaam terug. 'Maar je ging toch wel in beroep?'
'Om de rest van mijn leven spitsroeden te moeten lopen en rekening te houden met politieke correctheid en culturele gevoeligheden?' snauwde hij terug. 'Toe nou! Ik had een serieuze carrière. En die past niet bij een collegezaal vol idioten die van hun wetenschappelijke docenten eisen dat ze met de Bijbel in de hand voor de klas gaan staan.'
'Hebben ze je ooit verteld,' zei Thomas, 'dat je voor iemand met zo veel minachting voor religie wel een gigantisch God-complex hebt?'
'In elk geval werk ik voor de goede zaak,' zei hij grijnzend, terwijl hij spottend vroom zijn handen vouwde.
'Je doet me denken aan Watanabe,' zei Thomas.
'Die fraudeur? Dat is geen wetenschapper, maar een gemankeerde filmster die zijn eigen regels wilde maken.'
'Dat is het punt met een God-complex, nietwaar?' zei Thomas. 'Uiteindelijk denk je dat je boven de wet staat.'
'Dat is sterk,' zei Parks, 'uit de mond van meneer *Fox News*.'
Thomas opende zijn mond om te antwoorden, maar hij wist er niets op te zeggen en was eigenlijk wel opgelucht toen Parks snauwde: 'En hou nu je mond, ja? Dit moet met overleg gebeuren.'
Hij manoeuvreerde de duikboot naar de ingang van een grot die maar een paar meter breder was dan de onderzeeër zelf. De lichten beschenen de spelonk, maar er was niets te zien, omdat de stenen tunnel naar boven en naar links verdween.
'Daar komen we niet in,' zei Thomas. 'Veel te smal.'
'Maar hier zien we ook niets,' zei Parks.
'Zoek dan een grotere grot.'
Parks zuchtte, maar voer toch achteruit. Ze verlegden hun koers, bogen af naar rechts en stegen een paar meter, langs twee andere grotten, die niet breder waren dan de eerste. De derde leek ruimer, maar niet veel.

'Laten we maar naar binnen gaan,' zei Parks. 'De tunnels zullen wel breder worden als je verder komt, in elk geval over enige afstand. Waar het gesmolten gesteente het water raakte zal het sneller zijn afgekoeld, dus de opening vormt het smalste deel.'
'Maar als een ander deel van binnenuit is gestold wordt de tunnel daar geblokkeerd.'
'Dan moeten we zorgen dat er genoeg ruimte is om te keren en terug te gaan,' zei Parks, terwijl hij de diepte van de duikboot aanpaste om de bolle, doorschijnende neus recht op de opening van de grot te richten. 'Of hadden we haar eerst mee uit eten moeten nemen?' vroeg hij dubbelzinnig.
'Ga nou maar. En langzaam,' zei Thomas.
De motoren zoemden en de gele onderzeeër gleed voorzichtig de stenen tunnel in.

98

Deborah was verbaasd dat Cerniga zo snel terugbelde, vooral omdat hij ongewoon gespannen klonk. Maar haar verbazing sloeg om in schrik toen hij haar zei dat hij zelf naar het museum kwam en binnen een halfuur bij haar zou zijn.
Het was vreemd hem weer te zien, vooral in haar eigen kantoor, maar ze hadden geen tijd om herinneringen op te halen of bij te praten. Hij keek ernstig, zelfs bezorgd.
'Op 13 maart is er een antiterreuractie geweest op twee verschillende series coördinaten, ergens in de zuidwestelijke archipel van de Filipijnen,' zei hij. 'Die actie werd niet gecoördineerd door het leger, maar door de CIA. Een van de locaties was een trainingskamp van de Abu Sayyaf. De andere, het strand op jouw satellietbeelden, was een vissersdorp met – voor zover ik weet – geen banden met de terroristen.'
'Hadden ze misschien speciale informatie over dat dorp?' vroeg Deborah.
'Nee,' zei Cerniga zacht. 'Daarom ben ik ook naar je toe gekomen. Ik denk dat er iets verkeerd is gegaan.'
'Wat bedoel je?'
Hij legde een paar haastig gekopieerde documenten neer, waarop een groot deel met zwarte inkt onleesbaar was gemaakt.

'Die aanval op de Abu Sayyaf-basis was een week van tevoren gepland, maar over die andere actie was helemaal niets gezegd. Pas na het vertrek maakten twee toestellen zich van de hoofdmacht los en deden een aanval op dat eiland.'
'En?'
'Nou,' zei hij nadrukkelijk, 'ik kan nergens officiële orders vinden voor die aanval. En toen ze terugkwamen, brak de pleuris uit. De basis werd gesloten en er werden teams naar het eiland gestuurd om alle overlevenden op te pikken en de zaak voor de media verborgen te houden. Het eiland ligt in een uithoek, dus dat zal niet zo moeilijk zijn geweest.'
'En de piloten van die toestellen?' zei Deborah. 'Als jij suggereert dat ze op eigen houtje hebben geopereerd, zullen ze toch wel zijn verhoord?'
Cerniga glimlachte en pakte een ander vel met een lijst van technische specificaties en een foto van een merkwaardig vliegtuig: lang, slank, met een bolle neus en één neerwaartse en twee opwaartse vinnen op de staart.
'Dit is de MQ-9A Predator B,' zei Cerniga. 'Een onbemand spionagevliegtuig.'
'Onbemand?'
'Zonder piloot,' beaamde Cerniga. 'Het wordt op afstand vanaf de grond bestuurd.'
Deborah floot zacht.
'Precies,' zei Cerniga. 'En het kan veertien Hellfire-raketten of andere wapens vervoeren, waaronder GBU-12 lasergeleide bommen. Het is uitgerust met een Lynx II SAR en een MTS twintig-inch gimbal ...'
'In normale taal, graag.'
'Oké, sorry,' zei Cerniga. 'Het kan zelf zijn doelwit opsporen, volgen en fixeren. Het is een nazaat van de RQ Predator 1, die al sinds 2002 als aanvalsvliegtuig wordt gebruikt. In 2003 heeft een van die toestellen, bestuurd door de CIA, in Afghanistan per ongeluk een man en negen kinderen gedood toen het op jacht was naar Taliban-aanhangers. En dat nog maar met een bewapening van twee Hellfire-raketten. Deze versie is veel groter, sneller en gevaarlijker in termen van slagkracht.'
'Maar hoe kunnen er dan twee zijn afgebogen om op eigen houtje het verkeerde doelwit aan te vallen?' vroeg ze.
'Zo is het ook niet gegaan,' zei Cerniga. 'Die Afghaanse aanval was geen ongeluk in de zin dat ze het verkeerde doelwit raakten. Het was het juiste doelwit, maar de informatie klopte niet. Dit is een heel ge-

avanceerd wapensysteem, en als er iets fout gaat, komt dat meestal door een menselijke stommiteit.'
'Of kwade opzet,' zei Deborah.
Cerniga fronste. Zo ver wilde hij nog niet gaan.
'Toe nou, Chris,' zei ze. 'Je hebt het zelf gezegd.'
'Iemand kan een fout hebben gemaakt met de coördinaten,' zei hij, niet erg overtuigd.
'Is er een intern onderzoek geweest?' vroeg ze.
'Natuurlijk,' zei Cerniga, 'maar de resultaten worden geheim gehouden.'
'En er is niemand ontslagen wegens incompetentie?'
'Nog niet.'
'Dus iemand heeft zijn sporen heel goed uitgewist,' zei Deborah. 'En dat betekent...'
'Dat ze het nog een keer kunnen doen,' vulde Cerniga met tegenzin aan.

99

De duikboot voer langzaam de buisvormige grot in. Twee, vijf, tien meter... Daar werd de tunnel even wat breder, zodat ze een bocht konden beschrijven om rond te kijken. Met een ingebouwde camera maakte Parks video-opnamen van de omgeving en de schelpen die in trossen aan de wanden hingen. Er stond hier bijna geen stroming en het stille, donkere water was griezelig levenloos.
'Er zou hier van alles kunnen zitten,' zei Parks gretig, toen de onderzeeër nog verder het donker in voer.
'Of helemaal niets,' zei Thomas, die zich onbehaaglijker begon te voelen met elke meter dat de duikboot verder in het fundament van het eiland verdween.
Als op een teken kwam een grote, zware vis met brede, bleke ogen, die onopgemerkt op een stenen richel had gelegen, omhoog met een klap van zijn staart, die het zand deed opdwarrelen. Hij verdween uit hun lichtbundel.
'Zag je dat?' zei Parks. 'Dat was een diepzeehengelvis. Deze grotten hebben waarschijnlijk een uniek ecosysteem. Het is een heel scherp afgebakende, afgesloten omgeving. Er kunnen hier soorten voorkomen die je nergens anders op de wereld vindt.'

Een school guppyachtige visjes zwom door de lichtbundel. Hun staarten waren enigszins lichtgevend. Ze werden achtervolgd door een soort paling met een pelikaanbek, bijna net zo lang als zijn lijf.
'Wat was dát?' vroeg Thomas.
'*Eurypharynx pelecanoides*,' zei Parks. 'De slokop-aal, of iets wat er veel op lijkt. Maar die hoort hier niet voor te komen. Daarvoor is het niet diep genoeg. Blijkbaar suggereren deze grotten een zekere diepte, afgezien van de geringe druk. Heel merkwaardig. Nog nooit vertoond. Hier kan ik beroemd mee worden.'
Thomas wierp hem een voorzichtige blik toe. De ogen van de wetenschapper stonden verdacht helder, bijna koortsig.
De tunnel eindigde abrupt toen de achterwand van de grot in de lichtbundel opdoemde.
'We moeten keren,' zei Thomas opgelucht.
'Nee,' zei Parks. 'Kijk maar.'
Hij tuurde recht omhoog door de koepel van de cabine. De tunnel liep verticaal verder, maar veel smaller.
'Vergeet het maar,' zei Thomas. 'Veel te smal. En we kunnen niet omhoogkijken. Als we beklemd raken in die rots daar, komen we nooit meer terug.'
'Zullen we toch even kijken?' zei Parks, terwijl hij de duikboot al liet kantelen, zodat ze omhoogdreven naar de schacht.
'We kunnen daar niets zien!' zei Thomas.
De lichten van de onderzeeër stonden vooruit gericht, dus hadden ze geen idee wat zich precies boven hun hoofd bevond. Thomas greep Parks' hand en het bootje dobberde even toen ze om de besturing vochten.
'Oké, oké,' zei Parks. 'We zullen de neus omhoogdraaien, dan kunnen we wat zien en de sonar gebruiken.'
Thomas knikte en trok zijn hand weg. Parks stelde de knoppen bij en de neus van de duikboot kwam omhoog, zodat de mannen tegen de rugleuning van hun stoelen werden gedrukt.
In het licht was een bruine rotspartij te zien, een paar meter bij hun romp vandaan, naast een grote, vage opening.
'Het is breed genoeg,' zei Parks. 'Kijk maar naar de sonar. Er zit daar een grote holte in de rots, met de afmetingen van een basketbalveld. Oké?'
Het was eigenlijk geen vraag. Hij koerste al op de opening aan voordat Thomas aarzelend knikte. Achteroverliggend in zijn stoel voelde Thomas zich als een astronaut bij de lancering, alleen zag hij geen blau-

we lucht om zich heen, maar diep, zwart water. En god mocht weten wat nog meer.
Een halve meter van de opening van de grot gebeurden er een paar dingen tegelijk. De sonar begon dringend te piepen en het scherm dat de grote holte had geregistreerd signaleerde nu de bewegingen van een groot dier in die ruimte, dat het volgende moment langs de opening zwom, dwars door hun lichtbundel heen. Het was geel en gevlekt, minstens zo groot als de duikboot zelf, en het greep de cabine van de onderzeeër, eerst met een krachtige borstvin, een soort poot, toen met zijn lange, golvende staart, zodat de duikboot met een klap tegen de rotswand werd gesmeten. Thomas ving een glimp op van een krokodillenkop met overlappende tanden.
Op hetzelfde ogenblik kwam de radio tot leven en hoorden ze panische stemmen vanaf de *Nara*, met op de achtergrond het onmiskenbare geluid van geweervuur.

100

Cerniga had al zijn troeven uitgespeeld, maar hij was een gewone agent op het FBI-bureau in Atlanta en had weinig te zeggen over internationale antiterreuroperaties, nog los van zijn persoonlijke reputatie. De relatie tussen de FBI en de CIA was tegenwoordig al moeizaam genoeg, kreeg hij te horen, zonder dat hij zich in een wespennest stak. Zeker als hij met beschuldigingen van incompetentie of nog erger kwam. Normaal zou hij de zaak na één telefoontje hebben opgegeven, maar Deborah Miller kon heel overtuigend zijn en bovendien had ze vaak gelijk, dat moest hij toegeven.
Dus belde hij nog wat rond, controleerde of de lijn wel goed beveiligd was en vertelde iedereen op het hoofdkwartier die maar wilde luisteren over zijn onheilspellende vermoeden. Hij telefoneerde ook met de CIA en de luchtmacht, maar kreeg sterk de indruk dat hij met een kluitje in het riet werd gestuurd. Als hij iemand zover kreeg om iets te zeggen over de aanval van 13 maart, was één blik op het geheime karakter van de zaak voldoende om meteen een eind te maken aan het gesprek.
Het was Deborah die met een idee kwam om een voet tussen de deur te krijgen. Ze zat met een potlood op de achterkant van een museumfoldertje te schrijven.

'Zeg dat het nog een keer gaat gebeuren,' zei ze. 'En op dezelfde plaats.'
Een ongewenst onderzoek naar een pijnlijke zaak uit het verleden werd nu iets heel anders.
'Dit ben ik te weten gekomen,' zei hij eindelijk, toen hij had opgehangen. 'De Predator moet worden gelanceerd door een grondploeg, betrekkelijk dicht bij het doelwit.'
'Hoe dichtbij?'
'Dat weet ik niet precies,' zei hij. 'Een paar honderd kilometer, neem ik aan. Als de aanval op het dorp waar de broer van je vriend is gedood inderdaad opzet was, hadden de daders geen toestemming voor die lancering. Dus moeten ze hun missie hebben gekoppeld aan een legitieme vlucht die al op het programma stond. Aangezien de vliegtuigen die wel op koers bleven geen enkel schot hebben gelost, zal de legitieme missie waarschijnlijk een verkenningsvlucht zijn geweest, hoewel de vliegtuigen waren bewapend voor het geval het doelwit zich toevallig blootgaf.'
'Dus wil het nog een keer gebeuren,' zei Deborah, 'dan moet er weer een missie gepland staan in de omgeving van dat strand.'
'Precies,' zei Cerniga. 'En dat is juist zo vreemd. Je kunt ervan uitgaan dat de CIA serieus zal luisteren als ze denken dat er een reëel gevaar bestaat. Zodra ik suggereerde dat het binnenkort weer zou kunnen gebeuren, lieten ze hun beleefde maar afwijzende toon varen en noteerden ze onmiddellijk de coördinaten. Opeens waren ze wél geïnteresseerd.'
'Denk je dat er nog een missie van onbemande vliegtuigen is gepland naar de Sulu-archipel?'
'Voor hetzelfde geld,' zei Cerniga, 'zijn ze al in de lucht.'

101

Het was Kumi's stem door de radio, maar niet langer dan drie of vier seconden. Thomas ving de woorden 'helikopter' en 'aanval' op, gevolgd door nog een paar salvo's uit automatische wapens, voordat er enkel nog ruis te horen was.
'Hun radio is uitgevallen,' zei Thomas. 'Misschien zijn ze wel dood. We moeten naar de oppervlakte.'
'Wacht,' zei Parks, die zijn best deed om de duikboot weer recht te

trekken nadat ze door het beest uit de grot tegen de rotswand waren gesmeten. 'Als ik dit kan filmen...'
'Ze hebben ons nodig,' zei Thomas. 'Omhoog met die boot!'
'Waarschijnlijk zijn ze toch al dood,' zei Parks, turend door het water.
'Dan maakt het niet uit wanneer wij weer aan de oppervlakte komen.'
Thomas staarde hem aan alsof hij nu pas het ware gezicht van de man ontdekte.
'Als ik de neus weer in die grot kan krijgen en de camera's inschakel...' begon Parks. Hij zweeg toen hij iets tegen zijn slaap voelde en draaide zich heel langzaam om. Thomas hield het lichtkogelpistool tegen zijn hoofd gedrukt.
'Omhoog met die boot,' herhaalde hij.
'Als je dat ding hier afvuurt,' zei Parks, 'zijn we er allebei geweest.'
'Dat zal wel.' Thomas haalde zijn schouders op. 'Maar ik sta niet op het punt een wereldschokkende ontdekking te doen, is het wel? Eigenlijk heb ik de laatste tijd nauwelijks iets nuttigs gedaan. De wereld zal me niet missen.'
Parks keek hem aan en probeerde de oprechtheid van die opmerking te peilen. Toen knikte hij even en liet de boot weer dalen.
'Hebt u een plan, chef?' vroeg Parks, smalend als altijd. 'Of komen we gewoon naast de *Nara* boven water, zodat ze ons vol gaten kunnen schieten?'
Thomas zei niets. Hij had echt geen idee. Hij moest ervan uitgaan dat de *Nara* was geënterd. Een zware explosie zou wel zijn opgepikt door de sonar van de duikboot, dus het schip moest nog intact zijn, maar wie het had overleefd en waar ze nu waren wist hij niet. Kumi had iets geroepen over een helikopter, dus misschien waren ze van het schip gehaald, maar de overvallers konden toch niet met genoeg mensen zijn om een bemanning van ruim twintig koppen te bewaken? En als alleen Kumi en Jim waren meegenomen, zouden ze nu overal kunnen zijn. Het eiland was de meest logische plek om te landen als de overvallers in de buurt wilden blijven omdat ze nog iemand zochten.
Ja, jou.
Precies.
Als ze met de duikboot naar het schip zouden stijgen, zouden ze zichzelf uitleveren, of erger nog. Ze moesten een andere plek zoeken om de onderzeeër omhoog te brengen en naar het eiland te komen. Dan hielden ze in elk geval het initiatief.
'Laat me die kaart van het eiland eens zien,' zei hij tegen Parks. Hij had het lichtkogelpistool nog niet weggelegd.

Kumi herkende de man van het station in Kofu als een van de soldaten, maar hij scheen niet de orders te geven. De vrouw was waarschijnlijk degene die zich in Italië als non had voorgedaan, hoewel dat moeilijk voorstelbaar was zoals ze er nu uitzag, goed opgemaakt en in een haltertopje en shorts. Ze was in het gezelschap van drie mannen in gevechtspakken, gewapend met machinegeweren. Een van hen was zwart, en allemaal hadden ze het postuur en de houding van professionele militairen. De leider spraken ze aan met 'meneer', en als Kumi zich niet vergiste noemde de vrouw hem 'Oorlog'. Heel bizar. Het had grappig kunnen zijn, behalve dat Nakamura al dood was en Kumi het gevoel had dat zij ook niet lang meer te leven hadden tenzij de situatie drastisch zou veranderen.
De helikopter was uit het niets verschenen. De mannen hadden zich op het dek van de *Nara* neergelaten en meteen het vuur geopend, voordat iemand in de gaten had dat ze gewapend waren. Het was geen echt gevecht geweest en ze hadden de kapitein alleen gedood als waarschuwing voor de anderen. De radio, de GPS en de andere apparatuur aan boord was kapotgeschoten op het moment dat Kumi probeerde Tom te waarschuwen, dus waren ze effectief gegijzeld en afgesneden van de buitenwereld. Het enige voordeel was dat ook de sonar niet meer werkte, zodat de overvallers geen idee hadden waar de duikboot was.
De bemanning was benedendeks opgesloten, terwijl zij en Jim in een sloep werden gezet en onder bedreiging met een wapen naar de kust gevaren. Er bleven geen wachtposten op het schip achter, maar zonder mogelijkheid om berichten te versturen zou de bemanning weinig kunnen uitrichten zelfs áls ze zich wisten te bevrijden. En zodra ze probeerden het schip weer te starten zou de helikopter daar korte metten mee maken. Het toestel was op het strand geland en diende als een soort uitvalsbasis, hoewel Kumi geen idee had hoe lang ze hier wilden blijven. Er heerste een verwachtingsvolle stemming onder de overvallers en ze stonden in groepjes bij elkaar alsof er iets ging gebeuren.
'Leuk strand,' zei Jim toen ze dichterbij kwamen. 'Ik had eigenlijk geen strandvakantie gepland, maar dit komt goed uit.'
Kumi glimlachte dankbaar tegen hem. Hij probeerde haar op te beuren, maar dat was niet nodig. Kumi was goed bestand tegen spanningen. Dan trok ze zich terug als een schildpad, totdat ze een duidelijk beeld van de situatie had en wist wat haar te doen stond. Ze was niet in paniek – nog niet, tenminste – en de moord op de kapitein had alleen haar voornemen versterkt om alles te doen wat in haar macht lag om deze schurken tegen te houden. Ze wist niet wat ze wilden, maar als het aan haar lag zouden ze het niet krijgen.

De sloep liep met een klap aan de grond.
'Uitstappen,' zei de zwarte soldaat, en hij wees nonchalant met zijn geweer.
Ze klom eruit, verloor haar evenwicht toen de boot kantelde, en wankelde naar het strand. Jim volgde, nog steeds met die koppige grijns. Zijn ogen hadden een glazige, verre blik, al sinds de dood van Nakamura, alsof zijn hele wereld uit het lood geslagen was.
Een van de andere soldaten kwam vanaf de helikopter naar hen toe, draaide haar om haar as en trok haar handen op haar rug. Binnen enkele seconden was ze geboeid met een dunne plastic strip om haar polsen, als een taaie zakkensluiter. Daarna werden Jim en zij over het strand naar de palmbomen geduwd, waar de halfverwoeste resten van een rieten hut stonden. De houten wanden waren gedeeltelijk verbrand door grote hitte.
'Naar binnen,' zei de soldaat.
Jim liet zich binnen op het zand zakken. Kumi inspecteerde hun provisorische gevangenis. Ze konden eenvoudig genoeg ontsnappen, maar het was tien of twaalf seconden rennen naar de bomen, en twee keer zo lang naar het water. Lang voordat ze de jungle in konden vluchten zouden ze al zijn neergeschoten. Ze zou iets anders moeten bedenken.

'Hoelang kunnen we onder water blijven in dit ding?' vroeg Thomas.
'Zes uur,' antwoordde Parks. 'Negen uur, als het meezit. En in survivalmodus houden we het nog langer vol, maar dan hebben we geen vermogen voor andere zaken, zoals voortstuwing.'
'We moeten dus ergens aan land zien te komen, maar pas na zonsondergang,' zei Thomas.
'Misschien weten ze al waar we zijn,' zei Parks. 'Als ze de sonar van de *Nara* gebruiken of zelf een sonarboei uit die helikopter neerlaten, zijn we een schietschijf.'
'Laten we er maar van uitgaan dat ze ons niet kunnen traceren,' zei Thomas.
'Is dat net zoiets als de gedachte dat armoedzaaiers hun beloning zullen krijgen na de dood?' vroeg Parks, sarcastisch als altijd. 'Een daad van geloof?'
'Wat moeten we anders?' vroeg Thomas. 'Vaar maar bij het schip vandaan en blijf zo diep mogelijk. We kunnen een omtrekkende beweging maken naar de achterkant van het eiland en daar tot het donker wachten voordat we aan land gaan.'
'Dat gaat nog uren duren,' zei Parks. 'En zodra we met deze duikboot

aan land zijn gekomen heb je er niets meer aan. Zonder de *Nara* krijgen we hem niet meer het water in.'
'Waar wil je dan heen?' zei Thomas. 'Doe nou maar wat ik zeg.'
Parks zuchtte en koerste bij de rotswand vandaan, zo dicht mogelijk boven het rimpelende zand van de zeebodem. Hij voer heel langzaam, omdat ze geen haast hadden en een hogere snelheid het gevaar vergrootte om door een sonar te worden opgepikt. 'Caviteren', noemde hij dat.
'Als ze sonar hebben,' zei hij, 'zullen ze ons toch wel vinden, maar we hoeven ze niet toe te schreeuwen.'
'Met die "ze" bedoel je nog steeds de Katholieke Kerk?' vroeg Thomas. 'Die laten zich met machinegeweren uit helikopters zakken? Dat lijkt me toch vreemd.'
'De macht, meedogenloosheid en stompzinnigheid van religie blijven me verbazen,' zei Parks.
'En dat zijn volgens jou de mensen die mijn vrouw hebben meegenomen?' zei Thomas. Pas toen hij zichzelf hoorde besefte hij dat hij geen 'ex' had gezegd.
'Ja. En vergeet al die verhalen over christelijke barmhartigheid nou maar. Als je niet vóór ze bent, ben je tegen ze. Vergeet al die nuances en grijstinten. Die mensen voeren net zo'n keiharde oorlog tegen jou alsof je de duivel zelf was. Denk maar niet dat ze dit overleeft, Thomas. Je zult het alleen maar zwaarder voor jezelf maken als je haar lichaam vindt.'

102

De telefoons stonden roodgloeiend in het George Bush Center for Intelligence in Langley, Virginia. Haastig werden er vergaderingen belegd, en de stem van agent Cerniga bereikte via een beveiligde satellietverbinding een zaal vol ernstige mannen en vrouwen die naar een serie kaartprojecties en satellietbeelden tuurden. Daaronder waren ook foto's gemaakt op 14 maart, de dag na de aanval door een paar losgeslagen Predator-drones op een afgelegen vissersdorp in de Filipijnen. Het ernstige overleg ging nog door toen het contact met Cerniga al was beëindigd met een beleefd bedankje aan hem en zijn dienst voor hun ijver.

'Nou,' zei de adjunct-directeur. 'Zit er iets in?'
Een zwarte vrouw met een bril nam het woord. 'Als het incident het gevolg was van computermanipulatie, dan is het heel handig verhuld als een systeemfout,' zei ze.
'Is dat mogelijk, Janice?'
'Ja, dat kan.'
'En was die mogelijkheid al eerder dan...' hij keek op zijn horloge, '... een halfuur geleden bij je opgekomen?'
'Natuurlijk,' zei ze een beetje uitdagend. 'Het is mijn werk om met zulke dingen rekening te houden.'
Iemand mompelde iets en op dat moment begreep ze dat ze het verkeerde antwoord had gegeven. De adjunct-directeur staarde haar aan en ze voelde de spanning in de zaal toenemen, alsof iedereen zijn adem inhield. Hij keek haar strak aan toen hij verderging.
'Mij is verteld dat het een systeemfout was,' zei hij. 'Gegarandeerd. Zonder twijfel. Een mechanische storing.' Hij wachtte even, maar als het een vraag was, gaf niemand antwoord. Hij maakte het nog duidelijker. 'Dus hoor ik pas nú over die andere mogelijkheid, omdat...?'
De anderen schoven onrustig heen en weer. De adjunct-directeur was niet iemand die je in het ongewisse liet zonder dat er een geweldige rel ontstond als dat onverhoopt uitkwam. Janice zette haar bril af en keek hem aan, zich ervan bewust dat haar carrière hier een onherstelbare klap kon oplopen.
'Wij dachten dat we de zaak intern konden houden totdat we harde bewijzen hadden voor de exacte loop van de gebeurtenissen, meneer,' zei ze.
'Maar er worden al externe vragen gesteld over het functioneren van de dienst, nietwaar?' zei hij, kalm maar met een ijzeren beheersing.
'Blijkbaar. Inderdaad, meneer.'
Hij keek haar nog even aan, zonder met zijn ogen te knipperen.
'Als dit achter de rug is, Janice, moeten jij en ik eens praten,' zei hij, zonder boosaardigheid of bluf.
'Ja, meneer,' zei ze.
'Maar eerst wil ik een lijst van opties: hoe dit kan zijn gebeurd, hoeveel mensen er mogelijk bij betrokken waren en wie dat geweest kunnen zijn,' zei de adjunct-directeur. 'Die lijst verwacht ik binnen een uur. En tot dat moment houden we alle Predator-vluchten aan de grond.'
'Meneer,' zei een man van middelbare leeftijd met nicotinebruine vingers, 'dat is misschien niet mogelijk...'
'Dan máák je het maar mogelijk,' zei de adjunct-directeur. 'Totdat het

systeem weer absoluut veilig is en niet meer kan worden gehackt, gaan er geen vliegtuigen de lucht in. Begrepen?'

103

De avond was gevallen op het kleine Filipijnse eiland. Parks had de duikboot naar een beschutte baai gebracht, met de lichten gedoofd, navigerend op het watervalscherm van de sonar om een beeld van de omgeving te krijgen. Vier eindeloze uren hadden ze op de bodem gelegen, dertig meter diep, wachtend tot de zon onderging, zwijgend in het donker. Voor Thomas, met zijn afkeer van kleine ruimtes en stilzitten, was het een redelijke benadering van de hel.

Langzaam voeren ze naar het strand, nog altijd zonder lampen. Spookachtig stegen ze naar de oppervlakte en legden het laatste eind naar de kust af, met de motor bijna stationair, zodat ze met het tij mee leken te drijven. Voordat het laatste daglicht doofde had het eerst zo heldere water nogal troebel geleken, waarschijnlijk door het zand van het strand, en hadden ze weinig zicht meer gehad vanuit de cabine van de onderzeeër. Zodra de zon onderging was het aardedonker en kreeg Thomas het gevoel dat hij al dagenlang op zijn andere zintuigen vertrouwde. Er zat een zaklantaarn bij de noodvoorziening, maar ze wilden niet de aandacht trekken, dus gebruikten ze die niet. Ze gleden over de zeebodem voordat ze helemaal boven water kwamen. De duikboot draaide op de stroming, slingerde vreemd heen en weer, schoof nog een eindje door en lag toen stil.

Parks opende het luik en de avondlucht stroomde naar binnen als een golf van opluchting. Om hen heen hoorden ze de geluiden van de oceaan en het getsjirp van de insecten in de bomen. Thomas klauterde uit de boot, met het duikmes achter zijn riem gestoken en het lichtkogelpistool nog in zijn hand. Een dunne maansikkel hing hoog boven het bos en het strand lichtte wit op. Als iemand naar het water kwam zou hij de onderzeeër zien, maar ze waren aan de grond gelopen bij een paar grote, diepliggende rotsen, en van verderop langs het strand zou de gele duikboot misschien onzichtbaar blijven. Hij plensde naar de kust en keek om zich heen. Geen mens te zien.

'En nu?' zei Parks.

Hij was nog steeds in een chagrijnige stemming, die alleen maar erger

was geworden naarmate ze langer in de duikboot zaten zonder naar zijn beminde fishapod te kunnen zoeken.
'Nu sluipen we door het bos naar het oosten, in de richting van het strand waar de *Nara* voor anker lag,' zei Thomas.
Hij had meer dan genoeg tijd gehad om een plan te bedenken, hoewel de details nog vaag waren. Zelfs als Jim en Kumi nog leefden en hij hen zou kunnen redden, had hij geen idee hoe ze van dit eiland af moesten komen of waar ze zich konden verbergen tot het zover was. Het hele eiland was hooguit een paar kilometer in doorsnee. Maar misschien hoefden ze zich niet zo lang te verstoppen. Misschien zou de kustwacht of het Filipijnse leger wel ingrijpen na meldingen van een verdachte helikopter. Misschien had de *Nara* zelfs een sos kunnen uitzenden voordat de radio uitviel...
En misschien zijn de overvallers machtig genoeg om zich een buitenlandse regering van het lijf te houden als die te nieuwsgierig wordt...
Misschien.
Aan de rand van het strand stond een mangoboom, donker en geurig. Thomas bleef er even onder staan, wachtend tot Parks hem had ingehaald. Toen ging hij voorop door een bos van kokospalmen en yucca's. Iets in de boomtoppen, misschien een aap, slaakte een luide alarmkreet bij hun nadering en zweeg toen weer.
'We zijn niet meer in Kansas, geloof ik,' zei Parks.
'Blijf bij me in de buurt en hou je mond,' zei Thomas, terwijl hij zich door het kreupelhout wrong, op zoek naar een pad.

'Jij was heel hecht met Ed,' zei Jim in het donker. 'Mag ik je vragen hoe hecht?'
'We waren goede vrienden toen ik in Amerika woonde, na Japan,' zei Kumi, 'maar dat bedoel je zeker niet?'
'Nee, niet echt. Sorry, het zijn mijn zaken niet.'
Het was te donker om haar gezicht te kunnen zien, dus was hij verbaasd toen hij haar hoorde grinniken.
'Ed was gewoon een vriend,' zei ze. 'Verder niets.'
'Waarom beweert Thomas dan dat hij jullie huwelijk kapot heeft gemaakt?'
'Omdat Thomas iemand nodig heeft om de schuld te geven,' zei ze, nu zonder een spoor van een glimlach. 'We hebben elkaar in Japan ontmoet, en hoewel ik van Japanse afkomst ben, was het toch een vreemd land voor ons allebei. Toen we daar vertrokken leek het of er iets wegviel, een deel van de lijm die ons bijeenhield, als je dat kunt volgen.

Expats klampen zich aan elkaar vast in vreemde landen. Buiten die context blijken ze opeens niets gemeen te hebben.'
'Zijn jullie daarom uit elkaar gegaan?'
Ze zuchtte. 'Voor een deel wel. We hadden voor elkaar gekozen, we wilden iets opbouwen en vasthouden aan onze geschiedenis samen. Maar we zijn allebei niet makkelijk in de omgang en we dreven uit elkaar. De baby bracht dat allemaal pijnlijk aan het licht, en we kregen het niet meer op de rails.'
'Dus het had helemaal niets met Ed te maken.'
'Ed adviseerde een proefscheiding,' antwoordde ze. 'Ik had hem al jaren in vertrouwen genomen. Hij kende Tom beter dan wie ook en wist hoe afstandelijk hij kon zijn. Na Anne... na de miskraam... had ik helemaal niets aan Tom. We hadden allebei niets aan elkaar, denk ik.'
Jim besefte dat die laatste opmerking nieuw voor haar was, een concessie.
'Hoe dan ook,' besloot ze, 'ik zat in een neerwaartse spiraal en Ed stelde voor dat we een tijdje uit elkaar zouden gaan. Ik ben vertrokken en niet meer teruggekomen. Tom heeft het hem nooit vergeven.'
'Dat begrijp ik.'
'Maar Ed bedoelde het goed.'
'Ed bedoelde het altijd goed, voor zover ik hem kende,' zei Jim.
'Tom zei dat hij jou had geholpen. Dat je een moeilijk jaar achter de rug had,' zei Kumi.
'Dat kun je wel zeggen,' zei Jim. Zijn stem klonk zacht en Kumi wist niet precies waar hij zat in het donker. Maar zijn toon was nostalgisch, zelfs bedroefd. 'Ik had een familie in mijn parochie. Ze heetten Meers. Een alleenstaande moeder met twee tieners. Ze waren arm en hadden altijd problemen. Elke maand kostte het moeite om de huur te betalen en elke maand probeerde ik bij te springen met wat geld uit het parochiefonds. Ik leende zelfs een paar keer wat bij de bisschop. Hoe dan ook, het ging helemaal mis toen een van de kinderen, DeMarcus van vijftien, een keer te vaak voor winkeldiefstal werd opgepakt. Ik had een gesprek met de huisbaas en de politie, maar ik kon niets meer doen. Uiteindelijk werden ze uit hun huis gezet op het moment van de eerste sneeuwstorm van het jaar. Chicago is een wrede stad om dakloos te zijn. Ze wilden niet weg, de politie kwam en er ontstonden problemen. Niet echt ernstig, maar...'
'Jij was er ook,' zei Kumi.
'Ik was er ook,' zei hij. 'En ik heb geslagen. Dat had ik niet moeten doen, en ik werd wakker in de cel. De bisschop deed wat hij kon, maar

het was een ellendige toestand. Ik ben een tijdje "met verlof" geweest. In die tijd werd Ed gestuurd om de zaak draaiend te houden. Zonder hem had ik het nooit gered, en niet alleen omdat hij me veel werk uit handen nam.'

'Je geloof?'

'Dat kreeg een behoorlijke klap, ja,' zei hij. 'Zulke dingen maken het universum willekeurig en boosaardig. Het is moeilijk te beseffen dat sommige dingen gewoon onherstelbaar zijn, hoe je ook je best doet.'

'Ja,' zei ze. '*Een gat ter grootte van een kind in je buik.*' 'Ja.' Ze wachtte even en vroeg: 'Hoe gaat het nu met dat gezin?'

'Eileen en de jongste zoon redden het wel,' zei Jim. 'Ze hebben een appartement en zij heeft een paar baantjes.'

'En DeMarcus?' vroeg Kumi, hoewel ze liever haar mond had gehouden.

'DeMarcus stierf de derde nacht op straat. Hij kwam in een drugsdeal terecht of zei iets verkeerds tegen iemand... Dat hebben we nooit geweten.'

'God, Jim,' zei Kumi. 'Wat erg.'

'Ja,' zei hij. 'Dat is het. Vreemd, nietwaar, hoe de dood alles in perspectief plaatst? Ik voelde me zo... verloren. Nutteloos. Ed sleepte me erdoorheen, maar ergens heb ik nog steeds het gevoel dat niemand het zou merken, niet echt, als ik er morgen mee ophield.'

'Ik weet zeker dat dat niet zo is,' zei Kumi.

Jim bedankte haar, maar hij gaf haar geen gelijk.

Thomas zwoegde door het dichte bos, over smalle zandpaadjes die al waren overwoekerd door ruig gras en ranken. Nog niet lang geleden was er een vissersdorp op het eiland geweest, maar na de bomaanslag – of wat het ook was geweest waarbij zijn broer was omgekomen – schenen de overlevenden te zijn weggetrokken. Hij zag nu geen spoor meer van menselijke bewoning, alleen de activiteit van vleermuizen, spookdiertjes en lemuren die vruchten en insecten zochten in de toppen van de bomen. Hij hield de zee aan zijn rechterhand, maar het bos werkte verwarrend en hij durfde niet te dicht bij de kust te komen, zodat hij na een halfuurtje aarzelde of ze het strand al voorbij waren.

'Misschien kunnen we de *Nara* zien als ze nog op dezelfde plaats ligt,' zei hij, turend naar het water. De maan ging onder en de duisternis werd nog dichter.

'Als het schip was vertrokken voordat wij uit de duikboot stapten moest onze sonar dat hebben opgepikt,' zei Parks. 'Niets maakt zo veel geluid in het water als een scheepsschroef.'

'Maar waar ligt het dan?'
'Dat kunnen we hiervandaan niet zien. Een van ons zal naar het strand moeten sluipen.'
Thomas zuchtte, maar Parks had gelijk.
'Kom mee,' zei Thomas, terwijl hij door een varenbosje op weg ging naar de kust, zo veel mogelijk gebukt.
Ze kwamen langs een dichte groep palmbomen die zich hoog tegen de nachthemel verhieven; daarachter was enkel nog zand. Verderop hoorde hij het geluid van de branding, maar de boot was nergens te zien. Zo dicht mogelijk langs de bomenrij volgde hij de flauwe kromming van de kust, totdat hij opeens het schip ontdekte, heel duidelijk, als een zacht wit silhouet, een flink eind van het strand. Het dek was donker, maar achter een patrijspoort in de verte meende hij een lichtje te zien. Het zag er heel vredig uit.
'Zouden ze allemaal nog aan boord zijn?' fluisterde Parks.
Thomas haalde zijn schouders op.
Hij deed nog dertig passen en bleef toen staan. Voor hem uit op het zand doemde iets groots en donkers op, wel zo groot als een hut, maar onregelmatig van vorm en enigszins onheilspellend. Dat had hun het zicht op de *Nara* ontnomen. Hij dook weer weg tussen de bomen en tuurde nog eens die kant op, maar hij kon niet uitmaken wat het was.
'Wat staat daar?' mompelde hij.
Parks schudde zijn hoofd. Toen, zonder enige waarschuwing, stapte hij weer het strand op, deed de zaklantaarn aan en richtte die op het vreemde, donkere silhouet op het zand. Het kostte maar een seconde voordat ze het beangstigende gevaarte herkenden.
Een helikopter.
Parks sperde zijn ogen open in het plotselinge licht en probeerde de zaklantaarn haastig weer te doven, zo onhandig dat de lichtbundel alle kanten op zwiepte. Hij deinsde terug alsof hij over een lijk was gestruikeld en vanachter de bomen zag Thomas hoe er iemand – niet meer dan een schim – tevoorschijn kwam, knielde en een machinepistool richtte. Ben Parks had nog net de tijd om op te kijken van zijn zaklantaarn voordat de duisternis werd verstoord door de gedempte vuurflits en de zachte kuch van het wapen. Hij slaakte een kreet en zakte op zijn knieën.

104

Ron Dalton, de wachtofficier op de eilandpost, las het bericht twee keer door voordat hij begon te roepen. Het junglekamp was maar klein, nauwelijks lang genoeg voor een startbaan, en alle belangrijke besturingsapparatuur was in een tien meter lange trailer gepropt. De onbemande Predator-drones hadden geen hangar en werden gedemonteerd vervoerd in kratten die bij de bemanning bekendstonden als 'lijkkisten'. Dalton sprong de trailer uit en tuurde naar de startbaan, waar het vierde toestel al naar zijn vertrekpunt taxiede.

'Stoppen!' schreeuwde hij door de drukkende atmosfeer van het oerwoud. 'Uitschakelen!'

Iemand van de grondploeg stond op en keek zijn kant uit, maar de man kon hem niet verstaan boven het gebulder van de Predator uit.

'Problemen?' vroeg een stem achter hem.

Dalton draaide zich om. Het was Harris, de vreemde jongen die altijd met computers bezig was en nooit iets zei. Misschien was dit juist de man die hij nodig had.

'We moeten de missie afbreken,' zei Dalton. 'Er is geknoeid met de doelwitgegevens.'

'O ja?' zei de jongen, met dezelfde lege blik als altijd. Maar opeens meende Dalton een glinstering van voldoening in Harris' ogen te zien, die hem niet beviel. 'Je weet zeker niet wie ik ben?' zei de jongen, nog steeds met dat vreemde lachje.

'Wat bedoel je?' zei Dalton. 'Dit is een ernstige zaak...'

'Ik zei dat je niet weet wie ik ben,' zei de jongen. Zijn glimlach verstarde.

Dalton draaide zich om. Hij had geen tijd voor puberale spelletjes. Zoiets mompelde hij ook toen hij terugliep naar de trailer, in gedachten weer bij het probleem. Hij besteedde al geen aandacht meer aan Harris toen het mes onder zijn schouderblad zijn rug binnendrong, tot in zijn hart.

'Zie je?' zei de jongen, terwijl hij zich over Daltons hijgende lichaam boog. 'Ik ben de Dood.'

105

Het was maar een waarschuwingsschot geweest en Parks was op zijn knieën gezakt als teken van overgave, maar Thomas stond nog te trillen van de zenuwen. Hij dook weg toen er weer iemand uit de helikopter kwam, en een derde gestalte uit de restanten van een hut, twintig meter verder op het strand. Langzaam trok Thomas zich terug en kroop weg door het struikgewas toen het geluid van stemmen door de duisternis zweefde: Parks die zich sputterend overgaf en minstens twee andere mannen, die te zacht spraken om verstaanbaar te zijn.

Het bos was weer tot leven gekomen door het geluid van het geweervuur. Apen en nachtvogels krijsten en krasten van woede, zodat Thomas' vlucht door de struiken geen extra protesten uit de boomtoppen opriep. Snel liep hij naar de plek waar hij de resten van de hut had gezien: de ideale plek om Kumi en Jim op te sluiten als ze hier aan land waren gebracht. Parks' achterlijke actie met de zaklantaarn zou net de afleidingsmanoeuvre kunnen zijn die hij nodig had.

Hij sprintte zo snel als hij kon, zonder tijd te nemen om de situatie te verkennen. Zodra hij op het zand kwam zette hij koers naar de uitgebrande rieten hut voor hem uit. Hijgend bereikte hij de deur, die aan de buitenkant was vergrendeld, maar zonder hangslot. Hij rukte de grendel opzij en schopte de deur open.

Kumi en Jim keken hem aan, allebei uit hun slaap gewekt.

'Kom mee!' zei hij.

Ze krabbelden overeind.

'Waarheen?' vroeg Kumi toen Thomas met zijn mes haar plastic handboeien doorsneed.

'Achter mij aan,' zei hij, en hij begon weer te rennen, terug over het strand naar de bomen.

Ze hadden het net gehaald en hapten naar adem naast een palm die zich bijna naar de grond toe boog, toen er een kreet klonk. De achtervolging was begonnen.

106

Enrique Rodriguez probeerde te bedenken wat hij zojuist had gezien. Hij lag in zijn tent onder de klamboe, vloekend op de hitte, de jungle en deze hele missie, toen hij opkeek uit het stripboek dat hij lag te lezen. Op de startbaan was het vierde vliegtuig klaar om op te stijgen na een heleboel gedoe, zodat hij eindelijk kon beginnen aan de voorbereidingen van het kamp voor hun terugkeer. Dalton, de wachtofficier, stormde naar buiten uit de commandowagen, zwaaiend met zijn armen als een idioot, terwijl hij iets naar de anderen schreeuwde. Even later kwam die jongen naar buiten, die nerd die ze 'Brilletje' noemden.

Rodriguez boog zich weer over zijn stripboek, maar toen hij nog eens opkeek was Dalton verdwenen en zat de jongen met zijn rug naar hem toe, terwijl hij iets in het struikgewas achter de trailer verborg. Rodriguez bukte zich toen de jongen zich omdraaide, schichtig om zich heen keek en weer in de trailer verdween, terwijl hij zijn handen afveegde aan het zitvlak van zijn broek.

Rodriguez stond in tweestrijd. Hij lag hier lekker, en die jongen irriteerde hem. Dalton ook, trouwens, omdat de wachtofficier zich altijd met hem bemoeide, problemen maakte over zijn sieraden en hem dreigde met bloedproeven en god-wist-wat, alleen omdat hij niet zo gefrustreerd was als die andere soldaatjes. Maar vreemd was het wel. Ze voerden iets in hun schild – allebei, of één van hen – en dus viel hier iets te halen, al was het maar informatie. En in een kamp als dit kon je met informatie heel ver komen. Rodriguez kroop zijn tent uit en sloop naar de gedempte lichten van de startbaan.

Hij zwaaide even toen hij het vliegtuig voorbij liep en iemand van de grondploeg, waarschijnlijk Piloski, naar hem gebaarde en riep dat hij weg moest wezen. Rodriguez stak zijn middelvinger op en liep verder. Zo te zien ging de start gewoon door.

Hij besloot eerst de trailer te controleren voordat hij in de jungle ging kijken, dan wist hij zeker dat die jongen bezig was. Het was een smalle wagen zonder ramen, met een schuin oplopende plank naar de ingang toe. Rodriguez probeerde de deur, maar die zat op slot en dat was tegen alle regels. Heel even bleef hij in het donker staan om na te denken, totdat hij een schot hoorde vanuit de trailer. Het volgende moment rende hij terug naar de startbaan, zwaaiend met zijn armen, net als die idioot van een Dalton.

107

Kogels sloegen door de bomen. Ergens in het gebladerte boven hun hoofd explodeerde een kokosnoot, en een kaketoe verhief zich schreeuwend in de lucht.
'Een plan zou handig zijn,' zei Kumi.
'Rennen,' zei Thomas.
Een fractie van een seconde keek ze hem aan, maar toen werd er weer geschoten en sprintte Thomas tussen de bomen door, terwijl hij Kumi met zich meesleurde. Jim volgde haar op de hielen.
Onder het rennen dacht Thomas na. Hij stortte zich met volle snelheid over het pad dat hij met Parks had genomen en keek op zijn horloge. Over een minuut of twintig konden ze terug zijn bij de baai. Dan hadden ze nog ongeveer een uur voordat de zon opkwam.
'Ze komen eraan!' riep Jim.
En niet alleen te voet. Boven het gekrijs van de vogels en de apen uit, boven het geratel van de schoten en het gebulder van het bloed in zijn eigen oren, hoorde Thomas dat de helikopter werd gestart.
'Deze kant uit,' zei hij.
'Waar gaan we heen?' vroeg Kumi. Haar gezicht was opengehaald door een tak, maar ze scheen het niet te merken.
'Blijf nou maar bij me,' zei hij.
Ze bogen van het pad af en doken tussen de yucca's en afgeknotte palmen door om geen sporen achter te laten voor hun achtervolgers, hoewel Thomas zich niet de meeste zorgen maakte om de mannen te voet. Ze renden nu al vijf minuten door het oerwoud en de helikopter moest inmiddels in de lucht zijn. Na nog twee minuten hoorde hij het geluid van de rotorbladen toen het toestel laag over hen heen scheerde, zodat de toppen van de palmbomen door de luchtstroom alle kanten op werden geblazen, als gras in een orkaan. Ze zetten zich schrap tegen de wind, en het volgende moment doken ze weg toen de donkere nacht plaatsmaakte voor een felwit schijnsel.
De helikopter had zijn zoeklicht ingeschakeld.

Een soldaat verscheen in de luikopening en het meerloops minikanon van de helikopter werd omlaaggericht. Jim stak zijn handen omhoog, als teken dat hij zich overgaf. Het wapen opende het vuur, met een explosie van snelheid en geweld.
Jim liet zich op de grond vallen, maar de salvo's gingen door.

108

De vierde Predator startte zijn motoren. De rotor draaide en het geluid zwol aan tot een doordringend gejank.
'Uitschakelen!' brulde Rodriguez.
'Dat gaat niet,' zei Piloski. 'Die knul heeft de handbesturing geblokkeerd. Het toestel gaat vertrekken, of we willen of niet.'
'Ach, lul niet!' zei Rodriguez. 'Geef me dat machinepistool, verdomme.'
Piloski staarde hem aan. 'Heb je enig idee wat die dingen kosten?' vroeg hij, wijzend naar het vliegtuig dat al over de startbaan reed.
'Geef me dat geweer!' schreeuwde Rodriguez.
'Je bent niet wijs!' zei Piloski, maar hij hief zijn handen in berusting.
Het vliegtuig maakte snelheid en was al honderd meter verder. Rodriguez nam een sprong, greep het wapen, draaide zich om zijn as en zette het op scherp. Hij stond nog maar nauwelijks stil toen het machinepistool zijn kogels uitbraakte, met een lawaai dat de herrie van het toestel overstemde. Rodriguez rende erachteraan, vurend terwijl hij liep, met een vastberaden trek om zijn mond. Door de terugslag schokte het wapen in zijn armen. Aan het eind van de startbaan trok de Predator zijn neus omhoog om op te stijgen en maakte zich los van de grond. Rodriguez bleef rennen en leegde zijn magazijn.
Heel even leek er niets te gebeuren, maar toen steeg er een rookpluim op uit de neus van het vliegtuig. Het leek te aarzelen en rolde langzaam opzij, als een gewonde vogel. De motor explodeerde en de Predator stortte in een spiraal naar de palmen langs de kust.
'Allemachtig,' zei Piloski, toen hij de grote Mexicaan zag terugkomen met het rokende machinepistool nog in zijn handen. Zijn gezicht leek een donderwolk, en heel even was Piloski bang dat het wapen ook op hem gericht zou worden.
'Roep hem op,' zei Rodriguez.
Piloski aarzelde geen moment, riep de trailer op en wachtte.

'Ja?' zei de jongen. Zijn stem klonk zacht en griezelig kalm. Piloski knikte en Rodriguez greep de microfoon.
'Doe die deur open, verdomme,' zei hij.
'Ze zijn allemaal dood,' zei de jongen langzaam, met duidelijke voldoening. 'Ik ben de enige nog. Dit is mijn domein, mijn koninkrijk van de dood.'
'We komen eraan,' zei Rodriguez. 'Maak die deur open of we blazen hem op.'
'Je kunt ze niet meer tegenhouden,' zei de jongen. 'De Predators, bedoel ik. Ze zijn geprogrammeerd en het systeem is afgegrendeld. Zelfs als je de hele trailer opblaast, kun je niets meer doen.'
'O nee?' zei Rodriguez. 'Nou, dat moet dan maar.'
En hij verbrak de verbinding.
'Dat was bluf. Toch?' zei Piloski.
'Hebben we een raketwerper in het arsenaal?' vroeg Rodriguez.

109

Thomas dacht niet na. Hij keek even waar Jim tegen de grond was gegaan, griste het lichtkogelpistool van zijn riem, richtte het op de schijnwerper onder de helikopter en vuurde.
Met een dof suizend geluid en de rookpluim van een vuurpijl verliet de fakkel het pistool. Heel even gebeurde er niets, en Thomas was al bang dat hij had gemist of een blindganger had afgevuurd. Hij klopte op zijn zakken, zoekend naar nog een fakkel voor het pistool, toen de helikopter opeens oplichtte in een rood en wit schijnsel. De lichtkogel was terechtgekomen in het ruim waar de soldaat zat en de fosforescerende explosie was als een granaat. De helikopter schokte op en neer, de rotorbladen sneden door de lucht toen het toestel opzij zakte, en het volgende moment ontplofte er iets binnenin. Het licht van de fakkel werd verduisterd door een oranje flits die uitdijde tot een vuurbol. De helikopter bleef nog een moment bewegingloos in de lucht hangen, vormeloos toen een deel van de staart werd weggeslagen, en stortte toen neer.
Thomas rolde weg en probeerde zo ver mogelijk uit de buurt te komen van het wrak dat door de boomtoppen omlaagkwam. Een volgende explosie maakte het hem onmogelijk nog iets te denken of te voelen.

Hij wist niet eens of hij ongedeerd was of stervende. Maar opeens stond hij weer overeind, hees Jim op de been en schreeuwde naar Kumi om mee te komen. Ze bewoog zich snel, blijkbaar niet gewond, maar Jim was twee keer geraakt en bij het felle licht van de brandende helikopter zag Thomas zijn ogen flakkeren.
'Blijf bij me,' riep hij. 'Probeer wakker te blijven en te lopen.'
Hij verdween tussen de struiken, terwijl hij de priester met zijn schouder ondersteunde.

Ze kwamen maar langzaam vooruit en Thomas was ervan overtuigd dat alleen de chaos van de neerstortende helikopter hun achtervolgers tegenhield. Zonder het toestel zouden ze misschien tot het ochtendlicht wachten voordat ze de jacht voortzetten. En dat kwam hem heel goed uit.
Aan de rand van het bosje vonden ze een holte met wat gras. Jim strekte zich uit. Hij was nog bij bewustzijn, maar het scheelde niet veel. Een van de kogels was door zijn linkerarm gegaan, vlak boven de elleboog. De arm zou wel gebroken zijn, maar de andere kogel, die zich door zijn schouder had geboord, baarde Thomas meer zorgen. De uittreewond zat laag onder de arm en god mocht weten hoeveel schade het schot had aangericht. Jim hapte naar lucht, dus waarschijnlijk waren zijn longen geraakt. Thomas vroeg zich af of hij al op sterven lag.
Hij rende naar de duikboot en haalde de eerstehulpkist. Kumi, die altijd beter was geweest in zulke dingen, nam het van hem over, ontsmette de wonden en verbond ze om de bloeding te stelpen.
'Ik weet niet wat ik verder nog kan doen,' zei ze.
'Zo gaat het wel,' zei Jim moeizaam. 'Dank je.'
Kumi keek even naar Thomas, met tranen in haar ogen.
'Het spijt me,' zei Thomas. 'Maar ik dacht dat ik jullie daar beter vandaan kon halen...'
'Ze zouden ons toch hebben vermoord,' zei Jim. 'Dit was de beste oplossing. Dank je.'
'En nu?' vroeg Kumi.
'Hoeveel bewakers hebben ze op de *Nara* achtergelaten?' vroeg Thomas.
'Niemand,' antwoordde ze. 'De bemanning is benedendeks opgesloten en de kapitein is dood.'
Thomas zuchtte diep.
'En?' zei Kumi. 'Wat is je plan?'
'We moeten de duikboot gebruiken,' zei Thomas.

'Daar kunnen we niet alle drie in,' zei ze.
'Laat mij maar hier,' zei Jim.
'We kunnen wel allemaal mee, als iemand *erop* gaat zitten,' zei Thomas.
'Hoe bedoel je?' vroeg Kumi.
'Jim en ik gaan aan boord,' zei Thomas, terwijl hij zich schrapzette. 'Jij klimt er bovenop, en zo varen we naar de *Nara*.'
'En hoe krijg ik dan adem?' snauwde ze.
'We duiken niet dieper dan nodig is om uit het zicht te blijven, hooguit een halve meter. Je blijft dus met je hoofd boven water.'
'En waarom ben ik degene die buiten mag zitten?' wilde ze weten.
'Ik weet hoe je dat ding bestuurt,' zei Thomas, 'en Jims bloed trekt haaien aan.'
Het bleef even stil, totdat ze iemand hoorden snuiven. Het was Jim, die lachte.
'Nou,' zei hij, opeens met een duidelijk Iers accent, 'dat is een zinnetje dat je niet elke dag zult horen.'
Kumi keek van hem naar Thomas.
'Oké,' zei ze, 'maar we moeten wel opschieten. Straks wordt het licht.'
Thomas kwam overeind, maar aarzelde toen.
'Wat doen we met Parks?' vroeg hij.
Jim ademde zwaar uit. 'We kunnen hem daar zelf niet weghalen,' zei hij. 'Als het ons lukt om aan boord van de *Nara* te komen en een haven te bereiken, kunnen we de politie sturen. Zijn enige kans is dat wij hier levend vandaan komen.'
Hij liet zich weer terugzakken, doodmoe van de inspanning.
Thomas knikte. 'Kom mee,' zei hij.

110

De trailer was een rokend wrak. De raket had zich dwars door de deur geboord en was in de wagen geëxplodeerd. Hij had een gat in de tegenoverliggende wand geslagen en een deel van het dak weggerukt, alsof een dronken reus er een blikopener op had gezet. Rodriguez nam geen enkel risico en was schietend naar binnen gegaan, maar er was niemand meer in leven.
De technici waren al op hun posten doodgestoken of doodgeschoten voordat hij de raketwerper had gebruikt. Het enige slachtoffer van

deze aanval was de jongen. Zijn lichaam zat rustig op een van de bureaustoelen, wonderbaarlijk genoeg nog overeind, hoewel de explosie de helft van zijn schedel had weggeblazen. Een paar computers werkten nog, maar Rodriguez en Piloski kwamen niet voorbij de screensaver – een grijnzende doodskop – die de nerd blijkbaar had geïnstalleerd. Het grootste deel van de apparatuur was onherstelbaar beschadigd, maar ze hadden nog stroom en misschien konden ze de verbindingen weer aan de praat krijgen.

'Gaat het lukken?' vroeg Rodriguez.

Piloski maakte zijn blik van de jongen los en bestudeerde de rokende hardware.

'Je hebt wel huisgehouden,' zei hij.

'Gaat het lukken?' herhaalde Rodriguez.

'Het zal wat tijd kosten, maar ik denk het wel. De radio is reddeloos verloren, maar we kunnen de satellietschotels nog gebruiken.'

'Doe dat dan.'

Er was geen verschil in rang tussen de twee mannen en Piloski had een betere staat van dienst, maar Rodriguez had de leiding.

Het kostte Piloski een halfuur om de kabels aan te sluiten en de gegevens op zijn laptop te controleren, terwijl Rodriguez hem bijlichtte met zijn zaklantaarn en op zijn horloge keek. Geen van beiden spraken ze een woord. Toen hij klaar was, zei Piloski niet meer dan: 'Proberen maar.' Hij zette de headset op en had nog een paar minuten nodig om de frequentie te isoleren en het hoofdkwartier op te roepen.

'Oké,' zei hij toen, en hij gaf de headset aan Rodriguez. 'Ga je gang.'

Rodriguez noemde kortaf zijn naam en rang en negeerde alle vragen waarom iemand in zijn positie dit kanaal gebruikte.

'We hebben zojuist drie Predators gelanceerd,' zei hij. 'Die zullen een diep gat slaan op de verkeerde plaats als jullie ze niet zo snel mogelijk uit de lucht halen.'

Hij zei het twee keer, en het bleef een hele tijd stil aan de andere kant. De drones waren respectievelijk tweeënvijftig, zevenenzeventig en vierentachtig minuten in de lucht. Met enige haast zou een FA-18 van de marine vanaf het vliegkampschip *CV-63 Kitty Hawk*, dat op dit moment in de Filipijnse Zee lag, de tweede Predator precies twaalf minuten voor de geplande aanval op het strand kunnen onderscheppen, en de derde met gemak twaalf minuten later.

Maar het eerste toestel, dat vijfentwintig minuten voor de andere twee was gelanceerd, was al buiten bereik. Dat kregen ze nooit meer te pakken.

111

Het was nog donker, maar niet lang meer. De horizon vertoonde al een zweem van roze, en hoewel dat onder water weinig verschil maakte, wist Thomas dat ze nog maar een paar minuten hadden voordat ze vanaf de kust te zien zouden zijn. Jim hing in de stoel naast hem, half bij bewustzijn, maar zonder nog meer bloed te verliezen of zichtbaar achteruit te gaan. Kumi dreef boven hen als een zeemeermin op de rug van een dolfijn. Ze had haar jeans uitgetrokken en haar riem aan de camerarail van de duikboot vastgemaakt, zodat ze door de boot werd voortgetrokken, met haar lange, slanke benen achter zich in het water. Twee keer had ze nijdig op de koepel van de cabine gebonsd toen hij per ongeluk te diep ging, maar als de motoren het volhielden zouden ze het misschien net redden.

Thomas had de lampen uit gelaten omdat ze dicht onder de oppervlakte voeren, dus vertrouwden ze op de sonar en op Kumi, die haar hoofd net boven water had. Nu bonsde ze weer op de cabine en zwaaide met haar arm naar voren; ze zag de lichtjes van de *Nara*, recht voor hen uit. Thomas gaf zo veel gas als hij durfde, hoewel de boot pijnlijk traag bleef op volle zee, maar in elk geval kreeg hij weer hoop – hoe voorzichtig ook.

Opeens beukte Kumi op de koepel, een dringende roffel, zodat Thomas de boot naar de oppervlakte bracht. Nog voordat het water van de cabine was gestroomd maakte Kumi de vergrendeling al los, gooide het luik open en schoof opzij, zodat Thomas rechtop kon gaan staan om in het grijze ochtendlicht om zich heen te kijken. Hij wilde haar al vragen wat de bedoeling was, omdat de *Nara* nog een paar honderd meter bij hen vandaan lag, maar toen begreep hij het.

Er kwam een vliegtuig aan, laag boven het water: een watervliegtuig met Japanse onderscheidingstekens en geen spoor van bewapening. Thomas tastte achter zich, greep het lichtkogelpistool en gaf het aan Kumi, die nu – grijnzend en druipend van top tot teen – schrijlings op de duikboot zat. Ze pakte het pistool aan, richtte en vuurde. Het leek wel vuurwerk toen de fakkel hoog in de lucht explodeerde.

Het vliegtuig beschreef een cirkel en daalde als een meeuw op zoek naar vis. Thomas klom uit de cabine en omhelsde Kumi. Alles leek

vergeten in de vreugde van hun redding. Jim wist ook overeind te komen, keek naar buiten en lachte.
Het watervliegtuig landde. De drijvers veroorzaakten zo'n golfslag dat de duikboot woest op en neer deinde en Thomas zich moest vastgrijpen om niet overboord te slaan.
Het vliegtuig kwam stil te liggen tussen de duikboot en de *Nara*. Even later ging er een luik aan de zijkant open en verscheen er een gestalte, vaag zichtbaar toen de zon eindelijk boven de horizon verscheen. Er werd een touw uitgegooid dat Thomas met een geoefend gebaar om een kikker op de boeg van de onderzeeër sloeg. Even later werden ze door het watervliegtuig gesleept.
Terug naar de kust.
'Nee!' riep Thomas naar het vliegtuig, zwaaiend met zijn armen. 'Breng ons naar het schip! Het strand is niet veilig. Ik leg het later wel uit.'
Maar het vliegtuig veranderde niet van koers, en terwijl ze steeds dichter bij het eiland kwamen bevroor de lach op Kumi's gezicht en keek ze Thomas bijna wanhopig aan.
'Wat doen ze?' vroeg ze.
'Niet naar het strand!' riep Thomas weer. Ze waren al zo dichtbij dat ze het vliegtuig konden aanraken, dus was schreeuwen niet nodig. Zijn geroep klonk panisch en onbeheerst.
'Ik vrees van wel, Thomas,' zei de man in de deuropening. Hij had een krachtige stem, diep en geruststellend. Een vertrouwde stem. 'We moeten eens praten.'
Thomas boog zich naar voren en staarde naar de man toen het ochtendlicht eindelijk over zijn gezicht viel. Het was senator Zacharias Devlin.

112

Thomas stond op het strand. Opeens sloeg de vermoeidheid toe van de lange, slapeloze nacht. Hij voelde zich licht en zwaar tegelijk, suf en slaperig, maar ook zo helder en nerveus dat hij er bijna misselijk van werd. Natuurlijk kwam dat niet alleen door de uitputting, maar ook door de onwezenlijke situatie.
Kumi hield zijn hand vast, maar zonder romantiek of belofte. Jim was

in het zand gaan zitten, met zijn verwondingen in het verband. Ben Parks, die een blauw oog had van een eerdere confrontatie, stond naast hem en deed zijn best om nors te kijken. Senator Devlin, die een kwieke indruk maakte in een licht linnen pak, alsof hij niet wist wat vermoeidheid was, stond tegenover hen met de geoefende glimlach van een politicus. De piloot van het watervliegtuig stond wat afzijdig, met zijn hand boven zijn ogen en de klep van zijn pistoolholster geopend. Rod Hayes hield zich keurig op de achtergrond, als een butler, met een soort mobieltje bungelend aan zijn pols. Het was allemaal merkwaardig beleefd en Thomas moest zich verzetten tegen een gevoel van gêne, alsof de afgelopen dagen een hoofdstuk uit *Lord of the Flies* waren geweest, een droom die verdampte nu het normale leven weer zijn loop nam. Alleen was het natuurlijk geen droom. De jungle rookte nog waar de helikopter was neergestort en deze ontmoeting op het strand werd scherp gadegeslagen door soldaten, spionnen en moordenaars.
Brad, de man die ze 'Oorlog' noemden, stond rechts van hem, met een machinepistool losjes in zijn handen. De vrouw die hij ooit had ontmoet als zuster Roberta, nu onherkenbaar in shorts en een haltertopje, zat bij de half afgebrande hut een sigaret te roken terwijl ze het tafereel volgde door een spiegelende zonnebril, met een groot automatisch pistool in haar goed gemanicuurde hand. De twee overgebleven soldaten, een lenige, intelligent ogende zwarte man en een vent met een hard gezicht en een kaalgeschoren hoofd, blijkbaar de teamleider, stonden met hun rug naar de zee en hun wapens in de aanslag. Een hele tijd werd er geen woord gezegd.
De zon klom langs de hemel en langzaam kreeg de omgeving kleur. De hemel was al blauw, het zand bleekroze en de palmen stralend groen, maar de zee rond de sloep leek nog modderbruin.
'Goed,' zei Devlin eindelijk. 'Het wordt tijd om wat zaken op te helderen.'
Parks spuwde in het zand en Thomas zag dat zijn mond bloedde. Iedereen wachtte.
'Ik moet eerlijk zijn,' zei de senator, terwijl hij Thomas recht aankeek. 'Het is me niet helemaal duidelijk waarom we hier zijn. Misschien kun jij het uitleggen?'
'Ik heb gevonden waar mijn broer naar op zoek was,' zei Thomas. 'De reden waarom u hem hebt vermoord, zoals u ons nu ook zult vermoorden.'
Kumi keek hem scherp aan, en de twee soldaten wisselden een blik. Devlin glimlachte slechts en schudde zijn hoofd.

'Ed Knight was mijn vriend,' zei hij. 'We waren het niet over alles eens, maar ik had respect voor hem. Ik heb hem zeker niet vermoord.'
'O, u hebt niet de trekker overgehaald, of de granaat gegooid, of wat het ook was,' zei Thomas, 'maar u hebt hem wel degelijk gedood. U was het niet in alles met hem eens, zegt u? Is dat niet wat zwak uitgedrukt?'
'Ik dacht het niet,' zei Devlin.
'Maar u wilde hem niet in die onderwijscommissie, is het wel?' zei Thomas. 'U dacht dat hij aan uw kant zou staan, als priester en zo. Maar toen kwam u erachter wat hij werkelijk dacht...'
'Die evolutiekwestie?' zei Devlin. 'Ja, dat verbaasde me, dat geef ik toe. Ik was zelfs teleurgesteld. Daarom heb ik hem niet in de onderwijscommissie benoemd, daar heb je gelijk in. Niet zozeer om het onderwerp zelf, want dat hebben we nu achter de rug. Voorlopig, in elk geval. Maar ik wilde niet dat hij me bij andere zaken in de wielen zou rijden. Dus vonden we het allebei niet zo'n goed idee en heb ik zijn nominatie voor de commissie geschrapt.'
Parks snoof. 'Jullie zijn allemaal hetzelfde,' zei hij. 'Leugenaars en idioten.'
Een van de soldaten verstrakte en bewoog zijn wapen, maar Devlin keek even zijn kant op en de man beheerste zich.
'Dacht u dat u me tot andere gedachten kon brengen door op me in te praten?' zei Thomas, oprecht verbaasd. 'Na alles wat er is gebeurd?'
Devlin haalde zijn schouders op. 'Wat moet ik anders, Thomas?'
Hayes deed een stap naar voren en fluisterde iets in Devlins oor, terwijl hij op zijn horloge keek. Maar Devlin schudde zijn hoofd en wuifde hem weg. Hayes stapte weer terug en staarde naar de grond.
'Ik heb je al eerder gezegd,' vervolgde Devlin tegen Thomas, 'dat ik je broer niet voor een terrorist hield, en daar blijf ik bij. Ik zie jou ook niet als terrorist, maar dit is wel een merkwaardige plek voor een Amerikaans burger. Toevallig weet ik dat de CIA een geheime luchtmachtbasis heeft op nog geen driehonderd kilometer hiervandaan, die ze gebruiken voor antiterreursurveillance. Dus wat doet een leraar uit Chicago hier, zou je denken?'
'Niet alle terroristen zijn buitenlanders,' zei Parks. 'We kweken ook een aardige variëteit in ons goeie ouwe Amerika.'
'En waar vinden we die?' vroeg Devlin met een toegeeflijk lachje.
Thomas knikte naar de soldaten links en rechts van hen. 'Hier,' zei hij. 'Daar staan ze.'
'Dat zijn contraterreuragenten,' zei Devlin. 'Nietwaar?'

'Meneer! Jawel, meneer!' blafte de zwarte man.
'En die twee?' vroeg Thomas, wijzend naar de Oorlog en de vrouw.
Devlin keek Hayes aan.
'Ook contraterreuragenten,' zei Hayes. 'Maar undercover.'
'Wat een gelul,' zei Thomas, opeens geïrriteerd. 'Het zijn moordenaars, heel eenvoudig. En ze hebben me over de hele wereld achtervolgd. Hou toch op met die sprookjes. Ik ben moe en ik heb geen zin in dit gezeik. Breng ons naar onze boot of schiet ons hier maar neer.'
Weer bleef het een hele tijd stil. Devlins gezicht verstrakte, maar Thomas kon niet bepalen of de man een besluit had genomen of juist aarzelde. Pas na enkele seconden besefte hij dat Devlin langs hem heen staarde naar de zee. En toen hij weer het woord nam, sprak hij langzaam, met verbazing en schrik.
'Waarom is het water rood?' vroeg hij.
Thomas draaide zich om en zag dat hij gelijk had. De zee, die de vorige avond zo troebel was geweest voordat de zon onderging en ook die ochtend een vreemde indruk maakte, had zich roodgekleurd nu de zon op was: een helderrode kleur, een beetje roze langs de kust en meer roestbruin, als geronnen bloed, waar het water dieper werd.
Parks was overeind gesprongen.
'Ze komen aan land,' zei hij ademloos, toen het tot hem doordrong.
'Wat?' zei Devlin.
Weer stapte Hayes uit de achtergrond naar voren, fluisterde iets en tikte nog dringender op zijn horloge. Maar opnieuw wuifde Devlin hem weg.
'De vissen,' zei Thomas, terwijl hij Devlin scherp opnam. 'De vissen waar mijn broer naar zocht. Vissen met poten, net als de fossielen uit Alaska. De missing link.'
Devlin staarde hem aan. 'Heeft hij die gevonden?' zei hij.
'Dat weet je verdomd goed!' schreeuwde Parks. 'Daarom hebben jij en je rechtse vriendjes hem vermoord. Daarom willen jullie ons nu ook vermoorden.'
Devlin keek echt stomverbaasd. Zijn blik gleed voortdurend naar de mensen om hem heen, of ze nu spraken of zwegen, voordat hij weer naar het rode water staarde dat over het zand spoelde.
'Meneer,' zei Hayes, 'we moeten deze zaak aan de antiterreureenheid overlaten. Het wordt tijd om terug te gaan.'
'Nee,' zei Devlin. 'Hier klopt iets niet.'
Thomas zag de peinzende, bezorgde ogen van de grote oude man en opeens wist hij het. Toen keek hij naar Hayes en eindelijk vielen de

laatste stukjes van het mozaïek op hun plaats, waardoor het hele beeld nog één keer verschoof. Maar nu definitief.
'Jij bent het, nietwaar?' zei hij. 'Jij hebt vanaf het eerste begin aan de touwtjes getrokken. De Republikein met het trustfund. Roomser dan de paus, zei u toch, senator?'
Devlin had zich langzaam omgedraaid naar Hayes, met een aarzelende, afwachtende uitdrukking op zijn gezicht.
'Meneer,' zei Hayes, zonder op Thomas' beschuldiging te reageren, 'we moeten nu echt weg.'
'Waarom?' vroeg Thomas uitdagend en oprecht nieuwsgierig, hoewel hij een angstig vermoeden had. 'Wat gaat er dan gebeuren?'
De spanning van het moment werd gebroken door een telefoon die overging. De piloot van het watervliegtuig haalde iets tevoorschijn dat op een ouderwetse walkietalkie leek en nam op. De stem aan de andere kant bulderde en kraakte, maar Thomas kon het niet verstaan.
'Herhaal dat eens,' zei de piloot.
De stem bulderde weer en er gleed een verbijsterde uitdrukking over het gezicht van de piloot. 'Wanneer...? Dat is krankzinnig. Kun je het niet tegenhouden?'
Weer een antwoord, met veel ruis – dringend, zelfs schel.
'Wacht even,' zei de piloot. Hij liet het toestel zakken en draaide zich om naar de senator. 'Meneer, het spijt me, maar ik krijg net een melding dat de CIA een aanval zou uitvoeren op deze plek. Er is een vliegtuig met raketten onderweg, met onze huidige coördinaten als doelwit.'
'Zeg dat ze het terugroepen,' zei Devlin. Zijn verwarring maakte gedeeltelijk weer plaats voor besluitvaardigheid.
'Onmogelijk, meneer,' zei de piloot. 'Het is een onbemand vliegtuig, geprogrammeerd om ons hier aan te vallen. En het systeem is gehackt, zodat niemand het nog kan terugroepen.'
'Hoeveel zijn het er?' vroeg Hayes.
'Oorspronkelijk waren het er vier,' zei de piloot. 'Het zou een verkenningsvlucht moeten zijn, maar ze zijn geprogrammeerd om hiernaartoe te komen. Een ervan is op de grond vernietigd, twee andere zijn door een F-18 neergeschoten, maar de eerste was al te ver weg. Die kunnen ze niet meer achterhalen.'
'Laat mij maar met ze praten,' zei Hayes, terwijl hij zijn hand uitstak naar de headset. De piloot gaf hem het toestel, Hayes bracht zijn arm naar achteren en smeet het zo ver mogelijk in de rode golven.
'Wát...' begon de piloot.

Hayes keek even naar zijn eigen mobiel en toetste iets in. Terwijl iedereen toekeek trok hij een revolver uit de holster onder zijn jasje en schoot de piloot twee keer in zijn borst. De man ging als een houtblok neer.
'Rod?' hijgde Devlin. Vol afgrijzen staarde hij zijn privésecretaris aan.
Thomas deed een stap naar voren, maar de Oorlog en de vrouw kwamen al naderbij, met hun wapens in de aanslag. De twee militairen leken onzeker, zelfs in paniek.
'Meneer?' zei de teamleider, terwijl hij van Devlin naar de Oorlog keek.
'Jij werkt voor mij,' zei de Oorlog, en hij stapte naar voren met zijn machinepistool gericht. 'Pest! Hier.'
Pest? Thomas trok een wenkbrauw op.
'Wat heeft dit te betekenen?' zei Devlin, die nog steeds naar Hayes staarde. 'Wat heb je gedaan?'
'Dat zijn uw zaken niet, meneer,' zei Hayes. 'Doe wat u gezegd wordt en er zal u niets gebeuren.'
'Rod,' zei Devlin, 'wat doe je? Heeft hij gelijk?' vroeg hij, met een hoofdknik naar Thomas. 'Gaat dit om die vís?'
Hayes wierp een snelle blik naar de zee, voordat hij zachtjes antwoord gaf, met iets van droefheid in zijn stem.
'Geloof is zwak,' zei Hayes. 'Het heeft bescherming nodig.'
'Tegen de waarheid?' vroeg Devlin.
Kumi keek Thomas even aan, en hij wist dat zij zich net zo voelde als hij: buitengesloten, vergeten.
'Dat zou de mensen maar in verwarring brengen,' zei Hayes. 'En in die verwarring zouden er talloze zielen verloren gaan.'
'Maar moord? Voor een christelijke zaak?' zei Devlin ongelovig. 'Dat is toch nooit verdedigbaar. Hoe kon je dat denken?'
'Soms heiligt het doel...'
'Ben je gek geworden?' viel Devlin hem in de rede. 'Al die intriges, al dat bloedvergieten, alleen om de vraag of die Jezusvis op je bumpersticker poten had of niet? Dit is krankzinnig. Godslastering.'
'Weet u wat godslastering is? Dat wetenschappers eerder worden geloofd dan het Woord van God!' riep Hayes. Hij begon zijn beheersing te verliezen. '"In den beginne schiep God de hemel en de aarde,"' galmde hij opeens als een profeet. '"En God zeide: Dat de wateren wemelen van levende wezens, en dat het gevogelte over de aarde vliege, langs het uitspansel des hemels. En God schiep de grote zeedieren en alle krioelende levende wezens, waarvan de wateren wemelen, naar

hun aard, en allerlei gevleugeld gevogelte, naar zijn aard. En God zag *dat het goed was.* En God zegende ze en zeide: weest vruchtbaar, wordt talrijk en vult de wateren in de zeeën, en laat het gevogelte talrijk worden op de aarde. En dat was de avond en de ochtend van de vijfde dag."'
Het bleef een moment stil. De ogen van de Oorlog stonden groot en helder. De Pest keek smalend. Parks snoof minachtend. De anderen keken onzeker, ontdaan door Hayes' fanatieke overtuiging.
'Zo was het, zo is het en zo zal het altijd zijn,' besloot Hayes. 'Geen discussie, geen analyse, geen literaire kritiek, geen historische context. Dat is voor verdoolden en verdoemden. Het Woord van de Here is de Waarheid, daaraan is geen twijfel mogelijk.'
Hij glimlachte om hun verbijsterde stilte en tekende met de neus van zijn glimmend gepoetste wingtip de twee gebogen lijnen van het ikthussymbool in het zand. Iedereen keek ernaar.
'Ik ben de Zegelbreker,' zei hij, 'en dit is de enige vis waarover we hoeven te spreken.'
'Nee,' zei Devlin. Zijn aanvankelijke aarzeling was verdwenen. De situatie was hem nu duidelijk en hij had partij gekozen. 'Tot op zekere hoogte kan ik je nog beschermen, maar deze zaak moet aan het licht worden gebracht. Leg dat pistool neer, Rod. Het is afgelopen.'
Weer bleef het stil. Een beslissend moment.
'Goed,' zei Hayes. Hij knikte naar de Oorlog – onopvallend, bijna nonchalant.
Het wapen van de Oorlog kuchte twee keer en de senator stortte tegen het zand, met zijn handen tegen zijn borst geklemd.
Er daalde een ontzette stilte neer en Kumi sloeg haar handen voor haar mond, in afgrijzen en wanhoop. Hayes zag het en schudde zijn hoofd.
'Soms maken zelfs gelovigen een verkeerde keus,' verklaarde hij.
Niemand luisterde, want op dat ogenblik zwaaide de magere, zwarte militair zijn wapen de andere kant op, zodat het naar het gezicht van de Oorlog wees.
'Meneer!' brulde hij. 'Gooi uw wapen neer. Nu! Of ik moet vuren.'
De Oorlog, die zijn rokende pistool nog op de ineengezakte senator gericht hield, aarzelde.
'Edwards, ik ben je commandant,' zei de Oorlog.
'Nee, meneer, dat geloof ik niet,' zei de soldaat. 'Dit is geen antiterreuroperatie. Ik denk dat we om de tuin zijn geleid, meneer.'
'Het is jouw taak om orders op te volgen, Edwards,' zei Hayes, 'niet om ze in twijfel te trekken.'

'Ik geloof niet dat u een legale positie hebt binnen de commandostructuur, meneer,' zei Edwards, die nog steeds over zijn loop naar de Oorlog tuurde en zijn wapen zo stevig in zijn vuist klemde dat de spieren van zijn armen zich spanden en het zweet op zijn gezicht parelde. 'U bent een burger,' zei hij tegen Hayes, maar zonder de Oorlog uit het oog te verliezen, 'dus u hebt hier geen gezag.'
'Edwards?' zei de Oorlog voorzichtig. 'Laat je wapen zakken.'
'Meneer! Nee, meneer,' zei Edwards. 'Dit is geen antiterreuroperatie.' Zijn blik ging snel heen en weer van de Oorlog naar de teamleider, die in gespannen stilzwijgen had toegekeken. Wat zachter vervolgde hij: 'En wist u dat, meneer? Was u op de hoogte?'
De militair aarzelde. Zijn kille gezicht en nog killere ogen verrieden niets.
'Ja, dus,' zei Edwards. 'U zei dat het een antiterreuractie was, een geheime operatie. Dat is het niet. Het heeft niets te maken met de nationale veiligheid. Wat is het dan wel?'
'Hé,' zei de teamleider, met een scheve grijns op zijn gezicht. 'We moeten allemaal ons brood verdienen.'
Toen begon het vuurgevecht.
Thomas wierp zich tegen het zand en trok Kumi omlaag. De teamleider was de eerste die neerging, twee keer in zijn hoofd geraakt, maar toen Edwards zijn wapen richtte op de Oorlog zakte hij zelf ineen. Zijn gezicht, dat opeens veel ouder leek, verstrakte voordat hij vooroverturmelde op het strand. Achter hem had de Pest, de vrouw die Thomas kende als zuster Roberta, zich op een knie laten zakken. Het pistool rookte in haar hand. Het volgende ogenblik griste Parks het mes achter Thomas' riem vandaan en stortte zich boven op haar, brullend van woede.
De Oorlog richtte op Parks, maar Thomas schopte zijn benen onder hem vandaan. De man viel en zijn machinepistool vuurde zinloos naar de lucht. Thomas deed een wanhopige greep naar het hete metaal van het wapen en probeerde het uit zijn handen te wringen.
Tien seconden lang was Thomas zich nergens meer van bewust, behalve van een wanhopige, uitzinnige woede en de wetenschap dat hij de dood in de ogen keek toen hij op zijn rug terechtkwam, met de Oorlog boven op zich. Hij hoorde Roberta krijsen van pijn en woede. Weer werd er geschoten, en de man die zichzelf de Oorlog noemde, de man die hem vanuit Napels had achtervolgd en hem in Bari had beschoten, drukte zijn pistool over zijn keel. Hij zette kracht met twee handen en Thomas kreeg geen adem meer. De Oorlog en de

Pest. Die absurde namen – de ruiters van de Apocalyps – en de krankzinnige, ironische, opgeblazen stupiditeit van deze hele zaak vervulden hem met een plotselinge woede die zich al had opgebouwd sinds hij bericht had gekregen over de dood van zijn broer. Hij schopte, sloeg en klauwde met een dierlijke razernij, maar de Oorlog gaf geen krimp.

Thomas zag Kumi niet aankomen en de Oorlog pas op het laatste moment, vlak voor de trap. Dom genoeg draaide hij zich naar haar toe, zodat haar voet zijn neus brak, zijn hoofd naar achteren schopte en Thomas de kans gaf hem van zich af te werpen, met het machinepistool in zijn hand. Hij rolde weg, hees zich op zijn hurken en overzag de situatie.

Roberta lag op haar rug in het zand met Parks' mes rechtop in haar borst, haar ogen wijdopen maar levenloos. Parks lag over haar heen met twee kogelwonden in zijn rug. De Oorlog lag ineengedoken, met zijn handen tegen zijn gezicht. Devlin en de twee militairen waren dood en Jim was waarschijnlijk stervende. Alleen Kumi en Hayes stonden nog overeind, en hij hield zijn revolver op haar gericht. Ze had hem niet gezien...

'Stop!' brulde Thomas. 'Kumi!'

Tergend langzaam draaide ze zich om en sperde haar ogen open toen ze het zwarte oog van de loop zag, maar Hayes vuurde niet.

'Schop het pistool naar me toe,' zei hij.

Thomas gehoorzaamde. Hayes raapte het op zonder Kumi uit het oog te verliezen, met zijn wapen nog steeds op haar gericht. Een lang moment gebeurde er helemaal niets. Na het schieten, het geschreeuw en de gevechten op leven en dood leek er een vacuüm ontstaan.

'Oké,' zei Hayes. 'En nu maar rustig wachten.'

'Waarop?' vroeg Thomas, die nog zwaar stond te hijgen. Ondanks de stilte trilden zijn zenuwen door de adrenaline.

'Op de *Gramschap Gods*,' zei Hayes met een snel lachje. 'Zo heet het vliegtuig. Prachtig hoor, die technologie.'

'Wacht,' zei de Oorlog, die eindelijk opkeek met een bebloed gezicht. 'Wachten? Waarom stappen we niet in het vliegtuig om ervandoor te gaan? Laat die twee hier maar achter.'

'Toe nou, Steve.' Hayes glimlachte tegen de Oorlog. 'Je weet wel beter. Deze missie zou geen gezond einde krijgen. Dat heb je aan jezelf te wijten, omdat je hen niet te pakken kreeg voordat ze uit Japan vertrokken. Toen duidelijk werd dat we allemaal hiernaartoe moesten, wisten we ook dat niemand hier levend vandaan zou komen.'

'Steve,' zei Thomas. De onnozele alledaagsheid van die naam beviel hem wel. 'De ruiter op het rode paard heet Steve. Geweldig.'
'Dat is alles wat jij te bieden hebt, niet?' zei Hayes. 'Ironie. Relativisme. Een universum zonder ankerpunt, God of principes.'
'Principes? Zoals het wegmoffelen van de waarheid en het uitmoorden van iedereen die het niet met je eens is, bedoel je?' zei Thomas. Kumi wierp hem een waarschuwende blik toe, maar het maakte niet uit. Ze gingen er toch allemaal aan. En Thomas weigerde zwijgend te sterven. 'Wat moet dat makkelijk zijn,' zei hij, 'om altijd te denken dat je het morele gelijk aan je kant hebt. Je bent een gewone terrorist, Hayes, weet je dat? Niets meer. En zoals bij de meeste terroristen geef ik toch de voorkeur aan mijn eigen morele opvattingen.'
'Het geloof moet worden beschermd,' zei Hayes. 'Alles draait om het geloof.'
'Nee,' zei Jim, zacht en moeizaam. 'De liefde is alles. Zonder liefde ben je niets anders dan...'
'Een slaande gong of een galmende paukenslag?' zei Hayes bitter, maar geamuseerd, terwijl hij zijn wapen op de priester richtte. 'Jullie soort mensen heeft helemaal niets te bieden.' Hij keek Thomas doordringend aan. 'Jullie geloven nergens in, daarom staan jullie machteloos tegenover mensen die dat geloof wél bezitten.'
'Meneer,' zei de Oorlog dringend, 'toch kunnen we hier nog wegkomen. Ik bedoel, ik heb een vrouw, een zoon...'
Hayes richtte en vuurde één keer. De kogel boorde zich door het hoofd van de andere man, vlak boven zijn rechteroog. De Oorlog, of Brad, of – een beetje pathetisch – Steve, was al dood voordat zijn lichaam de grond raakte.
'Ik dacht dat je achter me stond,' zei Hayes tegen het lijk. 'Ik heb geen medelijden met egoïsten.'
'Je bent een kruisvaarder,' zei Jim zacht.
'Juist,' zei Hayes. 'Dat ben ik.'
'Dan lijkt me een geschiedenislesje op zijn plaats,' zei Jim met een zuur lachje. 'De kruistochten waren immers een voorbeeld van militaire barbarij, en hun doel had niets met religie te maken.'
'Weer dat verwaterde relativisme, onder het mom van christendom,' zei Hayes minachtend. 'Je bent al net zo erg als die andere priester, Knight.'
'Dank je,' zei Jim vermoeid. 'Ed leefde voor waarheid en gerechtigheid. Ik vind het een eer om met hem te worden vergeleken. Wil je ons nog vertellen over het vliegtuig dat ons allemaal naar de hel zal brengen die speciaal is gereserveerd voor vrijdenkers en relativisten?'

Hayes knipperde met zijn ogen, een beetje van zijn stuk gebracht door Jims beheersing, maar toen kwam zijn lachje weer terug.
'Zie je dit?' zei hij, en hij hield zijn linkerhand omhoog, waaraan het apparaatje bungelde dat op een mobiel leek. 'Het is een GPS-navigatiebaken, dat het onbemande vliegtuig als zijn doelwit kiest. Maar het aardige is dat het met een polsslagmonitor is verbonden. Als het vliegtuig mijn polsslag kwijtraakt, is de *Gramschap Gods* geprogrammeerd om over te schakelen naar de coördinaten van jullie boot daar. Hoeveel bemanningsleden zijn er nog aan boord? Twintig, of meer? Ik had ze allemaal te pakken kunnen krijgen als alle vier de vliegtuigen het hadden gered, maar iemand heeft zich ermee bemoeid en dus zal het enig overgebleven vliegtuig een keus moeten doen. Jammer, maar één is meer dan genoeg.'
Kumi schoof wat opzij, met neergeslagen ogen.
'Dus als ik sterf voordat de *Gramschap Gods* hier is,' vervolgde Hayes, 'betekent dat het einde voor de bemanning van de *Nara*. Het is maar theorie, natuurlijk, maar ik wilde het toch noemen voor het geval jullie nog trucs achter de hand hadden. Ik moet zeggen dat jullie knap lastig zijn geweest, maar het is prettig om te weten dat jullie eerder zullen sterven dan ik. Nou, wie wil er eerst?'
En met die woorden stak hij de revolver in zijn holster en zwaaide het machinepistool hun kant op om te vuren.

113

Thomas en Kumi kropen bij elkaar naast Jim, terwijl Hayes over het strand sloop, met zijn ogen strak op hen gericht, als een leeuw die een jonge of gewonde gazelle uit de kudde selecteerde.
'God,' fluisterde Jim.
Thomas dacht dat het een gebed was, maar Kumi greep zijn hand zo stevig vast dat hij zijn ogen opende. Het water, het onheilspellend rode water dat Thomas voor het eerst op die grafschildering in Paestum had gezien, bewoog – maar niet vanwege de golven. Er waren wezens te zien in de branding achter Hayes, en ze kwamen het land op.
Het rode tij. Ze zijn op jacht naar eten.
Instinctief deed hij een stap terug, en Kumi kwam met hem mee. Jim hees zich overeind en volgde hun voorbeeld.

'En waar gaan jullie heen?' zei Hayes, en onder zijn kilte was nu een zeker genoegen te bespeuren, de overtuiging van zijn morele rechtschapenheid. Hij zette het machinepistool op scherp en richtte.

'Jij zegt dat ik nergens in geloof,' zei Thomas opeens, en hij keek Hayes strak aan, zonder zijn blik los te laten. 'Maar dat is niet zo. Ik geloof in complexiteit en intellect, in rede en verdraagzaamheid. Ik geloof in geest en in materie, en ik geloof dat al die dingen een geschenk zijn van een God die geloof niet boven verstand wil stellen, of moralisme boven mededogen. Ik geloof, net als mijn broer, dat Gods schepping voortdurend verandert en zich ontwikkelt, volgens de wetten van een universum naar Zijn ontwerp.'

Hayes staarde hem aan, met het wapen gericht, getroffen door Thomas' woorden en zonder te merken dat ze steeds verder van hem en de branding terugweken. Toen gleed er weer een smalende uitdrukking over zijn gezicht en spande zijn vinger zich om de trekker – tot iets in hun gezicht hem deed aarzelen en hij zich half omdraaide.

Het eerste dier dat uit het water kwam was tweeënhalve meter lang en bestond voor een kwart uit kaken. Het tweede was nog groter. Het derde beest sprong op hem af.

Hayes voelde het aankomen, zwaaide het wapen naar achteren en opende het vuur, maar de dieren hadden hem al omsingeld, en tegen de tijd dat een ervan stuiptrekkend lag te sterven, had een ander al toegeslagen met zijn grote krokodillenbek. Het was een onvoorstelbaar krachtige en hooggeplaatste aanval, gesteund door de staart, waarop het beest zich verhief tot aan Hayes' borst. Het greep hem om zijn middel en smeet hem tegen het zand. Het andere dier kreeg zijn voet te pakken en sleurde hem kronkelend, schreeuwend en trappend naar het bloedrode water. Het vierde beest deed een aanval op zijn keel, en na één laatste, rochelende kreet verstomde zijn gekerm.

'Het GPS-baken!' riep Kumi.

Thomas rende naar voren en greep het pistool toen de fishapods een aanval op zijn enkels deden.

Een van de beesten had Hayes' linkerarm gegrepen. Met een geweldige zwiep van zijn gespierde staart wierp het dier zich in het water terug en draaide om zijn eigen as. De arm werd van Hayes' lijf gerukt. Een van de andere roofvissen bemoeide zich er nu ook mee en trok aan het afgerukte lichaamsdeel. De eerste aanvaller veranderde zijn houvast en zette kracht, waardoor de hand en een deel van de onderarm van de rest losscheurden. Thomas deed een greep in het kolkende rode schuim, greep het vrijgekomen GPS-baken en hinkte weg. Maar een van

de beesten draaide zich om en deed een uitval, zo hoog dat hij Thomas bij zijn schouder wist te grijpen.
Thomas rukte zich los, met het zendertje in zijn hand, en sleepte zich zijwaarts als een krab het strand weer op.
'Wat nu?' zei hij.
'Het vliegtuig gaat de *Nara* raken,' zei Kumi, 'en we kunnen ze niet waarschuwen.'
'Geef eens hier,' zei Jim, terwijl hij het GPS-baken met de polsslag-monitor van Thomas overnam. 'Hoelang denk je dat dit ding moet zijn uitgevallen voordat het vliegtuig voor het tweede doelwit kiest?'
'Onmiddellijk, zou ik denken,' zei Thomas, die nog steeds naar de wervelende massa van primitieve dieren staarde die zich met Hayes' lijk bezighielden.
'Nee,' zei Kumi. 'Een polsslag varieert. In het systeem moet een tolerantie voor onregelmatigheden en kortstondige storingen zijn ingebouwd. Hoezo?'
Jim keek op en grijnsde. Hij zwaaide met zijn hand en bevestigde het GPS-baken om zijn eigen pols.
'Zelfs als dat werkt,' zei Thomas, 'wat schieten we er dan mee op? Dan zijn *wíj* weer het doelwit, in plaats van de boot.'
'Nee, ik,' zei Jim. 'Jullie kunnen weg. Neem de sloep maar, en vaar naar de *Nara*. Nu!'
Thomas staarde hem aan. 'Dat meen je niet,' zei hij. 'Ik laat je hier niet achter.'
'Ik zou het waarschijnlijk toch niet redden,' zei Jim, met een blik op zijn verband. 'Nu heeft mijn dood nog zin.'
Thomas keek hem zwijgend aan. Om hen heen stak de wind op. De bomen voorbij het strand bogen zuchtend in de bries.
'Vergeet het maar,' zei Thomas. 'Kumi. Zeg ook eens iets... Kumi?'
Maar Kumi boog zich huilend naar Jim toe, sloeg haar armen om hem heen en hield hem vast.
'Zie je?' zei Jim tegen Thomas. 'Zij begrijpt het. Waarom ben jij altijd de laatste die het doorheeft?'
'Dit is krankzinnig!' bulderde Thomas.
'Nee,' zei Jim, 'dit is zelfopoffering. Dat is niet hetzelfde. Want de mens kent geen grotere liefde dan zijn leven te geven voor zijn vrienden. Weet je nog?'
'Nee,' zei Thomas, die zich nog altijd verzette. 'Dat is idioot. Ik laat dit niet gebeuren.'
'Zijn jullie mijn vrienden?' vroeg Jim.

Kumi snikte en drukte hem nog steviger tegen zich aan. Thomas stond een seconde doodstil en knikte toen.
‘Goed,’ zei Jim met een glimlach. ‘Gaan jullie maar. En, Thomas?’
‘Ja, Jim?’
‘Meende je wat je daarnet tegen Hayes zei, over geest en materie en mededogen? Geloof je dat echt, of was het alleen een manier om zijn aandacht van de zee af te leiden?’
Heel even stond Thomas daar, nauwelijks in staat zich te herinneren wat er zojuist gebeurd was, of wat hij zelf had gezegd.
‘Allebei,’ zei hij. ‘Geloof ik.’
Jim lachte nog eens en knikte nadenkend. ‘Dat is voor mij voldoende,’ zei hij.
Thomas stond nog steeds als aan de grond genageld. ‘Ik... Het spijt me dat ik aan je heb getwijfeld,’ zei hij, met een brok in zijn keel.
‘Twijfel hoort onverbrekelijk bij geloof,’ zei Jim. ‘Want zonder twijfel...’ Hij haalde zijn schouders op en spreidde zijn handen.
... is er niets.
‘Maar...’ probeerde Thomas nog.
‘Ga nu,’ zei Jim, wat dringender. ‘Snel. Anders is het allemaal voor niets geweest.’
Thomas stak een hand uit naar Kumi’s schouder, maar ze schudde hem af en snikte luider dan ooit.
‘Het is oké,’ fluisterde Jim in haar oor. ‘Dit is de beste manier. Helder. Begrijp je?’
En eindelijk liet ze hem los. Thomas nam haar mee, halfverblind door zijn eigen tranen toen ze over het strand naar de sloep renden.

Jim staarde hen na totdat ze de reddingssloep hadden bereikt en keek toen op het GPS-baken om zijn pols. Er knipperde een groen lichtje, dat hopelijk betekende dat de verwisseling nog niet was opgemerkt. Hij was moe en hij had pijn, maar hij kon zich nog niet bevrijden van zijn droefheid om afscheid te moeten nemen van deze wereld. Hij herinnerde zich Christus in Getsemane, wachtend op Zijn aanhouding, terwijl Hij bad: ‘Vader, laat deze beker aan mij voorbijgaan... Maar Uw wil geschiede...’
Hij keek naar het strand en de palmen in de zachte, verfrissende ochtendbries die de stem van God tot Elia had gebracht.
Er waren slechtere plekken om te sterven.
Wonderlijk genoeg had de ikthusvis die Hayes in het zand had getekend de chaos van die laatste veldslag overleefd. Jim stak een hand uit,

keek nog eens naar de dieren bij de branding, en tekende er twee stel poten onder. Hij bestudeerde het resultaat, dacht aan Ed en schetste er een kruis bij als oog.
In de verte zag hij Thomas en Kumi bij het strand vandaan roeien, ongehinderd door de vreemde wezens op het zand. Toen verhief hij zijn blik naar de horizon en ontdekte, nog halfverborgen, de nadering van een slank vliegtuig met een bolle neus en lange, fragiele vleugels. Het daalde snel. Jim volgde de koers van het toestel, denkend aan de *Nara* met zijn bemanning en de sloep met zijn vrienden. Hij hield zijn adem in en wachtte op de verandering van richting, die uitbleef. Het vliegtuig hield dezelfde lijn aan en daalde nog een eind, sierlijk als een havik, voordat het omlaagdook.
Hij ging op zijn knieën zitten, met een grimas vanwege de pijn in zijn zij, en bad de woorden van het *De Profundis*: 'Uit de diepten roep ik tot u: O Here. Here, hoor naar mijn stem. Laat uw oren gevoelig zijn voor mijn smeekbeden...'
De snelheid van het vliegtuig leek nog toe te nemen toen het dichterbij kwam en verder daalde. Opeens schoot er een lichtflits vanuit de pylonen onder de vleugels en steeg er een rookpluim achter de raketten op toen ze op hem afstormden.
'... want bij de Here is genade en volledige verlossing,' sprak Jim, met gesloten ogen, toen de raketten insloegen om hem heen.

Epiloog: De Profundis

1. Twee dagen later

Thomas keek uit over de Baai van Manilla vanuit zijn kamer aan Roxas Boulevard en wachtte op een stem aan de andere kant van de lijn. Hij was nog steeds moe, ondanks veertien uur slaap, maar wel schoon, en een groot deel van de last die op zijn schouders drukte sinds ze de *Nara* hadden bereikt was weggenomen.
'Het Druid Hills Museum. Kan ik u helpen?'
'Deborah?' zei Thomas.
'Nee, met Tonya. Wat kan ik voor u doen?'
'Ik wilde graag Miss Miller spreken,' zei Thomas. 'U spreekt met Thomas Knight. Ik bel vanaf de Amerikaanse ambassade op de Filipijnen...'
'Eén moment.'
Binnen dertig seconden had hij Deborah aan de lijn. 'Thomas?' vroeg ze.
'Ja,' zei hij.
'Ik heb het allemaal op het nieuws gezien,' zei ze. 'Wat verschrikkelijk. Ik heb geprobeerd... maar...'
'Je hebt mijn leven gered,' zei Thomas, 'en van nog veel meer mensen.'
'Als ik sneller was geweest,' zei Deborah, 'hadden we die vliegtuigen kunnen tegenhouden.'
'Maar als je er niet één had tegengehouden zou ik nu dood zijn geweest, net als de hele bemanning van de *Nara*.'
'Maar je vriend...'
'... is gestorven met waardigheid en een doel,' zei Thomas nadrukkelijk.
Ze zweeg en hij wist even niet wat hij moest zeggen.
'Er is veel belangstelling voor die vissen,' zei ze, om maar wat te zeggen. 'Niet een had het bombardement overleefd, zeiden ze, maar er zijn al wetenschappers die eisen dat de resten worden vrijgegeven.'
'Het zou ironisch zijn als ze de laatste van hun soort waren,' zei Thomas. 'Maar wie zal het zeggen? Misschien zijn er nog meer populaties in dat gebied, of ergens anders.'

'De kranten beweren dat Devlins vrouw zijn zetel zal innemen tot aan het einde van zijn termijn.'
'Ik moet haar schrijven,' zei Thomas, 'of proberen haar te bezoeken in Chicago. Haar man en ik waren het bijna nergens over eens, maar ik vind hem toch iemand van principes en integriteit. Dat had ik me graag gerealiseerd vóór zijn dood.'
'Zo is de dood nu eenmaal,' zei ze. 'Het verandert je kijk op het leven.'
Hij knikte en glimlachte, hoewel ze dat niet kon zien. Maar ze begreep het wel.
'Ze hebben Eds lichaam hier,' zei hij. 'Nou ja, zijn botten, eigenlijk, maar toch ben ik er blij om.'
'Wanneer kom je terug naar Amerika?' vroeg ze.
'Gauw. Ik moet nog een paar dingen regelen voordat ik vertrek.'
'Ik hoorde dat je school je weer in dienst wil nemen,' zei Deborah. 'Je bent een hele held.'
'Nou,' zei Thomas, 'dat zien we nog wel. Ik heb een grote gave om van mijn voetstuk te vallen. Maar ik weet het niet...' Zijn glimlach verbleekte. Heel even kwam het beeld van Jim op het strand weer bij hem boven. 'Misschien dat het deze keer anders gaat.' Hij dronk zijn glas Bushmills leeg, genoot ervan, maar schonk zich geen tweede in.

2. Een week later

Tetsuya Matsuhashi plakte het pakje dicht en gaf het aan de douanebeambte, die glimlachte en knikte op die verheugde en verlegen manier die hem vertelde dat zijn status als beroemdheid nog niet helemaal was verbleekt. Hij nam de trein naar Tokyo en overwoog vaag om Watanabe nog te bezoeken voor zijn proces. Maar wat moest hij zeggen tegen zijn voormalige mentor? Hij las nog eens Thomas' brief, waarin hij hem bedankte omdat hij de satellietgegevens aan Deborah had gezonden en de Amerikaanse en Japanse autoriteiten had geholpen toen ze bijna over elkaar heen struikelden in hun haast om te ontdekken wat er in vredesnaam was gebeurd. En natuurlijk omdat hij zijn sensei had getrotseerd, wat hem zijn carrière had kunnen kosten.
Thomas wenste hem sterkte bij de komende verdediging van zijn proefschrift, maar de kans leek niet groot dat zijn universiteit hem een strobreed in de weg zou leggen, zelfs als ze sceptisch stonden tegenover zijn werk. Er lagen grootse dingen voor hem in het verschiet. Hij hoefde alleen nog te tonen dat hij ze waard was. Dat was geen geringe druk, maar in het kielzog van de kwestie Watanabe had hij veel over

zichzelf geleerd, en op een heel rustige manier voelde hij zich zekerder dan ooit. Matsuhashi vond eigenlijk dat hij Thomas dankbaar moest zijn, in plaats van andersom.
Moest hij soms dát aan Watanabe vertellen? Misschien zou zijn vroegere leermeester het begrijpen en er wellicht zelfs respect voor hebben. Matsuhashi staarde uit het raam naar de regen en glimlachte – naar zijn gevoel voor het eerst in heel lange tijd.

3. Twee weken later

Het was koel in de Fontanelle, en ondanks het schemerduister waren er luchtschachten – net als de koker waardoor Thomas was binnengekomen die nacht, lang geleden – waardoor een groen, stoffig licht zacht door de gangen met stapels beenderen viel.
'Hier?' vroeg pater Giovanni.
Thomas knikte en zette het kistje op de stenen vloer. Het was die ochtend uit Japan gekomen, dichtgeplakt met meters officieel plakband. Voorzichtig, eerbiedig zelfs, maakte hij het open en richtte zich toen op om de inhoud te onthullen. Giovanni stak een kaars aan en zette die op het lage platform, terwijl Thomas de schedels uit het kistje haalde en zorgvuldig op de stapel legde.
'Zijn dit ze allemaal?' vroeg Giovanni.
'Alles wat we konden vinden,' zei Thomas. 'Dit zijn de oudste, die Watanabe in de tombe had begraven. Deze andere zijn recenter; die kon hij niet gebruiken.'
Er was nog één schedel over in het kistje. In verhouding leek hij helder, schoon en nieuw.
Giovanni keek ernaar. 'Weet je zeker dat je dit wilt doen?' vroeg hij.
'Nee,' antwoordde Thomas naar waarheid. 'Maar ik denk dat Ed dit zou hebben gewild.'
De twee mannen keken in stilte naar de schedel.
'Vroeger was ik bang voor deze plek,' zei Giovanni. 'Ik vond het morbide, afschuwwekkend. Maar toen ik hier voor het eerst weer kwam na Pietro's dood voelde het alleen maar droevig. En na een tijdje... Ik weet het niet. Ik kreeg het gevoel dat de doden hier als familie waren, dat ik me om ze moest bekommeren zoals om een oude tante die ik niet goed kende maar die te ziek was om voor zichzelf te zorgen. Is dat gek?'
'Dat zal wel,' zei Thomas met een glimlach, 'maar ik geloof dat ik het begrijp.'

'Hoe dan ook,' zei Giovanni, 'nu ben ik hier niet meer bang of droevig. Het heeft een zekere zuiverheid of helderheid. Het houdt dingen binnen de... wat? De juiste afmetingen?'
'In perspectief,' zei Thomas. 'Ja.'
'Je vindt het niet erg dat Eduardo geen grafsteen zal krijgen?'
'Jawel, maar hij heeft het grootste deel van zijn leven onder de armen gewerkt, mensen van wie niemand zich de namen herinnert. Ik denk dat hij het liefst bij hen zou liggen in de dood.'
'Bovendien is hij dit niet zelf,' zei Giovanni, 'maar zijn het de resten van zijn aardse lichaam. Eduardo is allang weg.'
'Ja,' zei Thomas. Hij voelde zijn ogen prikken bij die gedachte, en de gedachte aan Jim, zijn vriend, die zijn leven voor Thomas had gegeven. Een goede vent, herinnerde hij zich de woorden die Jim over Ed gesproken had.
Ja. Zij allebei.
'Ben je klaar?' vroeg Giovanni.
Thomas probeerde iets te zeggen, maar de woorden wilden niet komen. Kumi stapte naar voren en pakte zijn hand. 'Ja,' zei ze voor hen allebei.
Toen sloeg Giovanni een kruisje, en met de woorden van de Italiaanse mis die hij zo goed kende en die hem zo dierbaar waren begon hij de rouwdienst voor Ed, Jim, senator Zacharias Devlin, Ben Parks, zelfs voor Hayes, voor de verwarde zielen die hem hadden gevolgd en voor de naamloze doden om hen heen.

Nawoord en dankbetuiging

Dit boek is uiteraard fictie, hoewel bepaalde elementen in het verhaal op feiten zijn gebaseerd. Het leek me voor lezers wel interessant om te weten wat sommige van die elementen zijn.

De vis die de kern vormt van het verhaal is mijn eigen bedenksel, maar het 'levende fossiel', de coelacant, en de bijzonderheden over de recent ontdekte *Tiktaalik roseae* zijn zo veel mogelijk correct. Ik dank Peter Forey (vroeger werkzaam bij het Natural History Museum, Londen) en Susan Jewett (van het Smithsonian Institution) en zeg erbij dat de veelbesproken 'Florida-schub' die in 1949 aan het Smithsonian zou zijn toegezonden bijna zeker een mythe is. Zilveren votiefvisjes zoals in dit boek beschreven bestaan inderdaad en hun oorsprong is nog onderwerp van discussie.

De locaties waar het verhaal zich afspeelt en de bijbehorende oude vondsten zijn allemaal juist, met enkele kleine uitzonderingen. Pompeii bezit inderdaad een 'magisch vierkant' van betwist belang, en in het Huis van het Bicentenarium in Herculaneum bevindt zich een schaduw'crucifix' op de muur van een bovenkamer. Er is nooit een kruis ontdekt dat bij die omtrekken past en de meeste archeologen van het vroegchristelijke tijdperk zijn het met Deborah eens dat het crucifix pas veel later een belangrijk element van het christendom werd. De merkwaardige vissenafbeeldingen die in de oude centra worden aangetroffen bestaan inderdaad (en sommige zijn op mijn website te zien), hoewel de gedachte dat ze naar een tot nu toe onbekende diersoort verwijzen slechts uit mijn eigen fantasie voortkomt. De beschrijving van Paestum is accuraat, behalve het tweede duikersgraf, dat ik zelf heb bedacht.

De Fontanelle-begraafplaats bestaat, en hoewel hij op dit moment voor het publiek gesloten is, zijn er plannen om hem binnenkort open te stellen. Ik dank vooral Claudio Savarese en Fulvio Salvi van Napels Ondergronds voor hun rondleiding tijdens een recent bezoek, en Larry Ray voor het beantwoorden van mijn vragen. Ik zal foto's van de Fontanelle en andere locaties op mijn website zetten. De legende van de Kapitein is een van de Fontanelle-mythen, evenals het geloof dat de maffia hier zou vergaderen. Ook de legende van de krokodil in

de gangen onder het Castello Nuovo is authentiek, hoewel zulke verhalen op veel plaatsen voorkomen.
Ik heb een paar jaar in Japan gewoond en ben er daarna nog regelmatig teruggekomen. Veel gegevens waarop ik de betreffende delen van het boek heb gebaseerd komen uit mijn herinnering, hoewel ik Masako Osako wil danken voor haar bereidwilligheid om me te helpen met de juiste feiten waar ik die was vergeten of me vergiste.
Ik dank C. Loring Brace van het Museum of Anthropology van de Universiteit van Michigan voor zijn advies over de datering en raciale classificatie van botten; Janet Levy van de Universiteit van North Carolina in Charlotte voor haar informatie over het archeologische belang van stuifmeel; en C.T. Keally voor allerlei hulp met betrekking tot de Japanse archeologie, recente schandalen en hoe ik er zelf een zou kunnen bedenken. Dank ook aan mijn broer Chris voor zijn hulp in kwesties van satellietopnamen.
Mijn katholieke gevoel komt grotendeels voort uit mijn eigen ervaring, hoewel ik me ook gelukkig prijs dat ik bij de voorbereidingen van het boek openhartig met enkele priesters kon spreken. Mijn dank gaat vooral naar mijn oude vriend pater Edward Gannon en naar de eerwaarde Philip Shano, S.J. Een andere oude vriend, Jonathan Mulrooney, bracht me in contact met het bijzondere werk van pater Teilhard de Chardin, waarvoor ik hem bijzonder erkentelijk ben.
Ik zal foto's, links en andere informatie over deze onderwerpen op mijn website (www.ajhartley.net) plaatsen. Via de site ben ik ook bereikbaar voor lezers met vragen of opmerkingen.
Zoals altijd krijgt een boek als dit veel inbreng tijdens het ontstaan. Ik dank vooral degenen die de eerste versies hebben gezien en me hebben geholpen het boek te maken tot wat het geworden is, met name mijn vrouw Finie; mijn ouders, Frank en Annette; mijn broer Chris; en mijn vrienden Edward Hurst, Ruth Morse en Bob Croghan. Bijzondere dank aan mijn agent, Stacey Glick, en mijn redacteur, Natalee Rosenstein. Zonder hen zou het allemaal niet mogelijk zijn geweest.

– A.J. Hartley, november 2006

Lees ook van Karakter Uitgevers B.V.

A. J. HARTLEY

Het Masker van Atreus

In een klein museum in Atlanta wordt het ontzielde lichaam van de directeur gevonden. Het ligt verborgen in een geheime kamer in het museum, omringd door een adembenemende collectie van Oudgriekse antiquiteiten – een verloren gewaande schat die ooit door de nazi's werd gestolen...

Al snel blijkt dat één voorwerp uit de verzameling is verdwenen: een Myceens dodenmasker van onschatbare waarde. En naarmate de tijd verstrijkt gaat het er zelfs op lijken dat tegelijk met het masker het gebeente van een legendarische held is gestolen, van wie men tot nu toe aannam dat die alleen in oude mythes bestond.

Door deze diefstal raakt museumcurator Deborah Miller verstrikt in een afschrikwekkend web van moord, mysterie en genadeloze wraakacties van degenen wier oude droom van glorie nog steeds springlevend is...

'Dit is precies de archeologische thriller die ik graag lees – vanaf de pakkende opening in de nadagen van de Tweede Wereldoorlog tot het explosieve einde. Een boek dat je zal meeslepen op zijn supersnelle en onberekenbare stromingen.' – Douglas Preston, auteur van *De codex*

Auteur A.J. Hartley studeerde Egyptologie en nam deel aan archeologische opgravingen in het Midden-Oosten. Zie ook zijn website www.ajhartley.net

ISBN 978 90 6112 046 9

Lees ook van Karakter Uitgevers B.V.

PHILIPP VANDENBERG

Het Sixtijnse geheim

Een merkwaardige ontdekking bij de restauratie van de Sixtijnse kapel verontrust de gemoederen: een aantal afbeeldingen is van lettercodes voorzien, waarvan in eerste instantie de betekenis onduidelijk is. Maar al gauw lijken ze te verwijzen naar een oeroude samenzwering, die zijn schaduw zelfs nog over het heden werpt.

Tijdens zijn speurtocht naar een verklaring stuit kardinaal Jellinek in de geheime archieven van het Vaticaan op een document met een vernietigend geheim dat de leer van de katholieke kerk op zijn grondvesten doet trillen. Hebben we hier te maken met een late wraakoefening van Michelangelo ten opzichte van Gods vertegenwoordiger op aarde?

ISBN 978 90 6112 363 7

PHILIPP VANDENBERG

De vloek van de farao's

In *De vloek van de farao's* volgt Philipp Vandenberg nauwkeurig de loop van de gebeurtenissen bij de opening van het graf van Toetanchamon. Is er in de reeks rampzalig voorvallen in verband met het opgraven van de mummies sprake van toeval of niet? Wat voor ingenieuze vondsten hebben de Egyptenaren toegepast om grafschenners afdoende te straffen en ze met rampspoed en onheil te straffen? Vandenberg schreef het verhaal in eerste instantie als reportage voor de krant, maar het materiaal dat hij verzamelde was zo baanbrekend en interessant, dat hij besloot het in boekvorm uit te geven.

ISBN 978 90 6112 067 4

Lees ook van Karakter Uitgevers B.V.

LYNN SHOLES & JOE MOORE

Het Graal-complot

Tijdens archeologische opgravingen in de woestijn van Irak is de jonge reporter Cotten Stone toevallige getuige van een vreselijk drama. Tot haar verbijstering ziet zij in een eeuwenoude crypte de gerenommeerde archeoloog dr. Gabriel Archer in gevecht met een Arabische man om een klein houten kistje.

ISBN 978 90 6112 175 6

LYNN SHOLES & JOE MOORE

Het laatste geheim

Sterreporter Cotten Stone is op het toppunt van haar roem als het noodlot toeslaat en zij haar toppositie als correspondent voor NBC onmiddellijk moet opgeven. En ook haar zelfvertrouwen raakt Cotten hierdoor volledig kwijt...
Maar een jaar later doet ze een opzienbarende ontdekking: in Zuid-Amerika graaft zij een eeuwenoud voorwerp van kristal op, waarop in geheimzinnig schrift de Zondvloed wordt voorspeld, en ook nog een andere ramp die de mensheid zal overkomen. En de enige die deze ramp zal kunnen voorkomen, is de dochter van een engel...

ISBN 978 90 6112 136 7

LYNN SHOLES & JOE MOORE

Het Hades-project

De Heilige Speer: gesmeed door een directe nakomeling van Adam, gebruikt om Christus' zijde te doorboren bij de kruisiging en in bezit geweest van de meest machtige mannen uit de wereldgeschiedenis – Constantijn de Grote, Atilla de Hun, Adolf Hitler.
En nu is dit machtige object in verkeerde handen gevallen en willen de krachten van het kwaad de mensheid ermee op de knieën dwingen...

ISBN 978 90 6112 175 6